# 穩固根基

## 神創造天地　至　基督降臨

麥奇宏 原著
**Trevor McIlwain**

歐鳳仙 合著
Nancy Everson

中文翻譯：聖路易中華福音教會

英文原著：新族宣教使團
**New Tribes Mission, Sanford FL 32771-1487 USA**

1993年六月 第四次印刷　於墨西哥

中文翻譯：聖路易中華福音教會
本教會擁有本書中文繁體字及簡體字翻譯權。
歡迎合作印刷及推廣本書，請與本教會聯絡：

St. Louis Chinese Gospel Church
515 Meramec Station Road
St. Louis, MO 63021
U.S.A.

# 獻　辭

謹以感謝之心將本書誠獻與我 主耶穌基督及祂的教會，禱告深信祂必會用祂的話語：

帶領男女老幼到祂面前；

建造信徒，堅固教會；

興起教師，教導學生；學生繼而教導他人，以至眾人皆
**"認識你爲獨一的 眞神，並且認識你所差來的耶穌基督"**
（約翰福音十七章三節）

# 致教師的重要信息

若要有效地運用本書中各課文，請你在未研讀或教授學習課程前，熟讀第一、第二部份。

# 代課老師

請讀第七十二頁的摘要。

若時間許可，請研讀本書第一、第二部份。

# 牧師及主日學校長

請讀第七十二頁的摘要。

即使應用此書材料的不是你本人，請讀本書第一、第二部份，裏面會解釋此書的教學理論基礎。

# 穩固根基

## 採自麥奇宏所著

## 穩固根基的建造系列

麥奇宏(Trevor McIlwain)所作〝穩固根基的建造系列〞的原文，主要是爲了在部落中建立教會的宣教士而寫的；但在現代社會各類人群中，出現了對立根基式，及按照年日次序教學的需求。因此，這些原有的宣教課程已改編爲〝穩固根基— 神創造天地至基督降臨〞。

本書的第一部份與〝穩固根基的建造系列〞第一卷大致相同。

第二部份〝如何運用這研經課文〞是由原著第二卷的開始部份改編而成。這些改變主要考慮到下列不同的情形；好像學生已自備聖經，不同的教學環境—家庭或教會，不同的教導對象：大小不同的團體，已信者，未信者或混合團體。

第三部份的課程是採自對部落施教的原文第二、第三卷，即原文編年教材的第一期（本書的第一期是指宣教期）。改編時所作的變動，經多方考慮，是期望教師們有足夠的準備，以應付學生們對聖經認識深淺不一的程度。

〝穩固根基的建造系列〞的原文仍由新族宣教使團出版：New Tribe Mission, Sanford, FL 32771 請見該系列第七十頁的詳細說明。

# 目　錄

道謝 VIII
前言 IX

**第一部份：穩固根基－有計劃的建造 1**

神的建造計劃 3
檢查根基 7
未準備好接受福音的人 17
福音的根基 23
神的建造原則 31
依循歷史年日的先後次序來傳福音 39
教導信徒的正確根基 49

**第二部份：如何應用這研經課程 61**

實際的問題與答案 65
特別注意項目 72
教師必讀 73
關於課程的特別指示 85

**第三部份：課程 91**

課程第一至第五十課 97 - 582

# 譯者序

「穩固根基」一書的中文翻譯工作始於一九九三年，當時本教會支持的宣教士艾華思 (Phil Edwards)弟兄從台灣山地來信，說明他打算講授此書，介紹給當地教會牧師及領袖，故懇請本會替他節譯。聖路易中華福音教會取得版權後，經本教會及其他弟兄姊妹鼎力合作，將書中最重要的第三部份〔共五十課程〕，并第二部份的「教師必讀」如期完成，寄往台灣，以濟講習班之需。

其後出版社新族宣教使團〔 New Tribes Mission 〕邀請本會，將全書翻譯成中文。由於第一次翻譯工作經前後十多位弟兄姊妹動筆，故水準參差，文筆有別；有見及此，本教會宣教委員會經商討後，決定統一重譯，商榷得何頌光弟兄、平何孟娥姊妹、及香港梁慕玲姊妹，將本書從頭翻譯一遍，用電腦編排格式及繪圖，并由嚴彭詠樂統籌編輯校對，以期於一九九六年底完成初版。初版完工之後，又適逢周同培牧師前來本教會短期牧養，因而恭請將全文校讀，作最後潤飾，特此致謝。

本翻譯本出版前，曾數度作試點講授，發現效果良佳，反應熱烈。實因本書內容根據時序，從上主創世至基督升天的整個救恩藍圖詳細序列，聖經眞理深入淺出，中心義理清晰鋪陳，極爲適合慕道或初信者。

本會同寅經數年努力合作，以致此中譯本得以面世，更深慶不少海內外基督徒幫忙鼓勵、代禱支持；惟因人數眾多，不能一一致謝。唯願天父使用此書，以致福音光照國人，榮歸上主。

聖路易中華福音教會
宣教委員會謹記
一九九六年十二月

# 前　言

在你手中是一本精密設計的聖經課文。本書應用的探討方法相當別緻。這五十課課文中每一篇是全書的一部份，都經個別琢磨，自舊約到新約聯串一起，成爲一幅美麗而錯綜的細圖，顯示神自創世記到福音記載耶穌升天精密的拯救計劃。

自創世記中 神創造的神蹟開始，續由聖經中選文的敘述，本課程啓示了聖經的基本主題。這些主題藉聖靈明示了神聖無比的福音邏輯— 神拯救世人的計劃。在遠古 神已奠基的計劃下，福音得以有能力的呈現出來。

本課程的設計妥善，教導的方法幾經試驗，適宜各種文化背景，及以其他的語言施教。麥奇宏的原文材料已被多國宣教團體、牧師、教師及平信徒廣泛採用。

聖經的基礎既已明確定準及說明，必將成爲各基督徒今後生活及事奉的基礎。

新族宣教使團
Richard D. Sollis

# 第一部份

# 穩固根基

## 有計劃的建造

## 第一部份

## 穩固根基——有計劃的建造


神的建造計劃 3

檢查根基 7

未準備好接受福音的人 17

福音的根基 23

神的建造原則 31

依循歷史年日的先後次序來傳福音 39

教導信徒的正確根基 49

## 大建築師的計劃

牆在震耳欲聾的聲音中崩塌，木板碎裂，屋頂被扯歪之後也變成破片掉下來。一層一層的樓板倒下來撞得粉碎，奪去了住戶的性命。轉眼在數秒之間，這幢高樓公寓就成了一堆瓦礫。

這種慘劇怎麼會發生呢？這幢建築物看起來很堅固，但爲何突然倒塌？

很多基督徒並不在乎神建造教會的計劃

事後的調查顯示，當初建造的人沒有按照適當的建築條例及計劃進行工程。他以住戶的生命和安全換得了金錢，在建築過程的每一環節中偷工減料。

地基塡灌水泥的深度不夠，該放的鋼架也沒有全放，因此地基承擔不起這幢建築物的高度及重量，牆壁和地板裡的鋼筋太少，沒辦法支撐整幢公寓。

建造的人沒有照著交給他的指示去進行工程。他偏行己意，因爲這樣做較快，較容易，而且使他利潤豐厚。

結果呢？是悲痛！毀滅！死亡！

世界各地有許多基督徒也正如這位施工的人一般，他們不在乎 神建造教會的計劃，並忽視祂的指示及規定。

在實際的群體及個人佈道，或教導神的話語上，往往沒有依循 神在聖經中頒佈的計劃去進行。不少參與建造教會的人滿心想按照自己的計劃及心意去行，完全不顧是否符合 神所指示的方向，也不管自己所建造的，將來是否通得過 神的檢查。

神是教會的建造者（太十六18）。但是祂也選召地上屬祂的兒女與祂一起同工（林前三９）基督徒建造教會，有如建築商承包工程，建築商如何一絲不苟地忠於屋主的藍圖，我們也要一絲不苟地忠於神建造教會的計劃。

神是萬物的眞正創造者。「*因爲房屋都必有人建造，但建造萬物的就是神。*」（來三４） 神按照祂永恆的計劃建造萬物，祂不會改變，祂不採用人的想法，也不會跟隨時代的潮流。在人所謂的「時間」內，祂已定下計劃，祂不容許任何細節有所改變。祂的工作一向基礎穩固，建造得極爲謹愼、有耐性，而且精確無比。祂不願走捷徑，也不會用質差的材料，或採用違背祂神聖和完美的途徑。

聖經中有關 神建造工作的記載首見於祂創造天地之時。「*諸天藉耶和華的命而造；萬象藉祂口中的氣而成。因爲祂說有就有，命立就立。*」（詩卅三6、9） 神是一切可見及不可見之物的創造主。進化論是撒但的謊言，很多愚昧和不信 神的人都接受此一學說，但它卻違背了 神的本性和性格。在 神，沒有任何事物可以偶然產生，祂自始至終都掌管一切被造之物。 神按照祂完美的計劃創造萬物，並宣告一切被造之物也是美好的。（創一31）

我們以後將在聖經中讀到 神命令挪亞建造方舟，但 神在發出命令以後，並沒有讓挪亞一人獨自計劃此項工程。

神非常精確的告訴挪亞該做甚麼；挪亞是 神忠心的工人，他照著 神的吩咐進行所有的工程。（創六22）

當 神揀選以色列人，決定住在他們中間時，祂吩咐摩西建造會幕。摩西要如何建造會幕？「…*神說，你要謹慎作各樣的物件，都要按著在山上指示你的樣式*。」（來八５）從會幕豎板的銀座到海狗皮做的罩棚，每項細節都必須精確地建造，必須完全合乎神在西乃山曉喻摩西的模式。聖經明確地告訴我們，摩西忠於 神的託付（來三2），在所有的記載中，摩西只有一次沒有謹慎地遵行 神的命令。 神要他吩咐磐石出水，他卻以杖擊打磐石，以致 神不准許他進入應許之地（民二十7-12）。由此可見，凡事按主的吩咐而行是多麼的重要！

神藉祂話語的能力去創造天地，挪亞和摩西服從 神的話去從事所有的工作，神今天仍是透過祂的話語去建造教會。「*那吩咐光從黑暗裡照出來的 神，已經照在我們心裡，叫我們得知 神榮耀的光顯在耶穌基督的面上。*」（林後四6）

神獨力創造了宇宙，祂沒有叫天使或人類參與祂的創造工程。但祂如何吩咐人類建造方舟和會幕，也照樣地委託了祂的兒女去履行建造教會的偉大工程。「…*我們有這寶貝放在瓦器裡*…」（林後四７）「…*我們作基督的使者*…」（林後五20）「…*直到地極作我的見證。*」（徒一８） 神的意思是透過教會的成員來教導祂的話語，以達成建造教會的工程。

假如方舟和會幕也須要絲毫不差地按照神的計劃而建造，那麼建造教會不也應該如此嗎？基督的新婦當然比方舟和會幕更重要，方舟只作一時之用，會幕後來也被聖殿所取代，但教會必持續到永恆。因此，「*若有人毀壞 神的殿， 神必要毀壞那人，因為神的殿是聖的，這殿就是你們。*」（林前三17）

每一個人的工程都與教會的建造有關，將來也都會被火試驗， 神是我們的主人和同工，將來祂會仔細察看我們的工程。「*因為我們是與 神同工...*」,所以必須有智慧，隨時小心，注意我們是否按照 神的指示行事。（林前三9-23）

保羅曾提到他自己像一個聰明的工頭（林前三10）他以福音為根基，在其上建立哥林多人的信仰及盼望。他警告哥林多教會的聖經教師，要他們在他已立好的根基上謹慎建造。

保羅用甚麼標準來衡量自己的建造方法及結果？他為甚麼能說自己是聰明的工頭？後代的建造者如何確定自己方向無誤，工程結果能得 神的許可？ 神是否只告訴我們該教導什麼？或祂也告訴我們教導的方法？當別人在我們立下的根基上建立信仰時，我們如何能確定他們能安全地進入天國，並在試驗的日子中站立得穩？我們有何憑據去確認我們已將 神一切的吩咐都教導了神的兒女？我們可以按照甚麼標準去確知工程已按照神的計劃完成？開拓教會的人根據甚麼來確定他們已做了該做的事？這些問題抓住了我的心思，因為我在菲律賓的一個小島上當宣教士，我在立下福音基礎和建立弟兄姊妹信仰之時，必須思想這些問題，但要到多年以後，我才明白這些問題的答案。為甚麼我要過了這麼長的年日才得著答案？因為我的腦子充滿了傳統的教導聖經方法，待我專注於 神的話語時，我才得到解答。

神後來聽了我的禱告，也從整本聖經中向我啓示祂教導人的原則， 神為我預備了許多機會，使我能與其他尋求的人一同分享。一九八零年，我在菲律賓的一次宣教講習會中授課，這些教導聖經的原則,叫許多宣教士感到興奮，抓住了他們的心，因為他們原先也和我以前一樣，在傳福音及植堂的許多問題上掙扎。後來，這些宣教士返回了他們的工作崗位，又重新地充滿了熱誠，因爲他們在教導的事工上得到了更清晰的指引和更精確的目標。

類似的講習會也曾在玻利維亞、印尼、巴布紐幾內亞、塞內加爾、泰國及美國舉行。這些講習會以傳福音爲主要內容，後來當這些宣教士返回了工場，按照聖經指示的綱領去傳福音時，立刻產生果效，而且效果持續久遠。故此，若要爲他們的信仰立下穩固的根基，就要按事件的先後順序將聖經從創世記至基督升天去教導信徒。許多部落土著因此清楚地認識了神的本質、個性、自己的罪性、無助、絕望及基督藉著代死、被埋、復活所成就的全備救恩。他們對 神救贖計劃的了解及本身對信仰的確據，遠超過那些比他們早接受基督教的人。此外，按事件的先後順序來教導聖經的方法，也使得許多誠心的部落土著領悟到，原先他們宣稱自己是基督徒，實際上是誤解了一些宣教士的信息，他們現在才眞正知道自己信的是甚麼。

**即使一個從不缺課的主日學學生，也不可能在畢業的時候對聖經有全面的認識。**

宣教士坎奈和惠克首先帶來了滿載祝福的報告。他們在巴布紐幾內亞島塞比克區內的畢索利原始土著身上採用了這種聖經教導法，畢索利土著因爲清楚了解聖經的信息而反應良好。他們不是盲目相信，也不是單靠別人口中的話，他們的信仰乃是植根於對 神、對聖經及對救贖歷史全面而清楚的認識。

我們有沒有一套最清楚、最簡單、最完整的教導聖經方法，可以使人接受福音，使他們明白 神救贖之道呢？我們該如何教導 神的兒女，建立他們的信仰，並引導他們認識神的全面計劃？這些問題對我們極爲重要，不管我們是神學院教授、是牧師、是宣教士、是查經班教師、是主日學老師、是青年工作者或是期望兒女研讀聖經的父母。

基督和福音是 神爲罪人所定信心的基礎（林前三11、五1至2）但基督徒卻常弄錯基礎及正確的福音宣講方法。

任何建築工程的第一步都是預備地基。但大部份時候，我們傳福音都沒有從基礎做起。因此，許多人「誤信」，還有一些初信的基督徒不確定自己信仰的根據是甚麼。

在基督教教育中另一項明顯的錯誤，就是沒有把聖經看作一部前後連貫的書去教導，沒有注意 神的話是漸進的默示。我們雖然有自己精心設計的教學大綱，但卻很少停下來想想：聖經已爲我們預備了本身的教學綱要，只要我們照著去做，便可以使我們對 神的話有清晰及全面的認識。

我們一般把聖經看成一個寶盒，裡面放滿了美麗和珍貴的寶石。我們認爲這些寶石尚未琢磨成形，因此我們的責任就是把它們以某種形式來排好，使他們看起來更漂亮，也讓更多人可以一起欣賞。當我們認識了聖經的價値以後，就以爲 神沒有給我們甚麼固定的教學大綱來教導整本聖經，一旦有了這推論後，我們便開始把聖經排成我們自以爲完整和簡明的大綱，這是很多聖經教師的基本錯誤，我們花了太多時間去發展聖經教導法的理論，卻忽略了依照聖經原來寫成的順序去教導信徒。

大部份的基督教教育只著重於經文中的個別教訓，忽略了聖經是 神完整而連貫的啓示，於是引起了異端、誤解、過份強調部份經文及某些教派的特殊主張等，其中大部份的起因也可以追朔到缺乏順序式及全景式的教導聖經方式。許多信徒多年在教會中聆聽主題式及教義式的講道後，仍不了解聖經是一部完整的書，原因是講道的經節往往只是獨立的經文，沒有一定的次序。一些常被重覆的經節及教義便成了眾所周知，但一些具有歷史架構的經文卻鮮爲人知。

大部份的主日學也出現類似的現象，小孩子往往沒有順序地學習聖經故事，而神的話卻有大部份未能向他們教導。即使一個從不缺課的主日學生也不可能在畢業之時對聖經有全面的認識。

海外宣教士在教導毫無聖經知識的人時，很少更動他們在家鄉教導聖經的方法，就是教導舊約背景及福音基礎的時間不足。令人惋惜的就是這往往導致異教思想與基督教信仰的混淆，許多人自認是基督徒，卻不明白福音，也不了解聖經的整體性。許多宣教士因爲急於向原始土著傳福音而認爲不必浪費時間教導太多舊約的歷史背景。然而，舊約中有關歷史的部份十分重要，因爲它們正是了解基督道成肉身、代死、埋葬及復活的基礎，正確地教導舊約聖經，可以預備罪人的心，以悔改及信心去接受福音。

以下的篇章記錄了我曾遭受的挫折、我的尋求及發現 神教導原則時的喜悅，神所啓示的教導方法清楚而簡明，卻是教育未信者及信徒的最完整方法。

這是我的經驗，但更重要的是我們必須以 神的話爲眞理的基礎。我將會致力說明聖經乃是 神在人類歷史中漸進的啓示，因此，在不同文化背景中教導聖經的方式，就是依循它原有的時間及歷史結構而施教。

# 檢查根基

在菲律賓西南地區的巴拿旺島上，住著一個名爲巴拿旺努的部落，多世紀以來，族人一直都受外界欺壓。

多年來，對這些膽小怕事的叢林部族人加以欺壓的，是那些傲慢凶悍的回教徒，他們散住在巴拿旺島沿岸對面的較小島嶼上。在巴拿旺的民間傳說中，有許多故事是描述巴拿旺努族人，怎樣受到回教戰士摩洛斯人的屠殺和滋擾。

另一欺壓，是來自菲律賓其他島嶼遷來的移民，他們前來的目的，是尋找稻田和椰子園，以及可將木材出口的原始林。這些移民發現巴拿旺努的土著，都是怯懦而沒受教育的叢林部族，因此許多移民都佔他們的便宜。許多巴拿旺努族人因爲懼怕這些好侵略的新移民，只好離開他們祖先遺下靠近海邊的土地和椰子園，遷往島上居住環境較差的小丘和山麓。

> 所欠缺的，顯然是能因著單靠基督白白賜予的恩典得著救恩，而向 神發出讚美。

不過，跟著而來的，是一個更大、更悲慘的考驗—他們的家園被日軍佔領了。在巴拿旺努族的歷史中，這是一個恐怖時代。婦女被欺凌；孩童被殘殺；牲畜被搶掠宰殺。這些侵略者拆毀巴拿旺努族人的谷倉，將他們主要的食糧—稻米散滿遍地。在這些歲月中所受的痛苦，比他們毫無光彩的歷史中任何一個片段更甚。

在他們驚惶失措的時候，他們意外地得到喘息的機會，就是美軍登陸巴拿旺島。在我與巴拿旺努族人相處的日子中，我只聽到他們對這些士兵的稱讚和仰慕，而從沒聽到一句譴責的話。在我探訪他們的家庭時，不少較年長的巴拿旺努族人，都會問我是否認識某些官兵，他們都曾是他們的朋友。當他們談到這些官兵時，都是充滿無限的愛慕。他們對於這些美國人如何警告菲律賓的軍兵，不可苛待美國人的「小巴拿旺努族兄弟」等事情，都是津津樂道。當美軍撤離巴拿旺努島的時候，巴拿旺努族人都感到這是愁雲慘霧的一天，因爲他們未來的日子，又會再陷入不隱定的狀況中。

日子一天天過去，跟著，出乎巴拿旺努族人意料之外的，是另一位美國人來到他們居住的地方。他較他們以前所認識的美國人更慷慨仁慈。那時巴拿旺努族的社會，對自私與憤怒大爲不悅。這位宣教士展露他的愛心和仁慈。透過這位宣教士和隨著而來的宣教士的宣講教導，數以千計的巴拿旺努族人悔改、受洗，成立他們本土的教會。

多年後當我們抵達這地方時，我問這些巴拿旺努族人，爲甚麼這樣願意受洗。有一個人回答說：「我們願意爲那第一位宣教士做任何事情。他如果要求我們把手指割掉，我們也樂意爲他去做。」

曾受抵制剝削的人常有的危機是，對宣教士所傳的訊息，作出很好的回應，卻不是因爲他們明白福音，知道自己是罪人，而是因爲他們衷心欣賞那位宣教士，以及他們長久以來，渴望擺脫他們所處的困苦墮落的社會狀況。這就是當第一批新族宣教使團的宣教士向巴拿旺努族人宣教時，迅速產生「人民運動」而尊奉基督教信仰的主要原因。

## 對福音的混淆

繼人民運動帶來基督教的信仰期間，更多宣教士抵達這裡協助事工。他們向那些已公開承認作基督徒的人，忠心地教導有關信徒的責任。那些宣教士所不知道的，是大多數巴拿旺努教會的會眾，理解信徒的職責，像未得救的人一般。他們認爲必須履行信徒的責任，這樣，他們才能繼續「在 神裏面」。他們一般都用「在 神裏面」來形容他們歸入基督教。他們以爲是藉著信心、受洗、參加教會聚會、唱詩、祈禱、不偷盜、不姦淫，而接受基督，得以「進入 神裏面」。至於眞正委身的人，他們再加上戒煙酒、戒檳榔，以爲這才是常「在 神裏面」所須的保證。

在教會聚會中，他們有時會講及基督和祂如何受死；但更多時，他們會以離棄惡行和參加教會聚會，來表明他們對主的信心。他們所欠的，顯然是未能因著單靠基督白白賜予的恩典得著救恩，而向 神發出讚美。雖然有人教導他們，因信得救是只靠恩典，但大多數人未能淸楚明白。他們所持的是恩典加上行爲的信念。

雖然常有人強調基督徒生活的重要，但許多人都未能按照聖經的標準而生活。離婚、重婚和酗酒等，在巴拿旺努族人舊式生活中是常見的事，也繼續成爲所有教會的主要問題。宣教士和教會長老，都非常關心教會的情況，經常規勸會眾要放棄以往的生活方式，而遵行在基督裏的新生活方式。反覆無常的會友會悔改一段日子，表面上活出基督徒應有的樣式，但不久，他們又常會重拾以往的生活方式，直至他們再接受挑戰，得著「復興」，然後這循環重複下去。

雖然會眾中有忠心的會友，但巴拿旺努族教會像一所欠缺穩固根基的建築物。大裂縫不斷在上層的牆壁出現。宣教士和長老耗費不少時間在各教會之間奔走，設法修補裂洞。不過，問題卻是出在會眾對福音的基本認識和接受上。

由於他們從不認識本身的罪，不知靠自己是無法討神的喜悅，他們不領悟他們唯一的希望，是信靠神藉著基督的受死、埋葬和復活，而爲所有罪人預備的救恩。如果他們相信單靠主才蒙 神接納的話，那麼，這信念便會產生屬 神的行爲，而他們樂意遵行聖經的誡命，並不是爲要得著救恩，而是爲要結出眞正因信得救的果子。

一九六五年，我和妻子開始在菲律賓，以新族宣教使團海外宣教士的身份工作。我們在巴拿旺努族人中工作超過十年時間。我的工作是教導各長老和教會，對聖經有更深的認識，而得以成長。

我和那些較熱心的教會長老，長途跋涉，走遍山間小徑，才能接觸到那散佈在山間和叢林的四十多間較小的教會，教導他們的會眾。透過對巴拿旺努族教會的探訪，發覺自稱信徒的人，對基督徒信仰的基本根基，也是含糊不淸。他們同意需要基督受死，人才能得拯救，但許多人認爲，基督的死，只成就部份的救恩，他們認爲其餘部份，是透過對神順服而獲得的。

當我開始問他們有關得救的基本問題時，他們的眞正屬靈情況便顯露無遺。在開始時我通常會問：「人要怎樣做才能得救呢？」

他們通常不願回答，但經過鼓勵和個別直接提問後，他們會開始作出回應。有些人會答：「信靠神。」又有些人會說：「相信基督。」

對於這些回答，我會問道：「假如一個人眞正相信，並存著信心以基督作爲他的救主，但他卻不參加教會聚會，那會怎樣呢？他能眞正得救嗎？」

許多人會斷然回答說：「不能！」

其他人會說：「能的，一個人如眞正相信，他即使不參加教會聚會，仍是得救的。」

我又問：「但假如那人還未受洗，又怎樣呢？」

只有幾個人相信人可以未受洗而得救。

我然後再問那對許多人來說，似乎是決定性的一點：「但假如那個眞正相信基督的人，酗酒或犯姦淫，他仍否得救呢？」在每間教會的會眾中，只有幾個人相信那人可以得救，但心中仍充滿疑問。

除發問外，我找到另一個有效方法，能知道巴拿旺努族教會的長老和聖經教師所信的。我會首先教導他們正確的眞理，然後教導錯誤的意念去駁斥眞理。在巴拿旺努族文化中，駁斥教師所說的話，是不恰當的，因爲這會令教師「失面子」，顯得尷尬。因此那駁斥教師的人，也感到尷尬。雖然如此，教導教會領袖去捍衛 神的話語，是需要的，儘管爲眞理去駁斥教師，會在文化上引起不安。假宗教在島上日增，這些巴拿旺努族教會領袖所面對的，是假師傅要設法帶領他們和會眾走錯誤的路。我需要確定這些聖經教師是眞正明白福音，他們個人是只信靠基督，他們面對假師傅時，能夠立場堅定。當然，這方法是要在我教導他們多個月後，才可使用。假如我在開始與巴拿旺努族的領袖交往時，便使用這方法，是不大有效的，因爲他們無論自己心裏眞正相信的是甚麼，他們在口頭上都會同意你的說法。

有一次，大約有一百個巴拿旺努族長老和教師，參加我們的每月例會。我用了數小時教導他們單憑信心和恩典而得救的聖經眞理。然後，在毫無提醒或解釋下，我開始教導他們信心加上行爲，是得救的途徑。突然，我指向其中一人，問道：「我剛才所說的話，是正確的嗎？罪人得救，是否不單要憑信心，也要靠行爲呢？」

那位部族教師稍爲躊躇，然後最終答道：「不是，我們得救是單憑信心。」

我佯作詫異，繼續問他說：「你是否想指出我這位宣教士，所說的話是錯的？」

他躊躇地說：「對。你錯了。」

我仍不讓他們知道我眞正所想的，我轉向另一個人問道：「他說我所說的話是錯的。你贊同還是不贊同？」

他回答說：「你所說的話，是錯誤的。」

我然後問他說：「你做了基督徒多久了？」他的答覆顯示他作基督徒的年日，遠較我爲淺。我說：「啊，我成爲基督徒已有多年，我且曾在聖經學院進修。你仍認爲我會出錯嗎？」

他再次回答說我是錯的。

即使這樣，我仍不表示同意與否，我又轉問第三個人他的想法。好令我詫異，他說：「你是對的。」

我怕他可能誤會我的意思，我重覆我先前所說，指出我們得救，不是只靠信心，也要靠好行爲的說法。

他再次說我的話是對的。

我跟著按我慣常的做法，請他提出經文去證明他的說法。令我更感詫異的，是他翻到以弗所書二章八、九節。我希望他在讀這些經節時，可以明白自己的錯處，便請他向所有出席的人，讀出經文。他照做後，總結說：「經文是這樣說的。我們得救，是不單憑信心，也靠我們的好行爲。」

在座聆聽的人都莞爾，但我卻仰望 神給我智慧，知道應怎樣說去避免令他尷尬。

我因此請那位名叫貝法圖的人，再讀以弗所書二章八、九節。他讀畢，但仍認爲這些經節是說信心加上好行爲，才可得救。我知道直接指出他的錯，是不能將這眞理建立在他的心中。重要的是，他要自己看見這些經節所要教導的。

我對貝法圖說：「那些經節的意思，似乎不是如你所說的。請你對自己慢慢地再讀一遍，讓自己明白那些經節的眞正意思好嗎？」

在我們等待的時候，貝法圖慢慢地將經文再讀一遍。最後，他抬頭望著我，極爲驚異地說：「是我錯了！我們得救不是靠信心加上行爲，而是藉神的恩典，單靠信心。」

我所說的巴拿旺努族的情況，並不是罕見的例子。世上不少福音派教會的會友，他們對永生的盼望，並不是建立在一個穩固的聖經根基上。這些例子，在世上許多地區，包括我們本土的教會，都可以見到，那些基督教工作者雖眞誠，但缺少智慧或不愼的教導，是引起混淆或信仰眞理不協調的原因。

在南美洲的布朗，曾這樣寫出有關哥倫比亞的哥芝寶教會情況：

「哥芝寶族有悠久的宣教歷史。早在1650年，耶穌會已派宣教士前往這片幾乎佔了哥倫比亞東面整片平原的土地。他們對在這地區人口佔最多的哥芝寶族（今天約有一萬五千人），最感興趣。當耶穌會士進入這地區時，哥芝寶族人仍是游牧民族，但隨著時間過去，他們已在固定的小村落中，定居下來。約在1958年，一個名爲「福音之路」的新宗教的消息，開始慢慢傳入這地區。廣泛地區的人立刻被吸引，不久，當有更多消息傳入的時候，許多人開始接受這種新的生活方式。今天，差不多是事隔三十年，這股來自外面世界的新影響力，已在哥芝寶族中留下印記。在整個區域內，可以見到許多富有當地色彩的茅屋頂教會，定期舉行宗教聚會。」

「在每一處地方，他們都每半年舉行一次福音大會。我第一次參加的聚會，有七百名印第安人參加，他們有些是走了三天的路才來到的。我們是第一批來到這地方的白人宣教士，但坐在這裡的七百人，竟然大家聚集在一起唱詩和分享。這裡眞正有需要我們宣教士的地方嗎？這不是一間已經開始在運作的新約教會嗎？我們只是因爲確信是 神帶領我們來這裡，才留下來的。」

「隨著時間過去，嚴重的問題在哥芝寶教會中浮現出來。我們首先發現，他們從未有眞正明白救恩的信息。甚至那些看來是最熱心的，在救恩的根基上，仍有問題。他們在回答問題時，只是引用教義問答的答案，而不明白基督代贖的工作。『*有敬虔的外貌，卻背了敬虔的實意*、、、』（提後三 5 ）。因此，我們必須回顧以往的錯誤和失敗，設法明白我們現在的光景，爲未來的路，仰望 神屬天的帶領。」

我們可以明白在未有福音教導的地方，人們相信得救是要信心加上行爲。但對於那些參加教會聚會的人和會友，他們已學習有關的福音，又怎可能仍不明白救恩是單靠 神的恩典而得著呢？答案是什麼？在我們講道中，是否遺漏了一些東西呢？

## 牧人須認識他們的群羊

人可以明白福音或拒絕福音；對於那些能持續參加福音教會聚會，但沒有眞正得救人，當中一定另有原因。其一是不少牧師、青年領袖、宣教士和基督教工作者，並不檢查他們所教導的人屬靈的根基。或者他們即使找出人們在自己得救的事上，眞正明白和信靠的是甚麼，他們仍是不願意在 神面前，正視他們所教導的人實際的情況。

> 只教導會眾要活出基督徒的樣式，只希望他們已經重生，是不智的。

只有透過多次的提出問題，我才發現部份巴拿旺努族教會的長老和許多的會友，是不知道基本的聖經眞理，也誤解了得救的方法。過去十年，大多數的人所信的，是錯誤的信息，但教導他們的宣教士，卻沒注意他們所誤解的事。當然，我們在向人提出問題時，須有智慧；但許多基督徒教師，是過份小心，怕開罪別人，以致極少去找出他們的會眾實際的情況。

有些基督徒教師以爲去了解一個人的屬靈情況，並不是他們的責任，因爲他們相信這只是那個人與 神之間的事情。不過， 神給予屬祂的人的責任，是不單要去向未得救的人傳講福音，更要成爲牧人，去牧養神的羊群。我們如果不知道那些是綿羊，那些是山羊，又怎能保護、鞏固和餵養 神的羊群呢？

作爲一位宣教士和聖經教師，又曾擔任牧師的工作，我完全同意站在講壇上教導會眾，是遠較在個別情況下，與他們面對面交談，以了解他們的需要，來得容易。不過，我們如要作有效的牧養工作，並跟隨我們大牧人的腳蹤，我們就必須要與群羊有個別的接觸。

福音書中有多處記載主耶穌與人的個別接觸和教導。最著名的三個人是尼哥底母（約三1-12），撒瑪利亞婦人（約四1-26）和那富有而年青的官（太十九16-22）。在耶穌遇見這些人時，祂每次都清楚指出他們眞正的屬靈情況，然後從 神的話語中，引用正確的屬靈治療。使徒保羅的教導，也是涉及個人的接觸和勸勉（徒二十20,31；西一28）。

在我曾探訪的所有宣教工場中，我發現許多宣教士都極不願意認眞地去承擔一項重要工作，就是去了解他們所關懷的人眞正的屬靈情況。只教導會眾要活出基督徒的樣式，只希望他們已經重生，是不智的。我們如果只知叫公開表明信仰的人，活出 神兒女的樣式，卻不理會他們沒有眞正信賴基督；那結果是令他們落入永刑。巴拿旺努族教會的情況就是這樣。絕大多數表明信仰的巴拿旺努族人，並不明白福音。他們只是受教導去活出基督徒的樣式，但他們許多都不是 神的兒女。如果沒有人提醒他們這危機，他們會繼續落在這景況中，而致永遠失喪。

某星期日早上，我在澳洲雪梨一間福音派教會，講授 神的話語，下課後，一位長者對我說：「我深感煩惱，很想和你傾談。」我私下並不認識他，也不知他所指的，是那一類煩惱。第二天，我到他家裡去探望他。我們坐下傾談的時候，他告訴我說：「你的講道使我心裏煩亂。我成爲教會的會友已有四十年，但我並不認識救主。」後來我知道，教會裏雖有些會友懷疑他是否得救，但他們從沒有向他提問。大多數人假設他是 神的兒女。假如他不是最終在 神面前，正視自己的眞正情況，那會是多可悲的事！

一位年老的巴拿旺努族人，參加我們的聚會已有幾個月，他住在山邊的一間小屋，一天，他來探望我們。我們坐下傾談，我問他說：「老大爺，你是信靠甚麼，才蒙 神的接納呢？你的盼望又是甚麼呢？」

他回答說：「我不是常有參加聚會嗎？你禱告的時候，我閉上眼睛，設法專心禱告。我不識字，但我設法開口唱詩。」他實在是這樣。在我講解 神的話語時，他坐在下面，抬頭專注地望著我。這位長者設法做每一件我所做的事，但他卻不明白福音。他以爲在聚會中所做的事，是爲討 神喜悅的儀式，目的是要蒙神接納。

我對他說：「老大爺，假如那就是你的盼望；假如你所信靠的，是你所做的事，那麼神是不會接納你的。當你離世的時候，你會下到地獄去。 神是不會因爲這些事而接納你的。」我們繼續談這些事，談了好一會，他才回家。後來，有人來告訴我，老大爺生氣了，他不會來參加任何聚會了。

我想，「那倒是好的。那是一個開始。至少他現在知道，參加聚會不能令他得救。」

我開始繼續探望老大爺，親自教導他有關福音的基本眞理。他留心地聽，最後他又再開始參加聚會。但直至我和妻子離開那裡，遷往另一處沒有福音見證的地方時，他仍沒有在基督裏清楚地認信。」

過了一些日子，我們回去探訪這位老人家住地的教會。剛踏出我們的宣教專機，我便問那來到小機場迎接我們的部族人說：「老大爺仍在世嗎？」

他們說：「是的。不過，他眼睛看不見，走路也是一拐一拐的。」

我立刻向小山進發，前往他那簡陋破舊的小屋，與他一同坐下。他很高興我去探望他。我探問了他的近況後，便對他說：「老大爺，你不久會離開這個世界。你的盼望是甚麼呢？你是因信靠甚麼而蒙 神的接納呢？」

他回答說：「事情是這樣的。當我站在神面前，我不會對祂說我不是罪人。 神知道我是罪人的。」

我心裏想：「讚美主！他已受教知道有關 神的這一點。」他繼續說：「我會這樣對神說：神啊，你見到你的獨生子坐在你右面嗎？祂死是爲我！」然後他轉頭問我說：「 神是否會因爲祂而接納我呢？」

我回答說：「老大爺， 神一定會接納你的！」

各地的文化和民族大有不同。儘管我們很有恆心，但不是所有各文化的人，對提問都會作出回應。不過，找出他們所明白的和所相信的，是重要的事。如有較提問來得更合適，更符合當地文化，而又能夠獲得信仰資料的方法，那便須採用。不過，無論我們用甚麼方法，我們必須確定會眾眞正的屬靈情況，因爲只有這樣，我們才能從 神的話語中，找出療方，對症下藥。

## 福音是甚麼？

在福音派教會中，有人仍未得救的另一原因，是在於福音的表達方式。許多委身的基督徒，在向未得救、未準備好接受福音的人傳講福音時，他們所用的方法，是未能使人明白，人是只配受 神的審判，救恩全是神的工作，有罪的人是不能作出任何事情，使自己得到救恩的。

羅馬書一章三節告訴我們，福音是 神有關祂兒子，我們的主耶穌基督的好消息。「*...基督照聖經所說，為我們的罪死了。而且埋葬了。又照聖經所說，第三天復活了。*」（林前十五3、4）。

福音首要的是講述基督。這是有關 神在基督裏已完成的歷史工作的信息。福音只是 神所成就的工作。基督是「*...被 神擊打苦待了。*」「*耶和華卻定意將他壓傷，使他受痛苦。耶和華以他為贖罪祭....*」（賽五十三4、10）。

許多人把福音，就是 神在基督裏**為**我們所成就的工作，與 神藉聖靈在我們**裏面**所做的工作，互相混淆了。福音是全然客觀的。福音不是有關在我們裏面需要作出的改變，也不是在我們裏面進行。福音不是依靠我們，而是倚靠基督在差不多兩千年前為我們完成的。福音無論怎樣，都不是要靠賴人去成全。當我們使人的眼目，轉望將要由他們完成的事時，福音便被歪曲了。我們在基督過去已完成的救贖工作上，是不可能有任何的參與。我們須要教導有罪的人，完全不去看自己，而單信靠基督和祂救贖的工作。

下述是節錄自一篇由宣教士所寫的文章，這些宣教士都是眞正重生得救，且非常眞誠，但他們表達福音的方法，卻是不正確的。在這篇文章中，他們記載了與一位部族人士的交談。他們寫道：「每星期三晚上，我們都探訪貝雅絲的父母。我們讀一段創世記，然後分享這段經文，再提出一些問題。一晚，貝雅絲說：『我好害怕，因為惡是在我裏面，我不想 神把我扔在火裡。』」

從貝雅絲所說的話，可見她是一個已準備好接受福音的人。他承認個人的罪，懼怕神的審判。但那些宣教士怎樣回答呢？他們告訴貝雅絲說：「妳若求耶穌把妳心中的惡扔掉，把祂的靈賜給妳，那麼，妳便屬於祂，妳不再需要懼怕，將來妳會到祂那裡去。」宣教士沒有告訴貝雅絲關於福音的歷史客觀信息，就是神為她的罪所成就的事，以及將來的審判，他們卻使貝雅絲轉而注意需要在心內完成的事。他們教導貝雅絲的，並不是福音。

## 非根據聖經的術語

我們在講述福音的時候，如使用一些術語，使人轉而注意他們必須**做**甚麼，而不是向外察看神在基督裡，為他們**已做了**甚麼，那便令人對福音的理解有歪曲和混淆。我們所使用的術語，必須引導悔改的罪人，相信藉著基督**已為他們**做了的事，而不是引導他們注意在**他們裏面**必須做的事。「接受耶穌進入你心。」「把你的心交給耶穌。」「求耶穌潔淨你的罪。」「為基督而作出決定。」「求耶穌賜給你永生。」「求神拯救你。」這些現代常用的句語，使人在理解福音上，產生混淆。

在我們預備人心去聆聽福音的時候，我們須讓他們明白一點，就是他們不能作甚麼。不過，即使當人明白他們不能作甚麼，不少傳福音的人、宣教士和傳道人，都會這樣告訴提問的人說：「現在，你必須把你的心交給耶穌。」他們剛說人不能作甚麼，但隨即又告訴人他們必須作甚麼。結果是怎樣？人對福音產生混淆！人的關注於是轉向他們內裡的個人經歷，而不是向外去單信靠基督為他們受死、埋葬和復活。

福音派在全世界所用的方法和術語，已歪曲了福音，所以我們需要重新教導基督徒，關於 神在基督裏的救贖工作的基本道理，使福音的講述，是按照 神的話語。即使許多人在現今的福音派方法下，已蒙拯救，其他許多人仍未清楚明白福音。他們所聽聞的信息，是這樣強調人應有的改變，以致他們不明白，不相信神在基督裏，爲無力的罪人所成就的完備救恩。

人的注意力如被引導向內去看自己所做的事，那麼，即使已眞正得救的人，他們對是否得救，也常不能確定。他們內心常會自問：「我是否眞誠？我所做的是否正確？我是否已眞的接受基督？我是否已眞的把心交給耶穌？」

許多僅是「公開表明信仰」的人，他們相信自己被 神接納，是因他們對呼召作出回應，走向台前的行動。

我曾教導聖經學院的學生，他們都是關注這些問題，但又感到混淆的。一天，一名學生前來見我，深感煩惱。她向我談及信主的經過。她關心地問「我所做的是否正確？我是否眞的眞誠？我是否已眞的接受耶穌進入我心？」這些問題使她困擾。她最後決定，她若未有「依正確方法去做」，她會請教我應怎樣去做。

在她信主的時候，她已知道自己不能做甚麼去救自己。但那傳道人告訴她，她一定要求耶穌進入她心中，她要把生命交給耶穌。由那一刻開始，她常關心自己是否已全部做妥所應做的。我和她交談的時候，我向她解釋，重要的，不是**她**是否「已做得正確」，而是**主耶穌基督**已代她正確地做了每件事。祂已令神滿意嗎？是的話，那麼她所信靠的，豈不應是基督代她完成的事，而不是自己所作的事嗎？

福音不是人接受基督作他的救主，而是神在二千年前，接受主耶穌作爲完全而唯一的救主。福音不是人把他的心和生命交給耶穌，而是基督爲罪人，獻上祂整個的生命。福音不是人接納基督進入他心裏，而是 神接納耶穌基督進入天堂，作爲罪人的中保。福音不是基督以人的心爲寶座，而是 神在天上，讓主耶穌坐在祂右邊的寶座上。

你看到這兩段信息的大分別嗎？一段是主觀的，重點是人必須做的事。另一段是客觀的，重點是基督已完成的事。罪人只須信靠那已爲他完成的事。主耶穌喊道：「*...成了...*」祂已成就了一切。祂肩負罪擔，完全承擔了世人的罪。因爲基督完全清償了罪債，神使祂從死裡復活，進入天堂。基督的復活，証明神永遠接納主耶穌基督，作爲完備的救主。神已感到滿意。那麼罪人又怎樣呢？罪人會否因 神已接納基督作爲完備的救主，而完全信靠祂，使自己的靈魂得救呢？罪人會否不再做任何事去救自己呢？他會否只信靠神的兒子而得救恩呢？

有人稱這類福音講述爲「易於入信主義」。當他們講述福音的時候，他們認爲需要讓罪人知道，他們要背起十架跟隨耶穌，要在他們的生命中，膏耶穌爲主。有傳道人相信，只要堅持這一點，便可防止別人作出虛假的認信。不過，防止虛假的認信，並不靠在福音中，加上要求罪人答應跟隨、服從基督，爲基督受苦。福音是沒有附加條件的。人的眞正改變，並不在於這些額外條件，而在於正確地預備罪人的心思意念，去接受福音。當罪人從聖經聽到和明白到他是失喪、無助和無望的人，在 神面前，就是那公義聖潔的創造主和審判者面前，要被定罪，這便是聖靈所成就的工作。

## 依靠外在、可見的行爲

這種福音講述引起的混淆，還帶來另一嚴重後果。許多令人懷疑是否得救的人，他們認定自己已被 神接納，是因爲在他們的生活中，他們曾一度做了傳道人要他們做的事。他們自己作出決定。他們邁步向前，去作所要作的事。即使他們的生命仍未讓基督的力量去改變，他們的生活方式仍未顯出他們是已改變的人，他們仍是以自己所作的事，去迴避問題。他們信靠的，是自己所作的事，而不是基督所成就的事。許多僅是公開「表明信仰」的人，他們相信自己被 神接納，是因他們對呼召作出回應，走向台前的行動。由於許多福音性的講道是主觀的，注重經歷的，聽道的人的注意力，便放在自己和自己對所聽的道，所作出的個人回應上。基督徒興奮地講述孩童、少年人和成年人的得救，想當然地認爲他們已明白福音，已眞正改變，這只因爲他們在外表上，已表明「決志接受基督」。

在大多數的福音派圈子中，要求會眾公開表示決志接受基督的準則，是舉手、站起來，或走到大堂前面，低頭禱告，表示願意接納基督。大多數的福音派傳道人和基督徒，十分看重「邀請」和會眾的外表反應，以致許多基督徒現在都認爲，這是教會全體教牧人員須去做的重要工作。有一次，我一位親戚清楚地講述福音，但在結束時沒有呼召，一位基督徒女士爲表示她不贊同這做法，在離場時這樣說：「他甚至不給人有得救的機會！」重大的危機其實不在於給人機會，表明他們在基督裏的信心，因爲在發出「邀請」前後所強調的說話，會令人認爲要得到救恩，是靠自己對 神作出回應的個人行爲；而是忽略了福音所說的，是靠基督爲我們所作的事。

在菲律賓一個宣教士研討會上，我就這個題目致詞時，指出我從沒有「帶領」任何巴拿旺努族信徒歸向基督，接著我小心地解釋我的意思。我從沒有要求信徒在我面禱告，在口頭上「接納基督」，也沒有告訴他們如果要得救，是需要說出禱文去表示願意接納基督。我只是講述福音，然後勸告巴拿旺努族人把他們的信心，完全放在基督和福音上。他們回轉歸主時，是在甚麼地方，用甚麼方式，或實際做了甚麼，都並不重要。

在研討會上，一位宣教士極不贊同我所說的「人不需要爲得到救恩而去禱告」。當她提出反對時，我回答說：「那我已引領許多人走入歧途了。我告訴巴拿旺努族人，他們只相信福音，信靠基督，便可得救。但我沒有告訴他們必須禱告。按妳所說，我現在必須問巴拿旺努族的信徒，他們在相信時有否禱告。如沒有，那我便須告訴他們，除非他們有禱告，否則他們便會失喪。」

有些人引用羅馬書十章九、十節，去證明他們要求人如果要得救，須在口頭上表示他們接納基督，是對的。但這會意味，那些啞巴或在病床上奄奄一息，不能說話的人，便不能得救。此外，這又會意味除非那人能找到另一個人，使他可以向他「*...口裏承認*」基督，否則便不能重生。馬可福音十六章十六節上半節說：「*信而受洗的，必然得救...*」這是否表示人要得救，便必須受洗？當然不是！馬可福音十六章十六節的上半節，是要就其下半節經文「*...不信的必被定罪。*」去闡釋的。在闡釋這些經文時，必須注意整本聖經所正確強調的一點，就是我們要得到基督的救恩，是單靠信心，而不是靠行爲。

有一次，我和另一位宣教士交談，他告訴我許多年前，他確定自己得救的經歷。他是突然確定自己得救的，在聚會結束的時候，講員要求每個已得救的人舉起手來。那時，由於他並不知道自己是否眞正得救，他便竭力使自己的手垂下，但卻有一股來自身外的力量，令他的手舉起來。他說由於那次的經歷，他不再懷疑自己是否得救。又另一位基督徒告訴我，她是怎樣因一次不尋常的經歷，而確定自己得救。一次她遇上一隻凶惡的野鳥，準備向她襲擊，她緊盯著那野鳥的眼睛說：「你碰不到我的，因我是 神的兒女。」由於那隻鳥沒有啄她，她便確定由那刻開始，她實在是 神家裏的人了。

無論經歷是多清晰和驚人，都不應作爲相信某人因而得救的理由。只有 神的話語，才可作爲得救確據的根基。約翰在他的福音書中說；「*但記這些事，要叫你們信耶穌是基督，是 神的兒子，並且叫你們信了他，就可以因他的名得生命*」（約二十31）。每個基督徒在講述福音時，他有責任確定，向聽者講述得救確據所用的方法，必須使聽者知道把焦點放在基督身上，祂的死亡、埋葬和復活，是得救的唯一穩固根基。正如肉眼不能看到本身，而只看到焦點所在的東西，因此，眞正的信心，也是只仰望基督。我們永不可用一個人的外在行爲，去作爲他重生的基礎。要接納一個人是得救的，按照聖經，唯一的根據是他對福音的基本眞理，是明白和存著信心接受。

在巴拿旺，一個容貌枯槁，牙齒幾乎全掉落的巴拿旺努族老婦，坐在我們房子的前廊，已一個多小時，最後她得出結論，爲甚麼她來這裡。她微笑著說：「我正信靠耶穌呢。」

在她說話前，我已知道她有話要對我說，因爲她耐心地等待，直至全部來這裡的人，都已回家去。儘管我已猜想她的話是和她對基督的信心有關，但當她說出她是靠賴救主的時候，我仍是同樣興奮和喜樂。我自然的反應是上前和她擁抱，但礙於巴拿旺努族的禮節和文化，以及恐怕這動作使她落入只有眞誠而沒有根基的信心，因此，我沒有這樣做。沒有向她細心發問，而立刻接受她的見證，是不智的。她家中的其他成員，在前幾天可能來過這裡，表示他們依靠基督和祂的救贖工作，現在她可能只是仿效他們。爲了她，也爲了巴拿旺這地區初成長的教會，我要設法確保她的信心，是建立在我設法奠下的聖經根基上。

我對她說：「非常高興知道妳信靠主耶穌，作爲妳的救主。不過，爲甚麼信靠祂呢？妳爲甚麼需要主耶穌呢？」

「我是一個罪人」她立刻回答。

「不過，妳爲甚麼這樣說呢？妳不是一個愛家庭、慈祥而勤懇的工人嗎？」

「是的，但在 神面前，我是一個罪人，」她堅決地說。

「不過，即使妳是罪人，妳爲甚麼需要主耶穌呢？妳爲甚麼信靠祂呢？祂爲妳做了甚麼呢？」

「啊，祂就是那爲我受死的一位。祂爲我的罪死了。」

我回答的時候，眼中充滿了喜樂的淚水說；「聽了你所說的話，眞的十分開心，因爲聖經說，凡只相信主耶穌是他們的救主，相信祂爲他們受死和復活的人，神必赦免他們一切的罪，他們必不會下地獄。他們要得著永遠生命，神要接他們進入天堂。」

這個目不識丁的原始部族婦人的見證，與我妻子法蘭的嬸嬸的見證，便有很大分別，嬸嬸在澳洲一個福音聚會上，對一個「請走到壇前」的呼召，作出回應。我們想到這可能是法蘭直系親屬外，第一位決志的親戚，都感到興奮。因此當法蘭探訪她的時候，便問她有關她表明信仰的問題。不久便發現她嬸嬸所接受的，是她的個人感受和經歷，而不是基督已爲她成就的一切。爲確定她嬸嬸決志的眞正原因，法蘭問她說：「嬸嬸，爲甚麼講員發出邀請的時候，妳走上前去？是不是妳明白到自己是一個罪人呢？」

她驚呼道：「罪人？我不是罪人！」

即使她仍未明白聖經的基本眞理，但只因她對「邀請」作出回應，信徒便接納她是一個已得救的人。」

不管我們在向表示決志的人，怎樣細心查問，但正如撒種比喻所載，常有一些人，他們看似基督徒，但不久便會流失。我們深明這危機，因此設盡辦法，保存福音信息的純淨、簡明和客觀，使會眾信靠的，是基督的正確行動，而不是他們自己的行動。

# 尚未準備好接受福音的人

我們已用聖經有關「建造」的比喻，來說明傳福音這工作，但主也在祂的話語中，用「耕種」來教導我們，為祂工作的正確步驟。因此，我要告訴大家一個比喻，是關於一個農夫和他眾兒子的。

有一個農夫，要離家一段日子，在離家前，他吩咐眾兒子要在他農莊的每寸土地，都播下好種子。他給他們好種子，並答應在收成時回來。

在過去的日子，他們的父親用一本手冊，記下他作農夫的經驗。他解釋自己怎樣使用不同種類的泥土。他記錄了自己怎樣處理各類野草和妨礙好種子成長的情況。當中一些記載，說出無用的泥土，只能長出野草和荊棘。其他泥土，如作適當平整，可成為沃土，但所有泥土，即使是最好的泥土，也需要大量的平整和經常的維護，才能有好收成。

除非 神透過祂的話語，藉聖靈把人吸引，否則無人會尋找神，或憑信心來到基督面前。

眾兒子都樂意聽從父親的囑咐，他們按照他的指示，攜了手冊和好種子，向田間進發。

到了田間，他們見到大棵的樹木，樹林下層由纏結的蔓藤和有棘刺的野草交織而成。即使是他們父親以前曾開墾的田，現在已長滿野草，土地堅硬如石。

眾兒子感到沮喪的時候，便翻開父親的手冊，重讀他最後的指令。不錯，指令是清楚地寫著「在田間的每寸土地，都播下好種子。」因此他們竭盡所能，開始去做他們父親所吩咐的。一個兒子砍掉部份枝椏，除去一些野草，開始撒下好種。另一個兒子砍下一些樹木，而另一個兒子赤手空拳，扯去蔓藤野草，然後撒下好種子。每個兒子都是滿腔熱誠，幹勁衝天地去處理他們的工作，但徒勞無功。他們專心致志地採用不同的構思和方法。雖然他們的構思在一段短時間內，似乎帶來成果，但最後，新苗大多被野草擠住，或因土地堅硬而枯死。只有少許的種子，真正扎根生長。

在這期間，他們都把父親所寫，當中記載他的經驗和耕作方法的那本手冊，看為寶貴，但他們並沒有把這些應用到他們的工作上。

在極度失望當中，眾兒子拿出父親的手冊，開始閱讀他怎樣經歷與他們如出一轍的難題。他們細心地閱讀在他撒下好種子前，所用的準備方法。然後，他們照他所作的，砍下樹木，掘出野草，犁土、施肥和澆水。當泥土鬆好，一切準備工作做妥，他們便撒下好種子。他們遵照父親所記錄的方法和原則，結果種子多多地發芽生長茂盛。

## 未準備好的土地

主在耶利米書四章三節說「、、*開墾你們的荒地，不要撒種在荊棘中。*」這經文教導我們一個在整本聖經中不斷強調的屬靈原則，指出在大多數福音工作中，其中一個招致最大失敗的原因。大多數的宣教士、傳道人和教師，無論是在本土或宣教工場，在向人傳福音前，都沒有花足夠的時間，去預備人的思想和心靈。福音的種子，常是撒在堅硬、未開墾、未準備好的荊棘地上。在許多個案中，曾表明信主的人，結果只維持了一段短時間，而少有長久地成長和結出果子的。

馬太福音十三章三至八節的撒種比喻記載，有些種子落在路旁，有些種子落在淺土，有些落在荊棘裡。種子不是被飛鳥吃盡、就是新芽枯乾或被擠住了。有些人認為這比喻是教訓我們，不論聽者的心靈是在甚麼情況下，我們都有責任爲他們撒下福音的種子。事實上，我們常會碰見撒種比喻所指不同種類的人。即使有人自認相信並跟隨我們的主耶穌，他們都不是眞心的。但耶穌藉著這比喻，眞正要帶出甚麼教訓呢？

耶穌是教導我們應把種子撒在未準備好的石頭地上嗎？農夫計劃把種子撒在路旁嗎？他打算把種子撒在荆棘中嗎？他以爲把種子撒在淺土石頭上，可以得到收成嗎？當然不會！農夫只有把土地準備好，才能撒下好種子。他的目標是只把種子撒在已準備好的土地上。他不是故意把好種子撒在未準備好的土地上；但當他把種子撒在已準備好的土地時，有些種子卻落在未準備好的泥土中。落在未準備好的泥土中的種子，不能有收成。耶穌藉撒種比喻帶出的要點，是好的種子只能在已準備好的泥土中，好好地生長結實。

人心不是自然地成爲福音種子的好土。從聖經記載的人類歷史，可知亞當的後裔，無人是自動地喜愛 神或祂的救贖之道。「*沒有明白的，沒有尋求 神的。*」「*平安的路，他們未曾知道。他們眼中不怕 神。*」（羅三11,17,18）「、、*原來體貼肉體的，就是與神爲仇。因爲不服神的律法，也是不能服。*」（羅八7）。

人生來便會跟隨虛假的宗教和敬拜人手所造的神，甚或他認爲是永活眞 神的東西。有人甚至會欣然接受一種聽起來，似乎眞正是基督福音的福音。不過按聖經所載，除非神透過祂的話語，藉聖靈把人吸引，否則無人會尋找 神，或憑信心來到基督面前（約六44、45）。

## 切身的需要

近年來，在許多宣教的圈子裏，有人在介紹福音時，是不合乎聖經地強調了在文化背景上切身的需要。有人斷然地教導說，如要聽者覺得福音是可接受、有意義和與他們有關的，我們必須首先找出和明白他們切身的需要，然後把福音作爲神對他們切身需要的回應。

那些強調以文化上切身需要，作爲明白和接受福音的關鍵的人，是把福音所帶來的結果和祝福，與福音本身混淆了。眞正的福音，與文化並無關係。 神賜下福音，不是要滿足人類的自然欲望，更不論他的文化。耶穌基督在世上的重要使命，不是要令人快樂、平和、安全，或甚至爲人提供歸屬感和被愛的感覺。這些是福音果子帶來的祝福，只可讓那些相信福音的人，在生活中體驗。我們所傳的福音，不是以此作爲好消息，去給那些主要是追尋快樂、和平、安全、健康、或只想上天堂的人。這些是自然的慾望，也會是人的邪惡、自我中心本性的果子，亦常是最狂熱的無神論者，或墮落的罪犯的慾望。

福音如以自然慾望或在文化上的切身需要作爲基礎，就會以人和他的慾望作爲我們所傳信息的中心。因此，人和他的快樂變成佔最重要地位；如以這方式傳講福音， 神透過福音帶出的目標，便顯得是爲要滿足人各種感覺的需求。這是不合乎聖經的。神不是爲人存在；是人爲 神而生存。「*我們的主，我們的 神，你是配得榮耀尊貴權柄的。因爲你創造了萬物，並且萬物是因你的旨意被創造而有的*」（啓四11）。

耶穌來到這個世界，是要滿足人切身的需要嗎？不是！祂來是要解決罪的問題。約翰寫道：「*父差子作世人的救主，這是我們所看見且作見証的*」（約壹四14）。天使對約瑟說：「*...你要給他起名叫耶穌，因他要將自己的百姓，從罪惡裏救出來*」（太一21）。「*人子來，爲要尋找拯救失喪的人*」（路十九10）。我們的主最首要的使命，是處理人在罪中失喪的事，因爲對作爲至高創造主和統治者的 神來說，罪是一種侮辱。這就是爲甚麼 神子對天父說：「*..我來了，爲要照你的旨意行..*」（來十9）。耶穌藉著忍受聖潔的 神的公義審判，而完成祂的使命。

耶穌並沒有試圖按祂那時代的人，對本身需要的了解，去迎合他們。在耶穌的時代，一般猶太人的自然慾望，是一個能使以色列人從仇敵的軛中，釋放出來的君王或政治人物。耶穌在給五千人吃飽後，祂發覺人們要設法強制祂，逼祂作他們的王，因此「*..祂就獨自又退到山上去了*」（約六15）。第二天，群眾找尋耶穌，因爲他們想吃飽。不過，耶穌並沒有基於他們這些感覺上的需要，而作出回應。反之，祂按 神在他們身上所見的，告訴他們本身的眞正需要。祂的信息觸怒了許多人，因此約翰告訴我們，「*從此他門徒中多有退去的，不再和他同行*」（約六66）。大多數猶太人都不贊同耶穌對他們的需要，所作出的評估，因他們看不見自己最大的需要，是一位救主，把他們從罪惡的綑綁中，釋放出來（約六）。

保羅記載外邦人對人類的智慧和哲理，較對罪性的腐敗和應受的譴責，更有興趣。對未被 神預備心靈的猶太人和外邦人來說，向他們傳講十架的道理，是不適當而又愚拙的，但保羅並沒有遷就外邦人對智慧的要求，也沒有遷就猶太人對徵兆和神蹟的慾望。保羅傳講的福音，是 神的大能，要救一切相信的罪人。他說：「*我們卻是傳釘十字架的基督，在猶太人爲絆腳石，在外邦人爲愚拙。*」（林前一23）。

「*從前我到你們那裏去，*」保羅提醒哥林多的信徒說：「*並沒有用高言大智..我說的話講的道，不是用智慧委婉的言語*」（林前二1、4）。保羅知道邪惡的哥林多人在感覺上的需要，不能作福音的穩固基礎。保羅知道「*..屬血氣的人不領會聖靈的事，反倒以爲愚拙，並且不能知道，因爲這些事惟有屬靈的人纔能看透。*」（林前二14）。

聖靈來是爲叫世人爲罪、爲義、爲審判，自己責備自己（約十六8）。耶穌來是要召罪人悔改（太九13）。神「...吩咐各處的人都要悔改」（徒十七30）。福音的聖經基礎，就是在 神面前有知罪的感覺，承認只有神的恩典和慈愛，能赦免我們的罪。世上沒有任何一種文化，能自然地認識到這種屬靈的需要。

大多數巴拿旺努族人第一次公開表明信仰時，是基於在文化上感受的需要，而不是因爲聖靈所教導的屬靈需要。他們信奉基督教的理由是錯誤的。作爲多神論者，他們認爲如要得到肉身上和物質上的益處，便先要使眾神靈快樂滿足。許多表明信仰的人，對神也採取類似的態度。他們藉著受洗、讀經，一同聚會唱詩禱告，去設法討 神喜悅，讓 神接納。他們設法去遵守所知的基督徒規則，使他們在生活上能經歷 神的祝福。

以前，當他們相信是神靈使他們的病痊癒時，便會獻上感恩祭。他們認爲這是需要的，因爲眾神靈感到滿意，便不會再傷害他們。後來，當他們相信是 神治癒他們時，許多人便認爲他們有義務要進入教堂，作感恩見證，說出他們在疾病和醫治當中所發生的事。這些見證在結束時，一般都是：「所以， 神是十分眞實的。」對巴拿旺努族人來說，主的醫治，似乎是證實 神是眞實的最大證明，這正如以前，他們信靠眾神靈和它們治病的能力一樣。 神醫治他們的大能和美意，並滿足他們肉身的需要，對他們極爲重要，這也是他們信靠 神的基本原因。不過，當 神似乎不答允他們的禱告，許多人便又回頭倚靠眾神靈和巫醫，以滿足他們感覺上的需要。他們的「基督教信仰」並不持久，因爲這是建基在感覺的需要上，而不是在 神所顯示的屬靈的需要上。

我這樣說，並不表示上主不關心人的感受或需要。祂當然關心這些事。但祂知道除非人先讓 神滿足他最大，最基本的需要，就是與 神和好，否則，沒有人在本身的需要上，能得到滿足。因爲 神關心人的感受和傷痛，我們也應這樣做。即使這樣，我們如眞要成爲他們的好牧者，我們必須預備眾人的心，讓他們從 神的角度去看自己眞正的需要。

雖然在介紹福音時，不應把福音建基在人的切身需要上，但宣教士對於他們所教導對象的文化，須有好的認識。耶穌和使徒保羅，都是在聽眾的文化範疇內，介紹福音。同樣，宣教士須在聽眾的文化範疇內，運用適當的文化實例和地道的用語，使彼此能有更好的溝通。

然後，我們才需要注意人們在文化上切身的需要，如此，我們在教授他們聖經時，才能透過矯正式的教導，防止誤解和混合不同的信念。

## 無知與誤解

人的心必須先由 神作好準備，才可接受福音。人的惡心和自我中心的慾望，並不是播福音好種的沃土。此外，人的思想如仍在黑暗當中，未能領悟屬靈的實況，那麼，向他們傳講藉基督而得到救恩的信息，也不會有成果。

在路易斯加路寫的愛麗斯夢遊仙境一書中，皇后告訴愛麗斯：

「『現在我要讓妳相信一些東西。我只有一百零一歲、五個月另一日。』」

『難以置信！』愛麗斯說。

『妳覺得難以置信？』皇后帶著同情的語氣說。『再試：深呼吸，閉上眼睛。』

愛麗斯笑起來。『試也沒用的，』她說：『人是不能相信一些不可能的事。』

『我敢說妳過去極少練習，』皇后說。『當我像妳這年紀時，我常每天練習半小時。嘿，有時我在早餐前，可以相信多至六件不可能的事。』」

一位著名的聖經教師引述這段對話，然後指出未重生的人，被人誤導以為信心的意思，就是「深呼吸；對事實和實況，視若無睹，然後相信。」

神常在人的思想中動工。真理是向有理性的人傳講，使他們接受、明白和相信。令人詫異的是，儘管聖經強調需要讓人明白真理，許多基督徒並不認為要有真正得救的信心，必須先明白真理。

**罪人若要運用真正得救的信心，必須有聖靈藉著 神的話語，使他領悟當中的道理。**

在巴拿旺努族人中產生混淆的主要原因，是他們對福音無知，他們對 神所賜，唯一作為準備接受福音的真理，也是同樣無知。

一日，我和一位宣教士一起走路，他認為我在接納部族的人，成為 神真正的兒女前，對他們明白聖經真理的事上，寄予太大期望。我們討論在巴拿旺努族人心中，對得救方法的混淆。他明確地說：「當我得救的時候，我甚麼都不知道。」

我回答說：「你若甚麼都不知道，你不會得救。告訴我，當你得救時，你做了甚麼？」

「我信靠基督。」他回答說。

「但你為甚麼信靠基督，而不信靠穆罕默德或釋迦牟尼？」

「我信基督，因我知祂為我受死。」

我再問：「但為甚麼你需要有人為你受死？」

「我知道自己是一個罪人，要下到地獄去，」他回答說。

「好了，你總算明白了一些東西。」這是我的回應。

在撒種的比喻中，主耶穌說：「*凡聽見天國道理不明白的，那惡者就來，把所撒在他心裏的，奪了去。這就是撒在路旁的了*」（太十三19）。

當腓利遇見埃提阿伯的太監，聽見他唸先知以賽亞的書，腓利便問太監說：「*你所唸的，你明白麼？*」（徒八30）。腓利了解到，除非這個人先明白聖經有關得救方面的教導，否則，他永不能運用真正得救的信心。

當人得救的時候，他可能不明白一些聖經真理，但有些事實，他是會知道的。他會知道 神是世人公義、聖潔的審判者。他也知道在 神面前，他是一個罪人，他無法做甚麼來救自己。此外，他會知道基督爲他受死，爲他付清贖價，使他的罪全得赦免，基督並從死裏復活。這就是使徒保羅所傳講的福音。「*..我如今把先前所傳給你們的福音，告訴你們知道，這福音你們也領受了，又靠著站立得住。並且你們若不是徒然相信，能以持守我所傳給你們的，就必因這福音得救*」（林前十五1、2）。人如要得到 神的拯救，就必須聽聞、明白和相信這福音。

一天，兩個巴拿旺努族人給我帶話，邀請我去給他們施洗，他們都是本地教會的導師，我沒想到他們仍未受洗，因爲在多年前，像他們這樣的人，在初次表明信仰時，幾乎全都已經受洗了。

一位菲律賓籍的見習宣教士，伴我前往那兩人的村落。我們也送去一個消息，往另一間歷史較悠久教會的長老領袖，請求他們到那兩人的村落，與我們會面。我與同伴都同意先不要提出洗禮的問題，而先教導單憑信心，藉恩典而得救的道理。

我們在公開聚會和私下場合，有爲時兩天的教導，我們的教導集中講述人的罪性，人無助的境況，福音信息，以及人單憑信心而得稱爲義。那兩位要求受洗的男導師，都參加了公開聚會和小組討論。我們故意不提他們希望受洗的事，因爲我們不肯定他們是否眞正清楚，單憑恩典而得救。假如透過教導，他們認識到自己仍未得救，我們希望他們在不感尷尬的情況下，能決定暫不受洗。他們若提出有關他們受洗的事，我們會問他們一些問題，以確定他們因信靠甚麼而得到救恩。

在最後一天聚會結束時，那兩人公開地提問，他們可否受洗。我因知道大多數的巴拿旺努族人，對洗禮都有誤解，便問兩人爲何希望受洗。

儘管我們所傳有關救恩的教導，都指出得救與行爲無關，但其中一人答道「這樣我便可以眞正認識 神。」

我請他翻開新約約翰福音十四章六節。我問「安泰，你的聖經是不是說『河流是道路、眞理、生命。若不藉著洗禮，無人能到父那裏去？』」

他回答說：「不是。」

我說：「安泰，你如死了，而你是相信藉洗禮去到 神面前的，那你便要下到地獄。神是不會接納你的。」

我們再給予一些教導後，便起程回家。幾個月後，安泰從他的村落遠道來我們家，取一些藥物。當他踏進我家門廊，我便拉著他的手，看著他的臉，問道「安泰，近況如何？你現在已認識眞理了嗎？」

安泰回答說：「是的，我已認識主！」他繼續說道：「弟兄，當你告訴我，我若只信靠洗禮，便只會下到地獄時，這話如穿心利刃。我愛你，但你這樣對我說話，叫我傷心。不過我要感謝你告訴我眞相。我是會在死後下到地獄的。然而，我現在只信靠基督了。」

他們兩人終於清楚明白福音，信靠主耶穌作爲他們的救主。他們的見証都是十分清晰的，後來，巴拿旺努教會的一些長老，給他們施洗。

信心不是某種神秘感覺；信心不只是一種想要或瞎碰的機會。信心不是知識的自毀，也不是與理性相違。得救的信心是建基於客觀、有歷史背景和聖經根據的事實上。得救信心是有穩固基礎的。眞正的信心是建立在 神眞確的話語上。要叫人相信福音是使人得救的，那麼便必須使人先明白福音。罪人若要運用眞正得救的信心，必須有聖靈藉著 神的話語，使他領悟當中的道理。

神給罪人的救恩，是建基於人對 神話語的簡單理解和信心，就是相信主耶穌的受死、埋葬和復活。神以基督道成肉身，來到世界，進入歷史中，爲我們成就大事。祂爲我們而活，爲我們代死，最後從死裡復活。當人憑著信心，不看自己一切的作爲，而看基督在過去所成就的救恩，單倚靠祂和祂爲罪人所成就的救贖工作，他就是在運用他的信心。

# 福音的根基

福音是 神有關祂兒子的好消息。但神把這好消息給誰呢？ 神呼喚誰去吃生命之餅？祂又給誰生命之水呢？

聖經清楚記載，祂把好消息帶給感到自己靈裏貧乏的人。祂把餅給飢餓的人，把水給口渴的人，祂使困倦的人得安息，祂使死人得生命。 神的好消息本要給一切的人，但沒有給 神預備好心靈的人，永不會接受 神滿有恩典的福音。 神知道這樣，所以祂告訴我們不要把福音的明珠，擲給豬吃，就是不要把福音給那些不需要，或不感謝 神憐憫的人。

> 當人心充滿自義時，將福音強加給他們，是毫無用處的。

馬太福音書中說：「*耶穌在屋裏坐席的時候，有好些稅吏和罪人來，與耶穌和他的門徒一同坐席。法利賽人看見，就對耶穌的門徒說，你們的先生爲甚麼和稅吏並罪人一同喫飯呢。耶穌聽見，就說，康健的人用不著醫生，有病的人纔用得著。經上說；『我喜愛憐恤，不喜愛祭祀。』這句話的意思，你們且去揣摩。我來，本不是召義人，乃是召罪人*」（太九10-13）

耶穌因爲法利賽人自稱爲義，所以不邀請他們。祂告訴他們「先去揣摩。」其實他們要揣摩甚麼呢？他們需要揣摩知道自己不能給 神甚麼，去滿足祂聖潔而公義的要求，因此他們需要主的憐憫。只有那些在神面前，認識到自己是肩負罪的重擔的人，耶穌才向他發出滿有恩典的邀請，說「*凡勞苦擔重擔的人，可以到我這裏來，我就使你們得安息。*」（太十一28） 神差施洗約翰做這件必要的工作，就是預備以色列人的心，接受彌賽亞和祂的福音（太三1-12）。但自義的宗教領袖，拒絕接受約翰所傳的，就是人要被定罪的信息。他們心裏剛硬。路加在他的福音書中說：「*眾百姓和稅吏，既受過約翰的洗，聽見這話，就以 神爲義。但法利賽人和律法師，沒有受過約翰的洗，竟爲自己廢棄了 神的旨意*」（路七29、30）。

耶穌也曾對他那時代的人說：「、、*我爲審判到這世界上來，叫不能看見的，可以看見，能看見的，反瞎了眼*」（約九39）。那些明白自己在靈裏是瞎眼的，會藉著耶穌所說的眞理，而得著屬靈的悟性，但那些像法利賽人一樣，不肯承認自己無知的人，便永遠落在屬靈的黑暗中。當耶穌說這番話時，「*同他在那裏的法利賽人，聽見這話，就說，難道我們也瞎了眼麼？耶穌對他們說，你們若瞎了眼，就沒有罪了，但如今你們說，我們能看見，所以你們的罪還在*」（約九40、41）。驕傲的法利賽人，以爲自己領悟並完全明白 神的旨意。他們認爲無需接受屬靈的視覺，因爲按他們自己估計，他們已看得相當淸楚。他們自稱是給瞎子領路的（羅二17-20），因此他們覺得爲甚麼還要讓這人去教導他們？因爲他們見不到自己極大的需要，他們自稱已有屬靈的視覺，他們便無法明白藉著福音而可領受的神的恩典，他們只好因自己的眼瞎而滅亡。

在基督復活升天後，司提反也曾向同樣硬心的猶太人領袖說：「*你們這硬著頸項，心與耳未受割禮的人，時常抗拒聖靈。你們的祖宗怎樣你們也怎樣*」（徒七51）。

尼哥底母來見耶穌，但耶穌並沒有立刻告訴尼哥底母有關福音的好消息（約三1-21）。反之，耶穌對他說：「尼哥底母，你必須重生。」必須重生的教導，並不是福音。對尼哥底母來說，這是壞消息，有如與他身份相似的法利賽人一樣，他靠生來是亞伯拉罕的子孫，而蒙 神接納的。耶穌知道尼哥底母並未作好準備，去接受福音。尼哥底母首先要面對的，是他不能藉著與生俱來的猶太人身份，也不能靠自己的好行爲，得以進入 神的國度。

我在一次回去探望巴拿旺努族人時，獲邀請主持一個研討會，向一些宣教士講述如何以依循歷史年月先後次序的方法傳揚福音，以及植堂問題。在某次聚會中，我強調人的思想如果充滿自義，他不會需要福音，也不渴慕福音。一位參加研討會的年青巴拿旺努族人，不能立即領略這要點。

這位年青人剛與我們吃完早餐，我們剛吃過炒蛋。我轉頭問他是否肚餓，還想吃甚麼東西。他肯定地說不想吃甚麼了。不過，我繼續堅持。我告訴他，內子法蘭非常樂意爲他準備食物。

法蘭明白我的用意，便也加入遊說，說炒蛋對她而言，是輕而易舉的事。他再次道謝，也再次拒絕我們的好意。我佯作誠懇而關心地，再設法請他讓法蘭爲他炒蛋。

這次，他認爲我有點不正常了。他斷然地說：「但我不餓啊。」

我回答說：「這就是了，你剛吃飽了早餐，你不餓，不想再吃了。」

「啊！我現在明白了！」他大聲說。

在屬肉身的事上既是這樣，在屬靈的事上也沒有不同。當人心充滿自義時，將福音強加給他們，是毫無用處的。福音是要給飢渴慕義，疲乏困倦的人。福音是要給那些認識自己的罪，而在 神面前粉碎自己的人。

不過人怎樣能明白這點呢？人的心能怎樣爲福音作好準備呢？聖靈利用 神的話語，預備人的心思意念，去接受福音。但在神的話語中，有哪一部份或信息，可完成這準備工作呢？

## 認識 神

當宣教工作在巴布亞新磯內亞的高山族中展開多年後，一些族人宣佈不再十分之一奉獻了。爲甚麼呢？原來他們認爲，他們已爲耶穌因他們的罪受死，對 神作出了足夠的償還。這個部族的司法制度，是建基於在金錢上「償還」的安排，所以這不難明白，他們爲甚麼因 神賜下耶穌，爲他們的罪受死，而要向 神作出償還。但爲甚麼他們以爲，能因 神賜獨生子這份禮物，而向神作出補償呢？他們在那一點上不明白呢？這些部族人，顯然未能明白 神先在舊約聖經，後在福音書中所顯示的本性和屬性。他們以爲 神像諸神靈和人類一樣。因爲他們要求「償還」，所以他們以爲 神也有同樣要求。只告訴他們救恩是一份禮物，是不夠的。他們需要透過聖經，去看 神眞正的本性和屬性。他們若能看見 神眞正的本性，便也能看見自己是無助而又無望的罪人。在看到 神的威嚴和自己的墮落下，他們會明白竭力去「向 神償還」，是徒然的。

此外，透過舊約聖經的教導，先講述神就著分別善惡樹向亞當提出警告：「*..你喫的日子必定死*」（創二17），他們應可明白死亡和永遠與 神分離，是 神對罪人的公平審判。在整本舊約歷史記載中，都強調罪人在神的審判下，只有死才能償還罪債，而在新約記載中，結果是以基督的死，作爲唯一能清償罪債的方法。部族人如能明白舊約強調死亡，他們便亦能明白，只有基督受死，才能清償罪債，滿足聖潔公義的 神的要求。

巴布亞新磯內亞的阿斯安納族，是崇拜太陽的部族。在新族宣教使團進入這地區前，已有自稱宣揚基督教的宣教士進入這區。但儘管阿斯安納族人已受感「背棄原來信仰」，他們對聖經所載的 神，並無清楚認識。他們以爲祂一定是類似他們的太陽神。

他們向太陽神獻祭時，會殺掉一隻豬，把豬肝和豬血攪勻，放在一節竹筒內燒煮；然後，當太陽下山時，他們聚集一起敬拜，去取悅太陽神。祭司先吃煮熟的血和肝，然後讓所有在場的人分吃。祭司也把混和的豬肝和豬血，潑向太陽，使太陽神看不見他們的罪，而不向他們追討，他們相信這樣能安撫那惡毒的太陽神，使太陽神對他們的靈魂，視而不見。

當第一批宣教士教導亞斯安納族人守主聖餐時，他們給聖餐所取的名稱，正是他們爲太陽神舉行宴會所用的名稱。他們相信大家一同守主聖餐，可取悅 神，使祂看不見他們的罪。若有人教導這些人認識 神是誰，祂是一位怎樣的 神，他們便不會這樣誤解聖餐的意義。他們會明白 神不是惡毒的，祂不會像異教徒的神一般要受安撫，反之，祂是那無所不知，無所不能的 神，祂永不會對人的罪，視而不見。這些人對福音並未作好準備，因爲他們並不明白 神的聖潔和公義。由於他們從未得著關於 神的知識，他們不知道自己無法做任何事去取悅神。

約伯、大衛和所羅門王，都曾說明這眞理：眞正地認識 神，才能有眞智慧。「*敬畏耶和華是智慧的開端..*」（詩一一一10）。只有那些心竅已開，而認識並接受有關 神的本性、屬性和至高地位的，才是準備好接受福音的人。

假如 神不是基本上在舊約聖經中，以及最後在新約聖經中，藉耶穌基督清楚地顯明祂是眞 神，那麼，人便不需要福音。只有那些透過 神的啓示，知道 神是公義聖潔，恨惡罪惡，對罪必施以懲罰的，他們才明白自己需要福音。

神既是人的主宰與創造者，祂也是人的主人、法律制定者和審判官。若不是這樣，那麼，人便是自由自主的，他也不用爲自己向 神交賬。人最大的慾望是自由自主地單爲自己而活，人爲滿足自己的自私、墮落、貪得無厭的慾望，而產生憎恨 神，逃避神，和設法消滅認識這位公義之主的念頭。

不過，即使人明白 神是他們的主人，法律制定者和審判官，但卻不明白 神也是聖潔公義的；那麼，人還是不需要福音。神不會容忍、忽視或寬恕罪惡，而不給予十足的懲罰。 神是全然公義的。祂的聖潔屬性是一切善行的標準；因此，任何未能達到神的標準的，都是絲毫不爲祂所接納的。在過去歷史中，從 神不斷恨惡和批判那稍偏離祂聖潔標準的人和事，便可清楚見到 神的聖潔和公義。 神必不忽視罪惡。一切罪惡必須付代價。「*..犯罪的他必死亡*」（結十八4）因爲 神是公義的，祂永不會降低祂的聖潔標準，或接受那未能十足公平償付罪價的東西。

人如對 神的聖潔公義，一無所知，他們便永不明白自己極需要 神在基督裏的恩典。他們可能只是用口舌去傳揚福音，他們傳講基督，參加教會聚會，唱詩、讀經、祈禱，以至找機會事奉基督，但他們是仍未得救。人生來是自義的，除非他認識 神無限的聖潔和公義，否則他永不會放棄自己的驕傲和自信。未得救的宗教人士，並不明白這點，他經常設法以自己的善行和宗教活動，去令 神處於一個不得不接納他和祝福他的地步。

人生來便恨惡和逃避認識 神，但這卻是人最大的需要；因人若不認識 神，他便永不會眞正悔改、相信和得蒙拯救。顯明神的本性和屬性，是讓人見到自己的不義和無力逃避 神公義審判的先決條件。約伯是在對 神的本性有更清楚的新認識之後，他才能說：「*我從前風聞有你，現在親眼看見你。因此我厭惡自己，在塵土和爐灰中懊悔*」（伯四十二5、6）。

當以賽亞蒙召作 神的先知時，他需要對自己和他的百姓作一個眞實的評估，只有這樣，他才能以眞正謙卑的態度，去斥責國人的罪惡。 神怎樣去讓以賽亞見到自己的眞我和自己國家的邪惡呢？ 神使以賽亞在異象中，見到祂的極大榮耀、無上權柄和聖潔。以賽亞即時的反應是呼喊說：「*..禍哉，我滅亡了。因爲我是嘴唇不*

*潔的人，又住在嘴唇不潔的民中，又因我眼見大君王萬軍之耶和華*」（賽六5）。

所有人，無論他們是甚麼宗教或文化背景，都必須被引往啓示 神的路。只有在認識到 神是怎樣的一位神，人才能眞正認識自己、眞正悔改和產生得救的信心。

耶穌說：「*若不是差我來的父吸引人，就沒有能到我這裏來的。到我這裏來的，在末日我要叫他復活。在先知書上寫著說：『他們都要蒙神的教訓。』凡聽見父之教訓又學習的，就到我這裏來*」（約六44、45）。每個爲得救恩而到基督面前來的人，都曾藉聖經中的歷史記載，得見其中所顯示的 神的本性，並因此受教導而知道神 是一位聖潔公義，不會忽視罪惡的 神。

耶穌有沒有對這少官說：「笑笑吧，神愛你」？沒有！耶穌用律法，去揭露他的貪婪，指出他已成爲貪婪的俘虜。

## 律法

神的另一種方法，是利用律法去預備罪人的心接受福音，使罪人明白若沒有基督，他便會滅亡。

自從人類墮落之後，藉著 神的聖潔本性和旨意的彰顯，在隨後的歷史中，人得以看見自己的罪。那爲甚麼還要有律法呢？「*律法本是外添的，叫過犯顯多..*」（羅五20）。引進律法，是要將罪分類和爲罪下一清楚的定義。 神賜下律法，以充分顯露人的罪，因而預備人心去接受福音。「*..律法是我們訓蒙的師傅，引我們到基督那裏，使我們因信稱義*」（加三24）。 神將律法賜給以色列人，不是爲要拯救他們，而是要讓他們知道，人是無法靠好行爲而得到救恩的。「*..凡有血氣的沒有一個，因行律法，能在 神面前稱義。因爲律法本是叫人知罪*」（羅三20）。「*..律法是惹動忿怒的..* 」（羅四15）。律法顯示 神對罪的忿怒，而人只能靠靠 神去完全承擔祂在律法中全然公義的要求。

耶穌叫自義的法利賽人去揣摩，罪人是靠 神的憐恤，不是靠向 神獻祭而得蒙拯救（太九13）。法利賽人怎樣去揣摩呢？誰是 神所委任的教師呢？他們怎樣才能曉得自己的眞實情況：就是在 神面前，他們是無助的罪人，正需要一位救主呢？這便只有透過對律法的正確認識了！

猶太人擁有 神所定的律法，但文士和法利賽人對律法另有一套俗世的解釋，因而使律法不能證明他們內心的態度是不正的。他們不明白 神定律法時所要表達的意思。他們若明白當中的意思，便會知道無人能絕對遵行律法，而他們也便會看見自己的不義，因而爲基督和福音作好準備。

耶穌教導他們律法的正確詮釋（太五17-28）。不過，即使耶穌已教導他們明白神律法的眞正意義，猶太人領袖也不容律法來審判他們，定他們的罪。他們若肯如此，便會已經心碎，而眞正悔改。

施洗約翰也曾爲律法作出正確的詮釋，以此爲福音作好準備。但各宗教領袖都反對施洗約翰和耶穌的講述，因爲他們對律法的正確詮釋，顯露出文士和法利賽人內心的眞正情況。他們拒絕了律法所作預備性的工作，也因此，他們便拒絕了基督和關乎神恩典的福音（太五17-28）。

耶穌與撒瑪利亞婦人的談話，是另一個例子表明需要正確利用律法，去預備人心接受福音。當耶穌藉著談及她自覺對水的需要後，便已引起她的注意。祂跟著是要她面對自己眞正的需要「*..你去叫你丈夫也到這裏來..*」（約四16）。耶穌知道這婦人只有在面對眞理，承認自己犯了律法所禁止的姦淫後，才能預備心靈，單信靠 神的恩典。

耶穌對那富有的少年官所採用的方法，亦指出除非人能面對自己犯罪的眞相，知道在聖潔的神面前必被定罪的眞理，他才會明白自己需要福音。

這富有的少年官，深信自己有好行爲，又能遵守律法，他來到耶穌面前，問祂當怎樣行，才能承受永生。透過這年青人對祂的稱呼，耶穌立刻知道他是一個仍未準備好去接受福音的人。這年青的官稱呼祂良善的夫子，就是把祂看作一個人。他從沒有因著律法而領悟到「*..除了 神一位之外，再沒有良善的*」（可十17-22）。他不知道人的一切善行和正義，在全然美善而公義的神面前評審時，都只不過是件污穢的衣服（賽六十四6）。

耶穌明白這少年的官不知所措的情況，也知他未準備好接受福音，所以祂沒有給他福音中的恩典和赦免。耶穌來不是呼召自義、富有的少年官悔改；祂來是要召罪人悔改。必須先有人教導這位少年官，認識自己的罪和在 神眼中的不義，他才能明白福音中所說 神的恩典，是使他能進入永生的唯一道路。耶穌用甚麼來揭露人心中眞正的景況呢？耶穌利用在文化上感受的需要，去領他進入眞正的悔改嗎？耶穌有沒有對這少年官說：「笑笑吧， 神愛你」？耶穌有沒有不管他認不認罪，就立刻教他一些簡易步驟，以得到永生呢？沒有！耶穌用律法去揭露他的貪婪，指出他已成爲貪婪的俘虜。

由於這人問耶穌他必須**做**甚麼，才能承受永生，耶穌便告訴他，神要他**做**的事。這人因自以爲義，便認爲得救是要靠**行爲**，而不是像罪人需要 神的憐憫。因此，耶穌向他引述一些律法。從這少年官的反應，可見他不明白神的完全。他立刻自稱從小就完全遵守律法。耶穌知道這少年官的眞正屬靈景況，也知他內心喜愛金錢這秘密，於是耶穌說：「*..去變賣你所有的，分給窮人..*」耶穌透過這命令，使這少年官實際地面對第二大的誡命「*..要愛人如己..*」（可十二31）。然後耶穌又對這少年官說：「*..背起十架來跟從我。」這命令是出自最大的誡命「你要盡心、盡性、盡意、盡力，愛主你的 神*」（可十二30）。

這少年官有甚麼反應呢？他回轉悔改了嗎？他是否像聖殿中的稅吏，承認自己是一個罪人，而需要 神的憐憫嗎？不。他拒絕了在律法中顯明的指責。他轉過身去，緊抓著他看爲至寶的財富。他憂憂愁愁地離開了，但卻顯然未曾爲他的貪婪而悔改。那些拒絕律法中信息的人，都不能接受福音。

大多數猶太人，都抗拒以律法預備人心的教導，這律法由摩西頒佈，後經施洗約翰，耶穌和眾使徒宣講。即使他們已接受神寫出來的律法，他們仍是自以爲義，只在外表上遵守律法。由於他們自以爲義，所以沒有準備單靠信心，信靠 神的恩典，而來到 神面前。反之，許多外邦人並未直接得到 神寫出來的信息，但他們接受律法中的指責，見到自己靈性敗壞的實際情況。因此，他們已準備憑信心回轉歸向基督，以福音作爲他們唯一的盼望（羅三19）。

薛培理(R. Murray M'Cheyne)寫了一首聖詩，名爲耶和華是我們的公義，見證 神藉著律法，來教導他和預備他心靈的方法，使他見到自己需要救主。

我對 神和祂的恩典曾一無所知；
我對自己的險境和重擔也是同樣無知；
朋友雖熱切告訴我基督在十架成就的事，
**「耶和華我們的公義」**對我仍是毫無意義。

當 神白白的恩典從上光照使我甦醒；
律法使我恐懼戰驚，以致快要沒命；
我在自己裏面找不到安全藏身之處，
**「耶和華我們的公義」**必是我的救主。

這甜美聖名讓我恐懼全消；
我因罪而來的恐慌消失，我勇敢地回歸，
飲於那帶來生命自由的活水泉；
**「耶和華我們的公義」**是我的一切。

我初期在菲律賓所牧養的土著信徒，他們許多人的問題，是從沒有根據律法所啓示 神的完全和聖潔，去判斷自己。因爲他們從沒接觸律法的正確教導，他們所信靠的是行爲加上恩典。他們以好行爲作爲祭物獻給 神，而不是接受 神在基督福音裏的憐憫。

使徒保羅在回顧他生命中作爲法利賽人領袖的時光，說：「*我以前沒有律法是活的，但是誡命來到，罪又活了，我就死了*」（羅七9）。保羅是一個自義、自立的人。他看不到自己靈性軟弱，需要一位救主。但當 神的靈使保羅面對律法聖潔公義的要求時，他便明白自己是一個不屬靈的人，是罪惡的奴隸（腓三4-9；羅七14）。保羅寫道：「*既然如此，那良善的是叫我死麼，斷乎不是，叫我死的乃是罪。但罪藉著那良善的叫我死，就顯出眞是罪，叫罪因著誡命更顯出是惡極了*」（羅七13）。由於保羅已藉律法作好準備，他便準備好去單信靠基督。

當人不知道 神的完全公義時，便會設法藉自己不完全的公義，去拯救自己。保羅談及他的同胞說：「*因爲不知道 神的義，想要立自己的義，就不服 神的義了*」（羅十3）。一個人如不知道 神的義，那麼，他便會四處去設法建立自己的義。不過，當他看見律法所顯示 神的聖潔和公義時，他便會完全放棄以信靠自己爲本的好行爲，作爲讓神接納的基礎。當人藉著 神的話語，讓聖靈光照的時候，他會說：「 神若眞是這樣，祂若要求我完全，那麼，我便只好放棄。我不再設法以我所作的，去達到祂的要求。我是無法以服從祂神聖的命令，去討祂喜悅的。」這一刻，也只在這一刻，人的心才準備好去接受那好消息：「*因我們還軟弱的時候，基督就按所定的日期爲罪人死*」（羅五6）。

## 我們的責任

今日，在大多數福音派的圈子裏，一般的做法是提出一些經節，指出人的需要，然後很快便轉入福音。在很快地帶出人的需要後，大量的時間便花在設法說服聽者去歸向基督。我們所犯的大錯，是很快地轉到補救方面，而沒有花上足夠的時間，去預備人心接受福音。

由於西方社會有一個基督教的外觀，大多數基督教工作者便以爲西方人對福音已有基礎。我們以爲他們對 神和祂的本性和屬性，已有基本認識。不過，在所謂基督教國家中，絕大多數的人，對有關 神的聖經知識，認識極少。在我們的國家，在較少數參與教會的人中，大多數人對 神都有一個人本主義和不合乎聖經的觀念。一般的講員，都不理會這方面的嚴重性，只花很少時間在這個非常重要的基本問題上。難怪在現今世代，甚少人尊重 神和屬靈的事。所有眞正靈裏的復興和屬靈運動，都是因人認識到 神眞正是誰而產生的。只有這樣，才帶來人心痛悔、眞正的悔改、信心、敬拜和過聖潔的生活。假如福音工作者和傳道人，花較多時間去教導有關 神的眞正本性和屬性的事，而較少時間去使罪人確信歸向 神的好處，我們便可以更常聽見悔改的罪人迫切地問：「*..先生，我當怎樣行纔可以得救*」（徒十六30）。

即使我們同意須先在罪人心中做好準備工作，他才會只信靠基督，仍有人會認爲這完全是 神的工作，我們是無份參與的。從聖經中可清楚見到， 神透過祂的話語去預備人心。「*耶和華說，我的話豈不像火，又像能打碎磐石的大錘麼？*」（耶二十三29）。聖靈藉著 神的話語，使世人爲罪、爲義、爲審判，自己責備自己（約十六8）。 神已把傳揚祂信息的責任，交託給我們（林後五18-20）。

我們在向聽者傳揚福音前，有責任先透過 神的話語，使他們作好準備。我記得在澳洲的日子，曾與一對夫婦開始每星期一次，在家裡查經。第一晚在我開始前，那丈夫截止我說：「請等一等。在你講話前，我想先說幾句話。」

「好的，」我回答。

他說：「我認爲人如遵守律法，完全按照律法所說的去行，他便可以好好地被神接納。」

當我同意他所說的話時，他不禁喜形於色。他轉頭向妻子誇口說：「對嗎，我已經這樣對妳說了。那個城市宣教使團的女子眞不知所云。她告訴我說，我不能因靠自己的行爲而得救。」

我對他說：「我同意你所說的話，所以我想把這話寫下來。於是我寫下「永明說我們如遵守律法，完全按律法所說的去行，神便會接納我們，我們便沒問題了。」當然，在那一刻，永明並不知道他沒有能力去遵守律法，因爲他生來便是一個有罪的人。當我寫下這些字句，便把那張紙夾在我聖經的前頁。我的計劃是將來在適當時候，把這張紙拿出來。

這個每週按經卷先後次序查考聖經的聚會，持續了幾個月，我們是由創世記開始，最後便來到有關律法頒佈的故事。從永明的問題和答案中，可見主在他的生命中動工。當我們繼續查考律法，帶出每條誡命的屬靈意義和應用時，永明留心地傾聽。最後，一天晚上，他打斷我的話說：「我全無希望。我每日都全違反了 神的律法。」

讚美 神！永明屬靈的眼睛張開了，他看到自己的罪，知道自己不能靠遵守律法，去討 神的喜悅。他是靠查考舊約故事和顯露神聖潔公義本性的律法，而得到這知識。後來，在我們的查經中，永明見到只有基督能完全遵守律法，而祂藉著爲人受死，爲滿有罪惡而無力自救的罪人，開出一條得救之路。

我若在查經班開始時，便帶出福音，而不先讓永明見到 神的神聖律法的要求，那結果會是怎樣呢？永明不會清楚明白福音的絕對需要。他不會爲福音作好準備。他不會感到需要 神的恩典和憐憫。他是自義的，因此會自己倚靠自己。可能他會在基督裏認信，但在他心中，仍會倚靠自己的努力和義行。

我們不單受託去傳福音，我們也受託去爲福音而預備人心。我們需要認眞地去作這件事。保羅寫信給提摩太說：「*我們知道律法原是好的，只要人用得合宜。因爲律法不是爲義人設立的，乃是爲不法和不服的..這是照著可稱頌之 神交託我榮耀福音說的*」（提前一8、9、11）。保羅知道福音若沒有律法的正確運用，便會沒有意義。律法的正確運用，是預備罪人接受福音的方法。律法就恰似 神所委派的教導者，要帶領自義的人歸向基督。

我們必須藉著對律法的正確運用，讓人明白他們需要有與 神的義相等的義，才能使聖潔的 神滿意。那跟著而來的問題是：「我在哪裡可找到這令 神滿意的義呢？我怎樣能令 神滿意呢？我已違背祂的律法。我是要受永遠的懲罰。我的罪債怎能清償呢？在我完全的審判主面前，我怎能無罪而得稱爲義呢？」

有人認爲這準備工作，全是 神的責任；另有人認爲福音應立即傳給所有人，不管他們是否作好準備，因爲福音是「 神的拯救大能」。他們相信福音可預備罪人的心，亦可拯救他的靈魂。福音實在是 神的拯救大能，但對誰施行呢？羅馬書一章十六節說 神的拯救大能，「*要救一切相信的..*」。誰會單信靠福音而得拯救呢？只有那些已虔備心靈如好土的人，他們已認罪，讓神爲他們作好準備，接受聖靈的教導，同意 神所說有關他們所犯的罪，基督的義和 神未來的審判等等（約十六8-11）。

一個主日的早上，一名巴拿旺努族的婦人，第一次來到我們家。許多年前，她曾聽過 神的話語，但有一段長時間，沒有宣教士到她所住的地區。我們剛在離她家步行約二至三小時路程的地方，蓋了一座房子，開始傳揚 神的話語。她來看我們，興奮地說：「我離開 神已有十年，但現在我想回到 神裏面。」她用「 離開 神」這字眼，是表示她已沒有參加基督徒的聚會，也沒做任何與基督徒有關的事。她用「回到 神裏面」這字眼，是指她再準備參加聚會、唱詩、祈禱和聆聽 神話語的教導。

我曾數次與這婦人傾談，有關基督和祂爲罪人受死的事，我問她自己是否相信基督和祂的死。她說：「是的，我是信靠基督的。」然而，她所強調的，是她曾在「 神裏面」，她曾受洗，她懂得唱多首聖詩，懂得禱告等事實。

**我想：「她可能眞的已蒙拯救。」**

她失去了新約聖經，但她想再有一本，因爲她正回到「 神裏面」。除非特別向她提問，否則她永不會談到基督爲罪人受死的事。我對她說：「妳所說的一切事，本身都是好的，但這些事不能拯救妳。只有基督能拯救妳。」以後每當我與她交談，我都一次又一次地強調基督爲罪人受死。

她回答說：「啊，是的，以前的宣教士曾告訴我基督死了。不錯，我是相信的。」

我想：「她可能眞的已蒙拯救。」

她在一兩個星期後回來，她說道：「我眞高興能唱聖詩、禱告和參加聚會。我眞高興能回到 神裏面。」

我再一次提醒她，基督的死是唯一歸向 神的途徑。

她回答說：「是的，我記得的。」但跟著她又問區內初信主的人，他們是否已受洗。當他們說仍未受洗的時候，她便告訴他們，他們甚至仍未開始踏上歸向 神的路。

每次當她到訪，又誇耀自己的好行爲時，我都提醒她基督的死，是唯一使人歸向神的路。從她的態度，可見基督的死，對她無甚意義。她看似認爲：我只要能記著基督爲罪受死和復活，那便可以了。

有好幾次，我的妻子都聽到我提醒這婦人有關基督爲罪人受死的事。最後，法蘭對我說「我眞不明白你。你現在所做的事，正是你告訴其他人不要去做的事。」

我問：「那是甚麼呢？」

她答道：「你不停地向那婦人講福音，但她並未作好準備接受福音。她不明白自己需要福音。她並不饑渴慕義，她的心並未爲福音作好準備。」

我妻子是對的，我決定當這巴拿旺努族婦人再來時，我不再向她提及有關福音的事。我需要教導她有關律法的事，使她能明白自己極需要基督，而只有基督，才能成爲她的義。

不久之後，她回來了。我在大約下午一點鐘，坐下和她傾談。我由創世記開始，提醒她舊約中的一些重要事蹟，這些事蹟都可作爲有關 神、人和罪惡教義的基礎。由於她一直參加聚會，大多數的故事，我只需向她略爲提點便可。

我再次強調這些事實： 神的聖潔，祂對罪惡的恨惡，人的罪，尤其是 神的律法，是要求以死作爲罪的贖價，而 神是不會接納任何折衷辦法的。我把這眞理應用到她個人方面，我告訴她洗禮、唱聖詩、參加教會聚會、讀經，或其他任何她能做的事，都不能償還她的罪債。

大約下午五點鐘，她感到灰心絕望，開始哭泣起來。雖然巴拿旺努族人不喜在人前哭泣，但她看到自己在 神面前的光景，是如此絕望，便哭起來了。

在她哭泣的時候，我安靜地禱告說：「主啊，賜我智慧。我該向她說甚麼？我不想她只在頭腦上同意我與她在你話語上的分享，而不是單信靠你的愛子和福音。主啊，拯救這婦人！領她到一個地步，使她明白只能在基督裏得到拯救，使她單靠主，而永不再信靠自己或任何她能做的事。」

最後，我對她說：「 神要求以死作爲罪的贖價，但妳不是可以在一處地方找到這贖價，而不需自己走向滅亡嗎？不是有人能爲妳付上贖價的嗎？我不能爲妳付贖價，因爲我也是因自己的罪，而應與 神分隔的。」

她安靜地坐著好一會。最後，她帶淚抬頭對我說：「耶穌。」我快樂地回應說「是耶穌，祂就是唯一的一位。」

自那時起，那婦人的態度完全改變過來。她不再自誇，除了主耶穌基督外，她不再靠任何其他事物。「在信徒的耳中，耶穌是多甜美的聖名！」祂就是答案。信徒們，這能使你的靈激動，你若能正確地教導有關神的本性和屬性，以及神的律法，你就能給聖靈機會，去預備人心接受福音，這樣，他們才會相信只有主耶穌是那替他們受死，使他們能完全滿足 神心意的那一位。

## 神的建造原則

在我們與巴拿旺努族人共處的最初幾年，許多人得以明白倚靠 神的恩典，而因信稱義。許多以前只是承認救恩的，現在都真正得蒙拯救，而其他人對於自己的得救，都得到確據，也清楚明白。不單是我去教因信稱義的道理，其他在巴拿旺努族人當中工作的宣教士，亦見到巴拿旺努族教會的真正情況，並且正在設法鞏固族人信仰的根基。看到族人單單信靠基督，是一件多麼動人的事！

這些在基督裏的嬰兒，當怎樣以最好的方法加以栽培和餵養呢？我要教導的人有這麼多，我感到自己像一個醫生，在分派維他命丸給營養不足，正在挨餓的人。我們現有的巡迴教導計劃，根本不能滿足這些初信者的需要和建立他們的信心。我決定由按主題教導的方式，轉為逐節經文講解的方式。我將我家搬到有六間小教會的中心，開始以講解為主教導這些巴拿旺努教會。

由於這六間教會的會眾，是混合著已得救的人，只表明信仰的人和少數甚至未敢稱為 神兒女的人；我透過約翰福音開始，作講解式的教導。開始時我滿腔熱誠，但不久便見到我的聽眾，對以講解方式查考約翰福音，並未作好準備。他們對於直接引用或間接引喻舊約聖經中人物或故事的經節，並不了解，因為從沒有人把舊約聖經中的基本歷史事蹟，按先後次序，作為一個完整故事，去向他們講解。

從下列的例子，可見我所遇到的一些問題：

> 約翰福音一章一節「*太初有道...*」即使有人從以前的宣教士口中，聽過有關「太初」的事，但在他們思想中，這仍是模糊不明確的。因此我要翻到創世記一章，教導他們有關宇宙之初的事。

> 約翰福音一章一節：「*..道與神同在..*」在解釋了「道」是主耶穌的另一稱號後，巴拿旺努族人顯然並不明白在太初之先，耶穌已與 父神同在。

> 約翰福音一章三節：「*萬物是藉著祂造的..*」族人不明白創世記第一章所載的 神，是包括 神子在內。

> 約翰福音一章十一節：「*他到自己的地方來..*」對於不認識亞伯拉罕的呼召、彌賽亞的應許和以色列歷史的巴拿旺努族人來說，這經文甚無意義。

**舊約是基督故事的合理引言、基礎和權威。**

> 約翰福音一章十四節：「*道成了肉身，住在我們中間，（我們也見過他的榮光..）*。」這暗喻在舊約時代， 神藉著會幕住在以色列民中，散發出榮耀的光彩。這是巴拿旺努族人從未聽聞的故事。

> 約翰福音一章十七節：「*律法本是藉著摩西傳的..*」對於聖經故事年代的次序，族人並無足夠知識，他們不知道新約和舊約聖經中的人物，應怎樣與所發生事情的先後次序配合。他們會問，摩西和施洗約翰，是否同時代的人，他們又想知道耶穌與在舊約所提及的人物，是否在同一時間活在世上。

從這幾個例子，可見約翰福音有許多地方都引用到舊約聖經。由於巴拿旺努族人對於舊約的認識膚淺，我需要間歇地暫停講解約翰福音，轉而教授舊約故事，或約翰所引用或暗喻的真理。這瑣碎的教導方式，使作為教師的我感到灰心，也使我的聽眾感到混淆。我不得不下結論，一定有一個更清晰而不那麼複雜的方法，來教導聖經。我將新約聖經由主題式的教導，轉為直接的逐節經文講解，已是向前邁進一大步。然而，現在可見的是，選一卷書而加以講解，並不是清晰地教導聖經的最佳方法。那最佳的方法是甚麼呢？

## 整本書

聖經的著述，有一個明確的開始和明確的終結。在開始和終結之間所記載的事蹟，如按其歷史先後次序去教導和理解，可組成一個完整、緊密而易於明白的故事。若有人要教導任何其他書籍的內容，他自然會由起首開始，隨著作者就主題的發展而向前邁進，以至讓作者帶到一個符合邏輯的結局。難怪我們對巴拿旺努族人單教導新約時，會遇到困難了！

以前，我把聖經看爲一本記載福音信息的書。現在我開始全面地視聖經爲 神給全人類完整和貫徹始終的信息。我明白舊約不是一集用來作爲新約眞理的表徵和例證的有趣故事。舊約根本是新約所載基督故事的合理引言、基礎和權威。至今而言，舊約仍是闡釋新約歷史記載的最重要資源。正如神給我們兩片嘴唇，全都需要用來發出清晰的口頭訊息；因此，若要傳遞 神給世人的完整信息，舊約和新約都是缺一不可。

## 整個故事

整本聖經都是 神有關祂的兒子、我們救主的信息。 神寫聖經的主要目的，是要顯明基督。舊約是爲基督作好準備。新約是要表明基督。聖經由創世記至啓示錄，都是要把基督彰顯出來。耶穌對當時的猶太人說：「*你們查考聖經，因你們以爲內中有永生，給我作見證的就是這聖經*」（約五39）。整本聖經的意義全在於主耶穌基督。耶穌基督就是一切屬天啓示的起始、本體和目標。

基督的故事，是由創世記第一節開始的，因爲祂在創世之先已存在。但直至人類墮落， 神才應許 神子要藉童貞女降生，祂要勝過撒但，釋放那被囚的。基督的故事於是透過整本舊約的表徵和先知的預言，繼續下去。新約透過基督的降生、生活、受死、升天和現今的榮耀，記載了先知預言的實現。四福音所說的基督故事，就是舊約的續集。

馬太福音以基督降生的故事作開場，但這並不是故事的開始，而是以前所寫一切的實現和結局。馬太把基督的故事，與 神曾賜他應許的亞伯拉罕連結，「*..地上的萬族，都要因你得福*」（創十二3）。這個應許，以及所有給予亞伯拉罕的其他應許，都要藉著他的子孫，「*..就是基督*」（加三16），而得以實現。

馬可福音幾乎是直接由基督的生活開展，但無論怎樣，馬可已是小心地提醒讀者，這故事不是一個開始，而是一個「*..先知書上..*」（可一12）所記事情的實現。

路加將基督的家譜追溯至亞當。路加藉此向我們顯示，我們不能只從閱讀馬利亞、約瑟或在伯利恆出生的嬰孩耶穌的故事，去了解他所寫的。要清楚了解路加福音，我們亦必須留意在聖經歷史舞台上，亞當作爲人類始祖所扮演的角色。

約翰福音講述有關「道」不斷發展下去的故事。「道」的故事由永恆開始，接著是萬物的創造，然後是道成肉身（約一1-3）。「道」的未來故事，記載在啓示錄，當中祂被描述爲「*..他穿著濺了血的衣服..*」（啓十九13）。

耶穌見到，需要讓那兩個憂愁而夢想破滅的人，直接明白祂的死，祂就轉到舊約所載，「*從摩西*」（創世記至申命記），「*和眾先知起*」（聖經其餘記載），「*凡經上所指著自己的話，都給他們講解明白了*」（路二十四27）。

只有在舊約中才能找到的 神所寫的開始；脫離基督的故事便很難清楚講解，讓人明白。因此，我們的責任就是先講解舊約所載的開始，然後再講在新約中的結局。在舊約中，神已顯示救贖的表徵，讓人作好預備去了解新約中基督的故事。這些舊約中有關救贖的表徵，是爲了指明並闡釋主耶穌基督的降生、生活、死亡、埋葬和復活。

一些不強調以舊約救贖表徵，作爲了解基督故事基礎的宣教士，似乎更倚賴在各少數民族群體中所發現的救贖表徵。一位年青的宣教士，在休假返回家鄉時，途經澳洲。當我與他傾談時，可見他因自己的宣教工作無甚進展，而感到沮喪。我問他有沒有把福音介紹給當地的人，他說沒有。我第二個問題是，他留在那部族有這樣長的一段時間，為甚麼還不開始宣揚福音。他的理由是儘管他已竭力尋索，但仍找不到合乎他們文化的救贖表徵，或他認為是 神所賜的，讓族人清楚明白和接受福音的鑰匙。他因為找不到鑰匙或救贖表徵，而沒有信心向那些失喪的部族人傳福音。由於他正返回美國，我問他美國的文化中，甚麼是救贖的表徵或神所賜的鑰匙，以開啓救恩之門，去明白救恩？因為他回答不上，我便答道：「按你的意見，在你找到鑰匙前，向你的美國同胞傳揚福音，也沒甚麼用處。」

神若在一些文化中已賜下有效的施恩方法，那麼我們可預料主在所有文化中，也賜下這些方法。 神若已在原始部族文化中，隱藏了祂所賜的救贖表徵，以作為啓導他們明白接受聖經、父神、基督和救恩鑰匙，那麼，我們便必須永不休止地尋索。但我們怎知道甚麼時候才找到正確的鑰匙？誰可作判斷？判斷時我以甚麼作準則或標準呢？我們若因見到部族的人明白和接受福音，便作出結論說我們已找到那鑰匙，那我們怎知道 神不是已為我們預備另一把更合適的鑰匙，等待我們用來為 神和為福音而推行一個更大的運動，而開啓那文化之門呢？

類似聖經故事和舊約禮儀的文化故事和禮儀，並不是 神所賜用來開啓人心，使人明白福音的鑰匙。這些故事和儀式，是全人類在因巴別塔事件而分散前，已知道的遺留事實。這些東西在許多原始社會中，口授相傳下來，已有很大的變化，且嚴重歪曲。神曾顯明的眞理，因撒但的謊言，而被人故意置之不理（羅一18-32）。這其中一個最明顯的例子，就是廣泛地使用血，去作為平息神怒，向 神獻祭的方法。這知識是源自人類墮落後， 神規定獻上的血祭。神曾以血祭，作為與祂接觸的唯一方法，但現今許多部族文化，已把血祭作為向撒但和邪靈所獻的祭。

宣教士應盡量去認識有關他們要接觸，以傳揚基督之人的文化、民間傳說和信仰。他們在教導 神的話語時，也應使用例子和文化上救贖比喻。不過，這些都不能取代藉著宣講聖經，而預備罪人的心。這些文化背景的比喻和例子，不管有多清晰、有多大的說服力，或令人驚異的多類似聖經所載的事，都不能凌駕在聖經的救贖表徵和比喻之上。文化背景的救贖比喻，不能取代神在舊約中賜下，清楚刻劃出預表基督和祂救贖工作的救贖比喻。宣教士可能全不察覺在文化比喻中的一些隱藏意義或罪惡涵意。宣教士若倚靠文化比喻，而不倚靠聖經比喻，他可能會在不知不覺中，領人進入嚴重的誤解、謬誤、甚至與異教結合。

耶穌告訴法利賽人 神話語的眞理，使撒但的俘虜從罪惡的綑綁中得釋放，祂在禱告中對 父神說：「*..你的道就是眞理*」（約八32，十七17）。保羅指示提摩太說：「*務要傳道..*」（提後四2）。人若相信 神活潑常存的道，那不能壞的種子，就在靈裡得重生（彼前一23）。聖經並無跡象顯示，神的話語只有在按文化救贖比喻的闡釋下，才能使部族人從撒但權下得釋放。 神已為我們提供屬靈的武器，使我們可用來抵禦撒但，攻破撒但堅固的營壘、各樣的計謀和各樣攔阻人認識 神的意圖（林後十3-5）。

神賜給以色列人的聖經救贖比喻，亦是同樣賜給全世界的人。「*從前所寫的聖經，都是為教訓我們寫的，叫我們因聖經所生的忍耐和安慰可以得著盼望*」（羅十五4）。 神沒有直接向外邦說話，但 神已選擇透過祂向以色列人和初期教會所說的話，把心意告訴外邦人。所有人都必須就近 神從聖經中發出的亮光。藉著 神無限的智慧和至高的命定，所有救贖故事和耶穌基督教會的創立，都是界定在以色列國的文化、地理和歷史架構內。因此，人如不先從舊約去獲得有關以色列的起源、發展和歷史的基本知識，便不能明白新約的故事。

主為自己創造以色列國，使祂能以此作為祂的見證和向全人類賜福的渠道（賽四十三1、10-12、21）。 神對以色列祖先亞伯拉罕所作的應許，顯示 神透過他和他的子孫，將賜福給「*..地上的萬族..*」（創十二1-3）。這應許藉基督（那應許的後裔），得以成就，但亦藉著聖經，交託以色列人作為 神對世人的唯一啓示。所有其他國族，除非願意接受 神透過所揀選的渠道，就是以色列，所賜的眞理和智慧；便會留在無知、無神和無盼望的景況中。 神向以色列人說：「*在地上萬族中，我只認識你們。因此，我必追討你們的一切罪孽*」（摩三2）。反之，在五旬節前，所有外邦國族，都被稱為「*..我素不認識的民..*」（詩十八43）。

聖經是 神對世人唯一的啓示。這是基督教眞理的基礎。佛教、印度教、回教和許多其他虛假的宗教，之所以能取得皈依的信徒，是因為有自由前衛作家自稱基督徒的，卻教導人說眞理不局限於希伯來基督教的聖經，眞理亦可在世上其他宗教著作中發現。多神論的部族人，他們所稱的眞理，是根據民間傳說和來自諸神靈的啓示。基督徒宣教士的責任，是透過聖經的教導，清楚地確定 神向世人所啓示的眞理，除以色列外，並沒有透過其他國家啓示出來，而這啓示，只有在聖經中可以找到。因此，世上各部族和國族，如要明白 神的眞理和祝福，便亦必須轉向聖經，以此作為唯一眞確而完全的屬天啓示。神的啓示由舊約開始，而以新約中藉以色列的彌賽亞，即拿撒勒人耶穌的啓示而完成。「 *神既在古時藉著衆先知，多次多方的曉諭列祖。就在這末世，藉著祂兒子曉喻我們，又早已立他為承受萬有的，也曾藉著祂創造諸世界」（來一1、2）。*

神在聖經所記載的歷史事件中，常主動地將自己顯明出來。

因此聖經是一本整體的書。舊約是引言，是明白新約有關基督和祂救贖工作意義的穩健基礎。但 神是只告訴我們要教**甚麼**，**怎樣**教，卻留待我們自行處理嗎？當我繼續尋索的時候，我清楚發現神所寫的聖經，不單告訴我們要教**甚麼**，也提出原則和指引，讓我們知道**怎樣**去向世人，教導祂的信息。祂的教學法是最好的，祂的用意是要我們自己去學習，當向別人教導祂的話語時，以此作為指南。

## 聖經的文學形式

神是最偉大的教師，所有萬物之靈都是祂的學生。無人能逃離祂的教室，就是祂所造的宇宙。衆天使，甚至撒但和它的爪牙，都要接受 神屬天的教導（弗三10）。神的聲音以無數方法，傳遍天地萬物。

神在地上造人，讓人為 神而活，作聽從 神的學生。 神智慧的聲音說：「*衆人哪，我呼叫你們，我向世人發聲說，愚蒙人哪，你們要會悟靈明。愚昧人哪，你們當心裏明白*」（箴八4、5）。

這位無所不知的教師寫了這本書，去教導和引導人類完全明白有關 神自己的眞理，以及 神對一切受造之物的完美旨意。因為人是祂造的，祂完全明白人的思想運作。 神知道怎樣用最好的方法，去抓住人的想象力，領人去清楚明白眞理。

一本書的作者，須決定採用那種他認為是最適合他主題和讀者的文學風格。兒童書籍的作者，須考慮到兒童在思想上的局限，而以一個適合主題的方式，去加以表達；為成年人寫作的，則須選擇一個適合他著作的主題，以及適合他預期的成年讀者理解能力的表達方法。

那屬天的教師，完全了解祂的教材主題和祂的學生，祂爲祂的書選擇了最合適的文學風格。這本書已託付給教會，就是基督的身體。教會是 神在地上的代表，教會領受了聖經，便要向人傳達當中 神與人和好的信息（林後五18-20）。不過，教會雖領受了那詳盡完備的教學手冊，但一般的表現卻像一個教師，不理會作者所定的教學方法和表達方式，而完全以自己的教學方式，去修改和重新編排所教授的內容。在大多數的情況中，教會各部門的聖經教師，由主日學教師至宣教工場的教師，都沒有思想和遵照神在聖經，就是祂的教學手冊中，清楚說明的教學方式。

## 歷史

神在聖經中記載的，都是在時間和空間曾實際發生的事。 神說話。 神行事。神與眞實的歷史人物，曾彼此互動。聖經的內容與每個時代的人，不論他們甚麼文化背景，都是息息相關，因爲聖經是一本記載歷史個案的書。我們能夠與聖經中所記載的那些人物的生活認同。 神與眞實的人，就是像我們一樣的人，有互動的關係，祂也向我們說話。

神透過祂在歷史中的作爲，彰顯自己。當 神需要提醒以色列人有關祂眞正的身份時，祂會指示他們回想祂與他們列祖的歷史關係。神對摩西說：「*..你要對以色列人這樣說。耶和華你們祖宗的 神，就是亞伯拉罕的 神，以撒的 神、雅各的 神，打發我到你們這裏來。耶和華是我的名，直到永遠..*」（出三15）。

神常常提醒祂的選民說：「你如想知道我的名字，我的身份，你便要記念我在你們的祖宗亞伯拉罕、以撒和雅各當中，所行的事。你們要記念我在你們的國族當中，如何行事。回想我怎樣拯救你們出埃及。看看我怎樣藉著十災，去對付那罪惡滿盈的埃及國及國民。記念我怎樣在逾越節和紅海中，拯救你們。不要忘記我在曠野中怎樣看顧你們。我的應許有曾落空嗎？想想我怎樣領你們進入這塊我應許賜給你們的地方。記念我因你們拜偶像，而向你們施行審判，使你們被擄到亞述和巴比倫，但又實現我的應許，使你們重回自己的地方。」 神與人共步歷史，在其中將自己顯明。聖經列舉了許多與以色列歷史事蹟有關的事例， 神就是透過這些去顯明祂的本性和屬性（出三13-15；申七18-19、八、十一1-7；詩一〇五、一〇六、一一一）。

由於 神在聖經所記載的歷史事蹟中，常主動地將自己顯明出來，以色列的領袖和先知，便經常覆述和提醒以色列民有關他們的歷史。

以色列民信靠那位透過祂在歷史中的作爲，將自己顯明的 神。從他們守逾越節，以記念 神如何拯救他們出埃及，便可見一斑。每一代的信心，都建立在歷史的神這穩固根基上， 神在埃及那難忘的一夜，顯明祂自己就是以色列人的救贖主（出十二24-27）。以色列接續的每一代，都受教知道有關 神救贖他們整個民族的歷史事實。每一個以色列人若要蒙 神拯救，便要自己運用信心，但這信心不是指個人的主觀經歷，而是對歷史的主，他們國族的救贖主的信心。當以色列人存著信心，參加逾越節的禮儀時，他們就是向以色列的 神、救贖的神、歷史的 神、亞伯拉罕、以撒和雅各的 神，表明自己的信心。他們看重那將救恩帶給他們整個國族的歷史事件。他們認識神，信靠 神，因祂已在歷史中將自己顯明出來。

神不單在舊約，也在新約祂所行的事中，顯示祂是一位怎樣的 神。當 神計劃以最終，最完全的姿態向我們顯明祂是怎樣的一位 神時，祂以祂獨生子耶穌基督的形像，步進歷史。當腓力向耶穌說：「*..求主將父顯給我們看，我們就知足了。*」祂怎樣回答呢？祂說：「*..腓力，我與你們同在這樣長久，你還不認識我麼。人看見了我，就是看見了父..*」（約十四8、9）。門徒需明白 神是藉耶穌而行事。祂就是 神——那位活著、談話、行走和向他們說話的 神。他們若想知道 神是甚麼樣子，就必須仰望、聆聽和相信主耶穌。「*從來沒有人看見神，只有在父懷裏的獨生子，將祂表明出來*」（約一18）。

神在舊約中是以耶和華的身份行事。神在新約中是以耶穌基督的身份行事。 神在使徒時代中，則是以聖靈的身份行事。

## 眾使徒所強調的重點

眾使徒認識：舊約是 神記錄祂在世人當中的參與，及如何預備祂的選民迎接將來的救主。舊約是初期教會的聖經。使徒行傳所記載的使徒講章，首先是強調 神在歷史當中，在亞伯拉罕、以撒、雅各、約瑟、大衛身上和在以色列國中，所施行的作為。眾使徒隨後將 神在舊約中的作為，與 神在祂獨生子拿撒勒人耶穌的身上如何彰顯自己，連結起來。使徒是根據歷史的記載和舊約先知的預言，去整體闡釋基督的降生、生活、受死、復活、現今的榮耀和祂將來莊嚴榮耀的顯現。他們用舊約去證明，拿撒勒人耶穌自稱是基督的話，是眞確的。他們認為基督的故事，遠在他們在加利利海邊，或在約翰為祂施洗的約但河邊、與祂相遇前，已經開始。眾使徒和那些相信使徒所傳信息之人的信心，是建基在舊約所載，有關基督的見證上。他們將舊約、舊約歷史，與他們跟拿撒勒人耶穌同在時新近經歷的事，作為一個整體的故事去教授。

這教授方式從彼得在五旬節那天的講道開始，就是清楚明顯的。另一個典型的例子是司提反的講道，在那篇講道中，他由亞伯拉罕開始，去講述舊約的歷史。司提反那篇講道的高潮，是在他簡述以色列人對 神最後差派的主耶穌，所持的態度。使徒行傳第八章記載了腓利遇見埃提阿伯太監的故事，那時太監正在讀以賽亞書五十三章。腓利將這舊約經文的記載，與新近在各各他山所發生的事，連繫起來，帶領這人明白福音。（請參閱徒二22-36、三13-26、7、十34-43、十三16-41、十七2、3）

## 教會的責任

舊約經文是要預備人心，使人明白道成肉身的目的和重要性，但這卻被教會大大忽略了。許多人誤解了基督的使命和受死的整個目的，因為他們極少明白聖經所載，祂來到世間的原因。假如那些在家中、教會、查經班和主日學宣揚福音的人，在教授救贖故事如何在新約成就前，先教授救贖故事如何在舊約開始，便會有更多人清楚明白基督的降生，是 神拯救他們的計劃。不過，由於有基督徒在教授時，仍是忽略這個屬天啓示的次序，許多人在思想上對基督和祂的使命，便會繼續混淆不清。

那些曾花時間去教授基督的故事，是如何從舊約開始，又小心地循著已發生的歷史事蹟，進到這故事如何在新約中完成的，可以證明他們的聽眾，對福音有極清楚的認識。相反的，有許多人卻幾乎是立刻由基督的故事開始，而沒有在舊約的歷史故事中，作出準備。許多年後，有人已發現他們所傳的信息，只是在表面上被接受，但接受的人並非眞正明白。

葛達爵士在提到巴拉圭的艾華族人時，這樣寫道：

「四百多年前，耶穌會教士與許多這些印第安人一起聚居。後來，耶穌會士被政治領袖放逐，便放棄在這些印第安人中的聚居地。在那些日子，巴西的麻美魯哥斯人侵入巴拉圭，把許多印第安人帶走，作為他們的奴隸。」

「這一切的結果，都反映在艾華族人的文化和宗教信仰中。就宗教而言，他們是願意接受 神和耶穌基督，正如他們多年前從天主教徒所領受的一樣。他們直接了當地把神和耶穌基督，加入他們無數的偶像名單中，而名單內的數目，正繼續增加。當我們的宣教士初次向艾華族人傳講福音時，他們並不知道這情況。由於有人願意接受他們的教導，承認自己是基督徒，他們便以爲是有進展了。不過，隨著年日過去，從他們生活當中，並沒有見到甚麼實際的改變，我們才發現他們其實並未明白福音。」

「在研究他們的文化和宗教後，我們所得的結論是我們必須由創世記開始，奠下根基，再在上面建造起來，使他們能明白神是誰、甚麼是罪，人如何因罪墮落，而人只有藉著對 神子耶穌基督的信心，才能得到拯救。」

基督教的 神是歷史的 神。基督徒的信心是奠基在 神啓示的偉大作爲上，由神的創造爲始，而以主耶穌基督的降生、生活、受死，復活，升天進入榮耀，在歷史上成就的救贖工作爲終結。正如以色列教師的責任，是保存以色列的歷史，在歷史當中， 神長遠活著，以一個眞實而有意義的方式行事，作爲以色列人世世代代信心的基礎因此我們的責任不單是教授神在新約歷史中，藉著我們的主耶穌基督所成就的救贖工作，也要教授在舊約歷史中，神顯示自己是創造、審判和施行拯救的神。正如每個以色列人須回顧神在歷史中的作爲，去建立他的信心，我們也須如此。例如，爲提醒我們有關神在歷史中的重要作爲，以支持我們的信心，於是便設聖餐之禮。「*..我們逾越節的羔羊基督，已經被殺獻祭了*」（林前五7）。

> 神將自己向世人顯明出來—這表明希伯來的基督教信仰與世上所有其他宗教的基本差異。

教會必須教導聖經的歷史內容，使人不會依靠一些主觀的個人經驗，去作爲他們得救的盼望，而是以客觀的事實，那永活的神，如何在聖經歷史中，又在基督代他們成就的歷史救贖工作上，將自己顯明出來（林後五18-20）。當人忽視聖經的歷史內容時，便會看重自己的主觀經歷，而不會看重耶穌基督在歷史上，爲他們成就救贖的客觀經歷。眾宣教士所教導和向土著所強調的，會成爲他們信心的根基和基礎。我們若強調個人經歷，世人便會依靠內在的經歷，作爲他們在 神面前蒙接納的基礎。我們的信息若是關乎聖經歷史，並以 神在基督裏的歷史救贖工作爲終結，他們的信心便會完全建立在基督實際爲他們所成就的事上，而不在自己和自己的經歷上。他們會依靠 神在基督裏爲他們成就的工作。

我們從聖經中帶給世人的信息，不是一份教義一覽表，或有關神的專題重點。我們所宣講的，是曾實際在時空中發生的。這是眞實的，是有事實根據的。這是歷史。當我們迴避或忽略聖經中， 神曾藉此彰顯自己的歷史內涵，使神話語脫離其歷史背景，我們就是忽略了 神啓示的基本方式。同時，我們也使聖經失去權威性，使人難以相信和接受 神只藉聖經去彰顯自己。 神不只一次、兩次，而是屢次步入世人的歷史中。神在當中行事和說話。 神並非沒有爲人留下見證人。祂已藉走過的歷史路，向世人顯示自己，祂不單在舊約中以耶和華的身份顯現，祂更在新約中以耶穌基督的身份顯現。這表明了在過去和現在，希伯來的基督教信仰與世上所有其他宗教信仰的基本差異。

當人將 神在歷史中的作爲，從基督教神學中刪除，然後將這神學介紹給回教徒、佛教徒、萬物有靈論者，或附著於其他世上宗教，作爲一份教義一覽表，那麼，基督教便只會變成白人之 神的哲學，供人選擇。尤有甚者，基督教義若脫離其歷史背景，便會很容易與現存的宗教和根深蒂固對 神的概念，互相適應和併合。結果必導致不同信仰的適應和結合，成了異教教義和基督教教義的雜配。

聖經宣告歷史的 神，是唯一的創造主，全能的審判主，世人的救贖主（賽四十三9-17）。歷史上只有一個眞實的宗教，就是 神在歷史中顯現引領，記載在聖經中的宗教。所有其他宗教都是虛假的，是撒但欺騙人的工作。要防止與異教結合、曲解眞道、虛假認信和以經歷爲主的宗教，最佳方法是教導 神的話語，因 神所賜的話語，是有其歷史內涵。因此我們不可講授整套教義卻脫離了 神所定的歷史背景；反之，我們必須教導有關 神作爲的故事，因 神已選擇在歷史中顯示自己。世人可以忽視我們這套教義，認爲是有關 神的西方哲學，但 神在歷史中所行的事蹟，卻是無人能駁倒的。

神用這個以聖經和歷史來表達自己的方法，使人相信聖經的眞理。透過這方法，世人便明白和相信基督徒的 神，不是希伯來或基督教的哲學家，憑推測和豐富的想像力創造出來的；反之，祂實在是位有位格而永活的 神，祂在過去和現在，都牽涉在整個世界的歷史中。祂是活在我們當中的神。即使人從未認識 神，神親自認識他們和他們的祖宗（徒十七24-29）。尤其重要的，是要讓土著明白基督教的 神，不是由一些西方宗教領袖的思想中創造出來，也不是基督教的發明成果。

這便是我們應向各國各族傳遞的信息，因 神已將這事託付給我們了。藉著教導，我們讓所有人認識 神在歷史中的作爲，而 神在歷史中，已將自己顯明出來。神在歷史中啓示，是爲了所有的人，這些啓示已記錄下來，由 神保存，作爲信心的基礎。

## 依循歷史事件的先後次序來傳福音

當我對教授聖經的聖經原則更清楚的時候，我也日益殷切地希望，藉著在巴拿旺努一個未聞福音之區傳揚福音，去把這些原則付諸實行。一九六二年，主曾使用保羅的志向：「*我立了志向，不在基督的名被稱過的地方傳福音，免得建造在別人的根基上*」（羅十五20），鞭策我離開在澳洲全職事奉的崗位，往菲律賓未聞福音的土族那裡去。又一次，主再使用這節經文，鞭策我往巴拿旺努一個沒有福音見證的地區。當我準備再向南移，去開始這新工作時，我最擔憂的，是恐怕幾年後，我所用的方法和教導，還是產生我在巴拿旺努教會中所見人對福音同樣的誤解、與異教結合、條文主義等，還是對舊約沒有足夠的基礎，以致不能明白新約。這是我在巴拿旺努教會多年掙扎的問題。在我的福音教導計劃中，需要加入甚麼，才能防止這類誤解呢？

> **最佳的傳福音方法，是從頭開始，依循經文的歷史次序來教導。**

現在我已明白，當人傳福音的時候，必須遵循聖經所示的教學指引。這些教學的原則，已在前幾章討論。為便於思想我要介紹的教學計劃，其中的邏輯和聖經道理，我先順序列出概要。

1. 藉教導聖經去傳揚福音，必須要讓聽者知道 神所顯示有關祂的本性和性格，使他們作好準備，而接受福音。傳福音的時候，必須教導 神的聖潔、公義和神對罪人的忿怒，使人能根據聖經中有關 神的概念，去判斷自己。

2. 由於 神選擇藉著祂在歷史中的作為，去顯示自己，而不是只靠宣告和陳述去顯示自己，我們的福音教導，便必須包括聖經中的歷史部份，因 神在這部份，已顯出祂真正的本性和性格。

3. 當我們預備人心，單信靠基督的時候，律法必須佔我們教導內容的一部份，因「*..律法本是叫人知罪*」（羅三20）。我們若想避免與異教結合、防止條文主義和行為與恩典混合，我們便必須以正確方法去使用舊約的律法，使我們的聽眾能明白律法有定罪和使人知罪的能力。

4. 真正福音工作的目標，是使人單信靠主耶穌基督，以及祂為人所成就的救贖工作。我們若要聽眾明白和正確詮譯四福音書中有關基督的故事，我們必須充份提供舊約按歷史先後次序編排有關基督的背景資料。

5. 在傳福音的時候，我們必須教導聽眾有關以色列的基本歷史和文化，因只有這樣，他們才能明白猶太人的彌賽亞故事，基督如何成就舊約所載的救贖方法，基督作為大衛子孫、君王和以色列公義審判者的地位，祂對以色列迷失的羊特有的使命，以及祂最後被自己的人拒絕。

這些聖經教學指引，在傳福音時都是必須的。我怎能確定這所需要的每一方面，會全納入我的福音教學計劃內呢？我在那裡可找到一個教學形式，是已納入每一個聖經教學原則的呢？

在思想這些原則後，我得到的結論是，最佳的傳福音方法，是從頭開始，按整本聖經的歷史次序來教導，以確保人明白基督的故事，正確地為福音作好準備。

「編年教學大綱」第一部份，是作傳福音之用，強調**救恩**方面，由創世記開始，而以使徒行傳所載，有關基督升天的事作終結。這課程的五十課課文，*穩固根基*

— *神創造天地至基督降臨*，是「編年教學大綱」的福音部份。

舊約是一個基礎，用以顯示 神是世人至高的、無所不能、無所不知、無所不在、聖潔、慈愛、公義、憐憫、永不改變的創造主、律法制定者、審判主和救主。 神的顯現由創世記第一章開始，透過人類種族的歷史發展，透過以亞伯拉罕爲首的列祖生活，而延伸下去。從 神懲罰法老和埃及，拯救以色列民脫離爲奴的境地，在以色列民往西乃山的路途中，看顧他們等事上，顯示出神的本性和性格。 神作爲世人的創造主、律法制定者和審判主的至高地位，藉著律法的頒佈，而得以奠定。透過 神對反叛的以色列民的懲罰，又透過祂的憐憫和永不打盹的保守看顧， 神的本性和性格，繼續彰顯出來。藉著摩西、約書亞、眾士師、列王和眾先知的工作， 神充份地顯示祂審判罪人，赦免悔改者的特殊權柄。

舊約記載了律法的執行。這並不表示神在舊約時代，沒有顯示祂的恩典。自亞當和夏娃開始，罪人要得蒙拯救，只有倚靠神無限的恩典。雖然 神的恩典在舊約中是明顯的，但 神的至高權柄、公義、聖潔和審判，更是顯而易見。 神藉著頒佈給以色列民的律法，顯出祂自己是一位聖潔的神，祂不會有罪不究，也不會有罪不罰。神在舊約時代頒布律法，藉此顯露出人心中與生俱來的敗壞，及 神對所有違背祂誡命的人，顯出神聖的憤怒。因此，要領一個未得救的人，面對 神的神聖律法之要求，最好最直接的方法，是讓他接觸舊約部份，因爲 神在當中使用律法，教導、預備以色列人，使他們見到自己的無助而需要一位救主。

那麼，在教導未得救的人認識基督的生平和救贖工作前，是否需要先教授全部舊約呢？並不是！這是不需要的，因大部份的新約和舊約，是向已信的人說話。另一方面，四福音的主要目標，是引導未得救的人認識基督的生平和救贖工作。約翰所說有關祂的福音是：「*但記這些事，要叫你們信耶穌是基督，是神的兒子，並且叫你們信了他，就可以因他的名得生命*」（約二十31）。就邏輯而言，當人要傳福音的時候，他只需教授舊約中，那些可作爲基督由降生至升天事蹟基礎的部份。我們應當教授足夠的舊約故事，那麼，在提及舊約的歷史和地理資料、先知、人物和例証時，或當福音書的作者在舉例說明時，聽眾會因已認識那些故事，便可以清楚明白所引用資料的意思，與引用的理由。

## 跟隨聖經歷史的導向

因爲 神已選擇在歷史架構中顯示自己，我們若由創世記至啓示錄，跟隨歷史導向邁進，便能非常清楚地教導聖經。

「編年教學大綱」是按照聖經各書卷的歷史部份編定，而聖經記載了向前邁進的歷史。下頁的圖表，列出了聖經歷史的導向。

## 這方式需要太長時間

有關這本書所提議的教學方式，最常見的抱怨之一，是這方式需要太長時間。

這是一個講求速率，凡事都要求不費勁的世代。事先煮熟的凍肉、即食甜品和微波爐，可確保在數分鐘內，便將吃的東西擺在桌上。可想到用來加快日常生活運作的每件設備，都垂手可得。

同一的思想模式，已侵入基督教會，也常應用到傳福音、教會增長和教會生活的每一方面。

儘管基督徒在工作上，需開放地去學習更快捷而有功效的方法，但他們必不可忘記，藉著聖靈的能力，去宣講 神的眞理，神的能力才得以彰顯，神的工作才得以完成。此外並無別法。

## 聖經歷史的導向

| 歷史運動的書卷 | 在這些期間內寫成的其他書卷 |
|---|---|
| 創世記 | 約伯記、詩篇 |
| 出埃及記 | 利未記、詩篇 |
| 民數記 | 申命記、詩篇 |
| 約書亞記 | 詩篇 |
| 士師記 | 路得記、詩篇 |
| 撒母耳記上／下 | 詩篇 |
| 列王紀上／下 | 箴言、傳道書、雅歌、歷代志上、歷代志下、以賽亞書、何西阿書、約珥書、阿摩司書、俄巴底亞書、約拿書、彌迦書、那鴻書、哈巴谷書、西番雅書、詩篇 |
| 但以理書 | 耶利米書、耶利米哀歌、以西結書 |
| 以斯拉記 | 哈該書、撒迦利亞書 |
| 尼希米記 | 以斯帖記 |
| 瑪拉基書 | |
| 馬太、馬可、路加、 約翰 | |
| 使徒行傳 | 雅各書、帖撒羅尼迦前後書、加拉太書、哥林多前後書、羅馬書、腓利門書、以弗所書、哥羅西書、腓立比書、彼得前書、提摩太前書、提多書、提摩太後書、希伯來書、彼得後書、猶大書、約翰一書/二書/三書 |
| 啓示錄 | |

神不會改變祂的方法，去配合新潮思想和所謂「先進」事物。「*因我耶和華是不改變的..*」（瑪三6）。這是 神眞實的本性，也是祂眞實的行事方法。

人最大的需要是去聆聽、明白 神純淨的話語，並作出回應。 神的能力是在祂的話語裡面。全能的 神透過祂的話語，使混亂變爲有條理，使黑暗變爲光明，將生命帶給無生命的世界。神透過祂的話語，揭露人心的詭詐，將生命帶給靈命死亡的人，使撒但的俘擄得釋放，使靈裏瞎了眼的人得看見（賽五十五10、11、路四18；約八32；彼前一23-25）。

基督徒的責任是完全倚靠聖靈的能力，去教導 神的話語。沒有人類的智慧、機靈或高壓的佈道方法，能加速聖靈的工作，去使人悔改。我們的責任不是去決定或設法加快別人得新生命的時間。我們要做的，是忠心地教授一切已交託給我們的，至於改變人心的工作，則留待 神去做。

普世教會牧養工作的最大錯誤之一，是不願花長時間教導還未得救的人，讓聖靈做使人悔改、認罪，領人在主耶穌基督裏建立信心的工作，讓他們得著確據，可與保羅齊說「*..因爲知道我所信的是誰，也深信他能保全我所交付他的，直到那日*」（提後一12）。杜格思是在巴布亞新畿內亞那裏巴維亞族的宣教士，他曾這樣評論說：「由創世記開始，一直教下去，需要花很長的時間和許多精力，但這是非常値得的。巴維亞族人明白他們所信的是甚麼，也知道他們爲甚麼這樣相信。」

大多數的福音見證計劃，是讓基督徒與未信者進行短暫的面對面交談。當中並沒有付上足夠的精力，去預備非基督徒的心，讓他們明白接受福音的眞正原因，知道福音的眞正意義。他們通常只是向未信者引用幾節經文，例如羅馬書三章二十三節，然後便催促對方決志。

聖經清楚地告訴我們， 神可能把責任交給這個人去播種，那個人去灌溉，又另一個人去收割（約四36-38；林前三6、7）。在今日大多數傳福音的方法中，那個播種的人亦預期可以立刻收割。不錯，主是有無限能力的。祂的話語滿有拯救的大能，祂實在常會使用同一人去播種和收割。不過我們的責任是要確保把神在聖經中告訴我們的一切，忠心地去教導別人，使人在聖經方面作好準備，去接受福音。那麼，我們便能信靠祂去讓人數增長。

最有效的福音見證計劃，是讓基督徒有系統地教導 神的話語，而讓聖靈按祂的時間作工。 神的兒女需要去接觸認識未信的人，在自己家中設查經班，以持續數星期或甚至數月的時間，連貫地教導 神在聖經中所記載的，以作爲福音的基礎。

## 向已準備好的人講述福音

我在上文已提及爲甚麼在教導未信的人有關新約中基督的故事和福音前，須先教導舊約的基本綱要。但這並不意味我在說，除非人已聽聞和明白這教學計劃所介紹的舊約大綱所載的一切，否則他便不能得救。我也不是說，除非教師已教導對福音準備好的人有關建議的大綱，否則便不宜講授福音。我們必不可受大綱束縛，但我們必須讓整本聖經中清楚教導的聖經原則，來引領我們。

在教授舊約大綱的任何一點上，如組內有人被聖靈光照，見到自己在 神面前的失喪情況，教師便應有屬靈的洞察力，知道應在甚麼時候給那醒悟的罪人，私下教授有關主耶穌基督的降生、生活、受死和復活。強把福音加諸那些未經 神爲他們作好準備的人，是一種錯誤，照樣，不讓那些已接受神教導，靈裏破碎，渴望救主憐憫和赦免的人接觸福音，也是同樣錯誤。無疑，有些人在未接受福音書的教導前，已明白福音，也讓聖靈爲他們作好準備，去接受福音。當我面對這情況時，我會把那人帶離他所屬的一組，在另一旁向他提問，看看他是否清楚明白有關 神本身、祂的聖潔、對罪的憎恨和審判的基本眞理，與他本人在 神眼中的犯罪情況。在確定那人已眞正認罪，明白和接受神的道之後，我便會簡單而審愼地告訴他， 神透過基督的降生、生活、犧牲受死、埋葬和榮耀的復活，已爲罪人作出完全的預備。一個人若眞正讓 神爲他作好準備，他必定可因聆聽和明白福音，而得到在基督裏的信心（約六44、45）。

一位名叫甘倫的巴拿旺努族年青人，正參加聚會，我在那裡按聖經歷史的次序教授聖經，已差不多三個月。一日，甘倫來對我說：「我準備開始向你的神禱告。」在我們教授聖經期間，我沒有與巴拿旺努族人一起禱告，但他們知道天主教徒有禱告，他們也見過我們在家裏謝飯祈禱。

我問道：「甘倫，你以爲靠禱告便可以與 神連上關係嗎？你還記得 神怎樣把亞當和夏娃逐出樂園，又安設曒路伯和發出火焰的劍，在那裡把守嗎？禱告能把那發出火焰的劍挪去嗎？他們與 神交談，便能重回伊甸園嗎？」

他回答說：「不能。」

我問：「那麼，你為甚麼以為靠禱告，便可以到 神面前？罪的懲罰是甚麼？」

他答：「死亡。」

我們在小組聚會中，已講到有關頒佈律法的故事。所以我們一起談論有關舊約中，說明 神對罪的公義審判就是死亡的故事。

我說：「 神所定的懲罰是死亡。這是一個公價。」這「公價」一詞，在我們講授時已用過，在菲律賓，當小販表示不會就一件物件討價還價時，他們也會用這個詞。在一些較大的商店裏，當有人開始要討價還價時，售貨員便常會說：「對不起，這是公價。」他們便不會再討價還價，因為所有物件都是公價。於是我對甘倫說：「 神所定的價是公價。 神所定的價是死亡。禱告不是 神所定的價。 神除了死亡，就是與 神脫離關係外，不會接受任何東西作為罪的公價。」

甘倫繼續參加每日的講授，大約一星期後，他又來對我說話。他用菲律賓話稱呼我「大樹」。（土族人給我這個名稱，是因為我比他們長得高。）甘倫說：「我現在明白了，禱告不能使我回轉歸向 神。不過，我要怎辦呢？我從神的話語中，知道自己是一個罪人。這點我是確定的。我知道自己要下地獄？我可以怎辦呢？」

我為聖靈對這人的教導，在心裏感謝神。我答道：「甘倫，你問我你可以怎辦。告訴我，你要付的代價是甚麼？」

他答道：「死亡。」

我說：「甘倫，你如果想為自己的罪付上代價，那麼，你便必須下到地獄去。你要永遠與 神脫離。你要因自己的罪而受永遠的刑罰。」

他站在那裡，非常憂愁，他最後說：「那麼，我必須要下到地獄了。」

我心裏立刻想，你不會的。我知道 神已教導甘倫。他透過舊約聖經，已明白有關神自己、他自己和自己罪的基本真理。他已準備好來明白福音和只信靠基督來得到救恩。

我說：「甘倫，讓我們到陽台去坐一坐。」我們往陽台坐下。然後我問他說：

「你可還記得人在伊甸園犯罪後，神應許差派一位，藉童貞女降生為嬰孩的嗎？神應許祂會消滅撒但，使人脫離撒但的權勢。」

他回答說：「我記得。」

我於是提醒他有關亞伯拉罕的故事。我問道：「你可還記得 神怎樣透過亞伯拉罕，應許賜下救主？」

他又回答說：「我記得的。」

我重提舊約中指出將有一位救主降生的關鍵故事。然後，我根據這些舊約故事和神有關基督的應許說：「甘倫，救主已經來了。」

在隨後大約一小時，我簡單地告訴他有關基督的故事。當我最後來到基督代我們受死的一點，我告訴甘倫：「 神知道你會生下來。 神知道你會成為罪人。 神知道你因自己的罪，而應受永遠的懲罰。 神知道除非你的罪債得以完全清還，否則祂不能救你。主耶穌因著祂的大愛，甘願到世上來，為你承擔償還一切的罪債。」

當我說到基督在十架受死時，甘倫滿臉帶著笑容說：「如果祂為我死，我便不用受死了。祂是代我償債的。」

就在當時當地，他的心靈安息在聖經的真理中。他信賴基督代他清償罪債。他接受一個事實，就是他不能做到的事， 神已為他做了。

丹尼和珍妮兩夫婦，是在菲律賓南部向摩博族人傳福音的宣教士，下面是他們所寫，有關丹尼按經文的次序，向一位年輕族人講授聖經的事。

「差不多每一次，沙雅在往返他的稻田時，都會來我的辦公室，喝杯咖啡，與我傾談一下。那些時間是可貴的。他正開始明白正確的聖經真理。在談話中，可見他已醒悟到自己不能符合 神的要求，且會因自己的罪和自己罪惡的本性，受到永遠的懲罰。

「我在其他村落教授了一些課程後，便又與沙雅繼續他的課程。一日，沙雅和我由會幕談到十字架。這是多大的喜樂！基督耶穌的降臨，就有如拼板上的拼圖完成了一樣。他感到震驚。他的思想由創世記三章十五節，直奔向約翰福音十九章三十節，『..成了..』，我們安靜地坐了好一會。然後他說：『你是否說祂親自背負了我的罪？』

「神成就了這事，在我們眼中這是美妙的事。靠著 神在一人身上顯出的恩典，使我們全都能在新天新地裡快樂歡欣。」

## 短暫談道

我相信很明顯地，在本書中我所指出的情況，是人可以在一段持續的時間內得到餵養而言的。在妥善計劃的宣教工作、主日學、聖經班和本地教會的牧養工作中，這都是可行的。不過，當人只有很短時間向別人傳福音時，他又怎辦呢？

雖然我們永不應受任何教學大綱所束縛，但我們即使在短暫談道中，也應當接受聖經原則的引導。我們已討論過一個清晰的原則，就是只有那些被神的聖靈吸引和作好準備的人，才能夠來到基督那裡。 神不會去做那些祂命令我們不要做的事。祂不會「把珍珠拋到豬的面前。」

我們不應把福音強加給未作好準備的人。不過，向群眾公開宣講 神在歷史中，藉基督爲世人所做的事工，與向個別的人，講述那事工如何應用在個人身上，是有很大差別的。在公開聚會中，講員要對一群不同背景的人說話，他不知，也無法知道他們的內心情況，因此便可以有絕對的自由去介紹福音，向悔改的罪人發出神滿有恩慈的邀請。即使這樣，他應經常注意，只有那些受教、認罪、讓 神透過祂的話語和聖靈的工作，使他破碎的人，才會相信和接受福音中的得救信息。那些人若拒絕福音根基，就是神聖潔公義，滿有憐憫的本性，又不承認人在基督以外犯罪、失喪和無助的景況，便不能信靠 神的兒子在歷史中成就的拯救工作，也不能藉聖靈重生。因此，即使在公開的聚會中，講員可能不再有機會教導同一群人，但講員仍須先強調 神的本性和性格，以及 神的聖潔公義律法的要求，然後才向他們講述福音中，神的好消息。

在使徒行傳中，保羅進入一間猶太會堂，他首先提醒他的聽眾，有關舊約的基本歷史。在這當中， 神顯示祂自己，以及祂對將臨的救贖主的應許。作了這事，保羅便講述拿撒勒人耶穌自稱祂就是 神早已應許的彌賽亞，並指出基督的受死和復活，證明祂就是 神爲凡相信的人，所指定的救主。即時，在保羅的聽眾中，便分成兩派。那些已作好準備的人，渴望聽到更多信息；那心裏剛硬而信靠自己的人，卻拒絕他的信息。那些有反應的人，被帶到一旁，接受使徒進一步的教導，使他們的信心建立在舊約聖經曾清楚講述，而以新形像顯現的基督。

在其他的情況下，例如在火車、公共汽車、飛機、商店、街上、或在家中，當基督徒只有短暫的機會向人作見證時，在這有限的時間內，亦應盡量遵守同一的聖經原則。在作短暫談道時，信徒不應採取「游擊戰」的方式，而應設法與談道的人保持聯絡，並以隨後的教導，最好是查經，來作跟進。這方法如不可行，那便可以使用一些好的書籍，領他們閱讀聖經，使他們對基督有清楚的認識。

在巴拿旺我們一個進行宣教的地區，有一位巫醫，她是一名老婦。她的丈夫病得很重，不能行走。從早到晚，他都躺在睡褥上。

每天當我去教導一位痲瘋病人聖經時，都經過他們的房子，而那位痲瘋病人，就是那巫醫的兄弟。開始時，我會停下來向他們招呼，詢問那丈夫的健康情況，問一下是否需要我們幫忙。最初，他們拒絕我們給予醫藥上的幫助，但不久之後，他們的態度緩和了。跟著，我找機會在他們的家中略作停留，向他們介紹聖經就是 神的道， 神就是那唯一永活至高的 神。不久之後，他們叫孫子帶來一個信息，說他們不想再聽有關神的事。這事以後，他們時刻對我迴避。他們對我們和我們所傳信息的抗拒，在他們的言談舉止中，表露無遺。

按巴拿旺努人的風俗，男子結婚後，須離開自己的家鄉，前往妻子的家鄉，與妻子同住。但當他患了重病，知道自己不久於人世，通常便都會要求將自己送回本族的人那裡。當那巫醫的丈夫知道自己快要離世，他便被送回他親戚的家裏。

過了一些日子，我們非常驚奇的見到他的一些親戚，走了三小時的路，要求我去告訴這個垂死的人，有關 神的事。這個邀請自然是 神在他生命中工作的明證。

我感到非常開心，因爲這可能是以前在他心中撒下的種子，已被聖靈使用，我立刻和他的親戚前往他所在的房子。他已在垂死邊緣，但他對我提出的幾條問題，仍能微聲地作出簡單的回應。

我坐在他身旁，俯著身子向他開始解釋說：「我要告訴你的，不是我自己的話，或別人的思想，而是獨一永活眞 神的話。」

我的內心，從沒有像那天對自己所做的事，感到更無能爲力。我不斷求 神給我智慧和清晰講解的能力，讓這垂死的人明白、認罪、悔改和相信。

我繼續說：「 神在聖經中告訴我們，祂創造一切。」我就這點加以解釋，再補充說：「 神也創造第一個人亞當，他是全人類的始祖。」我想這人明白這包括巴拿旺努族人，因此也包括他在內。

老人似在聆聽，我繼續說：「 神把亞當安置在一個美麗的園子裏。在這園子裏面，神栽種了兩棵非常重要的樹，一棵是生命樹，另一棵是分別善惡樹。」在用非常簡單的詞句解釋這兩棵樹的意義後，我說：「 神警告亞當，不服從會帶來死亡。這死亡不單是指肉身的死亡，也是指永遠與 神隔離，落入刑罰之中。」

這時，我提議他休息一會，思想我所說的話。這也給我一個機會，向聚集在他屋內的親戚，加以講解。

不久我又回到他那裡，我問他是否明白我剛才對他所說的話。他表示明白，於是，我由創世記第三章開始，講述人類所受的試探和人類的墮落。我跟著解釋創世記三章十五節說：「 神應許有一天，祂會差派一位救主來，消滅撒但，把人類從撒但的權勢中，釋放出來。 神把亞當和夏娃逐 出樂園。他們被關在外面，遠離 神，除非 神自己爲他們預備一條路，否則他們沒有回轉的路。

我跟著向老人講述該隱和亞伯的故事。我強調說：「該隱和亞伯都是在樂園外面出生的，由於他們父親亞當的緣故，他們生來便是罪人。他們與神隔離，他們不能逃避 神對罪的審判，除非神自己做一些事去拯救他們。」

老人稍微移動一下身子，使自己能聽到每一句話。我繼續說：「這些眞理適用於所有人，而最重要的，這些都適用於你。因爲你也是亞當的後裔，你生來便與 神分隔，從生命樹中截除出來。」

我稍停一會，然後解釋 神如何向人指示，人若希望與 神接觸，便必須把一隻羊羔宰殺了。我加強語氣說：「人必須按照神所指示的方法，才能來到 神面前。他們必須宰殺羔羊。羔羊的血必須流出。其實，羔羊的血並不能作爲罪的代價。但血必須流出，好提醒獻祭的人，他們是該死的，而只有 神能拯救他們。他們的信心應放在 神裏面，不是在自己裏面，也不是在任何他們能做的事上。」

跟著我簡單地講述該隱如何拒絕依從神的方法，因此被拒絕，而亞伯信靠 神的慈愛和應許，因而被 神接納。在奠下這基礎後，我將這些眞理，完全個別地應用在我這聽者身上。

「你沒有方法可以救自己。你的罪所須付的代價，是永遠與 神隔離。祂不會接受任何少於所定的代價。只有 神能拯救你。像亞伯一樣，你若要得蒙拯救，便必須接受 神的方法。」

「你要小心。千萬別像該隱，以爲可以靠自己的方法，來到 神面前。」

老人像在沈思，於是我說：「我先讓你思想一下剛才所聽的，然後我會告訴你神做了甚麼，使你所有的罪得蒙赦免，把你從應受的懲罰中，拯救出來。」

稍後我又回到他身邊，我問他幾個問題，而他承認說：「是的，我是一個罪人。」然後他要求說：「請告訴我，神爲我做了甚麼。」

當我盡其所能，以最簡單的方法去講解福音故事時，我的心充滿喜樂。

「神差祂的獨生子來到世界，成爲你的救主。正如 神所應許，基督是由童貞女而生。祂一生沒有犯罪。大多數的人卻反對他，把他釘十字架。祂可以把他們完全消滅，然後回到天上，但祂容許他們釘祂十字架，使祂能爲全人類的罪所應受的懲罰，付上贖價。」

我提醒這位與地獄永刑這樣接近的人說：「 神對罪的懲罰，是永遠與 神隔絕，落入可怕的刑罰中。」

然後我說：「當耶穌在十架上快氣絕的時候，祂大聲喊道：『我的 神，我的神，你爲甚麼離棄我？』你想 神爲甚麼離棄主耶穌呢？主耶穌被神離棄，在十架受死，爲要成爲罪人的救主。主耶穌爲你受死，將你的阻隔挪開，使 神能赦免你一切的罪，賜給你永遠的生命。」

我引述約翰福音三章16節，與他分享復活的故事。

我靠緊坐在他的身旁，看著他那張已被死亡籠罩的臉，我告訴他說：「主耶穌現在能看見你，正躺臥在你的睡蓆上。你若信靠祂，接受祂爲你的罪，在十架上所付的贖價， 神便會赦免你一切的罪。」

我繼續說下去的時候，聲音帶著迫切：「你若接受祂，便不會下到要受永刑的地方，而會進入天堂，永遠與 神同在。」

我懇求他說：「不要像該隱。不要以爲可以用自己的方法，來到 神面前。你的罪需要贖價，而 神只接納一種贖價；就是當主耶穌基督，因你的罪而被 神離棄的時候，爲你所付上的贖價。」

「你明白嗎？你想問我問題嗎？」我問道。

他僅以微弱的聲音回答說：「是的，我明白。」他閉上眼睛，似陷入深思之中。

暮色四合，我穿過森林，步行回家，一路上，我的心向神呼求， 神大施憐憫，拯救這位老人。

不久之後，這老人的幾位親戚來探望我，告訴我老人在我探訪後的第二天清晨，離開世界。但在他離世之前，他叫他們告訴大樹（族人給我的綽號），不需爲他擔心，因爲他已信靠那位爲他的罪承受刑罰的主耶穌。我爲 神的大憐憫，爲福音的單純而讚美 神。

情況是各有很大的不同。有時我們甚至不會有像我與這位垂死老人談道的時間那麼多。我們在主所給我們的時間內，須盡我們所能，將 神的話講解得清楚明白，並相信主會使用我們在短暫談道中所能說的話。但在可能的情況下，我們有責任用這種方法教導人，使人知道爲甚麼他們必須來到基督面前，使他們單相信基督和基督代他們受死。

## 向得救與未得救者的混合小組傳福音

許多小組和教會，像我們最初在巴拿旺所教導的，對於得救的方法是混淆不清的。編年教學大綱的福音期，已有效地用來教導這些教會和小組。因著舊約所啓示 神的聖潔、藉著律法所啓示 神所要求的完全，以及 神對反叛的罪人的可怕審判，許多以前認爲自己是 神兒女的人，已領悟到自己的眞實情況。然後，藉著四福音的故事，他們首次明白他們不需做甚麼去得到救恩，因爲基督已付上公義的 神所要求的一切。

我多麼希望我在最初開始教導巴拿旺努的土族教會時，已明白這點。我最初是按專題方式去教導稱義，然後由使徒行傳至羅馬書開始講解，我不管他們在舊約方面是沒有穩固的根基，卻設法去糾正他們的思想。儘管我在教導時遇到困難，而他們在理解上也有困難，許多巴拿旺努教會的人，最終都明白他們失喪的情況，而信靠基督。不過我若遵照神所啓示的次序，按年月的次序去教授舊約，爲新約所啓示的恩典福音作準備，那麼教導和學習的過程，會來得多簡單清楚呢！

幾年過去，當我明白自己所犯的錯誤，也在巴拿旺另一個地區，按年月次序教授聖經後，我回到我們最初開始宣教工作的地區，按年代的次序，由創世記至基督升天，去教授聖經。在教導他們一段短時間後，他們一些長老來問我說：「爲甚麼你不從開始，便用這方法來教導我們？這教導方法，使每件事都清晰得多了！」他們現在可以明白，他們以前從新約所學到的，與舊約互相拼合，成爲全面完整的一體。我完全同意他們的說法，因爲我亦明顯見到，那些由開始時，便接受我按年月次序教導的人，遠較那些由我從新約按專題教導或講解的人，對聖經和福音的理解，更爲清晰。

下列資料是由簡添明和李哲信所寫，有關在哥倫比亞的布里夫印第安人的工作：

「當我們加入布里夫的工作時，我們以爲那裡已有一間眞正的新約教會，只是乏人去好好地教導。當我們對他們的語言和他們的人愈多認識，便愈察覺到他們當中，存著一些眞正的問題。我們所得的結論，大多數自稱「基督徒」的布里夫人，事實上，在靈裏是死的。下列是我們所觀察到的一些事：

A.「年老的」設法強逼年青的一代，要有合乎「基督徒身份」的表現。他們認爲基督徒是要（1）不吸煙不飲酒，（2）參加日常聚會，（3）參加大型聚會，（4）作見證時承認一些過犯或答應即時開始，過不犯罪的生活，及（5）接受洗禮。

B.那些人對聖經，沒有深度的認識。他們知道一些舊約故事，也對新約有更多一點認識，但他們對這些故事發生年代的先後次序，或這些故事的意義，都全無認識。

C.他們當中並無靈命增長。

D.那些人繼續施行巫術。巫醫雖受譴責，但他的巫術卻仍流行。

E.眞誠認罪的事，並不易見。

F.耶穌的受死，似乎是 神看爲必要的事物以外一件外加的東西。

「我們開始追溯，設法找出我們應從那裡開始教導，我們發現自己回到起初的地方。按年月次序教導的方法，對我們有很大的激勵和幫助。

「當我（簡明添）開始教導時，我爲沒有從聖經的開始教起，致令他們感到混淆，向他們道歉，我答應這次會盡我所能，做得正確。

「我一直講授到基督的升天，在這過程當中，聽的人都表示很感興趣。不過，沒有事發生。

「除了再從頭開始又如何？

「在進行到第三次的時候，他們開始主動地表示明白和願意接受。

「亞拔圖是村長之一，他告訴我他曾非常接近地獄。他說他「玩教會把戲」已有三十年，而他的受洗「只是像洗澡」。不過現在他已明白，與神和好的方法，不是靠自己所作的事，而是靠耶穌爲他所作的事。

「一次，當我們講授完畢，一名非常年老的族人站起來作見證。在嘈雜聲和混亂當中，他站著說：『我最後明白，我是一個罪惡極重的人，但耶穌因著祂的死，爲我付上了罪的代價。』他周圍的人設法使他坐下，但他說：『不，我要說出這番話！』他繼續分享一個清晰的見證。

「另一個人，他是布里夫其中一間教會的執事，也作見證說：『以往，我一直以

爲 神會接納我，是因我爲祂所做的事。我已領洗。我幫助邀請人來參加聚會。我常常張羅許多食物，使我們在聚會時，可以好好地款待參加的人。我常參加晨曦祈禱會。我相信那些都是看 神到發自我內心的事，因爲那些東西都是我向祂獻上的，爲要能與祂接近。不過現在我相信那些東西，都只像該隱向 神獻的蔬果，因此我已把這些挪開，而以基督的血取代。那就是 神現今在我內心所看到的。那就是我現在向 神獻上的，這恰像許久以前，亞伯宰殺羊羔一樣。』」

「在另一次的印第安人聚會中，我們也是正由聖經第一部份，按年月次序而教導。亞拔圖那時信主已大約一年，正擔任助教，也幫助以居力柏高語傳譯，讓不懂布里夫語的人，可以聽得明白。他和我都感到這一組的人，還未準備好，可讓我們將有關救恩的教導，應用在他們身上。因此，在最後一次聚會時，我們簡單地以勸勉作結，我們請聽眾細心地思想他們所聽過的，自問有甚麼是他們可以向 神呈獻的。突然，在我毫不察覺下，一名老婦人在後面隱蔽的地方站起來，開始用居力柏高語說話。我立即察覺有些事正在發生，我等待傳譯的講解。不一會，亞拔圖轉頭對我說：『那位老婦人說，她已找到自己的祭物，就是耶穌基督在十字架上所流的血。這就是她要向神呈獻的。』

「這些人以前曾從其他宣教士得到專題式的教導，也有多年時間閱讀新約聖經，所以無論怎樣，這都不是他們首次與基督教接觸了。」

# 教導信徒的正確根基

迄今爲止，我們所強調的，是按聖經的準則去傳揚福音。現在，我想把我們的注意力，轉到教導信徒的聖經原則方面。

由於我所學的，是傳統的聖經教導方法，所以我在教導巴拿旺土族信徒的初期，大都採用專題式的方法。在以專題式教導的時候，我遇到實際的困難，這迫使我專注在聖經上，要找出更合乎邏輯和實際的方法，去教導 神的話語。在本章中，我會分享我與土族信徒共處的一些經歷，這經歷促使我去研究按聖經所載，有關 神教導祂兒女的方法。雖然我要寫出的許多問題，都是因牽涉到落後和教育水平低下的人而引起，但這當中的要點，對於教導充足和曾受良好教育的人，都是合適而又值得思想的。

> 聖經不是以分析、專題形式撰寫的。

首要的是當我每月爲巴拿旺努族的長老和聖經教師，在研經會中講授聖經時，我漸清楚地看見，向教育水平低下、領悟力遲緩、或注意力容易分散的人，以專題式教導他們聖經，並不是最好的方法。對於那些不熟悉聖經每卷書的位置，或對聖經所載事件的整體進展和聖經歷史啓示，缺少簡單基本認識的人，這也不是最佳的教導方式。

巴拿旺努教會的領袖，從散佈各處的教會，前來參加每月的研經大會，接受教導，這在我的教學計劃中，是至爲重要的。研經大會的目標，是造就教會領袖，然後透過他們，去造就他們的教會，使他們對聖經所載的一切事蹟，有基本的認識。不過，在這些研經聚會中，許多寶貴時間是浪費掉了，因爲有超過一百名大都教育水平低下和對聖經無多大認識的人，常把時間花在從新約聖經中，翻尋許多所需的參考經文，去支持他們所學的教義。

## 難於跟進

當我提出一處參考經文，讓巴拿旺努族人去翻查時，他們便會立刻傳來陣陣咕噥和竊竊私語的聲音。他們不容易記牢我所說的參考經文，於是便繼續問坐在他們附近的人，那參考經文是甚麼。那些首先找到經節的人，常會費勁地一字一句，高聲讀出那段經文。他們沒有專心聽取我的教導，反之，他們是專注地互相詢問，或設法讀出他們非常開心找到的經文。他們的腦袋所充滿的，不是當天所教導的課題，相反的，他們因要從聖經的多處地方，找尋各段參考經文，而致屢次不能集中注意力。

## 難於記錄、重溫和再教

這些教師能重溫他們在研經大會中所學的，是非常重要的，因爲這樣他們才會清楚明白和記牢，以致能向他們的會眾，教導同樣的眞理。爲要重溫所學的內容，所有的參考經文都必須記下，同時要做筆記，指出某節經文的某部份，須加以強調。

土族人所設法嘗試記下的筆記，通常都是不忍卒睹的。他們的筆記對於重溫來說，無甚用處，如作爲他們教導別人的指引，則嫌太膚淺。我給他們的筆記本子，不久便變得骯髒破舊，支離破碎，尤其當他們把本子塞進房子以棕葉蓋搭的房頂後，情況尤甚。不過，他們會竭盡所能去寫筆記。他們寫下每處參考經文，用一截鉛筆頭，或他們所謂原子筆的，小心翼翼，非常費勁地一筆一劃去書寫。無可否認，在多番練習後，他們已有改進，年青的一輩在寫筆記時，已相當熟練，但這是一件多麼無必要和浪費時間的工作。到最後，我爲他們準備簡單的筆記，然後分發給他們。這對他們是一個很大的幫助，但卻造成其他問題。如果由得我按神所賜經文的本意去教導他們聖經，那該多好啊！在教導、學習、重溫和把所得教導傳授他人的事上，會來得遠沒有那麼複雜。

許多時候，在專題式的教導上，只從一節經文中引用一個短句或幾個字，便可藉此去確立所要教導的一個教義的論點。對許多人來說，這是一個難懂的概念。對於看事物是喜歡整體去看，而不是從獨立片段去看的巴拿旺努族人來說，必定更覺麻煩。當我在各教會中，準備教授一本有關教義的書時，我便留意到這個問題的存在。我會從這本書中選一個專題，去教導各教會領袖，然後他們回到自己的教會，向他們村裏的會眾，教授同一主題。

在一次與這些人研經的大會中，我從這本有關教義的書，去講授 神的本性和性格。在隨後的一個周末，我按照習慣，步行往一間土族教會，向整個教會進行即場教授，也察看各長老怎樣處理和講解他們獲委派去教授的內容。一個主日的早上，我坐著聽一位土族長老開始教授。他從大綱中的一點，就是從「神是愛」開始。在這標題下，列有不同的參考經文，其中一處是約翰福音三章十六節。那位長老讀出這節經文，然後開始教導。首先，他藉「*神愛世人..*」去強調 神是愛。按照他的專題大綱，他在約翰福音三章十六節的講解，需至此爲止。不過他繼續下去。他就「*..甚至賜下他的獨生子..*」這句話，去發揮他的意見，藉此去繼續教授道成肉身。他沒有在此停止。他繼續讀下去，「*..叫一切信他的，不至滅亡..*」，他強調在基督裏所需的信心，以及不信的人將要滅亡的境況。他在爲約翰福音三章十六節作結時，略爲講解所有信徒，必定可得「*永遠生命*」，進入天堂。

當他和聽眾都在按神所記載的聖經，去享受 神的話語時，我感到失望和頹喪。我希望他按著我在研經會中，從我的專題式和有系統的神學書本中所教授他的，去教導別人。我懷疑他們能否正確地教導 神的話語。我對正確教導的解釋，是以分析和專題的方式，去加以教導。

我坐在那裡，一面感到自己是失敗的，一面又想著可用甚麼最好的方法去訓練他們，使他們成爲有能力教授聖經的教師，突然，一個意念臨到我，就是聖靈寫約翰福音三章十六節所要表達的，正是那土族長老所講解的。那麼，爲甚麼要按照主題式標題，去加以編排呢？假如聖經的所有經文，都是按所啓示和記載的，以經文講解的方式教授，那會來得多麼直接和簡單呢？

當我們堅持要以專題式的教學，作爲我們主要的教導方式，便使聖經的教授和學習，變得無必要地困難。西方文化是以分析的方法去接觸大多數的問題。我們認爲需要剖析每件事，研究每一部份並加以分類。不過許多的文化，都不會在教授和學習的進程當中，採用這方法。

當主準備聖經時，祂把所有人都放在心上。祂若只準備向我們西方人說話，問我們祂在寫經文時應採用甚麼文學形式，我們的答覆可能是「系統神學方式」。幸而智慧的主沒有這樣做。聖經不是以分析、專題形式寫成，因爲這形式，即使在西方文化中，也不是用來教導 神話語的好方法。

當這些事在我腦海中掠過時，那位土族長老繼續講解列在大綱中的第二節經文，而我又開始觀察會眾中不同形式的人。在通道的另一邊，有一位非常年老的婦人，她熱愛 神的話語，捧著新約聖經，湊近自己的臉，在陰暗的光線下，設法閱讀。儘管有哭喊的嬰兒、不斷扭動身體和低聲說話的小孩，乖戾嗥叫的狗隻，不斷令人分散注意力，但其他婦女都在設法跟隨著參考經文，把注意力放在講者身上。在棕櫚葉和竹枝蓋搭的教堂內，男人和男孩都坐在我這一邊。會眾中有不同年齡的人。當我注視他們時，我懷疑他們眞正明白多少。他們所明白的，是否足以在他們的內心建立起來，成爲眞正存於心內的知識，使他的生命能反映出上主的本性呢？在那個星期中，他們會記得多少？他們會否在散佈於森林的房子中，靜靜地溫習他們所學的呢？

我們鼓勵巴拿旺努族的信徒，在那個星期內，當他們在田間工作、洗濯衣物、搗米、探訪，或只是在夜間圍爐共話時，將神的信息傳遞給其他人。但我也懷疑他們是否清楚明白，以致能這樣做。

當我望向這群年齡不同、閱讀和書寫能力都不同的會眾，我明白到我們複雜的教學方法，妨礙了一般人把 神的話語傳開。我們認為必須把經文分成個別的專題，而在下面加上我們認為適當的標題。但我們如果逐節經文和逐卷書去教導，那會來得多簡單呢！他們可以不需從整本聖經去翻閱經文，或是寫下無數的參考經節。在家溫習曾在聚會中查考的一段經文時，會更為簡單。與其他人討論和分享那段經文，也會更為容易。為下次聚會作準備，也不會覺得繁複，因為他們只需閱讀下一段經文，而不需翻閱許多分散在不同地方的經節。

## 可能造成分裂

許多宣教士會發覺自己喜選用較年青的人去教導和領導土族教會，因為在教導聖經時，如果主要用分析和專題式的方法，便會無必要地強調了年青與年老、曾受教育與未受教育者之間的差別。不過，年青人缺乏慣常的生活經驗，這經驗是一個有智慧的教師所需要的。在許多文化中，年青人會得不到作為教會教師和領袖所當受的尊重。許多宣教士都能見證，年青而有前途的領袖，因驕傲、姦淫、許多不道德行為和自相矛盾的言論，以致在教會的事奉被摧毀等等令人痛心的事。

大多數年青的巴拿旺努族人，都曾受小學教育，但較年長的，則只有很少曾受教育。年青人與西方教育的接觸，使他們較容易跟上專題方式的教導，並採用專題式的方法，再去教導別人。這表示有些年青人，須在教會中負起作為教師領袖的職位。不過，按照他們的文化，這領導的地位，該由較年長的人承擔的。

## 聖經多處的大段經文被忽略

我們全都傾向「老調重彈」，愛講我們認為最重要的主題或教義。結果在許多教會中，聖經多處的大段經文通常都被忽略，而聖經的其他部份，卻多受重視。

在巴拿旺，土族教師反覆地教授同一的專題和經文。他們常重覆教導相同的經節或題目，而不去教授聖經中大家不熟悉和未有研讀的部份。

## 斷章取義、曲解經文

由於講道時都是就獨立的經文去作專題式和教義式的宣講，許多作了多年基督徒的人，甚至不懂得就某卷書或某使徒書信的一段，按其上下文去解釋一些出自該處，而大家又熟悉的經節。原因是顯而易見的。大多數的信徒，都少有人向他們講解這些著名經節所出自的大段上下經文。聖經中的事蹟是循序漸進地顯現的，由於沒有人向他們介紹這基本架構，他們會明白與某些專題有關的經節，甚至某章或某段經文，但他們卻不能以聖經作為一整本書，去加以了解。他們不明白就整個循序漸進的啓示，去闡釋整本聖經的重要性。

當我聽到一位誠懇的族人的講道後，我覺得這點更為重要。他引用馬太福音二十四章2節說：「*耶穌對他們說，你們不是看見這殿宇麼。我實在告訴你們，將來在這裏，沒有一塊石頭留在石頭上不被拆毀了。*」他在讀出這節經文後，便指向他所站之處的四周，那環繞著草蓋頂蓬教堂的岩石山。他莊嚴地警告眾人說，當耶穌再降臨審判世人時，他們四周山上的所有石頭，都會全倒下來。他強調說：「沒有一塊石頭會留在另一塊石頭之上。」

我坐在那裡，設法平息我內心因他的曲解聖經而引起的不安，這時眞理光照我，讓我見到要責怪的人，不是他，而是我。當我教授一條教義，或講解一個專題時，我是領他去看那些分散的經節；而沒有連貫這樣地教授聖經，使他明白需要就上下文去解釋經節，又知道怎樣解釋。

經過這些事件，我立刻由專題講授的方式，轉為採用逐節經文講解的較簡單而直接的方法，幫助會眾從與經節相連的上下文，去了解經文。但這樣仍證明不夠的，因為信徒從沒學習舊約聖經，而舊約是新約的背景和基礎。他們不能從整本聖經去明白神的話語。

## 神的教授方式

神在整個歷史中的基本教授方式，顯然是循序漸進的。在世世代代中， 神逐漸地展示聖經的信息。這種在 神控制之下，逐漸地展示眞理的方式，就像穀物的生長，「*..先發苗，後長穗，再後穗上結成飽滿的子粒*」（可四28）。 神選擇以循序漸進方式，使人知道祂的本性和性格，祂對世人的計劃、祂透過基督成就救贖的目的，以及所有其他屬靈的事。

> 所有教義以種子的形態，在創世記發苗，一點點地貫穿舊約和新約，以循序漸進的方式顯露出來。

神的基本教學方法，可比擬畫家繪畫的方式。畫家在繪畫時，不會先在畫布的一角開始，立刻完成所有細節。反之，他常會為整幅畫先淡淡地勾出簡單的輪廓。對旁觀者而言，在初期階段，那幅畫是模糊的。即使細看，也不能清楚知道當這幅畫繪成時，會加入甚麼。爾後，當畫家繼續繪下去，這裡加一筆，那裡加一筆，細節開始明顯出來了。這程序繼續下去，直至他加上了最後幾筆，繪成了整幅畫。

神繪畫救贖故事之圖，也是採用這方式。他在創世記最初的幾章，先開始畫出輪廓。創世記三章十五節是整幅救贖故事圖畫的一個簡單而未加細節的草圖。 神在亞伯拉罕的蒙召和生活上，加上更鮮明、更清晰的內容。在亞伯拉罕獻上以撒之後，在預備代作祭物的完美羔羊上， 神又在畫布上加添了更多色彩和特徵。雅各的夢、逾越節、天上賜下嗎哪、擊打磐石出水、頒佈律法、建造會幕、銅蛇、約書亞征服外族，以及其他歷史事蹟，都成為 神這位畫家，在繪這幅畫的背景上，所加上的每一個筆觸。當神引導舊約歷史的事蹟，邁向這幅畫的主題，就是基督的顯現時，這位繪畫大師繼續為這幅畫加上細節。模糊的景象、淡淡地勾畫的部份，都因基督的降生、受死和復活，而突然顯現出來。即使這樣，畫布並未包括整幅圖畫。藉著使徒，聖靈繼續繪畫。 神在這幅畫作上所加的最後幾筆，是約翰在拔摩島上，所得到有關耶穌基督的啓示。

神永不會將某一條教義，或某一個主題，在一個特定時間內，全部教完，讓人知曉。祂常會啓示一些眞理的新領域，但祂永不會將任何一個主題的全部眞理，立刻顯明。 神的教學方法，類似大多數人吃飯時所喜愛的方式。一個男人回到家裏，如發覺妻子為他準備的飯食，只有馬鈴薯，而他又聽到妻子說：「今天，我們吃馬鈴薯。明天，我們會吃青豆。後天，我們會只吃肉。」這樣，他一定會感到驚訝。誰會喜歡這樣的菜單？通常，我們都喜歡飯菜裏會有不同種類的蔬菜和一些肉類。這是 神寫下祂話語的方法。這也正是當我們研讀 神所賜的話語時，祂餵養我們的方法。

翻閱聖經的任何一處，你會見到只從一節經文，便可以直接或間接地，提供有關多個不同主題的資料。將一節經文加以仔細研究和詳細闡釋，便可寫成好幾本書。正如一顆鑽石有多個切面，一節經文在聖靈的帶領，仔細研究下，會顯示與許多不同教義有關的眞理要點。

在與宣教士舉行的某些研討會中，我請一個人翻到聖經中有關聖靈的教義，我請另一人翻到關於人的教義，又另一人翻到有關撒但的教義，再一人翻到關於教會的教義。一些人開始翻開聖經，但跟著又躊躇起來。他們翻不到一條特別的教義，因為有關教義的教導，在聖經中不是成組配合起來的。所有的教義都以種子的形態，在創世記發苗，一點一點地貫穿舊約和新約，以循序漸進方式顯露出來。只翻到聖經的某一處，是不能找到一條完整教義的。

在舊約歷史中， 神在每一個祂所預備，要來事奉祂的人生命裏，所用的啓示和教導方法，顯然是循序漸進的。當神造亞當的時候，祂的目的是希望教導亞當，認識祂的至高權柄、尊貴和榮耀。 神怎樣開始教導亞當呢？ 神用甚麼方法呢？ 神是不是用系統式和專題式的方法，教導亞當認識一切有關祂的 神，祂的創造主呢？

不！ 神初次向亞當啓示時，看來似是屬世的、缺乏創見的！ 神說：「*..要生養眾多，遍滿地面，治理這地，也要管理海裏的魚，空中的鳥，和地上各樣行動的活物*」（創一28）。 神然後告訴亞當，他和夏娃有甚麼是可吃的。在這初次的啓示中，神甚至沒有直接地說到自己。不過，藉著祂所說的話和所發的命令， 神已啓示有關祂自己的基本而重要的眞理。藉著指令亞當要生養眾多，遍滿地面，神淸楚地宣布自己是頒佈律法給亞當的 神，是各類生物的主宰。藉著正式的任命亞當作祂的副手，統管全地，又藉著指令亞當，管治地上的一切生物，祂讓亞當看見， 神就是大地和地上一切生命的合法主人。當 神讓亞當在伊甸園安頓下來後，祂再向他說話，就生命樹和分別善惡樹向他發出指令。這是 神在祂與人的關係上，作進一步的啓示，藉著莊嚴地宣布，不服從所帶來的不可避免的刑罰，就是死亡；祂藉此讓亞當知道，只有祂是 神、是審判的主和在地上執行公義的 神 。這是我們所得到的，有關亞當在不服從 神之前，神向他說話的唯一記錄。但是當 神與人相會後，似乎 神計劃以循序漸進的方式，教導亞當，按亞當對神所說的話的吸收能力，在祂初步啓示的旨意和計劃中，慢慢地加入更多資料。

當 神呼召亞伯拉罕的時候，祂是怎樣教導亞伯拉罕的呢？ 神是否呼喚亞伯拉罕，對祂說：「亞伯蘭，在你離開迦勒底前，我要告訴你一切有關你和你後裔的計劃」？ 神是這樣做嗎？不！亞伯拉罕離開的時候，他不知 神要帶他往那裡去。 神只按亞伯拉罕每個階段的經歷，向他啓示他所需知道的。 神透過循序漸進的啓示，在知識上再加知識，來教導亞伯拉罕，因亞伯拉罕是要憑信心走路。

在雅各、約瑟、摩西和以色列國的故事中， 神進一步顯示祂的循序漸進教導方式的例子。即使只有這些例子，已足以顯明神在舊約中的基本教導方法，是循序漸進的，是一個緩慢、審慎的建造過程。

## 主耶穌基督的教導

主耶穌沒有在某一個特定時間內，將有關某一個主題的事，全部教導祂的門徒認識。祂是循序漸進地去教導祂的門徒。例如在約翰福音十四章。主耶穌在開始時，是安慰和鼓勵祂的門徒（第1節）。然後祂說到祂未來的任務，是爲祂的兒女預備地方（第2、3節）。跟著祂與多馬和腓力討論怎樣才能認識父（第4-11節）。再接著，祂談到順服的重要和聖靈的來臨（第12-17節）。

主耶穌在與門徒討論時，通常會加入許多有關的問題，但祂不會詳盡無遺地將問題加以討論。在提出一個主題或主題的某方面後，祂就給門徒去思想。通常在稍後的日子，門徒提出問題，又會把那個主題舊事重提。若是方便的話，耶穌會給祂的門徒更多資料，但儘管這樣，祂不會將有關這事所應知道和明白的一切，全告訴他們。主耶穌不會只提供資料。反之，祂會介紹需要加以明白和運用的，有改革作用的眞理。即使祂在地上的生命快要結束時，祂說：「*我還有好些事要告訴你們，但你們現在擔當不了。只等眞理的聖靈來了，他要引導你們明白一切的眞理...*」（約十六12、13）。

## 聖靈的教導

當聖靈來了，祂是怎樣教導呢？祂是否將有關新約教會和基督徒生活的一切，立刻向使徒顯明呢？聖靈是否專題式地、詳盡無遺地，將 神計劃向教會啓示的每一件事，都拿來教導他們呢？不！這再一次是循序漸進式的教導，因 神是在繼續如常地進行祂的啓示方式。這是一個建造的過程。部份仍隱藏在舊約中的眞理，並主耶穌曾講及，但在祂升天之前，仍未完全啓示的眞理，藉著在知識之上再加知識，緩慢而審愼地，得著教導，使教會能滿有「*基督長成的身量...*」（弗四11-16）。

## 使徒的教導

由於 神是以循序漸進的方式，啓示一切的眞理，使徒的教導和寫作，也是根據神以前在舊約的啓示，以及祂在較近期，透過祂的兒子主耶穌的啓示，而進行的。他們的寫作，不能獨立來看，因爲自從 神首次藉摩西寫下祂的話語以來，這些寫作都是神循序漸進啓示的延續和高潮。使徒所寫和所教導的，都是以舊約爲根據。

下列從使徒保羅書信中抽出的部份，正顯出循序漸進啓示的原則，繼續貫穿使徒行傳，而至啓示錄；因此，若不先向信徒介紹舊約，是不可能向他們清楚講解新約的。

試想一位從來未接受舊約基本教導的信徒，可怎樣弄明白一段如哥林多前書五章6至8節所記：「*你們這自誇是不好的。豈不知一點麵酵能使全團發起來麼。你們既是無酵的麵，應當把舊酵除淨，好使你們成爲新團，因爲我們逾越節的羔羊基督，已經被殺獻祭了。所以我們守這節不可用舊酵，也不可用惡毒邪惡的酵，只用誠實眞正的無酵餅。*」人若沒有必要的舊約基本知識，又怎能明白這些經節呢？

保羅在哥林多後書三章，將摩西屬死的職事，與基督屬生命的職事，加以比較。他說：「*不像摩西將帕子蒙在臉上，叫以色列人不能定睛看到那將廢者的結局。但他們的心地剛硬，直到今日誦讀舊約的時候，這帕子還沒有揭去，這帕子在基督裏已經廢去了*」（林後三13、14）。除非根據舊約來看，否則對整章的經文，尤其是這幾節，是無法明白的。

加拉太書又怎樣呢？若對舊約沒有適當的基礎，又怎能明白保羅對律法與恩典的論點呢？加拉太的教會，因著猶太教人的影響，已不按照循序漸進啓示的歷史程序，去解釋聖經。當保羅指斥這錯誤的時候，他提醒他們舊約所載的歷史事蹟的先後次序，神透過這些事蹟，循序漸進地啓示稱義的道理。在加拉太書第三章，我們知道猶太教人強調必須遵行摩西律法，才能得救。他們說：「是的，基督需要受死，以帶來救恩，但信徒亦須同時遵行律法。」保羅怎樣對付他們的論點呢？保羅帶他的讀者回到舊約歷史，讓他們看見只有按著循序漸進的啓示，才能明白稱義的道理。保羅寫道：「*我是這麼說， 神豫先所立的約，不能被那四百三十年以後的律法廢掉，叫應許歸於虛空。因爲承受產業，若本乎律法，就不本乎應許，但 神是憑著應許，把產業賜給亞伯拉罕。這樣說來，律法是爲甚麼有的呢？原是爲過犯添上的..*」（加三17-19）。

保羅在做甚麼？他正要指出在稱義的方法上，律法不能替代 神的恩典和信心之約，因恩典和信心，是在律法頒佈之前，已啓示出來。保羅提醒加拉太的教會， 神採用漸進方式啓示這兩條教義的順序。

福音是首先向亞伯拉罕傳講；四百三十年後，律法是透過摩西頒佈出來，以顯明罪惡是「極爲邪惡」的。福音的全部啓示，是最後透過基督顯明出來。這相同的福音已經先向亞伯拉罕講述。所有信徒是憑信成爲亞伯拉罕的子孫，他們不是靠遵行律法而得救。因此，保羅清楚地指出，歷史事蹟的先後次序，對解釋和了解 神的話語，是重要的。

試思想聖靈的教義。在現今的新約時代，除非我們先明白在舊約中，聖靈的工作和使命，否則我們便不能明白 神透過住在我們裏面的聖靈，爲我們所做的事。如果我們先明白，在舊約時代，聖靈只與信徒同在，我們才能體驗到作爲基督的肢體，我們應享有的自由和喜樂。現在，祂是在我們裏面。有關聖靈的教義，只有以循序漸進的啓示作爲基礎，我們才能了解。

至於繼承名份的教義，也是同樣的道理。在加拉太書四章，保羅指出舊約信徒，像在天父家中的小孩。他們的每一個行動，都要受許多律法和儀文管制。相反的，我們現已在 神的家中，作爲成年的兒子。我們分享 神兒子的靈，這與在舊約時代，聖靈與信徒的有限關係，是不同的。我們要明白聖經所啓示， 神與信徒的關係在歷史和循序的發展，才能了解我們透過繼承名份而得的地位。

初信的基督徒，通常苦苦掙扎多年，把聖經當一本完整的書來看，其認識尚屬模糊。

試思想保羅給羅馬人的書信。當他介紹 神的福音這重要主題時，他立刻提醒他的讀者，福音是「*..神從前藉眾先知，在聖經上所應許的。*」而這是「*論到他兒子我主耶穌基督，按肉體說，是大衛後裔生的*」（羅一2、3）。

保羅在羅馬書一章18節，開始教導有關人的罪的道理。他是以歷史的開端爲基礎，去加以教導，那時所有人對 神都有眞正的認識（創一至十一章）。從這最早的啓示，保羅証實人任意轉向敬拜偶像，以致道德墮落而淪亡。

保羅在羅馬書第二章，從引述在西乃山頒佈給以色列人，以及寫在外邦人心版上的律法，証明全人類是絕對的腐敗墮落。

保羅在羅馬書第三章，從舊約引述大段經文，指出律法所說的，就是最終證明所有人在 神面前，都是有罪的（羅三19）。然後他又強調，他所傳所教導有關稱義的道理，正是律法和先知所見證的信息（羅三21）。

保羅在羅馬書第四章，引述亞伯拉罕和大衛，作爲兩個罪人因信稱義的例子。

保羅在羅馬書第五章，爲與基督同死的道理，奠下基礎。他再一次回到舊約聖經，指出在亞當裏，所有人都犯罪，都要滅亡。因爲人類的元首與始祖不順服父 神的緣故，死就臨到人類，管治他們。在這些根基上，他跟著教導，亞當就是要來之人耶穌基督的預像，祂是第二個人。正如亞當代表我們作爲人類的元首，因此 神委派基督，作爲一個新開始，祂是新造之人的元首，祂代表人類，祂的一生及祂的死亡，也完全的服從祂的天父。注意保羅在教導信徒與基督完全認同而獲自由的眞理時，是不脫離舊約根基的。

保羅在教導信徒時，既以舊約作爲根基，我們若要成功地教導信徒，又怎可以不先奠下所有新約教義所依據的基礎呢？若沒有足夠的舊約基礎，是無法清楚而正確地向信徒教授新約的。

教導 神話語的最佳方法，是跟隨祂循序漸進的啓示方式。我們首先須爲信徒的信心，奠下良好的基礎，然後在眞理之上加上眞理，知識之上加上知識。信徒如先從創世記開始去看聖經教義，然後隨著這些教義沿舊約歷史事蹟，循序漸進的發展，至新約而最後加以充份的教導，那麼，聖經教義便最能清楚明白了。

神一切循序漸進啓示的眞理，在新約和舊約中，都與祂的歷史作爲有關連。因此，所有教義都有一個歷史背景。新約教義與聖經的歷史故事交織成一片。普世在教導基督徒有關聖經的教義時，都傾向使這些教義，脫離 神所賜的循序漸進的歷史背景，結果是使教會在許多方面，對聖經教義感到混淆。有些人在解釋聖經教義時，是按照個人的經驗，而不是根據其歷史背景。許多教義被誤解，都是因爲人未能明白聖經中具有歷史背景，以循序漸進方式啓示的眞理。由於許多人在教授聖經教義時，幾乎都是只教新約部份，而忽略了這些教義是由舊約開始，於是許多信徒對於聖經教義所得到的解釋，都是模糊而紊亂的。所有教義都必須就其歷史性的啓示和發展，加以解釋，才能令人清楚明白。

## 專題方式的基礎

西方文化和教育，幾乎對每個問題都採用分析的方法。由於大多數的問題都以這方法處理，於是基督徒似乎都自動地認為，人若眞想認識聖經，他必須將聖經中的每一部份，加以分析和分類。

雖然在我們的研讀中，分析是有必要的，但最優先和較大的需要，是用全面研讀神的話語。以全面方式去研讀和教授聖經的方法，稱為綜合法，目的是使其有別於分析。綜合法是先從整體開始，看其全面，而不是個別部份。分析法是先從某部份開始，然後擴展至其整體。

試想像教導一個原始族人，去製造或修理手錶。假如他從沒見過手錶，也不明白這東西的用處，他不可能明白每一件零件的位置和功用。最聰明的方法是先讓他看看一隻完整的手錶。然後，我們可以指出微細的零件，解釋每件零件對整隻錶的功用。我們教授聖經時，也應採取同一的方式。整體而全面的看法，可為較特殊而具分析性的研究，提供基礎。

在以專題方式教導之前，需要先用這種全面教導方式；這要素在我一位準備前往菲律賓宣教的宣教士朋友經驗中，可清楚見到。他回到母會，整裝待發的期間，牧師請他教授一個成人聖經班。他決定由創世記開始，先整體綜覽舊約，然後進入新約。後來，他在馬尼拉碰到我，他說：「我愈教下去，我班裏的人便愈興奮、愈熱切。雖然這些人參加我們教會已有多年，但在那些日子中，從沒有人按年月次序，全面地教他們讀聖經。有一次下課時，一位女士問：『為甚麼我們的牧師從沒有這樣教導我們？我以往的日子，只是聆聽講道，直到此刻，我才開始以聖經作為一本完整的書加以理解啊！』」

初信的基督徒，通常苦苦掙扎多年，把聖經當以一本完整的書來看，其認識尙屬模糊。傳道人若教授聖經，大多數都極少會以歷史方式，按先後次序，去教授整本聖經。有關個別經文和專題的講道，使人對神話語的理解，局限在某幾段經文和零散的經節上。然而，透過全面地研讀舊約和新約，人就可以將聖經作為一本完整的書去理解。

按專題去教授聖經，在我們的課程中應佔重要地位，但這只能用來教授那些已將聖經作為一整本書去學習的人。這若是我們正常的做法，那麼，當有需要採用專題方式教授時，便會事半功倍。我們藉著專題方式教導所強調的**部份**，在 神的**整個**啓示內容中，可以清楚地理解和明白。

以專題方式教授聖經，通常都是作為一種補救。這在眾先知的工作中可清楚見到， 神已藉著摩西，將聖潔公義的律法，有條理地頒佈給以色列人， 神興起這些先知，就是要將這些律法，向以色列人再加以提醒。先知所教導的主要部份，是有關以色列和猶大的叛逆，和 神未來審判的警告；除非他們對所得的重要啓示，眞心悔改和順服，回轉過來。 神循序漸進的啓示，像一條直線直指基督、將臨的君王和祂的國度，而專題式、補救式的先知書，實在是間歇性的穿插。

如果面對經文誤解或不順從，或者有需要去強調或澄清一些特別的教義，那麼，便應採用專題式的教導。教會中如發生問題，聖經教師便應暫時轉用專題式、糾正式的教導。

保羅寫給哥林多人的書信，也是專題式、糾正式教導的另一例子。保羅基本上是提醒哥林多人，關乎他已向他們傳達的啓示，對啓示的內容，他們是必須相信與遵從的。他對哥林多人起初的教導，與在各處的教導都是一樣的。他的教導是以舊約為依歸（徒十八4、5；林前十1、11）。在這些教導上，他又加入主耶穌在世時，祂所給予的教導（林前十一23）。再加上聖靈於五旬節當日開始的啓示後，他對他們的教導，便已完全（林前二1-13）。保羅是從這整體的啓示，帶出他的糾正式、專題式的教導，以設法補救當時哥林多教會的情況。

由此可見我們糾正式的專題教導，若按照循序漸進啓示的基本模式，便會使人更清楚明白。因為 神已循序漸進地啓示所有教義，強調某一條教義的最簡單而清楚的方法，是追溯它由創世記，直貫穿至啓示錄的發展。例如，有需要教導有關婚姻的問題，最佳方法是由創世記開始，正如耶穌回答有關婚姻問題時，祂所作的一樣（太十九3-6）。在提醒聽眾，有關 神在創世記二章，所指示的婚姻原定目的之時，我們便可以按經文的先後次序，翻到其他有關婚姻的經文。我們可以教導申命記二十四章一節，在這經節當中，摩西容許反叛的以色列人，偏離神對婚姻的理想標準，然後翻到馬太福音十九章，耶穌就這段出自申命記的經文，所提出的意見。最後，我們應從使徒書信中，教導有關使徒對婚姻的指示，在這當中，神對婚姻的原定計劃和標準，再得到確定。

試想像一間教會的基本教導方法，是經常一致地以整本書的形式，去教導 神的話語。教師有條理地教授整本聖經，使會眾對新約和舊約中， 神的全部啓示，都能不斷地加深認識。然而在教會內，總是會有問題發生的；因此，在這些時刻，便需要脫離正常的教學課程，改為採用專題式、糾正式的教學。假如聖經一直都是當作整體教授，那便較容易從中抽取多處經文，作為糾正性專題式的教材。對那些曾學習全本聖經中，神整體計劃的人，聖經教師可以對他們說：『你們記得我們以前在「某一處經文」，曾學習有關這特別主題嗎？』因為他們曾全面地學習聖經，教師便可以從整本聖經中抽取經文，作為他的專題式、糾正式的權威教材。

## 了解律法與恩典這兩難問題的基礎

信徒需要學習舊約，使他們能清楚分辨執行律法與施行恩典的分別。要明白律法在教會時代的地位，便需有舊約聖經基礎。

信徒如對以色列民在主釘十架前，他們活在律法下的情況，有基本的知識，他們才能明白律法與恩典的分別。在許多教會中佔重要地位的律法主義，正對信徒的信心和行為，起不良作用；只有以循序漸進的教導方式，由舊約進入新約，才可避免。若對律法在舊約中的目的，有清楚的理解，那便可避免在新約中誤用或誤解律法的危險。顯然可知的，是無人可因律法稱義或成聖，信徒完全是單靠 神的恩典，才能得救，才有基督徒的行為。

不僅如此，除非先教導信徒明白以色列的舊約歷史，否則信徒是很難明白在基督時代和在初期教會時代，猶太人對外邦人的態度：當主耶穌認為外邦人也能接受 神的恩典和祝福時，猶太領袖的憤怒；使徒行傳中的初期教會，對於接納未受割禮的外邦信徒，加入教會，而引起的種種問題；為甚麼在彼得把福音帶進外邦人的家前，主給彼得一個特別而三次重覆出現的異象；為甚麼保羅被亞伯拉罕的後裔，由一個城市追迫到另一個城市；為甚麼保羅需不斷地講述猶太人與外邦人，律法與恩典，以及已受割禮與未受割禮等專題。

## 基督徒行為的根基

當人表明自己已經得救，大多數的教師都太渴望這些初信者，在生活和事奉方面，都活像基督徒，以致在知識和經驗方面，只給他們很少時間去成長。他們期望在很短時間內，初信者與信主多年的信徒，在教會中能並肩邁進，發揮作用。

正如未得救的人，必須在 神的本性和性格方面，有所認識，才能明白靠 神恩典得救的福音，信徒也需藉著更深地領悟 神的本性和性格，裝備自己，謙卑地與主同行。

「*敬畏耶和華是智慧的開端..*」（箴九10），這節經文的真理，不單是適用於未得救的人，也適用於信徒並他成聖的成長。「*耶和華的聖民哪，你們當敬畏他，因敬畏他的一無所缺*」（詩三十四9）。信徒在生活中敬畏耶和華，不應存著一個害怕被譴責或懲罰的心，因為「*..那些在基督耶穌裏的，就不定罪了*」（羅八1）。不過，藉著對整本聖經所啓示的，有關 神的聖潔和榮耀的知識，聖經教師應為信徒奠下根基，使他們對聖經上有關成聖的規勸，作出回應。信徒須繼續存著莊嚴敬畏的心，真心誠意地更多認識 神是一位怎樣的 神。只有這樣，他們才能產生眞正合乎聖經的謙虛、靈裏的破碎、內心的溫柔和悔悟。敬畏耶和華，是信徒蒙召過聖潔順服的生活前，應有的準備。

聖潔而得勝的行爲所需的聖經眞理，只有在按著聖經所啓示的 神的榮耀本性、性格和永恆的目標下，加以察看和闡釋，才能使人明白、接受和正確運用。 神的兒女在作每一件事時，必須看作是爲至高的神而作。信徒必須基於愛和對 神的崇敬，而對聖經有關成聖的勸勉，作出回應。信徒追求成聖生活的聖經根據，可用下列經文概括出來：「*...你們要聖潔，因爲我是聖潔的*」（彼前一16）。使徒保羅對信徒說：「*所以你們或喫或喝，無論作甚麼，都要爲榮耀 神而行*」（林前十31）。對 神敬拜事奉的基礎，是建立在看重認識聖經中神的至高、至尊和至聖。

讓我們不要忘記，神要花多長的時間，去教導和裝備祂的僕人。

信徒必須先要認識 神是誰，再來學習甚麼事是必須做，或甚麼事是不可做。若不能達到這要求，那基督徒的生活，就是建立在既不合乎聖經，又不穩固的基礎上，只能製造虛假的經歷，導人去炫耀自己的謙卑和奉獻。信徒若未能在所需的基礎上建立自己，教師卻教導他們去過成聖的生活，這只會令他們單有外表的遵從，敷衍的順服，全都是建基在人爲的決定和屬肉身的奉獻，這虛假的根基上。信徒所做的每件事，若不是出於愛和對 神的認識，那麼，即使他的行動是基於出自聖經的一些命令，也是不爲神所接納，也只是盲目的敬拜。

許多眞誠的宣教士和聖經教師，領信徒進入律法主義，因爲他們不能把這些聖經準則，應用在他們的教學方法上。他們一開始便立刻教導初信者，有關在基督徒生活上「應做」和「不應做」的事。他們似乎認爲，他們若直截地告訴這些初信者，聖靈住在他們裏面，以及一些其他情況下的眞理，那麼，這知識便會給他們帶來釋放和能力，去服從 神的命令，成爲聖潔。無疑，這些眞理是極其重要，應用來教導信徒的，但事實上，屬靈的成長是一個過程。這是不能揠苗助長的。這是人心中明白並接受 神的道所帶來的結果。這是 神的道居住在我們生活中的結果（西三16）。 神的道必須栽種在思想和心意中，才能生根漸長（雅一21）。信徒的成長，不單靠對聖經眞道的認識，也靠與永活的道，就是主耶穌基督，有深厚的個人關係。信徒必須「*在他裏面生根建造..*」（西二7；彼後三18）。

信徒須透過學習和運用 神的話語，而得以在靈裏成長，正如人的身體，藉著進食和消化有益的食物，而得以發育成長（彼前二2；弗四11-16）。人體從極小開始發展，慢慢地成長。小孩生下來，便擁有成人的一切潛質，但這小孩還要發育成長，才能把他的潛能展露出來。若把過量的食物餵給小孩吃，或立即把成人的食物餵給他吃，不但不會幫助他成長，反而會抑制他的進展。在自然界中實際存在的現象，在屬靈的領域裏，也會同樣發生。

神的忠僕必須審慎而有耐心，正如 神在教導和裝備事奉祂的人時，也顯出祂的耐心一樣。我們不要忘記主用了多長的時間，去教導和裝備亞伯拉罕，到最後主才賜給亞伯拉罕所應許的兒子以撒；即使這樣，主仍給予這位族長更多的訓練。我們需要靜思細想埃及監獄中的約瑟，在米甸沙漠中的摩西，作爲摩西隨從的約書亞、在曠野中常被掃羅追殺的大衛，在曠野生活的施洗約翰，作拿撒勒木匠之子有三十年之久的耶穌，接受三年訓練的門徒，以及在阿拉伯接受三年訓練的保羅， 神在裝備他們的工作上，都是滿有耐心的。這些都是例子顯明 神在教導和裝備祂最有用的工具上，是如何盡心、忍耐、慢慢地工作。既然我們屬天的導師認爲需要從容地教導祂的門徒，好讓他們成長，我們也需「花費時間」，去好好地教導我們的會眾，不單要學習新約聖經，也要學習舊約聖經。「*從前所寫的聖經，都是爲教*

*訓我們寫的，叫我們因聖經所生的忍耐和安慰，可以得著盼望*」（羅十五4）。

我們對 神的認識，如果只局限於新約的啓示，便會容易變得狹隘和不正確。自由派的神學家，他們嘗試只就四福音，而制定神的教條，他們抗拒在舊約中啓示的耶和華，他們想像 神是永不施行審判，也不定罪人使他受永遠刑罰的。

當保羅教導有關基督徒行爲方面的眞理時，他是以舊約爲基礎。他對哥林多人說：「*弟兄們，我不願意你們不曉得，我們的祖宗從前都在雲下，都從海中經過*」（林前十1）。保羅不想他們對這些舊約記載，一無所知。爲甚麼？他說因爲「*這些事都是我們的鑑戒，叫我們不要貪戀惡事，像他們那樣貪戀的。..他們遭遇這些事，都要作爲鑑戒，並且寫在經上，正是警戒我們這末世的人*」（林前十6、11）。保羅在介紹 神的時候，是包括神在歷史上，向以色列國的啓示。保羅提醒提摩太，他是從小明白聖經，保羅又向提摩太保證，這聖經能使人因信基督耶穌，有得救的智慧。保羅繼續說：「*聖經都是 神所默示的，於教訓、督責、使人歸正，教導人學義，都是有益的。叫屬神的人得以完全，豫備行各樣的善事*」（提後三16、17）。所有聖經教師都應清楚知道，保羅所說的，是包括舊約和新約的啓示。

甚麼是最佳的教學方法，能使信徒對神有認識，而以此作爲基督徒行爲的基礎呢？我們在教導所有經文的時候，都要遵照聖經所列，由 神所賜的模式。我們若看不見和不明白聖經所載的教學原則，我們便不會相信這對信徒的屬靈發展和成長，是重要的。循序漸進地建立的教導方式，似乎是冗長而艱鉅的。較快而有效的方法，似乎是「忘掉舊約中大部份經文和其他作爲引言的經文。直接開始教導有關基督徒的生活。」這態度類似一種說法，就是向未得救的人教授舊約歷史部份，會花費太長時間。在大多數的情況中，不是時間因素令我們有那種想法；而是我們對聖經的教授方法並不理解，又不明白 神所寫經文的目的，才會受影響而有那種想法。

## 信徒的基礎

教會中許多信徒，從來沒有全面地學習聖經。這些基督徒從他們得救開始，大都是經常接受專題式的教導。因此，他們對聖經的了解，都是沒有連貫性而又不全面的，因爲他們所知的，是由獨立的經節和聖經的某些片段組成。他們沒有將聖經作爲整本書去了解。在這樣的情況下，更有效得多的方法，是由傳福音的階段開始，就先奠下正確的基礎，而在這穩建的基礎上，繼續建立聖經知識。在這階段，應教導舊約部份，但不需用新約去加以解釋，這樣信徒便能知道而明白 神的啓示，是循序漸進地發展。

已在編年教學大綱福音期受教的信徒，無論是在得救與未得救的混合組別中，或純信徒的組別中都會因按次序的教學而得益，因他們可綜覽那救贖的歷史。藉此，他們便接受了信心基礎和舊約聖徒蒙救贖的教導。他們也接受了正確解釋新約所需的舊約背景。根基性的福音教導亦會讓信徒見到、在向別人傳福音時，應當先教授舊約，使人相信他們是無望和無助的人；而不是在他們仍在罪中作樂，或仍在自稱爲義時，去說服他們，要他們相信自己需要一位救主。

施樂德夫婦在泰國北部的諾哇人中，從事多年的宣教工作，看見主拯救了許許多多的諾哇族人。施樂德夫婦教導這些信徒，要以本色化的教會團契會友發揮功用。現在經過多年，施樂德正向諾哇族的各教會，教授編年教學大綱的福音期。施樂德寫道：「我們爲一些有較長歷史的教會，對按序介紹聖經眞理的方式，所作出的回應而讚美神。我們正在研讀舊約所載，作爲基督降臨基礎的多段經文。一位長老這樣說：『以前，你教導我們的，是由樹中央而至樹頂。現在我們所聽的，是有關樹底的事。』現在我們把以前許多含糊的事都弄清楚了。我們眞感謝 神讓我們注意到這需要。十六個村落的諾哇族信徒，現在都正聆聽眞道，我們也正設法在每一處，都以合乎邏輯的方式，去加以教導。」

韓德信是巴布亞新磯內亞高地，阿西安納族的宣教士，他發覺教會的長老和教師，在接受編年教學大綱福音期的基本教導後，他們在事奉上所強調的，已有改變，他們在教導上所採用的例子形式，也有改變。

在接受舊約教導前，阿西安納族的教師，所舉有關 神對罪的審判的例子，都局限在當地土族人的經驗範圍內。他們不知道舊約所載有關 神本性的啓示，因此當他們想對聖經所載有關 神的事，去給予合乎歷史的證明時，他們便從族人中找一些在當地發生的事，作爲證據去加以証明。一些當地的事件，最初對土著人來說，似是 神對人個別的審判，但隨著時間過去，都變得模糊。事件的不同記載和曲解，也損害了事件的效用，對那些漠視聖經的人，不能作出有效的警告。但當阿西安納人接受舊約教導後，這一切便都改變了。現在他們已得到聖經中實際歷史事件的記載和有關的解釋。他們新約的教導，現在都因舊約歷史記載有關神的審判和恩典，而得以加強；舊約這些記載都是不能輕視或改變的。他們現在已能按著 神爲舊約所定的目的，去運用舊約的經文。

## 未來教師的根基

每一位聖經教師的責任，都是在教導時採取一種方法，讓信徒都能按著 神完全的啓示，去解釋所有教義。那是否表示，每個教導信徒，要使他們建立新約教會的聖經教師和宣教士，都必須由創世記到啓示錄，教授聖經中的每一經節呢？，不是的！那不是他的責任。

聖經教師的主要任務，是奠下根基。他必須訓練和裝備當地的信徒，給他們責任，讓信徒們在他從聖經中，爲他們奠下的根基上，繼續建造（林前三10-15；弗四11-13；提後二2）。那奠下根基的人，有責任確保他所奠下的根基，是廣闊的，足可承托後來的其他教師，所必須教導的一切。假如根基不足，或在某方面有欠缺，那麼，隨後的教師就得不到所需的基礎，去教導 神的一切訓誨。

建造根基的人，必須奠下神學、歷史、體制和教條方面的根基，未來的教師才能正確地說明和解釋 神的全部啓示，以及在新舊約中所有的教條。

那麼要達成這目標，那一個是最簡單的方法呢？我們應否有一份教條清單，每當我們教完一條，便在那條之上加個記號？我們若要這樣，未來的教師便會受我們的教條大綱所約束，好像受他們的聖經所約束一樣。耶穌基督的每個使者，在教導信徒時，必須決心以聖經中所列舉的屬天原則，作爲指引。教師藉著緊緊遵行屬天的原則，便能盡其所能，使聽者的心靈和良知，與聖經全部的道理和聖經榮耀的作者，結合起來。

# 第二部份

# 如何運用這
# 研經課程

# 第二部份

# 如何運用這研經課程


實際的問題與答案 65
此課程的目的何在 65
少了甚麼? 65
爲甚麼教材這麼多? 66
如何在縮減課堂節數後仍可完成課程 67
這課程爲誰而設? 68
如何在自己的教會中運用這課程? 68
如何在家中設立查經班? 68
教師授課需要甚麼? 69
其他教材 69
輔助教材 71
學生需要甚麼? 71

特別注意項目 72
牧師及主日學監督 72
代課老師 72

教師必讀 73
課前預備 73
團隊合作 73
授課形式 73
權威性的佈道 74
直接引讀聖經—神獨一的權威 74
注意授課方式 74
認識你的學生 75
接納未信的學生—接納他們的本相 75
混合教學—信徒與未信者 76
大組與小組的動力 76

教義性的主題 77
保持平衡 80
聖經是「祂的故事」 80
擬題發問 80
處理學生所發的問題 80
避免離題 82
切勿強求口頭上的贊同 82
興趣盎然的教學 83
避免無關重要的細節 83
耐心地建造 83
向已聽過福音的人介紹救主 84
應何時傳福音? 84

關於課程的特別指示 85
基本形式 85
備課部份 85
*參考經文* 85
*註釋* 85
*概覽* 86
*經文* 86
*經文目的：本課可幫助學生* 86
*課文與現況的關係* 86
*參考資料* 86
*視覺教材* 86
*年代表* 87
*歷代地圖* 87
*特別注意事項* 87

課程 88
*課文大綱* 88
*授課形式* 88
*序言及結論* 88
*主題* 88
*閱讀* 88
*問題* 89
總整理 89
鼓勵堅持到底 90

# 實際的問題與答案

## 本課程的目的何在?

耶穌在約十七3說:「*認識你獨一的眞神,並且認識你所差來的耶穌基督,這就是永生。*」這就是本課程的目的。

這課程基本上爲未信者而設,爲要他們對耶穌基督的救恩有所認識。

但這課程對信徒亦很有幫助,它可以使他們對 神有更深的認識,了解聖經的整體性,因此,他們能在信心上成長,並與人分享 神的話。

課程大綱的形式是按照清楚的時間先後順序排列教授,使學生可以牢記他們學習的內容、事件和主題的出現都有一個審愼的架構基礎。

本課程有另一好處,就是教學方法的傳授。當你教導學生時,你實際上同時將一套教學的方法傳授給他們,讓他們可以使用同樣的方法去教導別人。

請緊記以下目標,以免偏離教學重心:

**本課程的目的是要清楚地闡明 神的特質、性格及祂救贖的信息,因 神在祂的話語——聖經裏,漸進地啓示了這些眞理。**

## 本課程缺少了甚麼?

實踐。

本課程的內容只限於救恩這主題,並不討論成聖的問題,就是 神盼望在信徒身上及透過信徒去成就的工作等。

聖經上有許多經文顯示 神如何使用信徒做善工,但本課程只強調與救恩基礎有關的主題。

正如前述,在基督教的歷史中往往引起混亂的,就是教導未信者該如何作事。

縱使班上有信徒參與,亦切勿節外生枝地討論信徒該做的事。

你現今教學的模式將成爲同學們日後的模範,就是他們將來要教導未信者時的參考。切勿將傳授信徒的信息灌輸給非信徒,以致叫他們大感疑惑。

## 這不是一種有『即時效應』的研讀法。

在事事講求『即時效應』的今天，這不是一種立竿見影的查經。

神打算人一生之久學習，從嬰兒開始，父母就將 神的話語教導他們的兒女。申命記六章六至九節說：『*所吩咐你的話，都要記在心上，也要殷勤教訓你的兒女，無論你坐在家裡，行在路上，躺下，起來，都要談論、、、又要寫在你房屋的門框上，並你的城門上。*』提摩太後書三章十四至十五節，保羅這樣寫給提摩太：『*但你所學習的，所確信的。要存在心裡，因爲你知道是跟誰學的，並且知道你是從小明白聖經，這聖經能使你因信基督耶穌有得救的智慧。*』

對個人生命有莫大的影響。

## 表面的認識是不夠的

很遺憾，在今天的社會裡，有許多人沒有這個機會在 神的教導下成長，他們對聖經的故事只有表面的認識，只有少數人能眞正全面的掌握著聖經的教導。

學習事實是容易的，但要知道其中的基要道理則困難得多，使人認識聖經中的計載及事情發生的先後次序，可以在很短的時間內做到，而且對人亦有幫助，但本研讀課程則以教導基要主旨爲中心，按照聖經中 神自我的彰顯，使學生能對 神有眞實的認識及預備自己去接受 神的救恩。

從這種研讀基礎出發，很難在一夜之間能有所成。**要牢牢緊握著一些抽象屬靈的概念是需要時間的**。很明顯的，聖經的教訓是要靠著聖靈的能力，才能將這些眞理烙印在學生的心上。

## 消除誤解需要時間

對事物的誤解也是在一生中慢慢的建立起來。當你將眞理教導學生時，別忘記，你同時亦是去拆毀學生心目中建立已久的謬誤教訓及觀念。

## 一年的課程

本課程可以納入主日學課程內使用，或作家庭及小組查經之用，以每星期一次計,需時一年完成。若次數頻密或每次查經時間加長，則可以提前完成。

花這麼多時間去研讀是否值得？難道還有有比這個更有價値的嗎？無論教師，學生，他們完成這個課程之後，都能對聖經整體有一個基要及深切的認識. 神的教訓， 神的話語成爲他們生活的準則。

## 每一部份配合起來

有這個眞理的基礎，以後就可以從這基礎上更多認識眞理。以後個人不斷的查經，就能把聖經中各部份聯成一氣。這會對個人生命有莫大的影響。

不錯，我們是活在一個事事講求即時效應的時代，但並不是每一樣有『即時效應』的事都有價値的。研讀 神話語的要旨是値得我們身爲教師和學生花時間及努力的。

## 避免急功近利

「假若我要得著這個學生的話，我一定要縮短這個課程」，這也許是眞的。但假如我們再仔細觀查一下，就不難查覺，其實並無必要縮減。**切勿貪圖方便，就削減這課程**。在學生中建立基要信仰，接受救恩，遠較削減課程爲重要。**如有絕對必要**，則可用下列的原則。

## 如何在縮減課堂節數後仍可完成?

假如你必須縮減完成本課程的時間，最佳的辦法是伸延每節授課時限。每次開始授課時，總要花一些額外時間，但假如你將每節一小時的授課時限改為每節一小時半，你將會得到比半小時多的授課時間；你大概能在一小時半的時限內教完兩三課，這樣就能有效地把課程所需時間最少減半。

每節開始前，細心地作一個溫習，確保你的學生眞的領會所學。按照需要，調節你的授課進度。可能有些課程需要較多時間，有些則可以在較短時間內完成。

這五十課所收納的教材是經過細心挑選的。可能的話，盡量教授全部課程。

如必須刪減所教的課程，可照下列建議進行：

**第八課： 神創造夏娃**

只用B,E及G項。

**第十九課：以撒的兒子，以掃及雅各；雅各的兒子約瑟**

本課可以全部刪除，但可用「編年表」列出雅各眾子。

**第二十課： 神提升約瑟，並帶領以色列全家遷往埃及**

留意雅各的名字改稱為以色列，只教授H項，其他題目可以刪除。

**第二十八課：以色列人在應許地的士師及列王時期**

教授B項，約書亞帶領以色列人進入迦南。講述約書亞死後，以色列人離棄眞 神轉向偶像，所以 神容許以色列人敗在他們的仇敵手上。其後以色列人回轉歸向 神， 神就興起一些士師拯救及帶領他們。用「編年表」指出各士師年代。

此後，雖然 神是他們眞正的王，但以色列要求立王治理他們。 神答允他們的請求，這樣以色列人就在王的統治下歷四百年之久。以「編年表」指出各王的年代。

教授F,G,H和I項，及與這幾項有關的題目，在新約課文中亦涉及這幾段，所以必須教授。

**第二十九課：以色列人拒絕 神所差來的使者—先知—的警告**

必須教授C,D,H及I項有關的題目。

**第三十四課：耶穌拒絕並勝過了撒但的試探** 本課可以刪除

**第三十八課：耶穌平靜風浪，及在格拉森趕鬼** 本課可以刪除

**第四十一課：耶穌是基督是 神的兒子，耶穌改變形像** 本課可以刪除

**第四十四課：耶穌喜愛小孩，祂教訓富有的少年官**

本課可以刪除

## 這課程爲誰而設？

這課程可適用於很多不同教學環境，不論大小組合主日學、家庭研經小組，個人研經，城中事工，家庭學校及家庭崇拜等等。

雖然這課程乃爲成年人而寫，但亦可修改成適合兒童所用，教師可因應學生個別不同需要而將資料適當地編纂。
（請參閱下列第二及第三段有關大小組合的意見。）



## 如何在自己的教會中運用這課程？

### 熟習課文

首先要自己熟習課文，留心閱讀「教師備課」欄，並加以融會貫通。同時要預備自己去花時間來研讀這課程及教導人。

### 提供「**EE-TAOW!**」錄影帶在教會播放

你可以將一本由麥奇宏 Trevor McIlwain所著的「穩固根基的建造系列」（*Buliding on Firm Foundations*）第一冊送給教會的牧者或主日學之監督閱讀。同時你亦可建議在教會內播放「EE-TAOW!」錄影帶（該錄影帶之內容，下面會有詳述。）

### 向會友宣傳

假如教會的牧者或主日學部同意你在教會內使用這課程，你就本課程作個宣傳，並將「EE-TAOW!」的錄影帶播放給你要教導的會友看。

### 宜小心宣傳

爲本課程作宣傳時應特別小心，因爲教會內有已信的基督徒及未信者，而本課程則 以佈道爲主，所以在宣傳時不能只說「聖經綜覽」或「舊約綜覽」。本課程是聖經基要的研讀，由創世記到基督耶穌，涵蓋一切有關救恩的主題。下面是一些宣傳建議：

**穩固根基：**
**神創造天地至基督降臨。**
這是一個獨特的聖經課程，使學習者能有系統地在福音上建立穩固的根基，並成爲成長的基督徒。這些課程以歷史的角度，依據 神自己的方法，循序漸進的彰顯自己，以及祂救贖的計劃。從創世記開始，透過舊約及基督的生平，我們可以學習到聖經的主旨，及對 神的本性有所認識。本課程對這個重要的問題：「我如何才能被 神所接納？」提供了答案。

## 如何在家中設立查經班？

雖然一般人都不會談起有關聖經，但對查考聖經卻是有興趣的。有時在辦公室或學校的報告欄上張貼一份通告，會有相當果效。 對人談及查經的事，可以這樣說：「我相信你會喜歡的。這種查經是別開生面的。在開始時，我們查考一些基要事實，能將全書聯繫在一起。我們查經是依循歷史發生的先後次序，如拼圖一樣，一次一塊地拼上去，這樣當整幅圖畫拼好後，它的意義就一目了然了。」

## 教師授課需要什麼？

基本上需要的是你的聖經，課程本身，編年圖表及三幅編年地圖。而課程中列出的編年圖畫及下面所提及的其他資料是可隨意選用的。

## 其他教材

下面是一些有助你授課的資料，你可隨意選用：

### 編年圖畫

一套共105幅　12吋×16吋

七彩塑膠面圖畫

（註：所有課文所提及的圖畫，及課文外其他有關故事的圖片，亦包括在這一套圖畫之內。）這些七彩塑膠面圖畫適合用於教授小型及中型組，一方面有助於取得學生的注意，另一方面，可使學生領會到當時文化的背景，因爲圖畫中所展示的一切均經過考證而忠於歷史事實（請參閱下列訂購資料。）

### 黑白線畫

這些線畫一部份是將上述七彩圖畫，以黑白線條繪畫而成，另外還有六幅是課文外有關舊約的科目，這些黑白線畫共有兩款可供選擇：

111　6吋 × 8吋 黑白線畫

111　3吋 × 4吋 黑白線畫

較大的一款對教授小組或一對一上課甚爲有效，同時亦可以供兒童作塡色之用，提醒他們有關聖經故事內容，較小的一款可作溫習資料之用。

註：一切有關資料、包括所有圖畫，均有版權，惟黑白線畫則可以複製在查經小組或主日學中使用（除非取得新族宣教使團 New Tribes Mission, Sanford, FL 32771-1487 書面許可外，一概不准翻印或售賣。）（參閱下面訂購資料。）

### 「EE-TAOW!」錄影帶

這個獲獎的錄影帶是教導基本教學法的最佳工具，是在巴布紐幾內亞實地拍攝的，「EE-TAOW!」是講述一個眞實的故事，神怎樣在當地Mouk 族人中工作，帶領他們清楚認識耶穌基督帶來的救恩，這不但在宣教事奉中帶來挑戰，同時亦是感人的事實，祂用大能將祂的道帶進這些人中。一般牧者及平信徒均對這套錄影有很高的評價，它的重點是奠定舊約的根基，以預備人心接受福音。（參閱下面訂購資料。）

### 「穩固根基的建造系列」

本系列書的作者Trevor McIlwain，本來是爲在土族人中植堂的工作者而寫的。

註：本系列的第一冊（略經修改）已印在你現在所閱讀的這本書的第一部份裡，題目是「穩固根基－有計劃的建造」。至於第二及第三冊所載有關教師應有的準備及課文教材等已廣泛地收錄在「穩固根基—神創造天地至基督降臨」之內。（這部份與「編年教學大綱」第一期相若。）

下面是「穩固根基的建造系列」原著的簡單介紹。

## 「穩固根基的建造系列」 麥奇宏Trevor McIlwain 著

**第一冊：宣教指引與植堂**
在這一冊裡，作者深入地帶出編年教學方法的理念及架構。

**第二冊：宣教：舊約**
第二及第三冊合爲第一期，第二冊主要是介紹有關跨越文化的宣教工作（包括宣教前準備、會議形式、教具、主題等）此外還有舊約四十二課可作宣教之用。

**第三冊：宣教：基督生平**
本冊總結第一期的教學，包括基督生平的二十六課。此外亦有用舊約的課文來教授基督福音的建議。

**第四冊：教導初信者：由創世記至使徒行傳**
本冊以討論初信者如何建立地方教會爲開始。作者認爲宣教士有責任去協助建立地方教會，包括訓練初信者擔任宣教工作；他跟著介紹第二期的課文概覽，連同給初信者的十二課課文，從創世記至耶穌升天，及第三期的課文概覽，包括十四課有關使徒行傳的課文。

**第五冊：教導初信者：羅馬書與以弗所書**
本冊介紹教授使徒書信的先後次序及第四期的課文概覽，有十四課是關於羅馬書，有九課關於以弗所書，主要是集中在信徒如何藉基督得勝。

**第六冊：教導初信者：哥林多前書，提摩太前書和提多書**
本冊提出地方教會的任務，其中有十四課出自哥林多前書。關於長老和執事在地方教會的事奉則有六課來自提摩太前書，和三課來自提多書。

**第七課：教導初信者：帖撒羅尼迦前後書與啓示錄**
本冊集中討論聖經中的末世論，有帖撒羅尼迦前後書的七課及啓示錄的十課。

**第八冊：教導初信者：加拉太書與歌羅西書**
本冊討論保羅如何爲兩個主要的教義辯論，加拉太書的十課關於因信稱義之道，歌羅西書的五課關於基督之道。

**將會出版的卷冊：**
「穩固根基的建造系列」快將出版的卷冊，會介紹使徒書信其餘的經卷（即第四期）。最後的一冊爲第五期的課文概覽（由創世記至耶穌升天），第六期（使徒行傳）及第七期（使徒書信），上述三期均爲成長信徒而設。

「穩固根基的建造系列」書籍，可分冊或整套購買。

訂購資料

所有上述教學資料均可從下列地方購買：

書室
**New Tribes Mission Publications**
**1000 East First Street**
**Sanford, FL 32771-1487**
電話： **407-323-3430**

## 輔助教材

有些課文會提供一份參考資料。**在未開始授課之前，最好能先看一遍這些資料，尤其是在教授第一，四及十四課時**，因為這幾課課文均涉及一些常被人誤導之眞理，所以身爲教師的你，手上必須有一些額外的資源，以便你能解答學生可能提出的問題。

你亦應隨時準備一些有關的書籍，刊物，錄影帶，錄音帶或其他資料來支持及幫助你去教授這些課文。

任何聲稱與聖經有關的書籍，不能保證是與聖經相符的。

向你學生介紹讀物時，應十分小心謹慎！這些課文所選用之資料是經過細心挑選的，內容完全符合聖經及教義，如果你想選用其他資料並將它們介紹給你的學生，在未介紹之前，最好你能先讀一遍（可能的話，由第一頁看到最後一頁）確保裏面沒有任何錯誤的教訓。

任何聲稱與聖經有關的書籍並不能保證它們是與聖經相符的。很可惜，今天市面上許多讀物都受人文主義所渲染。唯有聖經是眞理，所以最好就是只用聖經而避免使用一些五彩繽紛的參考書，到頭來這些書籍只刊載一些使人對 神的道產生疑竇的話語。事實上，你應確保一切妥善，才可以將它們介紹給你的學生。

上課時，無論你用何種資料，或無論所用的資料如何符合聖經原則，假若它們與你所教授的課文主題無關，不要用它們，勿讓它們打岔你所教授的課文。

預留足夠時間來教授聖經課程，可能的話，安排其他時間放錄影帶及其他活動，勿讓你的教學進度因要教授額外的教材而受到延誤。

## 學生需要什麼？

學生只需要有一本聖經，因為 神的道就是無上權威,亦是本課程的核心。

課程大綱不是給學生使用的，只是為教師而設。

倘若學生沒有自己的聖經或忘記攜帶聖經上課，你可以給他們聖經使用。只要一些沒有註釋的聖經，否則他們會自己去閱讀這些註釋而不理會你的講授，很多時候這些註釋不但會分散他們的心思，甚至會誤導他們。

不用花費太多金錢去購買學生用的聖經，只要普通裝就行了，寧可多買幾本聖經，讓每一學生都有自己的聖經去閱讀。

預備紙筆給學生應用,因為有些學生需要在堂上寫筆記的。

# 特別注意項目

## 牧師及主日學監督

### 這資料有別於傳統資料

這資料與傳統的分別是在每一課均建基於前一課上，因此每一課必須全然的，貫徹始終的教授。

其中一個理想的辦法就是能有一位教師或二人一組的教師，委身於這個教學工作上，直至教完這個課程爲止。

盡早預備好教師，給予他們充份的時間去閱讀本課程的資料介紹及著實去備課。**在未施教之前，你的教師必須認識本課程的性質及方向，這是挺重要的。**

### 策劃短期訓練

假如你的教會或主日學採用這套課程，而你又打算邀請多位教師任教的話，最好你能安排一次教師訓練班，研讀本課程的第一及第二部份。（即第3—90頁）。

### 策劃未來

這個教師訓練班應在主日學開課前舉行，而訓練期限不少於一個月至六個星期，使教師在未上課前，已熟悉要教的課文。應將有關資料在受訓期前一星期交給教師，並訓令他們必須閱讀本課程的第一部份，即"穩固根基--有計劃的建造"。

## 代課老師

如果有人邀請你代課的話，謹記用以下的建議，作爲代課的準則：

- 除閱讀你要教授那一課的課文概覽外，亦同時要閱讀這一課的前後課文概覽，這就可以幫助你更了解這一課未來「動向」。

- 不要超越本課文的大綱及主題。

- 留意印在課文旁或課文前方格內對教師的提示及指引。

- 閱讀前一課的全部課文及所列出的問題，這能幫助你作課前的溫習。

- 請謹記這是一套給未信者的基本課程，只教課文本身已足夠，勿涉及一些問題，如已信者的行爲及事奉表現等。重要的是人藉著信靠 神的恩典得救。

- 所有印在課文旁的資料，不是爲學生而是爲教師而寫的。

# 教師必讀

## 課前準備

請先祈禱。在備課時祈禱，不斷的祈禱，神會悅納有信心的禱告。

請熟讀第一部份：「穩固根基——有計劃的建造」，然後讀第二部份：「如何運用這研經課程」。

請瀏覽每章「概論」部份，透過數分鐘的閱讀，先就課程獲得概括的了解。在掌握了首數堂課以後，便可認清教學的目標和方向。

請在教學過程中經常翻閱尚未教授的課程，以助保持教學時的連貫性。

請經常複習第一及第二部份，這兩部份除了可以引導你的教學外，也可解決一些教學過程中的實際問題。

## 團隊合作

### 共同教學

倘若你與另一位導師共同授課，二人務要完全熟悉所有的材料，授課時，其中一人可以協助同學們集中注意力，二人並可在其中一人缺課時互相代課。

### 協助人員

同學們也許不會自己要求幫助，然而，當他們不熟識聖經之時，他們會欣賞別人主動的協助。

協助者爲學習帶來莫大的裨益，在起初就告訴同學們這位協助者是特別爲幫助他們翻閱經文而來的，叫同學們知道你並不要求他們會自己找聖經，好讓他們不致感到尷尬。倘若班裏人數較多，則可有計劃地編排數位協助員分佈於班中。

### 禱告戰士

你有沒有一些樂意爲你代禱的基督徒朋友？請他們爲你禱告，並向他們報告你班中的進展情況。

請讓你的禱告戰士知道你將要授課的內容，叫他們懂得如何爲你禱告。

## 授課形式

班級的大小、班中的成員及你的性格都會影響你的教學方式，本課程可就不同的環境而作出相應的調整。爲師者可決定如何作適當之調整，以下的文章可幫助你因應班中之需要及你的教學方法去調節本課程。

## 權威性的佈道

本課程是一套指導式的研經方法，由教師按課程大綱講授及在指定範圍內討論，本課程雖然歡迎同學們發表意見，但總課程的形式並非以討論爲主。

（一般的查經形式要求參與者就查考的經文抒發己見，當各人發表意見以後，由帶領者總結不同的思維及見解，但這並非本課程的形式。）

本課程按主題的導向而設計爲主，而每課主題則以該課的經文爲基礎，因此，在任何情況下，**聖經是終極的權威。**

> 在任何情況下，聖經都是終極的權威。

爲師者，當然不願意壓制同學，故此，請耐心地找出他們的信念，這可從他們的意見中獲得一鱗半爪。可是，在我們這個「言論自由」的社會中，過份的容讓自由發言可導致個人的演講。

請小心地引導同學們進入以聖經爲中心的學習。

## 一直接引讀聖經一獨一的權威

請直接引讀聖經授課，雖然在課前先將課中經文全寫於一張紙上可免去經常翻閱聖經的麻煩，但請切忌這樣做，因爲同學們須要看見你實在是教導 神的話語。

若某些課文引用多處經文，則可利用黏貼上的標籤分隔經文，甚至可以選定一種螢光顏色筆，在聖經上標出你將要在課堂上引用的經文。

雖然直接地引讀聖經可能需要花上較多的課堂時間，但這是値得實行的。本課程正是要研經聖經，因此請讓同學們知道你是直接講授 神的話。

## 注意授課方式

多數人不喜歡別人向他們說教，但都喜愛別人與他們傾談。

謙虛的態度和充份的備課可使一個拙口笨舌的人成爲動聽的演說者。

### 避免使用宗教術語

我們在教會圈子中經常聽見的詞藻如「得救」、「重生」、「團契」、「見證」、「拯救」、「成聖」、「稱義」等，這些信徒心中的金石良言，卻是在未信者眼中空泛之詞。

請思量你將要說的話，儘可能不使用宗教術語去闡明概念，同學們必欣然接受，這更可逼使你應用清楚而簡明的教學法。

## 認識你的學生

耶穌了解及關懷人，祂可以按個人的需要而施教，祂精心挑選的例證都與聽者有切身關係。耶穌是萬世之師，是我們的模範，祂如何識透當日被教者的心，我們也要如何透澈地了解我們的學生。

請小心留意一些已在同學們心中根深蒂固的錯謬觀念，切勿「攻擊」他們或立時指出他們的錯處，只要牢記同學們當中存著甚麼不正確的觀念，好在日後授課時加倍清晰地闡明，以更新他們一貫的想法，無論如何，萬勿攻擊同學們的信仰或其他的宗教。

某些普遍的信念如人文主義及新世紀運動等，他們的理論較爲虛渺，但我們仍要小心找出當中不合乎聖經原則的思想，倘若對這些理論還是不太熟識，則請自行研究。若有同學已受異端薰陶，則請粗略地認識該異端，爲要明白那位同學心中以爲對的眞理。

切勿越軌直接地攻擊該異端，只要全心教導 神的話，並小心注意同學，在不正確信仰的影響下而產生誤解的地方。

最重要的，還是讓主透過你去愛所有的同學，親切地關心每一位，並爲他們禱告。在可行範圍內，在課堂以外參與他們的圈子，按照 神的指示去幫助他們。

班上應充溢著接納的氣氛，因你正要教導同學們去以信心接納 神的救恩，但請勿試圖改變他們，卻要引導他們去領會神救贖的方法及透過耶穌基督的新生命獲得再造之恩。

## 接納未信的同學—接納他們的本相

聖靈單憑眞理行事， 神的作爲和 神的權能並不受制於人爲的宗教或屬靈環境，耶穌和使徒們也在平凡的生活中宣講神的眞道。因此，請樂意忍受未信者的行爲。同學們帶著煙薰的氣味進來上課嗎？請萬勿造次。他們不時咒罵人嗎？請低調處理。請原本地接納他們。

> 他們樂於忍受煙燻的氣味，爲要讓他們的朋友有機會與他們在天國相聚，共享永生

神將他們交在你的手中，爲要你向他們傳授祂的話語。 神的話在人的內心動工，只要內心得著改變，誠然會形之於外。

一對基督徒夫婦擁有一棟漂亮的房子，他們經常款待一位吸煙的朋友。他們爲他預備煙灰缸，以表示對他的歡迎，並且從不責怪他吸煙，卻只是循序漸進地向他講述 神的眞理。最後，他們得以引導那位朋友信主。

你可能會說：「我才不會忍受這些東西！」 神可能不會讓你去忍受，但那對夫婦相信神要他們這樣做，並樂意地遵行——他們樂於忍受煙薰的氣味，爲要讓他們的朋友有機會與他們在天國相聚，共享永生。

## 混合教學——信徒與未信者

本課程的目的，在於建立一穩固根基，好在其上向未信者宣揚福音，故請萬勿
混淆信息及節外生枝。

在一般情況下，班中可能是信徒與非信徒攙雜。在起初時或者難以辨別，請讓神的話在當中親自動工。**緊握每課主題，切勿離題討論信徒的問題，如工作、順服及敬拜等。**

若班中有學生是信徒，則請在起初時就讓他們知道本課程只環繞救恩的主題。若有必要，可在課外的時間與他們單獨傾談，請他們儘量減少主題以外的討論，好讓未信者有更多機會清楚地領會救恩。

若在教會中使用本課程，則課程的推廣技巧將有助於減少誤解，請閱讀「若在教會中使用本課程」部份。

請鼓勵信徒們熟讀課程，好叫他們得以裝備自己，去清楚地教導他人。倘若班中有熱心的信徒，不妨鼓勵他在研讀課程時，購買自己的教材進行研習。請留意那些可以成爲門徒者，並訓練他們去教導別人。

## 大組和小組中的動力

本課程使用的語調乃以大組爲對象，請就班中人數的多少及個人的教學形式加以調整。

若班中人數不多，請勿要求學生引用個人例證去說明課中重點，學生們將因此而感到尷尬。此外，請限制於發問一些易於回答的問題（因在小組中，組員會感到必須回答你的問題）。避免富討論性的題目，因這些題目可能引離主題，以致捲入個人喜好及爭辯之中。

班中人數越多，便越容易要求學生引用個人例證，而不致使他們感到尷尬，並可在堂上發問沒有一定答案的問題，此外，在某學生過份投入討論之際，亦可輕易地將目標轉移到別的學生身上。

爲師者，要對學生的需要敏銳。在個別教授的情況下，不宜強行探討某些問題，但在另一方面，卻可以對該學生有極深的認識，而因材施教。

求主賜予智慧。同學生們需要尊重和愛，請儘可能避免尷尬的情景。正如前述，學習環境應提供友善及接納的氣氛，讓學生們體會到教師和全班都歡迎他們參與。

貫徹本課程的教義主題可產生下列作用：1)讓人知道自己有罪，且已被定罪，在聖潔公義的創造主和審判官前一即 神的面前，他們是完全無助的。2)產生信心，引導他們完全倚靠耶穌基督，那全備的救主。

以下是我們要著重的教義主題：

## 神的位格與本性

### 1.神是至尊和掌權的。

這眞理是一切有關 神及屬靈事物教義的基礎。

整本聖經清楚地顯示 神的無限主權。一切受造物、人類、天使和撒但都在祂的權威之下，人不能質疑祂的作爲。祂是偉大的創造者，是起始的，也是末後的，祂要按著祂的美意來掌管萬有。

> 當 神統治的主權被清楚無疑地教導，其他的眞理自然顯得順理成章。

要在一個高舉人權的社會中教導 神的絕對主權，就要將這觀念當作新鮮的思想：當然這本身並不是一個嶄新的觀念，它只是被人文主義掩蓋罷了。當人把自己當作萬有的中心時，他給了自己一個無法行使且無法擔的權威。雖然社會的取向與神掌權這信息背道而馳，但這信息誠然是追尋眞道者的喜訊。這信息起初聽來陌生，甚至逆耳，但在聖靈的能力下， 神掌權的訊息讓破碎的人生有正確的觀點，將人的注意力重新集中在偉大的創造主身上。

我們需要清楚地教導 神的統治主權，當這眞理清楚無疑時，其他的眞理自然顯得順理成章。

本課程介紹 神如何運行在歷史當中，並如何透過歷史來彰顯祂的作爲——就是在歷史中攻無不克戰無不捷。祂是萬有的創造者，更是永恆的權威，祂是至高主宰，是全能的 神。

### 2.神對人說話。

聖經不單是 神在以往對人說話的記載，它也是 神的聲音，要在今天向我們說話。

可是，千萬人手邊就有聖經，卻漠視其中的信息。他們不聽 神的話，並否認 神是他們的創造主，以致當祂滿有慈愛地天天向眾人啓明祂創世的訊息時，人們置若罔聞。 神在祂的恩典中，仍舊召出一族子民歸祂自己，仍舊賜我們機會去影響當代的人，縱然那些人的先輩曾抗拒垂手可得的眞理。

本課程強調 神的話是眞實的：是千眞萬確的歷史，也是又眞又活的信息，來自一個有生命、活躍、掌主權的 神。人文主義的教育制度企圖歪曲 神的話，但祂的話依舊堅立、清晰、公正而眞實，直至永遠。

我們將在本課程中理直氣壯地表明眞理，同學們需要知道聖經是 神對他們個人的信息，叫人無可推諉（羅一20）。

### 3. 神無所不在，祂無所不知。

我們用以上兩句來代替拉丁文的神學詞彙(“omnipresent”,“omniscient”)，務求意思表達得清楚。

我們需要小心謹慎地教授 神這些本性。課文中將要提及的新世紀運動和泛神論的教導，他們認為 神就是萬物，而萬物就是 神。我們必須清楚地明辨造物的神和祂的受造物。 神無所不在，卻非在在萬物之中，萬物亦非 神的本體。

4.神是全能的 神。

我們用以上簡單字句來代替拉丁字"omnipotent"。

對於那些凡事「科學求證」的人，特別難於接受 神的這個本性。許多人覺得神的奇蹟是荒誕愚妄的，於是堆砌一些他們認為較為可信的理由去解釋神蹟。

然而，課文中將會指出 神所行的奇蹟就是唯一的解釋，它們足以完滿地辯證聖經中明載的許多歷史事實，及宇宙中許多明顯的創造實證，這些實證都活潑有力地表彰 神是萬物的統治者，有無上的權柄與大能。

5.神是聖潔和公義的。祂命定罪的代價就是死亡。

神是良善的唯一標準，任何低於 神完全公義的標準都是不及格，任何相異於神的標準或違反 神標準者都是犯罪。

當今「宗教思想」論及 神的本性時，這真理最明顯地失去了蹤影。講道中往往尋不著 神的聖潔、人的罪性、犯罪者死，及耶穌基督為罪人傾流寶血等信息。

聖經的信息並不是「微笑吧！神愛你！」而是「犯罪者死。」（結十八４）明白了這信息後，才可領略約翰福音三章十六節的真義。

今天在在工業社會中的人完全沒有流血犧牲的觀念，但在世界各地還殘存些雖已歪曲卻仍用活物獻祭的方式。聖經裡原來有許多關於這代罪犧牲的原則，而那能全然贖罪的祭正是一切代罪犧牲的終極表現。

有罪就當死的思想及地獄實存的真理，對許多人來說已是不重要的事情。可是， 神從沒有改變祂公義的標準。祂絕不會容許一個不能完全地滿足 神公義律法的人去親近祂。

人只有藉著耶穌基督的寶血才能達到神公義律法的要求。在十字架以前的時代， 神仍然接納那些憑信心歸向祂的人，因為 神在那時看基督的死，是一個已存的事實（啓十三８）。話雖如此，神在舊約時代仍不斷提醒百姓，叫他們知道， 神並不是因著他們的獻祭而赦免他們。 神命定犯罪者死。牲畜的血只能暫時遮罪。在十字架的代贖功成以前，犯罪者的獻祭絕不能完全滿足 神，罪的意識總是存在。祭牲的死乃成為一個寫照，刻劃出罪的工價就是死。無辜、無瑕疵的牲畜象徵 神不願意接受任何遜於完全的代罪贖價。

亞伯的獻祭是第一次以活物獻祭的記載，他那次行動必然是 神授予的啓示。神在洪水以後，才允許人類開始宰殺牲畜作食物祭牲的死乃成為一個寫照，刻劃出罪的工價就是死。故此，除了 神親自的啓示以外，亞伯絕不敢宰殺 神所創造的生命獻祭給 神。亞伯憑信心來到 神面前，而信心必須以 神的啓示為基礎。若非憑著信心，則只是人的假定推臆。在啓示以外探索滿足 神的方法，正是該隱的路。

因此，本課程中屢屢提及 神對獻祭的要求，因為這要求正圈點出 神的聖潔和公義，就是犯罪者死。動物的血不能代替罪人的死，卻成為一個經常的提醒，叫人知道除死以外，罪人無法滿足 神聖潔、公義的要求（來十1-12）。

**6.神滿有慈愛、憐憫和恩典。**

神的愛是不改變的，是純潔的，並且不在乎被愛者有何功德及是否配得。 神就是愛（約壹四８）。

本課程所展示 神的愛，就是上述純全的愛，而不是今天一般以人爲主，利己的愛。

本課程描述了 神的憐憫，就是祂爲罪人開了一條出路，讓他們能夠擺脫本應接受的懲罰。 神的恩典彰顯於祂對不配的罪人所施予的仁愛。

**7.神是信實的，祂永遠不會改變。**

這又是一個對我們社會非常重要的觀念。有些「宗教學家」要將聖經改寫，來遷就他們認爲合宜的現代思想。我們務要清楚地教導 神是永不改變的，祂的話也永不改變。

本課程亦強調 神的信實。在這頻頻令人失望的世界中，這是一個叫人激勵的信息。 神謹守祂的應許和承諾。我們要反覆地強調這信息，因爲人看自己和看別人的方法，正與這眞理背道而馳!

人

**1.人是個罪人，不能自救，需要 神的拯救。**

人不能靠著自己的能力去取悅 神，唯獨 神的恩典能拯救他。

人所擁有的一切，包括他的生命和一切維生之計，都是 神所賜予的，聖經藉著人在自然界中的無助，刻劃了人在靈性上的無助，並要倚賴 神恩慈的供應來拯救他。

**2.人只可依照 神的旨意和計劃來到祂的跟前。**

因爲 神是聖潔和至尊的，所以只有祂才能決定人當如何接近祂而得救，人必須按著 神的方法而行。

**3.人必須憑著信心來討 神的喜悅並得著拯救。**

**撒但**

**1.撒但與 神並 神的旨意爲敵，他是撒謊者和騙子，他恨惡人類。**

撒但（原名路西弗）和他的黨羽本都是 神的受造物，所以他們必須倚靠 神，至終要服於祂權柄之下。他們與 神、與人勢不兩立，撒但利用他的黨羽和有罪的人來幫助他建立他的國度，並企圖毀滅神的國。

舊約聖經中雖然不常提及撒但和他的黨羽，但我們應提醒同學他們仍然存在，並不斷地影響著世界的歷史。我們從新約聖經中得悉撒但就是「這世界的神」（林後四４）。因此我們知道他要經常來試探人，要引誘他們背逆 神和 神的旨意。

縱然如此，當撒但每次企圖破壞 神的計劃——就是 神對子民的祝福，施予救恩——之時，他的計謀總不得逞： 神始終勝了他。

耶穌基督（只在新約）

1.耶穌基督是 神。
2.耶穌基督是人。
3.耶穌基督是聖潔和公義的。
4.耶穌基督是唯一的救主。

## 保持平衡

我們需要在教義主題及聖經歷史記載兩者之間保持均衡。歷史故事及它們所帶出的眞理要二者並重。在教導這些故事時指出它們是 神的史實記載，它們必立時變成活潑有力的啓示，將沒有明說卻蘊涵於內的教義都表露出來祭牲的死乃成爲一個寫照，刻劃出罪的工價就是死。

這並不是提倡我們要照本宣科，不作任何註解，卻希望學生可以直接從經文中領悟到那些對我們來說已是淸楚明白的道理。我們既是 神的同工，就是接受了任務，要闡明神聖的經文和其中所載的史實。正如埃提阿伯的事蹟一般，同學們都需要有一位像腓力那樣被聖靈帶領的導師向他們傳講及分解聖經。

請保持故事的講述及分解說明間之均衡，愼防厚此薄彼。

## 聖經是「祂的歷史」

當聖經被視爲眞確的歷史時，教學時便更形活潑。可是，聖經中不少的故事已變得耳熟能詳，使之與原來的歷史背景及屬靈意義脫節。不少人將它們看作一般的故事而已。本課程正要強調聖經記載了眞確的史實，而且 神就是原著者。祂是萬有的創造主，更是古今歷史的主角。

## 擬題發問

每當進入新的一節故事時，務要使之連接上文，好讓學生們體會到聖經是和諧及首尾呼應的。

每一課開始之時皆有「複習第…課問題」一句。這些複習有助提醒前課的故事，並其中教導的教義眞理，好作目前一課的基礎；亦是在授課以前澄淸前課疑難之機會。

除了複習前課問題以外，請在授課時經常發出問題，有助同學們保持注意，並讓教師知道他們領受了多少，或他們所領受的是否與教師所表達的原意相符。課堂上的問題亦可給予學生們發表己見的機會，好叫教師了解學生們心中所相信的是甚麼。

課文中間有反思性的問句，這些問句會在教師的註釋中註明。（這類問題不適用於人數較少的班上，因學生們可能會感到必須作答的壓力）。

每章開頭以經文開始奠定各人物的特質和性格後，便可開始藉著問題去強調教義、某人的個性及某事件的重要性。

每當敘述一事件以後，可以停下來，問一個啓發思考的問題，好讓學生們思量教義的重點，例如：「 神爲何要如此行？」、「 神如何得悉他們的心思意念？」、「爲何 神能夠如此行？」、「 神是不是忘記了？」及「爲何耶穌可以行這麼偉大的神蹟？」等。

擬題發問有助於引導學生們仔細思量有關的聖經故事和人物，從而叫他們按著神的心意進一步認識 神、他們的自我、撒但及主耶穌。

## 擬題發問須知

1. 容許學生們用他們自己的詞彙作答。
2. 務求向整班及和個人發問的機會參半，好讓人人都參與。
3. 小心聆聽，以表示尊重對方。
4. 學生作答時，避免即時表示贊同或反對，請先詢問數位或全班學生是否同意該答案。
5. 學生答錯時，切勿即時糾正。
6. 給他們充足的時間去思想及討論重要的問題。
7. 若學生不能作答或答錯時，可以提出別的問題引導他們。
8. 不要盤問。問答時切忌令人難堪。
9. 若學生答對了，或記憶準確，或提供了有益的言論時，總要讚賞他們。
10. 指出正確的答案。（課文中已提供正確的答案）
11. 在需要時，請詳盡地闡明答案。

## 處理學生所發的問題

很多同學可能抱有一些對聖經和對神的誤解，切勿一下子就能他們完全糾正過來！忠心有恆地藉聖經去教導他們。當他們看見歷史的演進像戲劇般一幕繼一幕地上演時，他們對 神的認識自然會增長，因爲這正是 神要彰顯祂自己的途徑。

請不斷以謹慎及禱告的心來教導 神的話，主必藉著聖經彰顯祂自己和祂一切的榮耀。

請回答限於與目前主題有關的問題。若同學的問題將可在日後的課文中得著解答，請坦白地告訴他，並留待屆時作答。若他們發問與現在主題有關的問題，那便是好現象！他們會在課程中更留心聆聽。

### 處理疑難問題

在我們的社會中，到處可見新聞媒體的激烈問題，他們像掃射機關鎗般要以一連串的艱深問題去質難帶領者，把他們難得一頭汗，這已成了一種文明遊戲。

切勿強迫自己在壓力下解答一些離題萬丈的問題，亦毋須感到有必要解答所有的問題，有些問題根本上是沒有答案的；有些問題是根本不宜發問的，有些問題的答案只在 神的掌握之中，因它們都是深不可測的難題。

> 總是引導學生們回到所學過有關神與祂話語的眞理。

面對一個合宜但似乎無法作答的問題時，請引導學生們返回所學過有關 神和祂話語的眞理，雖然我們暫時不能完全了解 神的眞理，但祂的眞理是永不改變的。

「我不知道」這答案是可被接受的，學生們會尊重你的坦誠。在適當情況下，可以應允他們說：「但我會嘗試爲你們找出答案。」

課文所列的一些參考資料對教師和同學們有幫助。如先前所述，及早熟讀第一、第四及第十四課將有莫大裨益，因爲這些課文中包含了一些啓發性的題目，可以引起學生們的思考和發問。

## 避免離題

爲師者其中一項重任，就是務要使整班同學依循正軌。特別在我們的社會中，許多只有皮毛見識的人總愛高談闊論。爲師者務要保持課程的進度及防止節外生枝。

每章課文都有充實的資料，要在一定時間內講完，故請引導同學們注意課中的主題及重要事件。適量的討論乃屬必然，切勿過份專制，以致扼殺學生們發言的機會！最終還是要讓整班按著課文大綱前進。

第一課的三則視覺教材：即「晾衣繩」、史實及穩固根基圖，是可再三使用以協助返回主題的良好工具，明智地運用這些工具有助於減少煩惱及避免使同學們感到尷尬。只要合宜地引用這些工具，便可立時言歸正傳。

## 切勿強求口頭上的贊同

在課程開始之時，不要期望同學們完全贊同你所講授的內容。擬題發問時，應避免使用強硬的詞句或語氣迫使學生們附和你的答案，請讓聖靈有機會在他們的心靈及頭腦中動工。爲師者只要將 神的話淸楚而忠實地講述。要讓它有足夠的時間在聖靈的引導下扎根和成長。

注意：請不要過早期望同學們領悟到自己是罪人，最理想的時間應在講授律法以後。

揠苗助長的結果只會是口頭承認的信仰，當中卻缺乏 神的生命，只有 神才可以將靈魂帶到眞正確實的救恩裏（林前三７）。這並不是說我們不應該勸誡人接受眞理、悔改及相信福音，反之，這些都是基督忠僕的責任。

然而，在一般情況下，要勉強人向一個凡人交代是不明智之舉。爲師者，只要讓人明白他們是站在 神的面前；他們必須向 神交代。若有學生違反了你從 神所教導他們的眞理，請儘管反問他們： 神在這方面的教導爲何。最終的問題在於他們與 神的關係，而非他們與你的關係。

## 趣味盎然的教學

成功的教學必須懂得吸引同學們的注意力。利用圖表、發問及談吐幽默（卻不是輕蔑聖經）等方式可保持同學們腦筋靈活及受教。授課時，要確定所有同學也主動地參與學習，並按著教師的引導去思想。

信心乃由聽從 神的話而來（羅十17），在聖經中，「聽」帶有「明白」的意思。為師者，要確定同學們果真明白我們所傳授的信息。而擬題發問正是最好的方法，讓我們得知，他們是否了解我們傳達的信息？所以，除了複習問題及每課結尾的問題外，請不妨在講授時加插一些合宜的問題，讓同學們可以停下來思考你剛才所講授的信息。

請善用課程提供的視覺教材。可以把它們製成小海報，以便反覆地強調某些要點及主題。同學們若能耳聞你的講授、目睹視覺教材，再加上親自回答你的問題，他們必能大大地增強對課文的記憶。

## 避免無關重要的細節

一些抱有滿腔熱誠要作好教師者，往往在授課時緊密地加插了許多不必要的細節。當然，一些有趣的情節可使故事更為生動逼真，但它們絕不可喧賓奪主，以致遮蓋了故事的重要部份及屬靈的信息。

## 耐心地建造

有些教師認為要跟隨聖經的原則去循序漸進式地教授是十分困難的，他們急切地要求別人懂得全盤的真理，以致忽略了先要奠定根基，方可往上建造，穩步向前。他們不能安於同學們暫時忽略一些目前尚未懂得而將在日後才講授到的真理。

教學有如建築，都需要時間去進行。一座樓房是一磚、一木地按著建築師的設計建造而成，要水泥凝固、木材除濕、磚可砌黏、油漆乾涸等都需要時間，建造的人要待一個工序完成後，方可進行下一個工序。

每一課都是長遠目標的一環。故此，切勿將長遠的目標全擠在一課之中。只要藉每一課引導同學們前進一步，好讓他們逐漸邁向了解整體的聖經故事及教義真理。

## 向已聽過耶穌之名的人啓明救主

學生們肯定已聽過耶穌的名字，甚至曾研究祂，但許多人還是不知道祂究竟是誰，或祂在整本聖經中的角色。

本課程的設計，乃逐步顯示 神的本性和祂的拯救計劃，故此，切勿急於講述耶穌基督的故事，應依照課程編排，按步就班地交代歷史的背景。

爲師者，只要奠下根基，好日後得以將福音建立在舊約的啓示之上。

## 應何時傳講福音?

應在學生的心已預備聆聽之時！何時介紹福音是沒有定規的。

本課程按步就班地開展聖經的眞理，因此，若在課堂時間依循本課程的編排進行，將有所裨益。

個別的學生可能隨時已預備好要聽福音，我們可能不知道他們以往曾受了多少教導及聖靈在他們心中所動的工，這些只有主才知道；當我們憑信心求問祂的時候，祂必定會讓我們曉得我們需要知道的事。

應隨時預備與別人分享福音，但要留意給對方機會表示他確知自己需要一位救主，並且明白唯有藉著耶穌在十字架上作成的工才能滿足他的需要。

切勿急於講述福音，應先著眼於學生們的需要。

註：請參閱第十二頁「何謂福音」。

要避免使用宗教詞彙及術語。我們往往聽見人說：「請耶穌進入你的心」、「接受基督」、「得救」或「前來」等。

說話的人可能並不明白這些話的眞義，故此，請使用聖經中的詞句，並要確定學生們明白其中的意思。

因此，若對學生說：「要相信耶穌流血，死在十字架上，正是爲了償還你犯罪所帶來的代價，就是說，祂親自承受了你本要受的刑罰。因此，你當信靠祂，並相信祂是你獨一的救主。」則更爲清楚簡明了。

# 關於課程的特別指示

## 基本形式

這些課文是專爲教師而設的，可以與聖經一同使用，學生只有聖經而沒有學生用的「課文」。

每一課都分爲兩大部份：即「課前預備」及「教授學生的內容」。

所有旁欄的資料是供教師參考的，不宜在堂上教授學生。

## 課前預備部份

以第一課爲例，一開始時，在課文前有一方格寫著「課前預備」。在這方格內，寫明印在課文旁的註釋,只爲教師本身之用,而不是用來教學的，因爲有時這些註釋可能談及一些眞理，會在以後課文中講授。而這一段擺在課文之前，實對在必要時所請的代課老師有利。

### 參考經文

頁與頁相連之處，有一窄行印有經文，這是供教師參考用的。

在課文前及在「課前預備」方格旁所印的經文則是補充經文，使教師能對課文有更多的了解，有更大的亮光及使教師更能預備好去教學。

印在「教師的觀點」相對的地方或直到課文結束前的其他經文,通常是用作「引證課文內容」。同樣的，這些經文不是用來上課用的，因爲經文的背景會令學生混淆不清。

但是這些經文是非常重要的，在備課時，你越將自己溶入在 神的話語中，你越能發揮教學的能力，因爲聖靈會藉著神的話語，使你能更明白你所講授的。

求 神將祂的道運行在你心中，使你能更清楚的教導他人。

### 教師註釋

每一頁頁邊均備有地方印上教師註釋，有時是空白的，教師可加以利用寫上自己的註釋。在第一課，首頁頁底有一有號數的註釋，這個號數是與課文中相同的號數互相參照的，每註釋的結尾均印有一小方格，表示該註釋的完結。

註釋不是爲學生而是爲教師所設。有些註釋則重於實用方面，有些於教義方面，有些是有關於參考資料的,不過許多是與如何解答學生問題有關，但有些註釋則提醒教師在授課時避免過於節外生枝。

授課前，教師必須把註釋讀完。

設立註釋的目的，爲要使教師的工作容易些。編纂這些註釋時，曾將以前講授過這個課程的教師意見收集在內。

### 概覽

每一課課文每一頁在上角註釋欄內有一段課文概覽，簡要地說明本課的重心，及要注意的重點，本課的主題則用「**加粗字體**」印刷。

這些課文概覽是方便教師，用數分鐘時間就能知道本課的梗概，若將全部的課文概覽略看一遍，不難得知整個課程的方略。

假如你需要別人代課的話，最好能請他先讀一遍這一課前後兩課的課文概覽。這一來，你的代課老師在教授本課時，就不失去連貫性。

利用課文概覽來達致你的教學目標，要記住，你是將基本的信仰原則，一個接一個地建基在上面。不要在中間留下任何空隙。課文概覽能助你審查你在學生中所建立的信仰根基是否恰當。

### 經文

翻開第二課，你會留意到在「課前預備」的方格內，第一樣列出來的就是經文，這是主題的經文或是本課特別要引用的經文，其他列在「課文大綱」的輔助經文則不包括在內（第一及第三課則沒有列出任何經文，因爲這兩課的內容是一般性的，毋需集中在一兩段經文內。）（參閱「課文大綱」內「閱讀」一段。）

### 本課目的；
### 本課可幫助學生

這兩段是與課文概覽一起用的，目的在幫助你更了解本課的主要重心及在教學上有所遵循。

### 教師的觀點

本課如何能與現代的思潮互相配合？我如何使我的學生覺得本課對他們有特別意義？究竟這段經文要說些什麼？

這些「觀點」的問題旨在引起教師對本課經文的思考，對課文目的加以重視及對學生的需要提高警覺。有一位教師稱之爲心靈的「加熱劑」。

這份「觀點」只供教師使用，不是給學生分享的。

### 參考資料

有些課文會提供一份參考資料，這些資料是經過細心挑選的，對教師及學生均有裨益。

請儘早閱讀第一、第四及第十四課所列出的參考資料，因爲這幾課可能在你的學生中引發起許多問題，在教這幾課時，你必須有這些參考資料在手上，一方面可以給學生參照，另一方面在預備上助你一臂之力。

### 視覺教材

有許多課文，備有所使用的視覺教材。通常是列在「課前預備」欄內。如有需要，教師可提早匯集這些教材，以備使用。

我們極力主張教師使用視覺教材，雖然教師有權自己決定使用與否。任何視覺上的示範，均能吸引學生的注意力，幫助他們理解及緊記你所教的。

有關訂購編年圖畫之事，參閱第七十頁。

本課程並無小海報，圖表及手繪畫等供應，教師可自行預備。製作這些視覺教材是很簡單的，教師可以利用黑板或其它可供張貼視覺教材的板面。

有些視覺教材可以在許多課上應用，你可將它永久的張貼在海報板上，留著下次使用。有些亦可在教室內展覽，你可以隨時用它，不過這需要有一個能長久可供使用的地方（如主日學教室），才能將這些展品擺放，否則是很難辦得到的。

甚至有時在家庭裏，你可以用一些手持的小海報，這些海報可留下來以後再使用。

**編年圖表**

這張三段式的圖表是特爲這些課文而設的，本圖表（一如本課程的課文一樣）並無意詳盡的列出歷代的事物，只是將本課程課文所提及的人物及事蹟標示出來。其它輔助表有士師、列王、先知等，雖然你會逐一將他們向學生介紹講解，但這些圖表能使你的學生有更深的了解，知道本課程課文之間之時距有多久，事情的變易有多遠。

拯救者的系譜是以紅色方格表示的。註：家譜學有時是相當混亂的，不要走入這個死胡同去討論它。在右邊有關家譜學上的註釋已經足夠。假如有學生願意在這方面進深研究，這是他個人的事，大致上路加所記載的家譜是馬利亞那面的，而馬太所記載的是約瑟的一面，路加亦有可能將那血統追溯至大衛的另一個兒子。

這圖表的設計是這樣的，第一段可以獨立教授，到亞伯拉罕的故事爲止。將第二段貼在第一段上。講授到以色列及猶大諸王時，才將第三段貼上。這一來你的學生就能學完一段才到另一段，而不致對所學的有所混淆，同時你亦可避免講及一些在圖表次序後面的事。

**編年地圖**

這三幅地圖是有關課文所提及的特別地方。

你可將這些地圖張貼在厚紙板上或貼在報告板上。

**備註欄**

有些課文在「課前預備」欄後，設有備註欄。這些備註所涉及的題目甚廣，目的在協助教師作備課之用。

有關學生的資料是會清楚標明「教授學生的內容」（中間部份）。

每一課在本題目之上有一灰色的橫線，上面寫著「授課要點」，主要是便利代課老師的。**這是很重要的，如果你要請人代課的話，千萬要記得請他閱讀及明白這一段。**

**課文大綱**
接下去就是課文。

**授課形式**
課文大綱是採用每段空一格開始而不用數目字編排。

註：教師毋需向學生宣讀印粗字體的題目，因爲題目所表達的意思已溶入課文之內。

由於課文內容屬記敘性多於學術性，課文大綱的編印則以靈活爲主，不致流於呆滯刻板的形式，而且聖經本身亦採用東方文體方式「編織」故事，而不用「平鋪直敘法」。在故事發展時，細節才娓娓道來，而不是生硬的將發生的事堆在一隅。

**序言及結論**
每一課的開始及結尾均有「序言」及「結論」，按照你學生的需要或班中特別的情況，你可以改動這兩段的話，但請你三思後才作更改。又假如你教的小組人數太少，你要避免用個人的實例，因爲這可能引起尷尬。

給你學生足夠的時間去翻閱有關經文。
神的話
是
本課程的核心。

**主題**
請留心這些主題！上文已提及這些主題是十分重要的，雖然你不需要一字一句的將主題讀出，但這些主題是你要教授課文的骨幹。當你授課時，心中要緊記這些主題，這樣你就不會偏離左右。

**閱讀**
「閱讀」指出要閱讀的主要經文，課文是依據這段經文而寫成的。

「閱讀」亦指出其他要閱讀的經文，不過這些經文是主要經文以外的額外經文。

無論上文那一個「閱讀」出現在課文內，你都需要在班前大聲朗讀。可以教師讀亦可以學生讀。給你學生足夠的時間去翻閱這些經文，當別人朗讀時，他們可以心中靜靜地跟著讀， 神的話是本課程的核心。

有時，一段經文會放在「閱讀」標題之旁，亦有部份經文用粗字體印刷，這表示有部份經文，你需要特別著重。通常亦有一個備註，提醒你要集中在主題上，不要讓其他部份的經文分散你的心。

你的學生每人均有一本聖經，他們可能會環繞著你所讀的那段經文問一些問題。你可以用第一課那三幅海報來幫助你解釋，你會集中在這個主要的課題上，而不會旁及其他支節的經文，雖然你沒有時間去討論範疇以外的經文，但對學生的提問，你應表示欣賞及感興趣。

**問題**

你可以在授課完結時用這些題目提問，你亦可以在授課前，用這些問題作下一課的課前溫習。

不要省略這些問題不用，**就算是在課後不用，在下一課前也需應用**。因爲你可以藉此使你的學生再次憶及前一課你所教導的，同時在未進新一課時，亦可以藉此澄清學生的任何誤解。

這些問題是用來確保教師能清楚地將信息傳遞給學生。大部份的問題不是用來討論的，而是相當客觀的；目的是使所傳遞的信息能更清晰，及使學生對所學的課文要點更了解。

學生不需要完全同意所傳授給他的，但他必須能聽清楚教的是什麼，這些問題是幫助教師去檢討他所傳授的信息是否足夠，及是否能令學生聽得懂。

有些課文是有討論題的，但這些問題並不適宜在小組上使用，因爲所討論的題目會引起強而激烈的意見及回應。假如你所領的是大組，而你亦有時間，你可以加入多些討論題目來滿足你的學生。不過最要緊的，就是確保你的學生清楚了解那基本的信息。

## 總整理

保羅寫信給提摩太說：「*你當竭力，在　神面前得蒙喜悅，作無愧的工人，按著正意分解眞理的道。*」（提後2:15）這就是個淸楚的指示！

你可能在每次授課時未能完成下列各點，但若你能以它們爲你教學指引及持之以恆，你在教學上可「庶幾無愧」矣。

一）禱告，求　神幫助你明白祂的道及有關課文。

二）閱讀課文概覽。

三）閱讀「參考經文」欄所列出的任何經文，這是在每課的第一頁的左面。（在「課文目的」等之旁。）

四）閱讀「課文經文」及「課前預備」段，留意及匯集有關參考資料及視覺教材。

五）讀課文一遍，心中默念課文主題，閱讀課文內的經文及印在課文旁的經文，這些經文有些印在「教師備註」欄，亦有些在「教師經文」欄內。如對課文有任何疑問，用鉛筆將它寫在「教師備註」欄內。

六）重複閱讀課文，也許每晚一次，或盡可能閱讀多次。每次均須閱讀課文內的經文，仔細思想課文的主題，因爲這是你授課的重點。默想神的話，求　神將祂的道淸楚指示你，使你能把它教授學生。

試想一些學生可能提出的問題，求神教導你如何去處理他們的提問。將從　神所領受有關這些自擬問題的答案寫下來。

將其它有助你去解釋或加強課文的經文列出，因爲這些經文能使你確

信 神話語的眞實性，促進你的教學及對課文徹底消化，不過你毋需將這些經文與你的學生分享。

七） 細讀課文數遍後，將那些能觸動你心的字句用筆將它們勾劃出來。（要作這功夫，最好是在你讀完數遍後，你已掌握到那些是主要的字或句子。如果你讀完一遍，就急急去作的話，你可能勾劃得太多，或挑選了錯的字句，你的工作就白費了。）

八） 每天爲你學生代禱，求 神使你能淸楚明白祂的話及幫助你去教學。

九） 能夠像「活水江河」般地去敎。當你將課文一讀再讀，默想並在心中將課文教授一遍，直至你信心十足，這樣你就能像「活水江河」般將 神放在你心中的道教授學生。詳細的研讀與膚淺的閱讀所得的內心喜樂，是不可比擬的。雖然你的學生可能還未得著 神的話語，但他們能看見你是信 神的。這對他們是十分重要的。

簡單地說，在你未教授學生前，你應確保你接受及明白所敎的信息。利用課文大綱及你用筆所圈劃出來的字句、作你教學的綱領，而不致逾越所敎的課文。

假如你依照上文的辦法去作，你就不致被誘「只讀讀課文」就算。又假如你有什麼個人的領受想與學生分享，你可以用你自己的方法及個人信念去分享。你如能像「活水江河」般的去敎，你的教學一定不會枯燥的。

看來這是相當繁重的工作嗎？不錯，但是相當値得的。你永遠不會後悔用這麼多時間來備課。爲著這永恆的工作，你必定得到補償，不但在你自己的生命中，也在教室內及在學生的生命中。你是一位教師嗎？請去**研讀**及像「活水江河」般地施教吧！

## 鼓勵堅持到底

「、、、*神*、、*將和好的職分賜給我們*、、*所以我們作基督的使者*、、」（林後5:18,20）

「*所以我親愛的弟兄們，你們務要堅固不可搖動，常常竭力多作主工，因爲知道你們的勞苦，在主裡面不是徒然的。*」（林前15:58）

「*雨雪從天而降，並不返回，卻滋潤地土，使地上發芽結實，使撒種的有種，使要喫的有糧。我口所出的話，也必如此，決不徒然返回，卻要成就我所喜悅的，在我打發他去成就的事上必然亨通。*」（賽55:10,11 ）

「*我不以福音爲恥．這福音本是 神的大能，要救一切相信的，先是猶太人，後是希利尼人。*」（羅1:16）

「*神愛世人，甚至將他的獨生子賜給他們，叫一切信他的，不至滅亡，反得永生。*」（約3:16 ）

# 第 三 部 份

# 課 文

# 第三部份

## 課文


1. 聖經簡介 97
2. 唯獨 神 109
3. 神造了靈體：路西弗的叛變 119
4. 神創造了諸天和地 — 第一部份 129
5. 神創造了諸天和地 — 第二部份 137
6. 神創造了人 147
7. 神將亞當安置在伊甸園中 157
8. 神創造夏娃 169
9. 複習第一至第八課 175
10. 亞當和夏娃違背 神 181
11. 神的應許和咒詛 195
12. 神的供應和審判<br>該隱與亞伯之生 207
13. 神拒絕了該隱和他的祭物，<br>卻悅納了亞伯和他的祭物 217
14. 神審判整個世界，卻藉著方舟拯救了挪亞一家 231
15. 神記念挪亞和凡在方舟裏的；<br>神分散了巴別塔的判逆者 245

# 第三部份


16. 神揀選，呼召和引導亞伯蘭；羅得選擇了所多瑪蛾摩拉的肥沃平原 255

17. 神摧毀了所多瑪蛾摩拉；神重申祂對亞伯拉罕的承諾 265

18. 神賜以撒； 神免以撒一死 275

19. 以撒的兒子以掃和雅各；雅各的兒子約瑟 283

20. 神提升約瑟，並帶領以色列全家遷往埃及 291

21. 神保存在埃及爲奴的以色列人；神揀選並保護摩西，呼召他拯救以色列人 297

22. 神降瘟疫在埃及；神越過以色列 307

23. 神在紅海拯救以色列人，並在沙漠中供應食物和水 319

24. 頒賜十誡的預備 331

25. 神頒賜十誡 341

26. 會幕 353

27. 以色列的不信；神的審判及拯救 363

# 第三部份

28．以色列在應許之地的士師和列王時期 373

29．以色列人拒絕 神所差來的使者--先知的警告 383

30．神預言施洗約翰和耶穌的誕生 395

3I．神履行有關施洗約翰和耶穌的諾言 403

32．藉著拯救者耶穌， 神履行了祂的諾言 413

33．神差派約翰作教導和施洗的工作；
約翰替耶穌施洗 421

34．耶穌拒絕並勝過了撒但的試探 431

35．耶穌的工作開始 429

36．你必須重生 447

37．耶穌顯明祂的神性卻遭猶太領袖所拒；
耶穌揀選十二門徒 455

38．耶穌平靜風浪及在格拉森趕鬼 467

39．耶穌使五千人吃飽 477

# 第三部份


40．文士和法利賽人的道路並非 神的道路　485

41．耶穌是基督，是 神的兒子；耶穌改變形像　493

42．耶穌是引到永生的唯一道路　501

43．耶穌叫拉撒路從死裏復活　509

44．耶穌喜愛小孩；祂教導富有的少年官　517

45．依靠財富的愚昧　525

46．耶穌騎驢進耶路撒冷；
猶大陰謀出賣耶穌；耶穌設立聖餐　533

47．耶穌被仇敵捉拿　541

48．耶穌被釘十字架和埋葬　551

49．從舊約看基督受死的意義　562

50．耶穌從死裏復活，
向門徒顯現、升天及應許再來　574

# 第一課　聖經簡介

**參考經文**

書一8
詩十九119
賽四十8;
五十五6-11
路廿四27,
32,44
約一1,2,17

**課前預備**

此段只供教師使用

左列的各參考經文有助於你準備這一課。但因經文帶出的眞理有些會在稍後課文中講授，故不宜於此立刻講解這些經文。

請注意：若你沒有教授過本書課文，請詳讀書前『教師必讀』部份。

本課目的：

・說明聖經是　神權威性、絕對正確及有效的話語。

本課可幫助學生：

・明白聖經的由來。
・對它的權威性建立信心。
・尊重它是 神話語的記錄。

教師的觀點：

我們當中不少人活在一個以聖經原則爲基礎的社會中，我們的家庭架構、法制與執法、道德標準、社會關注及我們文化中的其他基本元素也是由　神所訂立，並清楚地記載在祂的話(聖經)中。

社會中雖然有不少人從未踏足禮拜堂，但他們大概也聽聞聖經；他們甚至自己也擁有聖經。另一些人可能每星期也上禮拜堂，卻從未翻過自己的聖經。我們的文化背景顯示很多人對聖經並不陌生；可悲的是，很多人不願意自己花時間研讀及查考聖經，以致還是不知其中所以然。

對很多人來說，聖經可能提起某種「宗教」聯想及兒時的一些宗教經歷(不論這些經歷是否直接與神的話y有關)。不少人假設了聖經的話語已不合時代或不再適用，有些人認爲聖經的話語可按個人的需要而酌量應用。無論如何，雖然很多人不認識或不相信聖經的話語，但在他們心靈的深處也承認聖經是應被尊重的。

神的話是大有能力的。當你把祂的眞理傳揚之時，神就親自排除人心中的疑惑、開啓瞎了的心眼及剖開被罪所蒙蔽的心。求　神開啓同學們的心靈，讓他們學習和相信這本書中之書一聖經(註一)。

參考資料：

下列書目可幫助你預備本課：

From God to Us 一 How We Got Our Bible, by Norman L. Geisler and William E. Nix. Moody Press, Chicago, 1974.

What You Should Know About Inerrancy, by Charles C. Ryrie. Moody Press, Chicago, 1981.

**課文概覽**

本課的設計旨在把聖經介紹給你的學生，課文包括有關聖經的簡介和有趣的事實，及聖經如何流傳至今。本課重點在於說明聖經是 神的話。

本課亦給予同學們整本書的大綱：
一神爲中心
一編年式
一鳥瞰而非仔細研究
一只著重基要眞理

註一：
在授課的過程中，你會認識同學們有多少聖經知識，有些可能是鑽研聖經的；有些可能從未刻意研究。
切勿因同學中有成功的商人便假設他們已熟練翻查聖經的技巧，亦切忌讓他們看出你知道他們對聖經的認識膚淺。他們是與你共同研究聖經，故請儘量鼓勵他們。重視他們所提的最簡單的問題。假如他們的發問離題，請告訴他們你將於日後的課題中答覆，並讓他們知道你欣賞他們所提的問題。

Evidence that Demands a Verdict 鐵證待判, by Josh McDowell, Here's Life Publishers, San Bernadino.

上列的參考資料可幫助有興趣的同學。假如你沒有時間在課堂上答覆某同學的問題，你可以請他自行在這些參考資料中找答察。這樣可以省點時間，讓課程得以繼續進行，該同學亦有了答案。

## 視覺教材:

・第一圖:「神話語的記錄」
・世界地圖或地球儀
・中東地圖
・以色列地圖

你可以採用現代的地圖，讓同學們知道你要把現今的時局帶入課題。（在未來的課程中，請使用每課提供的編年地圖，本課亦可用編年地圖一）

在可能範圍內，請準備幾種不同文字的聖經。

## 前瞻:

建議: 閱讀至第四課「神創造了諸天與地」，以決定採用或訂購那些參考資料，並及早預備。雖然你不必辯明創造論與進化論之爭，但參考資料可解答課堂上有關這方面的問題。假如你為同學提供選定的書籍、錄音帶及錄影帶，你便可以在上課時集中在該課的目的上，卻又讓同學們在這些參考資料中去找尋他們的答案。

## 有關聖經無誤的備註:

聖經無誤是一項非常重要的事實。這從多方面皆可引證，部份引證已在上列的參考資料中詳論。

對於教師而言，我們必須相信聖經無誤。倘若你在這方面尚有疑惑，請研讀這些參考資料，好讓你的信心更深地建立在神真實話語之上。

但對於學生而言，他們可能有些不是基督徒，故此強行證實或硬說聖經無誤實非必要之舉。

聖經本身就是最好的引證，如希伯來書四章十二節說:「*神的道是活潑的，是有功效的，比一切兩刃的劍更快*」。當你教導神的話語時，聖靈會在被弄瞎心眼和剛硬的頭腦中工作。

在教學的初期，請著重道出事實，讓同學們清楚明白你所說的。若他們不相信你所說的話，請不要灰心，你只要道出真理，神會完成祂的工。

不久，你將會發現那些蔑視聖經的同學變成開放、有興趣的聽眾，並渴求從那無可比擬的話語（聖經）上，更深認識我們奇妙的神。

## 授課要點

此課程特爲非信徒安排，故授課時務要奠定聖經基礎，以爲日後傳福音的根據。若你班上有信徒參予，則授課的目的是使他們明白信仰的根基，以致日後他們亦可運用同樣教材去教導未信的人 。

**課文信息要明確簡潔，切忌節外生枝!**

請注意這課程是有範圍和有主題的聖經研讀，並非徹底深入的聖經鑽研，亦非漫無邊際的小組討論。請依照主題帶領討論，以保持課程進度。切記緊依大綱，突出教義主旨。

**課程編排形式：** 每一頁的中間部份是教授學生的內容，**粗體字的標題**只供教師參考，不需口誦，因爲標題內容會在接著的課文大綱提及。至於左右**兩欄**所列的經文是給教師作參考之用，不宜在課堂上詳授。

## 學生的教授內容
（中間部份）

課文大綱：

A.序言

我們聚集的共同目的：研讀聖經。

很多人在家中也有聖經，但對聖經的認識並不深入。

—聖經確實是一本巨著。

—很多人研讀之時也陷於困境。

我們希望幫助大家明白聖經，因爲這是神對我們每一位的個人信息。

—一個人可以花一生的時間享受研讀聖經的樂趣。

—但在我們的課程中，我們只研討以基要的聖經教訓，一旦掌握這些基要眞理，聖經的其他部份便可融會貫通。

B.神是我們探索的焦點（註一）

我們將探討　神是誰以及祂作了甚麼。

—神實在希望我們認識祂，因此把聖經賜給我們。

—聖經的中心人物就是　神。

—當我們繼續探討的時候，大家會更清楚　神是怎的！

祂是誰

祂作何事

祂的模樣—祂的性格

神是我們探索的中心，因爲祂就是聖經的焦點。

註一：
請勿讀出這些標題，因爲這些中心思想已在課文中詳論。

C.我們將按歷史的發展研讀聖經

聖經不但是一本記載有關　神的教義或教訓的書；它也是從　神的觀點寫成的歷史記載。
神從歷史之始開始記敘。
因此，當我們研讀聖經時，我們可以說是瀏覽歷史，一片一片地發掘神向我們顯現有關祂的性格、有關撒但及有關人類的歷史。
我們將按歷史的發展研讀聖經；就是按著事件的先後次序研討。

*視覺教材:*

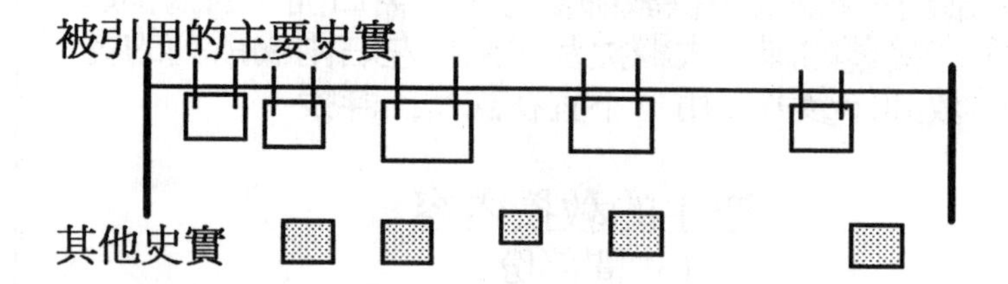


—解釋:

*用這方法研讀就好像把衣服掛在晾衣繩上。*
*我們把選出的事件掛在聖經的時間線上。*
*你可能對聖經某些細節已十分熟悉，但尚未清楚它們應放在整幅圖畫的甚麼地方。*
*當我們把事件放到適當的地方後，已在線上的其他事件可能解決某件細節的疑點。*
*我們要預備好這聖經的時間線，並且把一些事件放到線上，但因課程時間所限，我們不能在本課程中放上所有的事件。*

我們開始講論創世記，就是神的歷史故事的開端。
創世記是聖經的根基。
—以建房子作一對比:
　首先是奠下根基。
　繼而整個屋宇結構便可慢慢地建立在穩固的根基上。
　假如根基不穩固，那麼整座房子的結構便弱不禁風了。
故此，出席每一課是十分重要的。
—我們學習的每樣東西也是重要的，而且它們是我們日後學習的根基。
—倘若錯過了一課，那麼你在日後的學習中便可能產生困難了。（註二）

註二:
你可以在授課時錄音，並把錄音帶借給沒空來上課的同學。

D.我們只會概覽史實卻致力於建立認識聖經的穩固根基。

聖經有豐富和淵深的內容與主題。
我們只在其上作一概覽。

*視覺教材：*（註三）

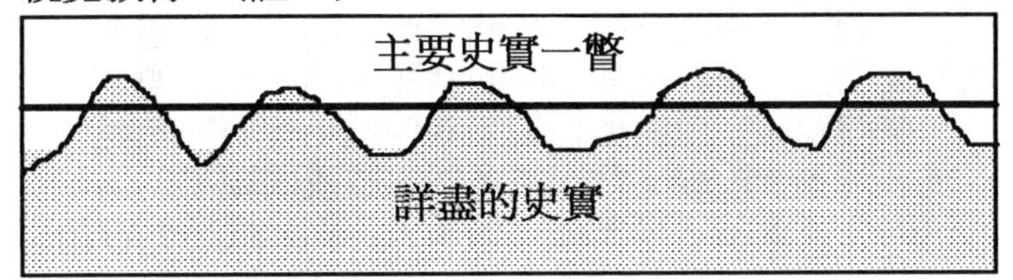


—解釋：

*正如視覺教材所示，聖經中有不同層次的細節和內容，我們不會深入探討這些層次，反之，我們將作表面概覽。*

*視覺教材：*



—解釋：

*正如以上所說，我們要打穩根基，我們將要研討基要真理，好讓大家日後更易明白聖經的淵深和細節。*

*假如一座樓宇要迄立不倒，它必須建基於穩固的根基上，這正是本課程的目標。我們要致力打穩根基，然後才建築上層。*

*因此，假如各位提出深入的探索或與上層有關的問題，我只好暫不回答。*

我們目前要致力打穩根基，好讓日後更易明白課題。

E.我們希望避免離題而導致聖經主題的混淆

我們按照大綱才會達到本課的目標而不致離題。
我們希望大家在學習這些基要真理時不致被離題。
聖經基本是以編年的方法寫成，但我們也會碰到一些史實是聖經稍後才作詳細交代的。
視覺教材：



—當我們按照歷史的發展研讀時，我們可在稍後的詳論中幫助我們明白某些史實。

註三：這兩幅和前頁的一幅圖畫對歷史式的研讀甚有幫助，請在可能範圍內把這些圖畫貼在牆上或隨時攜帶，以便使用圖畫帶回正題。使用簡單的視覺教材可以把注意力從同學（尤其帶離主題者）身上轉回正題。這是有禮貌和沒有威脅的方法，同時可避免爭吵和混淆。例如：一位同學希望討論在大綱以外的細節，你可以謝謝他的問題，然後說：「正如圖示，我們只概覽事件的皮毛，暫不停留在細節中。」假如一位同學開始討論課題以外的主題（如成聖），你可以說：「這是很有趣的想法，但正如圖示，你所說的問題在上層的範圍內，我們還是先努力打穩根基。」假如一位同學發問你在未來課題中將要講述的時代裡某事件時，你可以說：「正如掛衣繩，這事件在我們這課程中將不予講授，但我們在以後的課程會提及這時代的一些事跡，屆時你便可以明白這事如何吻合整幅歷史的圖畫。」

—當我們這樣做的時候，我們需要小心不可離題。
我們要明白：聖經探索不同的話題、問題和主題。
——些問題和主題由聖經的開端伸延至聖經的結尾。
—很多時，一段經文會出現多個主題或問題。
—這就造成混淆。事實上，很多人也因此而感到混淆。

例如，聖經講述有關罪的三個主題：(註四)

1．神作了何事將人從罪所帶來的主要問題中拯救出來。(註四)

2．神作了何事將人從罪的捆綁中拯救出來。

3．神將作何事使人從罪所帶來的問題中得自由。

這三個範疇的混雜導致很多異端、宗教及教派興起。(註五)

同樣地，我們也很容易被混淆，除非我們緊記第一個範疇：

神作了何事將人從罪所帶來的主要的問題中拯救出來。

—所以，我們要按歷史的發展來研讀。在這過程中，我們可能碰到某些經文，其中所述的事件或主題與我們這個基礎沒有直接關係。
—遇上這情況，我作爲教師的責任是要大家一同集中於課題。
—我們必須按部就班的學習才不致於混淆。

事實上，聖經的某些主題是需要一定的基礎才易於明白的。

—故此，我們只限於討論基要眞理，這亦是整個課程的重點。
—可以說，正如我們的圖畫所示，我們先要打穩根基、只概覽重點及預備掛衣欄，好讓我們可以日後把細節放進整幅圖畫中。

**F.聖經概覽**

請翻開你的聖經。

我們試看聖經中包括了甚麼：(註六)

—目錄
—舊約
—新約
—章節
—註釋及輔助參考

聖經是　神的話語

—聖經是　神的話語是指聖經的原文而言，而非人所附加的註釋。(註七)

聖經對我十分重要。

註四：那三個範疇是：1.從罪的代價中拯救出來。2.從罪的權勢中拯救出來（成聖）。3.從罪的存在中拯救出來（榮耀）。切勿討論這些細節，只要按照課文便可。（請參閱本課程第一部份「如何使用課文」作個人參考）在第一個範疇中，同學可能問及罪所帶來的問題，請告訴他答案將在課程稍後揭曉。

註五：切勿討論各宗教、教派、異端等！這裡所提的是要反映很多同學心中的疑問：「宗教的差異從何而來？爲何有這麼多宗教？」假如有同學要探討這問題，請告訴他我們只集中看聖經的說法。你亦可說只要正確地認識聖經的話語，他們便有足夠的能力衡量不同的宗教。

註六：一些同學可能對聖經全不熟悉，他們可能在找書卷、章節上有困難，請耐心幫助他。

註七：一些聖經附有詳盡的註解，這些註解可能造成混淆。假如你負責提供聖經，請選用只有經文，沒有註解的版本。假如同學們自備聖經，請花時間指出那些是經文，那些是附註。

—例子：

*「聖經是我最喜愛的書。我知道當我閱讀　神的話語，我會找到每天所需要的幫助，聖經告訴我　神是怎樣的，祂是奇妙的　神！當我越讀得多，我越想去讀，因而對　神有更深的認識。」*（註八）

註八：
這不是得救見證。它只是你對聖經的欣賞而已。

G.聖經是世上最重要而獨特的書，因爲它是神的話

主題：神是至尊而掌權的

主題：神與人對話

閱讀：提摩太後書三章十六節：「聖經都是　神所默示的，*於教訓、督責、使人歸正、教導人學義，都是有益的*」（註九）

註九：
當經文這樣印刷，粗體部份是你需要說的。
經文的其他部份是你暫時不會討論的。請嚴守此規。
此外，你可能需要告訴同學們如何翻查提摩太後書。你可以告訴他們這書靠近聖經的末尾，就是說，當他們翻到聖經的中間時，提摩太後書應在中文和合本聖經的左邊等。

神向先知說話，要他們把信息準確地記下來。
—有時祂的話語是可以聽見的。
—有時祂藉異象向我們說話。
—有時祂只把信息放在人的意念中。
—神要求先知們準確地把信息記下來。
閱讀彼得後書一章廿至廿一節。
聖經不是人的意思，乃是　神自己的話語。

*視覺教材：*

*這幅圖畫顯示一位先知正把　神給他的信息寫在皮卷上。*

第一圖
「寫下　神的話語」

聖經是世上唯一由　神所寫的書。
神花了一千六百年及使用了四十多人寫成聖經。

主題：神永不改變

但聖經是首尾呼應的，因爲　神是唯一的作者。
—例證：
*假如有幾個人一同目睹某一事件，他們對該事件可能作不同的報導。*
*雖然聖經藉著不同文化背景及不同時間的人寫成，但它是連貫的。*
—聖經之所以首尾連貫是因爲它只有一個作者：神

## H.聖經是　神藉猶太人向全世界發表的信息

主題：神與人對話

主題：神是至尊而掌權的

除了一位以外，　神所使用錄寫聖經的人全是猶太人。

（路加顯然是外邦人，就是非猶太人）
神在以賽亞書四十三章十節中對以色列人（就是猶太人）說：「*耶和華說，你們是我的見證。*」

顯示世界、中東及以色列地圖(108頁)

羅三1,2

神使用一群人，透過他們把自己的信息傳到世界。
神在以賽亞書四十五章廿二節說：「*地極的人都當仰望我…因爲我是 神，再沒有別 神。*」(註十)

註十：
這節經文的某部份不適宜在本課詳述，這是擇引經文的原因。

*視覺教材：*

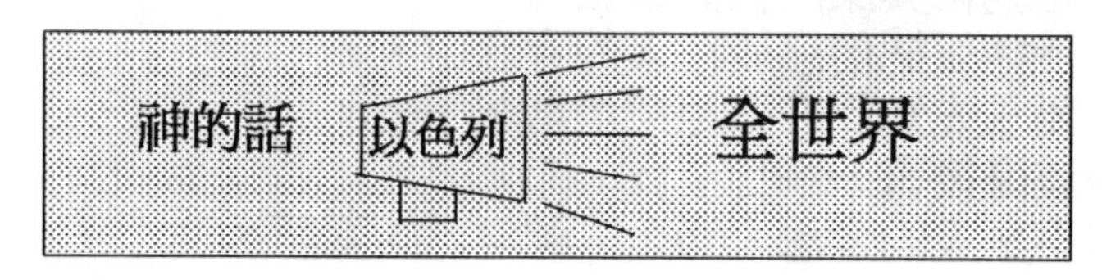


*—解釋：*
*你可想像以色列是　神的播音筒，要把　神的信息廣播到全世界。*

## I.聖經毫無缺漏及完全準確地傳給我們

主題：　神是不改變的

神的先知起初筆錄 神的話語。
原稿因常用而破損，漸漸需要抄寫流傳。
抄寫過程甚爲嚴謹。(註十一)

—Illustrated Bible Dictionary(註十二)對聖經抄寫者有以下的描寫：
「他們竭盡所能，不論是如何繁複或艱辛，爲要避免抄寫錯誤。他們先統計每卷書有多少字母和找出位於中央的字母，然後統計每卷書有多少字和找出位於中央的字，如此類推…」

—雖然都是手抄本，聖經手抄古卷的數目比其他任何手抄古卷都多。

—目前找到的手抄古卷，除了一些不影響內容的細節上有所不同外，內容甚爲一致。

例子：
*一九四七年，在距離耶路撒冷約十五哩的地方，有一位牧童嘗試擲石入一個山洞，要把一隻誤入山洞的羊趕出來。他聽見打破瓶子的聲音，於是上前看*

註十一：
參閱課前預備的「有關聖經無誤的備註」。
聖經無誤論在學者間有很多爭辯。你當然不希望課堂變成辯論臺。最重要的是說聖經的眞實性。
假如討論逐漸離題，請介紹同學們閱讀有關參考書，多謝他們的參與並解釋你必須繼續授課。

註十二：
The Illustrated Bible Dictionary, Part 3, J.D. Douglas, Editor, p.1538, Inter-Varsity Press, Tyndale house Publishers, Wheaton, IL, 1980.

*個究竟，他出奇地看見一些瓦缸，裡面載滿了古老的羊皮卷。這個偶然的發現讓學者們繼而發掘出數百羊皮卷。這些「死海古卷」是被一個主前一世紀的猶太教派藏在這一帶的山洞裡的。*
*在發現這些古卷的時期，翻譯人員是採用主後九百年的古卷作為藍本，當學者們比較死海古卷和他們所用的藍本時，發現內容沒有太大顯著的差別！雖然兩個版本相距一千年，它們卻記載同樣的信息。　神保存了祂的話語。*

—The Illustrated Bible Dictionary(註十三)
對舊約有以下的描繪：

「…值得一提的是猶太人對他們的聖經的態度，最好的例證是約瑟夫(第一世紀的猶太作家)說：『我們以事實際證明了我們對聖經的尊重。雖然經過久遠的年代，但尚未有人膽敢增加、刪除或修改聖經中的任何一個音節，每一位猶太人的天性都告訴他，聖經是　神的聖旨…』」

我們如何得到用中文寫成的聖經?

—在多個世紀中，只有很少人可以擁有聖經。
在基督的時代，文士們把經卷（就是以筆墨寫上羊皮或皮革卷)放在聖殿。
很多新約書卷本是流傳於教會之間的書信。

—聖經的原文是用三種文字寫成：希伯來文、亞蘭文及希臘文。
在歷史的過程中，　神容許人類把聖經翻譯成不同種語言。
很多希伯來文、亞蘭文及希臘文的手抄本保存至今，故此翻譯者可以使用它們作為藍本。
今天，印刷成中文的聖經，人人可以擁有。

—聖經的譯本多於其他書籍的譯本。(註十四)

## J.聖經是真確的歷史記錄

近年的考古學發掘了很多遠古的文物與聖經的細節十分吻合。

—地點
—文化細則
—姓名
—日期

與聖經同時期的作品吻合了聖經所說的歷史細節、文化背景及寫作風格等。

若干年來，有關聖經的考古及歷史資料成千上萬的被發掘出來，它們全都支持聖經的說法。

註十三：
J.D.Douglas, Editor, p.1537.

註十四：
若你擁有聖經的幾種譯本，請展示學生。

Joseph Free在Archeology and Bible History中說:「…因著考古學的新發現，聖經中不少令註釋者感到困惑的地方已迎刃而解…考古學已證實了不少的章節…」(註十五)
我們將於以後的課題中討論某些考古學及歷史學的發現。
很多在聖經中提及的文化、地點及姓名，雖然經過千百年的歷史，今天仍然保持。
聖經是經得起時間考驗的。

主題: 神永不改變

—新的發現不斷地證實　神在祂的書中所說的話語是完全正確、有權威性和眞實的。
—相反地，人類所寫的書，就如學校課本、參考書藉及科學課本等必須數年一次應對新發現及新理論而修改。
—聖經並沒有被修改，而且將不會被修改，因爲　神是作者。
閱讀:詩篇一百十九篇八十九節

K.聖經答覆了人生最重要的問題
聖經不是一本普通的「宗教」書籍。
—很多人著書爲要把　神介紹給別人。
—聖經的作者是　神，祂要把自已介紹給我們。認識神在聖經中
神告訴我們祂是誰: 祂要我們知道祂是怎樣的一位神。
神在聖經中告訴我們，我們是怎樣的人: 從現在至永遠，我們與祂的關係，我們與世界的關係，我們與別人的關係。
只有聖經才有權威論及這些事情。

主題: 神是至尊而掌權的
主題: 神與人對話

閱讀:希伯來書四章十二節

神藉聖經向我們說話。
神透過祂的話語顯明我們的內心世界。

L.聖經是　神給我們最重要的個人信息
爲何研讀聖經是那麼重要?
爲何我們要花時間讀聖經?
—很多東西分散我們的注意力:(註十六)
我們的工作
我們的家庭
消閒
學習

註十五:
錄自More Evidence That Demands a Verdict, by Josh McDowell, p.21.

註十六:
說這些話時語氣要客觀一點，因你希望鼓勵學生再來研讀聖經，神的話本身會有指正的能力。

—很多資料可供使用：
書籍及雜誌
電視、電影及錄影帶
聖經是獨特的。
—唯獨聖經才具有　神對我們生命的信息。
—只有聖經告訴我們　神對我們的看法和祂認爲甚麼才是我們最大的需要。
**聖經的重要性在於它是　神給我們個人的信息！**
—不論男女老幼，　神把聖經寫給我們每一位。
—神要你和我知道這書的內容；這就是　神寫這本書的原因。

**M.結論**

你可能需要花時間細心研讀本課程，但你會發現到這是你最明智的投資。
—你會認識　神。
—你會知道祂在寫給你的書(聖經)中向你說些甚麼。
《神對人說話—聖經的由來》一書的作者，在書的開端說聖經是「人類歷史中最多被人引用、發行最多、譯本最多及影響力最大的書。」(註十七)
聖經也是　神給我們的個人信息，祂要藉著這書與人對話—就是與你我對話。假如有人寫信給我們，我們希望立刻拆閱。聖經是　神給我們的信，讓我們一同研讀，看看　神向我們說甚麼！

註十七：
**From God to Us -- How We Got Our Bible, by Norman L. Geisler and William E. Nix. Moody Press, Chicago, 1974, p.7.**

## 問題：

1.當　神要人記錄祂的話語時，祂是不是隨便找一個人作記錄？
*不是，祂要選擇特別的人。*
2.這些是甚麼人？
*先知。*
3.他們是不是在歷史中同時代的人？
*不是。他們當中很多人生活在不同時代。神的話大約經過一千六百年才全部完成。*
4.他們共有多少人？
*約四十人。*
5.他們屬何國籍？
*除了一位以外，他們全都是猶太人。(路加是外邦人)*
6.他們是不是用中文記錄　神的話？
*不是。　神的話是用希伯來文、希臘文和亞蘭文記載的。*
7.聖經的作者是誰？
*神。*
8.爲何人要研讀聖經？
*聖經是　神給每一位的個人信息。*

世界、中東及以色列地圖

# 第二課　唯獨 神

## 參考經文

伯三十八4

詩五十21；九十2

賽四十三10；四十六9,10；五十五8,9

西一17

來一10-12

啓一8

但十一36；十二4

三位一體：
創一1,2；
一26；
三22
太廿八
17-19
羅八26,34
林後十三14
弗一17；
二13,18
來九14

## 課前預備

此段只供教師使用

左列的各參考經文有助於你準備這一課。但因經文帶出的眞理有些會在稍後課文中講授，故不宜於此立刻講解這些經文。

**請注意：若你沒有教授過本書課文，請詳讀書前『教師必讀』部份。**

經文：創一1

本課目的：

說明　神在萬有之先已經存在的事實。

建立　神擁有主權的事實。（註一）

本課可幫助學生：

增加對永存的　神並其主宰的敬畏。

思想　神如何創造天地。

教師的觀點：

在我們的文化中，個人的地位已被提升到掌權和至尊的地位，這本來只屬　神的（註二）。現舉例一二說明：在我們的國家，不少人每年花上數百萬的金錢，爲要改善自己的形象，並要操縱他們的生活和周圍的世界；我們的學校在轉瞬間被人文主義所侵佔，人取代了　神的地位；在每個角落，人在找尋知識和誇耀自己的發現，好像他們創造了生命和釐定了宇宙的法規，在我們的文化中，要屈居次位和容讓別人決定自己的命運是不可思議的。

本課正要針對這弱點。對於習慣自主的人，要讓　神重新管理他的生命，對他來說可能是弱者的表現，神卻說這是智慧的開端。（箴一7）

藉著聖靈和禱告的能力，　神的話能改變人的意志與心靈。

三位一體簡介：

本課的第四點介紹　神是三位一體的。「三位一體」這個詞並沒有在聖經中出現，但三位一體的事實卻從創世記至啓示錄中顯而易見。（參考經文欄中已列出聖經中涉及三位一體的例子）

在現階段提出三位一體的概念是因爲：

1.三位一體的　神是永恆的，就歷史的發展而言，祂在未有歷史前已經存在。

2.希伯來文在創世記一章一節中的「神」是Elohim。根據希伯來文，該字的結尾是指眾數但字義卻是單數

## 課文概覽

**本課建立神是主宰的基礎。課中說明　神在歷史開始以先已經存在，並且祂是不受任何限制的。本課旨在簡單介紹三位一體。**

**此外，正因　神存在於歷史以前，故此只有祂才可以告訴我們歷史是如何開始的。**

註一：在說明　神是至尊時，我們將會談論神的幾種特性：祂的永恆、祂的全能、祂是靈及祂是三位一體的。
我們將選出一些經文說明以上數點。請緊記這是基要課程，切勿局限課堂於專題討論和論證。請以簡單爲主，只要適量地逐一灌輸已選擇的資料，讓　神的話親自在人心中作工。

註二：請留意同學們的意見和問題，他們對課程的反應顯示他們對神的認識。
有些同學可能深受人文主義思想影響，請避免與他們爭論，請告訴他們這不是你們之間的意見分歧，而是他們的想法和　神的話之間的分歧。

約一1-3

（因它是用單數動詞的），故此說明了　神的眾數合一。
3.神的聖子身份在起初已存在，當聖經說:「起初　神創造天地」之時，聖子已包括在聖父和聖靈之中。
4.假如我們在開始教導聖經和講述舊約時未能建立三位一體的觀念，那麼日後要講述耶穌降生的故事時要帶出祂的神聖便有困難了。因此，我們在起初便帶出耶穌由始至終是與天父同等的，祂曾參予創造，並在舊約中已經存在，這樣，在我們的教學上和同學的理解上也顯得較爲容易。假如我們起初便教導聖子在歷史以前已經存在，同學便易於明白像「還沒有亞伯拉罕，就有了我」（約八58）一類的經文。
當教授舊約聖經時，切勿用耶穌或基督這稱號，因這稱號用於日後祂到世上來的事奉而言，至於在舊約期間，稱祂爲　神的聖子便可。
5.因爲舊約中已提及聖靈，故此教導三位一體是不可避免的（創一2及六3）。
6.創一26用了「我們」這眾數代名詞。
請勿嘗試完全地解釋三位一體，因這是不可能的。所有的例證（如水、雞蛋和三角形）也未能透徹地描繪這眞理。故此，不如承認我們不可能明白三位一體的眞義。

注意:
假如有同學是耶和華見證人的會友或聽過他們理論的人，他可能與你爭辯三位一體的問題。
如有這情況，請友善地告訴他這是研讀聖經的課程，你會按步就班地介紹基要眞理，並歡迎他以開放的心聆聽。告訴他假如他眞的要認識神，你會認眞的去幫助他。
告訴他你歡迎眞誠的問題，但你會在以後的課程中才作答，因現在的情況下實不宜作爭辯。（提後二24-26）
如有需要，可在課堂後與他傾談。假如他不願意放棄態度，那只好請他不要繼續修讀課程，或你可與他作個人查經。但在某些情況下，最好還是不要勉強。（多三10）

視覺教材:
「聖經是　神的歷史」——你可把這標題寫在黑板或製成小海報貼在壁報板上，這樣的小海報既可美化課室，又可作爲提醒。
圖表
神人對比表(以下詳解)

你可爲本課製作 神人對比表。這表可以預先繪畫在硬卡紙上，或一邊教學、一邊畫在黑板或其他視覺器材上，或以高映機投映。本課的教材將提供資料加在此表上。
寫下人的特點，但不要作任何評語。這表格的目的是高舉神是主宰及幫助同學思想　神的偉大。
完成後的表格:

| 神 | 人 |
| --- | --- |
| 神沒有開始，也沒有終結。 | 人被生下來，也要離世。 |
| 神是三位一體的。 | 人只有一體。 |
| 神一無所缺。 | 人需要食物、水、空氣、睡眠、光、保護等。 |
| 神無所不知。 | 人要學習。 |
| 神是靈，沒有有形質的身體。 | 人有有形質的身體。 |
| 神無時無刻無所不在。 | 人受時空限制。 |
| 神比萬有重要，祂是最高權威。 | 人要服於神的權威以下，要聽命於神。 |
| 在萬有之始以前，神已經存在。 | 在萬有之始以前，人尚未存在。 |

## 授課要點

此課程特爲非信徒安排，故授課時務要奠定聖經基礎，以爲日後傳福音的根據。若你班上有信徒參予，則授課的目的是使他們明白信仰的根基，以致日後他們亦可運用同樣教材去教導未信的人。

**課文信息要明確簡潔，切忌節外生枝!**

請注意這課程是有範圍和有主題的聖經研讀，並非徹底深入的聖經鑽研，亦非漫無邊際的小組討論。請依照主題帶領討論，以保持課程進度。切記緊依大綱，突出教義主旨。

**課程編排形式：** 每一頁的中間部份是教授學生的內容，**粗體字的標題**只供教師參考，不需口誦，因爲標題內容會在接著的課文大綱提及。至於左右**兩欄**所列的經文是給教師作參考之用，不宜在課堂上詳授。

## 學生的教授內容
(中間部份)

**課文大綱:**

複習第一課的問題。

A．序言

神是誰?

神是怎樣的?

我們怎樣可以認識祂?

我們在第一課曾說　神是主角，是聖經的核心。

—祂是把這信息傳遞給我們的　神。

—聖經是記載眞實的歷史故事：一本從　神的角度去看歷史的書。
—它是　神的歷史故事。

*視覺教材：*

> 聖經是
> **神的歷史**

我們要從 神本人來認識　神。
我們要研讀祂如何在祂的話語中介紹自己。
—今天我們要研讀一些　神自我介紹的經文。
—他日我們將研究祂的工作。
—從祂的所作所爲及聖經中的記載，祂的性情和特點都表露無遺。
神給我們豐富的知識，讓我們認識祂。
—祂爲何這樣做?
—因爲祂想我們認識祂?
—神在耶九23及24說：「耶和華如此說，智慧人不要因他的智慧誇口，勇士不要因他的勇力誇口，財主不要因他的財物誇口。**誇口的卻因他有聰明，認識我是耶和華…**」（註三）
神如何偉大?（註四）
—祂何等重要?
—祂有開始嗎?
—祂有結束嗎?
—祂從何處來?
—神需要甚麼?
讓我們看看　神的話語（聖經）怎樣回答以上的問題。

B．萬物皆有開始，唯有神是永恆的。

閱讀:創一1

神在聖經中給我們的第一句話就是：「*起初…*」（創一１）（註五）
—神給我們這話是要叫我們知道萬物皆有開始。
—除了　神以外，我們所看見或所知道的事物皆有開始。
—在起初以先：
沒有宇宙
沒有地球
沒有天使
沒有魔鬼
沒有植物
沒有動物
沒有人類
—這一切有各自的開始。

註三：
教師只讀這經文的一部份，因爲其餘（沒有印出）部份的主題超越本課範圍，請強調**粗體字**的部份。

註四：
不要在這些問題上花太多時間。問這些問題的用意不在乎尋求答案，乃是要同學們思想這些問題。

註五：
創世記是整本聖經的基礎，而創世記第一章是創世記的基礎。請不要略讀這章，因爲它啓示了　神的特點和祂的性情。

C．只有　神是沒有開始，祂沒有完結，祂是永恆的

主題：神是至尊而掌權的

神在萬物出現以先已經存在，祂今天仍然存在，必將存在到永遠。
現在我們要畫一個有關　神和人的圖表。讓我們這樣開始：（註六）

*視覺教材：*

| 神 | 人 |
|---|---|
| 神沒有開始，也沒有終結。 | 人被生下來，也要離世。 |

閱讀：詩九十2

一神未嘗不存在。
　祂沒有開始。
　祂不是被造的。
　祂永遠存活。
　祂昨日、今日、直到永遠也不改變。
　神未嘗不存在。
　神永遠不死。

D．聖是三位一體的。（註七）

顯示「聖父、聖子、聖靈」的圖表。

神永遠是獨一的　神。
但創一26說：「　神說，我們要照著我們的形像，按著我們的樣式造人…」（註八）
我們暫不會詳細研究這節經文，請只注意「我們」這代名詞。
在創世記一章一節中的「神」是希伯來文中一個眾數的字。
當我們研讀神的話，我們會發現雖然　神只有一位，但祂有三個位格：
神的三個位格是甚麼？
馬太福音廿八19列出了祂們的名字：（註八）
一聖父
一聖子
一聖靈
我們用「三位一體」來描述有三個位格、獨一而永恆的神。

在圖表上加上：

| 神是三位一體的。 | 人只有一體。 |
|---|---|

當我們繼續研讀聖經時，我們將看見　神不同位格的工作，並更深地認識祂們。

註六：
請記著不要就圖表上有關人的特點作任何評論，因為作圖表的目的是要同學們認識　神的偉大及預備他們的心研讀日後的課程。如有同學要討論人的特點，請提醒他我們現在只集中討論　神。

註七：
正如引言所說，切勿詳解三位一體。這題目可引起爭論，對一些不能等待日後才獲得答案的同學，請有技巧地說他提出的問題很好，但必須留待日後才能作答，你的立場必須要明確，否則課程便會節外生枝，而那些未有足夠知識明白這些問題的同學將感到混淆，故此，要因著同學的程度作答。如同學們程度參差，請找時間回答對　神的話已有認識的同學。如有同學要辯論三位一體的問題，請參閱「介紹三位一體」那段。

註八：
緊記保持主題。我們只注視這經文中的用字，不要詳解經文。

在現階段，讓我們先建立只有一位　神的觀念，祂是永恆的，而聖父、聖子和聖靈同樣是神。
聖父是　神，聖子是　神，聖靈也是　神。
是否很混淆？是的，對我們來說是很混淆！
神的偉大超越我們的想像。
— 三位一體這觀念不是我們可以徹底明白的。
— 我們只可從　神的話語中獲悉一鱗半爪。
三位一體的奇妙眞理讓我們感覺到　神的偉大，超越了我們的理解能力。

E.因為　神在萬有以前已經存在，　神不受任何事件或人物影響。

詩一百廿一3
賽四十28

主題：神是至尊而掌權的

因　神在萬有以前已經存在，我們可知祂不需任何東西使祂存活。（註九）
一神自發地存在，祂的存在比地球、太陽、月球、眾星和銀河系還要早。
祂不需要地球或其上的物質支持。
一祂不需要呼吸空氣。
一祂不需要吃食物。
一祂不需要喝水。
神不需要陽光。
一祂能在黑暗中看見。
一祂不用睡眠，亦不需要日與夜。
神不需要任何能源。
一祂永不疲乏、口渴或饑餓。

註九：
你可用　神「自有永有」的名（出三14）—就是自發存在的意思—去支持這點。（請參閱第廿一課第九點有關這名字的詳論）

在圖表上加上：

| 神一無所缺。 |
|---|

閱讀賽四十28：「你豈不曾知道麼？你豈不曾聽見麼？**永在的　神耶和華，**創造地極的主，**並不疲乏，也不困倦，祂的智慧無法測度。**」（註十）

註十：
請保持主題，只強調粗體部份。

神不需要任何人教導祂。
一祂認識萬事，祂掌握知識的寶座。
一祂知道一切。

閱讀詩一百四十七5：「我們的主為大，最有能力，祂的智慧無法測度。」

**閱讀：羅十一33及34**

在圖表上加上：

| 神無所不知 |
|---|

我們又如何？（註十一）

— 我們可否不藉著父母把我們生到世上？
  我們還作嬰孩之時，可否不需要任何照顧而生存？
  我們可否不須任何教育而成爲有用的人？

— 我們的身體又如何？
  我們可以多久不吃不喝，卻仍然存活？
  我們可以多久不呼吸，卻仍然存活？
  我們可以不眠不休多少天，卻保持理智清醒？
  我們可以曝曬於太陽的紫外光下多久，卻仍然存活？

在這些方面我們都需要依賴，　神卻不需要任何事物或人。

在圖表上加上：

| | 人需要食物、水、空氣、睡眠、光和保護。<br>人要學習。 |
|---|---|

**F.神是靈**

神不需要住在地球上，也不需要我們人類賴以爲生的東西去存活，因爲　神沒有像我們有形質的肉體。

約四24說：「　*神是靈*」。(註十二)

—神沒有像人類、走獸、鳥類或爬蟲類一般有骨有肉的身體。

—正因爲祂沒有形體，故此祂沒有身體上的需要。

在圖表上加上：

| 神是靈，沒有形體。 | 人有形體。 |
|---|---|

我們難以理解一位沒有形質的大能者。
但我們要認識　神是靈。
祂不是某些人說的「動力」。
祂是靈，祂是三位一體、有思想、有位格和有意志的神。
這位有位格的　神把祂的話語賜給我們，讓我們認識祂。
我們的見識有限。
我們受肉體的限制。
神卻不受這些限制。

註十一：這些不是要討論的題目，它們的目的是要引發同學去思考。

註十二：教師只讀這經文的一部份，因爲其餘（沒有印出）部份的主題超越本課範圍內。

G．神無時無刻無所不在

主題：神無時無刻無所不在
主題：神是至尊而掌權的

神在那裡?
在萬物出現以前，神在那裡?
我們看不見　神，除了祂親自告訴我們祂在那裡以外，我們不可能窺探祂的蹤影。
一當我們查考聖經，我們會發現　神無所不在的眞理不斷出現。
一神創造萬物，並且無處不在。
一祂不是附於萬物。(註十三)
一祂是創造者，與祂的被造物截然不同。
　神高於萬有。
　神高於祂所造的一切。
一神充滿了宇宙。

註十三：請特別留意　神是創造者，祂與被造物是截然不同的。泛神主義者（例如新世紀）相信　神就是萬有，萬有就是神。（切勿在此討論創造論，這裡的目的是要同學們明白神是主宰）

閱讀:耶廿三23,24

一祂在地上無處不在。
一神就在這裡，祂鑒察我們。
一例證:

箴十五3

*當我們忙得不可開交時，我們往往希望可以在同一時間在不同的地方出現，可是，無論我們如何渴望做得到，實際上，我們還是只可在某時間內出現於某一個地方。*

一小註:

羅十一33-36

*有一位小孩聽見這眞理時，不期然地說:「　神那麼大，祂當然用不著跑來跑去了!」*

在圖表上加上:

| 神無時無刻無所不在 | 人受時空限制 |
|---|---|

一只有　神才可以神無時無刻無所不在。正因如此，你可以找到一個　神不存在的地方嗎?(註十四)
你可找到一個「躲避」　神的地方嗎?

註十四：一些同學可能相信撒但也是無處不在的。事實並不是這樣，雖然牠有很多爪牙遍佈全地，每一個爪牙只可在某時間存在於一個地方。切勿在這階段探討撒但和牠的爪牙，因這題目將於下一課的課題中討論。

閱讀:詩一百卅九7-12

H.只有　神存在於萬物以前，只有　神高於萬有，　神是主宰。
我們不能完全瞭解　神:

當教學時，請使用你製作的圖表。

一我們不能理解一位沒有開始和沒有終結的　神。
一我們不能想像三位而一體者。

—我們不能明白那一無所缺者。
—我們對全知者實望塵莫及。
—我們看不見聖靈。
—我們不能體會何謂無時無刻無處不在。

**閱讀:耶十6**

我們只好承認有一位比萬物無限偉大，並在各方面高超於我們的　神。
我們以神是主宰來描述　神無限的超越性。
—韋氏字典解釋「主宰」的意義是「統治者，有至高無上的權威，主持者，有最高的效能…」
—聖經形容　神是「至高者」。
—詩篇八十三18稱呼　　型陛u*全地以上的至高者*　」。
—神在以賽亞書四十五章五節中說：「*我是耶和華，在我以外並沒有　神，除了我以外再沒有　神*　」。

在圖表上加上：(註十五)

| 神比萬有重要，祂是最高權威。 | 人要服於　神的權威以下，要聽命於　神。 |
|---|---|

註十五：請緊記無需評論人的特點。

**I.只有　神可以告訴我們有關萬物之始。**

**主題：神是至尊而掌權的。**

只有　神存在於萬有之先!

在圖表上加上：

| 在萬有之始以前，神已經存在。 | 在萬有之始以前，人尚未存在。 |
|---|---|

只有那位沒有開始的　神才知道萬有，並清楚它們的由來。
祂在聖經中把萬有如何開始的記錄賜給我們。

**J.結論**

神的偉大超乎我們的想像。
—祂實在比萬有偉大。
—祂是主宰。
只有祂沒有開始。
祂將沒有終結。
祂是三位一體的　神：　神是聖父、　神是聖子、　神是聖靈。
祂一無所缺。
祂是靈，故此祂沒有有形質的身體。
祂無時無刻無處不在。
神比萬有偉大和重要，祂是至高者，祂是主宰。

只有祂可以把萬有之源告訴我們。在未來數星期，我們將研究那在萬有之始已經存在的　神所告訴我們有關祂的作爲。

問題:

1.神有沒有一個時刻不存在?
*沒有。*

2.神需要甚麼來存活?
*神一無所缺。*

3.神有身體嗎?
*沒有。*

4.有幾位神?
*只有一位　神。*

5.獨一眞神的三個位格爲何?
*神是聖父　神是聖子、　神是聖靈。*

6.在地球、銀河系或宇宙中有沒有一個隱蔽之處是　神不存在的呢?
*沒有。*

7.神是主宰是甚麼意思?
*只有　神是統治者，有至高無上的權威，祂是主持者，有最高的效能，祂是至高者。*

# 第三課　神創造了靈體；路西弗的叛變

**參考經文**

賽十四12-20
結廿八11-18
羅八37-39
弗六10-18

## 課前預備

此段只供教師使用

左列的各參考經文有助於你準備這一課。但因經文帶出的眞理有些會在稍後課文中講授，故不宜於此立刻講解這些經文。

請注意：若你沒有教授過本書課文，請詳讀書前『教師必讀』部份。

本課目的：
說明神在創造靈體和處理路西弗和其靈體叛變的事上彰顯祂的主權和神聖。

本課可幫助學生：
- 明白　神的主權與全能。
- 明白背逆　神的嚴重後果。

教師的觀點：

在我們的社會中，電影、書籍、音樂及遊戲等方面也逐漸強調撒但，甚至把他當作敬拜的對象，來自不同經濟階層及背景的人已開始參與以撒但爲中心的活動。哥林多後書十一章十四節說明撒但裝作光明的天使。仇敵是何其的狡猾及敏銳，有些人（例如夏娃）曾被他愚弄，另一些人（例如亞當）卻是明知故犯。

啓二十10-15

任何在　神以外找尋權力之源者，都是出於撒但，撒但是撒謊者、是盜賊、是騙子、是誣告者，亦是兇手，他要竭力將人從　神那裡奪去，要把他們抓進火湖中。

授課時，同學們可能會提出很多疑問，其中甚至人有參與撒但的活動，例如：星座運程、碟仙、降靈會、撒但運動或帶有猥褻字句的搖滾樂等。

耶卅二27
太十六18
啓一8

但請緊記：不論我們面對任何與聖經抗衡的力量，不論同學中存在著多少難題、困擾及罪孽，　神的話向我們保證了祂的能力遠勝萬有，在祂沒有難成的事，我們可以靠著耶穌基督得勝。

神的話語必在人的心裡動工，祂必賜我們智慧去與同學們相處。我們的仇敵雖然強悍，但我們的主遠勝萬有!

註：

在教導　神如何創造有形質的萬物以前，讓我們先講授　神如何創造了沒有形質的靈體。這正是講述靈界和撒但的最佳時機，因爲：

1.所有靈體一就是所有的天使一都目擊了地的被造（伯卅八4-7）。

**課文概覽**

本課說明　神創造了所有的靈體，更說明掌權及聖潔的　神遠勝萬有和施行了完美的創造，並在路西弗蓄意叛變的事件中彰顯了祂的主權和神聖。

2.對教師及同學們而言，按故事中人物誕生或被造的次序來交代故事情節，總比要求教師稍後拾遺來得容易得多。

3.創世記第三章的故事本身甚為複雜，我們就是單要講述故事，而不加以闡明有關創造及撒但和他黨羽墮落的教導，也絕非輕易之事。

聖經並沒有詳細記載撒但墮落的正確時期，故此，神學家中有認為此事該發生在創造以先、在創造以後及在創造之時的不同觀點（有些人就創一31說：「　神看著一切所造的都甚好…」來說明當時一切的靈體仍保持著被造時的美好）。無論如何，我們將不會在本課探討這與明白基要真理沒有直接影響的課題。

注意：賽十四12至20及結廿八11至18是舊約中涉及有關撒但的兩段主要經文。我們以謹慎的態度引用於本課的大綱中，因為它們是難以解釋的經文，牽涉到有關人類的預言。請小心地規限在這課題的探討範疇。

Vine的Expository Dictionary of New Testament Words (註一)提供有關天使及撒但和魔鬼的經文一覽。當然，這只是一本便捷的參考書，若需詳細闡釋，請參閱其他有關著作。

註一：*An Expository Dictionary of New Testament Words,* W.E. Vine, M.A. Fleming H. Revell Co., 1966.

## 授課要點

此課程特為非信徒安排，故授課時務要奠定聖經基礎，以為日後傳福音的根據。若你班上有信徒參予，則授課的目的是使他們明白信仰的根基，以致日後他們亦可運用同樣教材去教導未信的人 。

**課文信息要明確簡潔，切忌節外生枝!**

請注意這課程是有範圍和有主題的聖經研讀，並非徹底深入的聖經鑽研，亦非漫無邊際的小組討論。請依照主題帶領討論，以保持課程進度。切記緊依大綱，突出教義主旨。

課程編排形式：每一頁的中間部份是教授學生的內容，粗體字的標題只供教師參考，不需口誦，因為標題內容會在接著的課文大綱提及。至於左右兩欄所列的經文是給教師作參考之用，不宜在課堂上詳授。

## 學生的教授內容
（中間部份）

課文大綱：

複習第二課的問題。

A．序言

你曾否想過以下的問題：

一天使從何而來?

—撒但從何而來?
—鬼魔又從何而來?
我們將在本課中淺略地探討靈體的被造。
要探討靈體這課題，必須具備對聖經中多處經文的知識。
—我們在現階段只可概括地綜合有關靈體的眞理（或教義）。
—我們亦不會翻查詳盡的參考考經文，以求在現階段避免淵深的鑽研與及牽涉每段經文背景的考查。
—當我們探討這課題時，你可能會產生不少疑問。
—雖然本課不一定可以使你的疑問迎刃而解，但說不定你會在日後的課題中找出蛛絲馬跡。
神的話向我們說明我們可以理解的靈界知識。
讓我們看聖經中有關這方面的基本眞理。

## B.神創造了所有靈體

在圖表上顯示:「　神的天使」、「路西弗」

主題: 神是至尊而掌權的

約一3
西一16

起初　神創造了一切的靈體。
—聖經用不同的名字稱呼這些靈體:
靈
天使
嘰路伯
撒拉弗
主的使者或天軍
掌權者
執政者
空中管轄者
星或晨星

—這些名稱必須按經文的下文引用，以求正解名稱背後的實意。所有的靈體皆在此時被造。
—他們在太初未有時尙未存在。
—神賜他們生命。
—若　神沒有賜他們生命，他們斷不可能存活。

閱讀:約一3 （註二）

註二:
請保持主題，切勿在此時偏入這節經文的其他教訓。

—尼九6說: 「*你，惟獨你，是耶和華。你造了天，和天上的天，並天上的萬象…天軍也都敬拜你。*」
神遠勝萬靈。
—祂活在萬靈被造以先，並要存活到永遠。
—祂正是萬靈的創造者。
—祂賜他們生命。
神創造靈體之時沒有賜他們具形質的身體。

—正因他們是沒有血肉的靈體，所以他們可以來往自如。
—靈體不可以像　神一般的無處不在，他們在同一時間內只可出現在一處地方。
—靈體雖然沒有好像我們一般的身體，他們中間會以人或其他的樣式向人顯現。

C.靈體是爲事奉神而被造的

詩一百零三20
來一14

主題：神是至尊而掌權的

神創造靈體爲要叫他們愛　神和事奉祂。
—起初，一切的靈體也是　神的天使。
—「天使」就是「信差」或「僕人」之意。
—因爲神創造了他們，所以他們都屬於神。
—神創造他們爲要叫他們遵行　神的吩咐。
—例證：

*假若你蓋了一所房子，那麼房子的業權該當誰屬？倘若你用自己的材料造成某些東西，那些由你手所造的東西就是屬於你的了。*
*同樣地，　神擁有一切被造之物，神創造了所有的靈體，並賜他們生命，要叫他們事奉並服從祂，因此，所有的靈體都屬於　神。*

D.神創造了完美的靈體

主題：神是聖潔的

創一31
結廿八15

神創造的靈體都是完美的，其中沒有一位是邪惡或不善良的。
—神不可能創造邪惡的東西，因爲　神是聖潔的。
—祂所想、所說和所做的一切都是完全的。

E.神賦予靈體莫大的智慧和能力

神創造靈體時，賦予他們莫大的智慧和能力。

閱讀：詩一百零三20

—天使有極高的智慧，但他們總不會像　神一般的無所不知。
—天使的能力遠超過我們，聖經說明　神賦予他們能力以實行奇蹟，但他們總不及　神的全能。
神比一切的靈體更有智慧及更有能力。
—這是我們須要牢記的眞理。
—不管電影、書籍或其他媒介如何的喧染，聖經告訴我們　神超越萬有。

F.靈體數目不可勝數

主題：神是全能的　神

神創造了眾多的靈體，是我們無法勝數的。
啓示錄第五章十一節說：「*他們的數目有千千萬萬…*」
神怎能創造這麼多美好、強壯和有智慧的靈體?
—神是全能的。
—祂能完成祂要做的一切事情。

G.靈體活在天堂
起初，所有的靈體都與　神一起住在天堂。
—天堂在那裡?
我們不曉得它在那裡。
它當然不會在這地上!
但聖經中有多處提及它，那是一個實在的地方。
—天堂就是　神的住處
雖然　神無時無刻也無處不在，但天堂是祂的家（註三）。
詩篇十一篇四節說明「*耶和華的寶座在天上*」。
聖經告訴我們天堂是美好之地，遠勝我們所認識或可以想像的樂土。

註三：
第二課中已闡述我們務要清楚地說明　神是創造者，祂與被造物是截然不同的：祂無處不在，但萬物並不是　神。

H.路西弗在　神面前的本有地位

結廿八14

神並沒有刻板地創造了所有的靈體；某些靈體要比別的靈體更美麗、聰明和富有智慧。
路西弗是最偉大的天使。
路西弗就是「晨星」之意。
神差派路西弗在天堂擔任要職。
—他的職權高於其他的天使。
—以西結書廿八章十四節稱他爲「受膏遮掩的嘰路伯」。
他像　神別的被造物一般完美。
—以西結書廿八章十五節說：「你從受造之日所行的都完全，後來在你中間又察出不義」（註四）

註四：
請限於講授經文的粗體部份，切忌在此離題。

I.路西弗的叛變
神創造了路西弗，並厚賜他天使之首位，他理應愛　神、順服　神和事奉　神。
可是，路西弗漸漸因著自己的美麗、聰明和智慧而生驕傲之心。
以西結書廿八章十七節說：「你因美麗，心中高傲，又因榮光，敗壞智慧」

閱讀:賽十四章十三至十四節（註五）

註五：
我們在課文預備部份已提出：要避免討論其他的經文，以免離開本課的目的及主題。

路西弗圖謀要像「至高者」。

—他要取代　神的位份，要作萬有的統治者。
—路西弗首起作孽（罪孽就是違反　神一切的旨意及神認為對的事）

你或許會問：「既然路西弗被造時是完美的天使，他何以會叛逆？」
—聖經並沒有給予我們直接的答案，但聖經上卻記載著很多　神容許使用自由意志去選擇是否順從　神的例子。
—請再閱讀賽十四13-14。
—注意路西弗說：「*我要*升到」、「*我要*高舉」、「*我要*坐在」、「*我要*升到」及「*我要*像那至上者」。
—路西弗是刻意的叛逆，是一項有意識的選擇。
—我們試從人的觀點去舉一個例子，以助理解：
*設若某人對你十分友善、幫助你，並告訴你他愛你，這可能令你十分心甜。可是，倘若你發現這人竟是受別人支配要他這樣對待你，那麼，他所作和所說的一切都驟然失去意義和甜美的感覺，甚至令人反感。*
*神沒有將祂的創造物好像機械人一般地「程式化」起來，祂容讓他們作出有意義的選擇——就是要順服還是不要順服　神。*

太廿五41
路八30
弗六12
彼後二4

## J. 一些天使隨從了路西弗的逆變

很多神的天使隨從了他們的首領（註六）路西弗叛逆。他們都背逆了　神。
我們將不在此加以詳論，聖經中有關天使們參與路西弗的記載可見於太廿五41：「魔鬼和他的使者」。

註六：
這論點乃綜合多處經文（其中包括在參考經文欄中所列者）所得之結論。
若有同學就此論點提出問題，請不妨簡略地使用這些參考經文，但要慎防離題。

## K. 神參透路西弗和他黨羽所作和所想的一切

主題：神無所不在，祂洞悉萬有

賽十四13至14形容路西弗*「…心裡曾說…我要升到…我要高舉…我要與至上者同等」*。
神創造了所有靈體，祂滲透他們的心思意念。
—神看透路西弗，知道他心高氣傲，圖謀取代創造者的位置。
—神洞悉路西弗和他黨羽心中的不軌企圖。
在　神面前沒有隱密的事。
—沒有任何事情可以出乎神的意料。
—神在事情未發生以前經已掌握事情的始末。
—神在我們未曾思想以前已經明瞭我們的心思意念。
—神無所不在。
—神洞悉萬有。
—神無所不知。

賽十四12-15
結廿八16-17
太廿五41
彼後二4
猶六

—來四13說：「並且被造的，沒有一樣在祂面前不顯然的；原來萬物在那與我們有關係的主眼前，都是赤露敞開的....」

L.神廢黜了路西弗和他黨羽貴爲神僕之職（註七）

主題：神是聖潔和公義的，祂命定罪的代價就是死亡

—思想：
*你認爲　神會不會容讓路西弗取代祂的位置？你猜想神對路西弗的自私企圖有何反應？*
*若有人要造反推翻政府，政府的反應當然是嚴厲加強保護的措施，我們的政府是重要而且有力的，但　神是至尊的，祂比一切更重要並更具權能！*
*有誰比　神更有智慧？有誰比　神更有能力？祂自有永有，並且完全依靠自己的大能存在，祂並不需要任何賴以爲生的資源，祂在起初已經存在，祂是萬靈的創造主。*
*神絕不會容讓路西弗取代祂的位置。*
—沒有人能取代　神，因爲
—祂是唯一的眞　神。
神在盛怒之中廢黜了路西弗貴爲天使長之要職。
神同時廢黜了路西弗的所有黨羽，革除了他們作天使之職份。
凡　神所想所行的，盡都公義。
—凡思想行爲與　神相違者，皆不能蒙　神悅納，更不配成爲祂的朋友。
—神永遠地革除了路西弗和他黨羽本在天上享受的職份。
我們在本課之始已經申明，要了解這題目，我們必須參詳多處經文，唯鑒於時間所限，目前我們將不作深入探討。
簡單地說，聖經多處提及撒但和他黨羽在地上的活動。可是他們不再被稱爲　神的僕人，且他們要處處與　神爲敵。
我們從伯一6至7及二1至2中可知撒但仍可在天上覲見神，但他不再居於天上。
太廿五41論及對「*魔鬼和他的使者*」最終的懲罰。

M.神爲路西弗預備了硫磺的火湖

主題：神是聖潔和公義的，祂命定罪的代價就是死亡

神預備了一所永遠而慘酷的刑場，就是硫磺火湖。（註八）

註七：
大綱L點必須從多處經文演譯，其中包括在參考經文欄中所列的經文。
請留意在L點最後四句的概括性演譯。
再者，切勿離題。

註八：
請在目前將硫磺火湖的教導限於與撒但有關的論點上，因我們目前尙未講授人的被造以及人的罪。

—神要將路西弗和他的黨羽送進硫磺火湖中去接受永遠的刑罰。
—神絕不會容忍不順從者；祂必要懲治敵對祂的人。
—太廿五41描述「*那爲魔鬼和他的使者所預備的永火。*」
—我們從啓示錄廿10中得知魔鬼在世界末了之時，必被「*…扔在火湖裡…他們必晝夜受痛苦，直到永永遠遠。*」

N.路西弗和他的黨羽痛恨　神

主題：撒但與　神和祂的旨意對敵，他是撒謊者和騙子，他討厭人類

路西弗和他的黨羽痛恨　神和　神所喜愛的一切。
路西弗現名撒但，就是敵人、對恃者、抵擋抗者或誣告者。
他的黨羽稱爲鬼魔。
撒但是　神的大敵。
—撒但日以繼夜地反抗　神，試圖阻礙　神的工作。
—撒但的鬼魔協助撒但對抗　神。

在圖表上顯示「撒但和他的鬼魔」

O.撒但和他的黨羽再不能住在天上

撒但和他的鬼魔正在世上各處活動。
我們先前提及的伯一及二記載了撒但與　神的對話，其中撒但說他「*從地上走來走去，往返而來。*」
再者，我們先前亦提及有不少經文記錄了撒但在地上的活動。
我們將在日後的課文中加以探討。

伯一7,二2
（在新約中亦有多處經文記載鬼魔在地上的惡行）

P.結論

主題：神是至尊而掌權者

主題：神是聖潔和公義的，祂命定罪的代價就是死亡

神是至尊的　神，祂是一切眼所能見及眼所不能見之物的創造主。
神比萬有偉大。
祂所作的，盡都聖潔和完美。
祂高於一切被造之物。
—神超越天使。

—神遠勝撒但和鬼魔。
—這是我們務要切記的事實！
只有　神才可以將起初的事告訴我們。
我們將在下一課研讀聖經如何述說這物質世界的由來。
—諸天
—全地
我們思考神所說有關創造之事是極其重要的。
請緊記，在萬有之始以先，只有　神存在。

問題

1.在萬有以前，誰單獨存在?
*神。*
2.萬靈從何處而生?
*皆由　神所創造。*
3.神有沒有創造擁有血肉之軀的靈體?
*沒有。*
4.神創造的靈體是全都完美的，還是好壞攙雜的呢?
*神創造他們全都是美好的。*
5.爲何　神要創造靈體?
*爲要叫他們作　神的僕人。*
6.靈體的數目爲何?
*不可勝數。*
7.神創造他們之時，他們居於何處?
*他們與　神一同住在天堂。*
8.神創造的靈體中，那一位最聰明和最美麗?
*路西弗。*
9.神委派路西弗擔任何職?
*天使長。*
10.路西弗作了何事?
*他陰謀要好像　神一樣，並要奪取　神的位置。*
11.誰隨從了路西弗的逆變?
*有很多本爲　神的天使隨從了他。*
12.神知不知道路西弗和他黨羽的陰謀?
*知道。*
13.神作了何事?
*神廢黜了路西弗和他黨羽本在天上擔任　神僕人之職份。*
14.神有沒有任何祂不能見、不能聞和不知曉的事?
*沒有。　神鑒察、聽聞及洞悉萬有。*
15.神爲路西弗和他的黨羽預備了何許刑場?
*硫磺火湖。*
16 路西弗現取何名，此名何解?
*撒但，就是敵人、對恃者、抵擋者或誣告者。*
17.撒但與誰爲敵?
*他與　神爲敵。*

# 第四課　神創造了諸天和地——第一部份

## 參考經文

伯卅八至四十一

詩十九1-4;
廿四1,2;
卅三6-9;
九十五3-5;
百零四

賽四十28;
四十四24;
四十五7-12;
四十八12,13

耶十12,13;
卅二17

西一16

來一10-12;
十一3

## 課前預備

此段只供教師使用

左列的各參考經文有助於你準備這一課。但因經文帶出的眞理有些會在稍後課文中講授，故不宜於此立刻講解這些經文。

請注意：若你沒有教授過本書課文，請詳讀書前『教師必讀』部份。

經文：創一1-8

本課目的：

- 說明　神從虛無之中創造了諸天和全地。
- 藉　神的創造奇工說明祂的性格和屬性。（註一）

本課可幫助學生：

- 思考聖經所記載的創造。
- 進一步認識　神的主權、聖潔及能力。

教師觀點：

我們所處的社會已遺忘了它的創造者，進化論已被當作眞理般傳授，而聖經對那位設計及創造萬有者的記載卻被人忽略了。

未嘗研讀聖經並親自確認其中眞理者，必然誤信一般人對創造所產生的錯誤觀念。我們的教育制度、電視節目及傳播媒介向每一個人灌輸的觀念，就是進化論是不可推翻的事實；只有無知及未受教育者才會對它產生質疑。進化論已不再是一套理論，它已被看爲事實。

本課將要陳明眞理，就是聖經對創造的說明，我們並不是要在此就創造論及進化論進行辯論，但正因爲進化論已成爲一般人所接受的理論，故此我們應準備加以應付。對某些人來說，他們需要大量的引證才可以接受聖經所說的眞理（請參閱下頁的「授課須知」部份），以下的參考資料提供了部份良好的資源。

備課時，請先默想　神的話。授課時，請分享因著我們的被造而帶來的驚喜、敬畏及讚美，讓同學們體會到你是相信　神的人！

參考資料：

你若願意解答一些學生們的問題或介紹書給他們參考，以下的書目可提供有關創造的證據：

## 課文概覽

**本課不單陳述創造的事實，更要藉此說明神在創造的過程中所表現的性格和屬性，因此，授課的目的乃在於透過　神的創造去說明　神的屬性。**

注意：這是　神創造天地的上集，人的創造將接續有關創造天地的兩課。

註一：
請謹慎地立穩有關　神性格及屬性的根基。例如：說明　神曉得如何創造萬有及　神洞悉萬有，既立此根基好在日後闡明　神認識各人，祂知道我們的罪，並參透人心，神洞悉萬有（來四13）。若未能達到以上目標，那麼日後便難以闡明眞理，聖靈便不能藉此在人心動工。
創造的教義由創世記貫通至啓示錄。雖然某些經文並未直接敘述創造，但其中的眞理仍環繞創造的事實——　神掌權，萬物源於　神（西一16,17）。
一般涉及創造的經文也帶有其他眞理，但這些經文不會在我們編年式的課程中出現。在現階段不宜引經據典跟學生作專題性探討，本課引用之經文皆不會超越現述年代的範圍。

*The Twilight of Evolution*, Morris, Henry M., Baker Book House, Grand Rapids, MI, 1963.
*Biblical Cosmology and Modern Science*, Morris, Henry M., Baker Book House, Grand Rapids, MI, 1970.
*The Collapse of Evolution*, Huse, Scott M., Baker Book House, Grand Rapids, MI., 1983.
*Evolution: A Theory in Crisis*, Denton, Michael, Adler and Adler, Bethesda, MD., 1986.
以下機構可提供有關創造之最佳科學引證：
Institute for Creation Research
P.O. Box 2667, El Cajon, CA 92021
澳洲地址：
Creation Science Foundation Ltd.
P.O. Box 302, Sunnybank, Qld. 4109, Australia
英國地址：
Creation Science Foundation
c/o P.O. Box 770 Highworth, Swindon, Wilts, SN6 7TU, UK

這機構印製林林種種的資料，請自行向其索取有關資料的目錄。

我們在第一課已提及可讓同學們在課堂以外從這些資料中找尋他們的答案，這樣可使課堂時間盡量花於研經之上，因研經時間絕不可變爲辯論的擂台。若合宜地選擇參考資料，確實可以一方面解答同學的疑難，而另一方面又可避免偏離該課的主題。

此外，亦可在課外時間放映有關創造的錄像帶。

教學需知：

在講授有關創造的課文時，要小心控制當中的討論。我們授課的目的是要傳授　神所陳明的創造，但一些同學可能要帶到進化論的討論中，此時，必須應用智慧去決定在課堂上要討論多少資料，其餘的應留下多少讓同學們自行閱讀，並應盡量講述聖經的說法爲佳。這些課文絕非用以辯論的材料，其中所傳授的，可能對某些同學是耳目一新的見聞。

授課時應從容漸進，要讓同學們透徹地思想你所傳授的重點，應體察他們的思維和意志。正如林前二14說：「…*屬血氣的人不領會　神屬靈的事，反倒以爲愚拙，並且不能知道，因爲這些事惟有屬靈的人才能看透。*」不要期望他們同意所講授的，只要清晰地闡明聖經的話，讓　神的話親自在他們心中動工。這可能要稍經時日，故請包容同學們的錯誤及帶有敵意的言語。爲師者，應時常緊記一些偉大的眞道宣揚者亦曾經是猛烈評擊這眞道的人。

若同學們違背了一些已經傳授的眞理，請不妨反問他們　神在這方面有何教訓，讓他們曉得教師並非最終的權威，惟有　神是最終的權威，那就是說，是他們與　神的意見分歧，而非他們與教師的意見分歧了。

切勿被同學們帶入一些尙未傳授的主題及細節中，若他們提出一些將在日後的課題中涉及的問題時，可以回答他們說：「這是一個很好的問題，我們將在日後的研經中找到這問題的解答。」在他們有錯誤時，切勿常常糾正他們。

## 授課要點

此課程特爲非信徒安排，故授課時務要奠定聖經基礎，以爲日後傳福音的根據。若你班上有信徒參與，則授課的目的是使他們明白信仰的根基，以致日後他們亦可運用同樣教材去教導未信的人。

**課文信息要明確簡潔，切忌節外生枝!**

請注意這課程是有範圍和有主題的聖經研讀，並非徹底深入的聖經鑽研，亦非漫無邊際的小組討論。**請依照主題帶領討論，以保持課程進度。切記緊依大綱，突出教義主旨。**

**課程編排形式：**每一頁的中間部份是教授學生的內容，**粗體字的標題**只供教師參考，不需口誦，因爲標題內容會在接著的課文大綱提及。至於左右**兩欄**所列的經文是給教師作參考之用，不宜在課堂上詳授。

## 學生的教授內容
（中間部份）

**課文大綱：**

複習第三課的問題。

A.序言

有不少的理論也試圖解釋萬物的由來。（註二）

—有很多有關地球如何形成的理論。

—也有很多有關生命之源的說法。

正如我們在前課所述，當課程進展之時，各位可能會產生一些問題。

—我們無法在此一一討論人所創立的理論。

—在課後將提供一些參考資料給大家。

本課將探討　神在聖經中告訴我們有關創造的事實。

創世記的記述乃整本聖經的支柱。

—神從未想過要刪改祂對創世的記錄（亦不會刪改聖經中的任何部份）。

—創世記乃一古老書卷，但新約的著作仍肯定創世記中有關創造的記錄。

很多人批評創世記是神話故事。

—但今天的考古學確認了一些詳細的人名及城市名稱，這些名稱可見於創世記的首數章之中。

—我們將於日後的課文中討論部份的考古學證據。

註二：
請小心控制就這數點而引起的討論。一些同學可能因著你說明不討論別的理論並只講論聖經而處之泰然，但另一些同學可能要求更多的證據才去考慮聖經的可信性，此時可應用智慧去決定要講授多少別的理論，卻得以同時保持課程的進度。
若同學們有興趣作進一步研究，可在課後向他們介紹錄音帶及書籍。

我們須要聆聽　神在聖經中向我們所說的話。
一聖經並不是一部「神話故事」。
一它是一部眞實的歷史記載。
本課將要介紹　神親自敘述有關萬有之源的歷史。
一我們都知道　神創造了一切的靈體。
一我們現在要研讀　神創造這個有形質的宇宙的史實。

B.「起初，神創造天地」（創一1）

閱讀創一

主題：神是至尊而掌權的

「創世記」這詞就是「起初」或「淵源」之意。
一萬物皆有起始。
一除了　神以外，起初沒有一樣事物或一個人物存在。
一神用了甚麼材料去創造諸天和全地?
「創造」正是「從無變有」之意。
一所謂「巧婦難爲無米炊」，就是說從無變有幾乎是不可能的。
一討論：
*若要建造房屋，我們需要甚麼材料?*
*若要焗製點心，我們又需要甚麼材料?*
*你可否舉一些不需要任何材料卻可以製成產品的例子呢?（註三）*

註三：
請讓同學們有思想和吸收的時間。

閱讀：來十一3

一神就是不需要採用任何材料去創造諸天和全地。
一唯獨　神才能從無中變成有。

詩一百四十七5
耶五十一15

主題：神是全能的

神何以能夠從虛無之中創這諸天和全地?
一聖經告訴我們　神沒有難成的事。

閱讀：耶卅二17

一神的能力遠超我們的想像。
一有沒有其他的能力勝過　神的能力?
是天使的能力嗎?
是撒但的能力嗎?
是妖魔的能力嗎?
一都不是！只有　神是全能的　神。

主題：神無所不知

神如何知道怎樣去創造天地?
—比較:
我們都要經過學習才有知識。
—我們不是生下來就有知識和悟性。
—我們當中大部份也曾入學就讀。
—我們一生也要不斷學習。
從嘗試及錯誤中學習
從重大創傷中學習
—我們甚至未能學會某些專業技能。
—我們還有很多尚未知曉的東西。
神需要別人的教導嗎?
—在萬物初開以前，有沒有比　神更早存在，並可以教導　神的人?
—神並不須要別人教祂如何創造諸天和全地。
—神知曉萬事，並對萬有瞭如指掌。(註四)

閱讀:羅十一33,34

C. 地球在創造初期（創一２）

閱讀:創一２
地本是空虛混沌的。
—我們將要看　神使全地成形。
—我們將要看　神使全地充滿生機。
地本被黑暗所籠罩。
—例證:
*請試想像一個全然漆黑的環境。你有沒有到過一個完全沒有光線的山洞? 那是一種令人不寒而慄的黑暗，請想像當時全地正是埋藏在這種黑暗以下。*
地藏於水以下。
—當時沒有乾地。
—只有水充滿著整個地球。
—地上沒有一點生命。

D.神要創造萬有

主題: 神是全能的

神是全能的，祂要運用祂的大能創造萬有。
—聖經說　神的靈「*運行在水面上*」。
**Henry Morris** 在他所著的 *The Genesis Record* 中指出「運行」一詞亦可翻譯爲搖動、振動或翺翔。這動詞指出　神偉大的創造能力，祂是萬有的原動力。
—只有祂才可以啓動萬有。
—只有祂才是能量之源。
神的靈運行、翺翔及振動水面，以活潑的振動力去創造萬有。

註四:
同學們可能會問及　神爲何要創造諸天和全地。在不要偏離主題的前題下，請告訴他們這問題將可在日後的課題中獲得解答。
請以智慧去決定需要分享多少，讓真心追求認識　神的同學知道　神話語中真有解答，這將對他們有莫大的裨益。
以下一些上好的經文可供參考:
賽四十五18（　神將地球給人類棲身）
賽四十三７（　神創造人爲要他們去榮耀神）
詩十九１－３（　神創造諸天爲要彰顯祂的榮耀）
羅一20上（萬物都顯示神的存在和祂的　神性）啓四11（神按祂的主權和旨意而行【英王欽定譯本譯爲「唯尊聖意」】）

聖父—
雅一17,18
聖子—
西一16
聖靈—
創一2

—聖父、聖子和聖靈一同參與創造的奇工。
—神是唯一的　神，祂是三位而一體的　神，祂是全能的　神，是萬有的創造主。(註五)
—我們無法了解三位一體的眞理；正如我們無法了解神可畏的能力。

註五：
切勿試圖解釋三位一體。請參閱第二課教師須知中的「介紹三位一體」部份。

E.第一天：神創造了光（創一3-5）

閱讀:創一3

主題：神是全能的。
主題：神是全知的。

只　神有才可以單憑說話去創造光！
—討論：
*倘若我們可以單說一句話就產生了光，那眞是一件不可思議的事！可是，我們沒有這種能力。我們都要依靠　神從起初就創造了的光而生存。*
*每當我們看見太陽、月亮、星宿的光，或每當我們燃亮電燈、火柴或洋燭之時，讓我們記得　神在起初創造了光。只有　神可以成就這事，因爲只有祂是全能和全知的，祂從虛無中創造了光。*
*科學家可以分析光的某些特性，我們都感受或曾使用光的一些效能，但只有　神才可以全然了解光，因爲祂創造了光。*

主題：神是聖潔的

閱讀:創一4

神創造的光是美好的。
—你可注意每當　神創造以後祂都會說：「這是好的」。
—比較：
我們無法使任何東西變爲美好。
—凡可用之物終必要：
修補
毀壞
或被更好的東西取代。
—我們所造的一切都有可改進之處。
—例子：
*就是最先進的音響器材也必要標明它的失眞率，因爲人所造的都有瑕疵。*
但　神所造的盡都美好，因爲：
—神是完美的。
—神毫無瑕疵。
換句話說，神是聖潔的。
詩十八30說：「*至於　神，祂的道是完全的…*」（註六）

神是完全和聖潔的：
詩十八30；
九十三5；
九十九3,5,9
賽六3
雅一17
啓四8

註六：
請教師（而非整班）朗讀這些經文節錄，因爲經文的其他內容可導致離題的討論。

賽六3說：「…聖哉！聖哉！聖哉！萬軍之耶和華…」

閱讀:創一5

神將光暗分開。（註七）
—祂稱光爲「晝」。
—祂稱暗爲「夜」。
—這便是創世的第一天。

註七：
神當時只造了光，並未造日頭。

F.第二天：神創造穹蒼

閱讀:創一6-8

神在第二天創造了空氣和天空。
—神在這穹蒼或我們稱爲大氣層的「薄而廣空間」上放置了祂所造的水。
—這點在數說　神的創造中尤爲重要，因我們日後將以此作爲一個課題重點。（註八）

註八：
雖然聖經沒有確切地告訴我們　神如何將水放在穹蒼之上，但一些可靠的科學家認爲這裡所指的水並非雲層，而是神將水變爲霧氣如華傘般覆蓋大地，這些霧氣伸延在大氣層以外（參考：*The Genesis Record* by Henry M. Morris, Baker Book House, Grand Rapids, Michigan, p.58,59）
請務必說明　神將水放在大地以上，好在日後講述洪水之時，可以將洪水解釋爲　神將這過程倒轉過來，把本來放在穹蒼以上的水傾覆在地。

主題：神是全能的
主題：神是全知的
主題：神是聖潔的

—再此一題：　神一說話，穹蒼就造成了。
—討論：
*請思想天空的廣闊，我們都只能觀望這包圍地球的大氣層的一小部份。　神只要一說話，就造成了整個大氣層，而且是完美的創造。*

G.結論
神的創世記錄不像人的記錄，神的記錄從不改變。
—祂在起初以前已經存在。
—祂是掌權的創造主，只有祂知道萬有的由來。
—神藉祂的話語告訴我們祂創造了萬有。
我們從研讀聖經中曉得　神擁有絕對主權，祂比萬有更偉大並更有能力。
在　神沒有難成的事。
—祂是能力之源，也是萬有的創造主。
—祂從虛無中創造萬有。
我們已探討創造的首兩天。
我們將在未來的數課中繼續講述　神的創造。
—當我們面對每天的工作時，讓我們來重溫我們到目前爲止對　神的認識。
—祂遠比我們所想像的偉大，祂已將祂的話，就是聖經，賜給我們，好讓我們可以認識祂。

問題:

1.誰在起初創造天地?

*神。*

2.神採用了甚麼材料來創造天地?

*神沒有採用任何材料，祂從虛無中創造了天地。*

3.爲何　神能夠創造天地?

*神是全能的，祂沒有難成的事。*

4.神何以懂得如何創造天地?

*神是全知的。*

5.誰教導　神如何創造萬有?

*沒有人可以教導　神。*

6.有沒有任何人或靈體可以好像　神一般地知曉萬事?

*沒有，只有　神是全知的。*

7.在　神預備將地球變爲適合人類居住的地方以前，地球的本相爲何?

*地本是空虛和全然漆黑的; 其上沒有陸地，更沒有生命。*

8.神作了何事而完成萬物的創造?

*祂只說話吩咐，萬物即順命而生。*

# 第五課　神創造了諸天和地——第二部份

參考經文

伯卅八至四十一
詩十九1-4;
廿四1,2;
卅三6-9;
九十五3-5;
百零四

賽四十28;
四十四24;
四十五7-12;
四十八12,13

耶十12,13;
卅二17

西一16

來一10-12;
十一3

詩一百十九89

課前預備

此段只供教師使用

左列的各參考經文有助於你準備這一課。但因經文帶出的眞理有些會在稍後課文中講授，故不宜於此立刻講解這些經文。

**請注意：若你沒有教授過本書課文，請詳讀書前『教師必讀』部份。**

經文：創一9-25

本課目的：

說明　神從虛無之中創造了諸天和全地。

藉　神的創造奇工說明祂的性格和屬性。

本課可幫助學生：

思考聖經所記載的創造。

進一步認識　神的主權、聖潔及能力。

教師的觀點：

神的話是永恆和不變的。可是，我們的社會在過往的數十年中竟容讓進化論的出版、傳授並當作事實，反之，一度曾被進化論採用爲理論基礎的數據，如今已被推翻的事實卻未被廣泛發表，其中許多所謂人類進化的關連都只是強詞詭騙，其他曾被視爲能證實進化論的「數據」，現今反被科學上新發現有關創造的「事實」所推翻。

一位聖經創造論的權威人士JohnWhitcomb博士常說；進化論是一個信仰時間和偶然機率的宗教。進化論者對所有關乎生命及其無比的複雜性，並演變次序等問題都只是以百萬年的演進和機遇率作答。

撒但蒙蔽人的思想，但　神的話卻有足夠力量去消除這種蒙蔽。我們能夠分享的好消息乃是：神，這位創造的主宰，藉著祂的能力造出萬物，祂的話，就是聖經，乃是最偉大的一本書，亦是一切科學的根基。我們能滿懷信心地施教——並不是因著時間及巧合，乃是藉著這位活著的　神和祂不變的話語。

參考資料：

第四課所列的一些參考資料對一些就創造產生疑問的同學是很有幫助的，請鼓勵同學們使用這些資料。倘若在授課時未能獲取這些資料，請在可能的時間內爲他們搜集。現今大部份的學校不教導創造的眞理，因此，有些學生可能從未接觸過有關這方面的書籍。

課文概覽

**本課不單陳述創造的事實，更要藉此說明神在創造的過程中所表現的性格和屬性，因此，授課的目的乃在於透過　神的創造去說明　神的屬性。**

注意：這是神創造天地的下集，代課教師若尚未研讀第四課者，請先行加以研讀，並尤其注意課中的預習及經文。

## 授課要點

此課程特為非信徒安排，故授課時務要奠定聖經基礎，以為日後傳福音的根據。若你班上有信徒參與，則授課的目的是使他們明白信仰的根基，以致日後他們亦可運用同樣教材去教導未信的人。

**課文信息要明確簡潔，切忌節外生枝!**

請注意這課程是有範圍和有主題的聖經研讀，並非徹底深入的聖經鑽研，亦非漫無邊際的小組討論。請依照主題帶領討論，以保持課程進度。切記緊依大綱，突出教義主旨。

課程編排形式：每一頁的中間部份是教授學生的內容，粗體字的標題只供教師參考，不需口誦，因為標題內容會在接著的課文大綱提及。至於左右兩欄所列的經文是給教師作參考之用，不宜在課堂上詳授。

## 學生的教授內容
（中間部份）

課文大綱:
複習第四課的問題。

A.序言

我們在前課開始研讀聖經所說有關　神和祂偉大的創造。

一我們曾討論到聖經是　神創造天地的眞實記載。
- 這並不是一套理論。
- 這是眞理。
- 這眞理從不改變，也永遠不會改變

一我們曾討論創造的記載可幫助我們明白　神是誰:
神是
- 掌權的創造主
- 全能的　神
- 全知的　神
- 自有的　神
- 聖潔和完全的　神

一我們亦曾討論神在首兩天的創造:
- 我們從聖經中獲悉　神只憑說話去創造了光。
- 神創造了空氣和天，並將水放置在天上。

我們將要繼續閱讀　神如何創造陸地和海，並在其中佈滿了各樣的活物。

伯卅八8-11

B.第三天：神創造旱地、海洋及各種植物
（創一9-13）

主題：神是全能的

閱讀:創一9,10

神聚水爲海，露出旱地。
—思想:
你曾否目擊因洪水或海嘯所引起的災害呢？（註一）誰會有膽量像螳臂擋車般去站在這大水之前？更有誰會嘗試命令大水？在一天以內造成海洋是需要何等大的能量！只有全能的　神才可以吩咐本來淹蓋大地的水分開，好露出旱地來。

閱讀:詩九十五5

—只有創造大水的　神才有資格控制大水。

閱讀:創一11-13

主題：神是全能的
主題：神是全知的

神創造了各樣的植物和樹木。
—只有　神才擁有創造植物生命的智慧及能力。
科學家越努力研究植物生命，便越發現植物生命的奧妙。
擁有無限智慧的　神能創造出各樣的植物，並使它們巧妙地配搭在祂所創造的地球系統之中。
—神創造了可以生產種子的植物，叫它們得以各從其類地不斷繁殖。
—思想:
*小松樹從不會結牽牛花的種子！*
—討論:
*你曾否親手製造了一些物件，不久以後卻眼巴巴地見它朽壞？倘若你要得回同樣的物件，你必須從新製造。但神創造植物時，給予每一株植物生產種子的能力，叫它們得以繁衍酷似母株的植物來。　神是生命之源，亦是生命的維持者。*
*我們今天所有的植物都由　神所創造的植物中繁衍而生。*

主題：神是愛

—神爲何創造花朵、樹木和植物？
是因爲　神需要這些東西嗎？
—神不受任何事物限制。
—神不需要任何東西。

註一：
同學可能會問及爲何神容許洪水和海嘯發生。你可以回答說人類原本的生態環境中並沒有這些天災，我們將在日後的課文中探討何以這些災害和一些可怕的事情竟臨到這完美的地球。

賽四十五18

神為祂將要創造的人類預先創造了植物和樹木。

—神創造植物為要滿足我們肉體上的需要:

為我們預備食物
為我們預備氧氣
為我們預備建屋的木材
為我們預備我們生命的其他必須品。

—神創造植物來滿足我們的感官,為要顯明祂對我們的愛:

祂大可不必創造不同的顏色、大小、形狀、滋味及香氣的植物。
其中少量的品種應足以滿足我們的需要。

—思想:

*神大可將萬物創造成黑色或白色,但祂並沒有這樣做,反之,祂創造了各樣的顏色,為要使祂將要創造的人得以欣賞。*

提前六17下

*萬物本可無味,　神卻創造了各樣滋味(並品嘗滋味的味蕾)。*
*神同樣地創造了各樣香氣。*

—萬物的千變萬化正日以繼夜地提醒我們　神對人的大愛和眷顧。

—祂不但創造了一個可居的世界,更是一個美侖美奐的世界。

—我們從植物身上學會了　神是規律的主,祂是設計的主。

—例證:

*請觀察花朵。每一種花都有它特殊的識別方法,那小小的種子帶著一定的特性,為要生出那擁有特定次序的花瓣、花莖及帶有一定香氣的花來。*
*若以放大鏡觀之,更可進一步欣賞該種花的特有排列圖案。*
*若以顯微鏡觀察一薄片的花瓣或花莖,更可欣賞該種花特有的細胞特性。*
*這一些都顯示著有一位匠心獨運的設計之主。*

—例證:

詩十九1-3
羅一20

*假若你將一把彈珠掉到地上,它們會排列成美麗的圖案嗎?*
*又假設它們真的排出了一些圖案,你可否重複地使彈珠每一次都排出同樣的圖案?*
*假設你現在改為將彈珠一顆一顆地排列成你心目中的圖案,這又如何?你當然可以反覆地排列同一的圖案,因為那是你的設計和耐心的排列,要使圖案得以重現。你的設計並不是巧合的成果,反之,那是設計師——就是你——的精心創作。*
*神所創造的萬物永遠地彰顯著　神是匠心獨運的設計師。*
*每當我們碰到一項創作時,讓我們都緊記創作背後的設計師。*
*每當我們碰到植物、花卉或其他被造物的精心創造時*

創一31
詩十八30
詩九十三5
詩九十九3,5,9
賽六3
雅一17
啓四8

*，讓我們都緊記一切的被造物也反映著　神匠心獨運的創作，它們都不是巧合而生，都是　神的精心設計。*

一神在這天所創造的一切都是美好的。

一切的植物都有益處，且是可愛的，因爲它們都是完美的被造物。（註二）

一當時並沒有荊棘和雜草。

一沒有毒果。

一蔬菜和水果不會生病和腐壞。

因爲神是完美的，祂所做的一切都必完美，所以萬物在起初都是完美的。

註二：
若同學追問爲何我們現在所有的都不盡完美時，請告訴他們我們將在日後的課文中解答這問題。

C.第四天：創造太陽、月亮和星宿（創一14-19）

請討論宇宙之宏廣。

一建議例證：

*人類在過去數十年間對宇宙的認識，遠超以前世代的人。高倍望遠鏡、能操縱的無線電導向電波、電子儀器及太空旅行等也是本世紀的產品。人類已踏足月球，人造衛星環繞地球及在太陽系中運行，搜集令人詫異的新數據。但我們對地球所處的太陽系的認識，仍是十分有限，對太陽系所處的銀河系，則只有皮毛之見，至於對整個無邊際的宇宙的認識，那更是寥寥可數了！*

*我們搜集了很多有關距離的事實和數據，但沒有人可以測度宇宙的宏廣，例如，雖然光以每秒十八萬六千哩的速度飛馳，但離太陽系最近的星體所發出的光，也需要數年的時間才可走進我們的眼簾。我們也知道在我們的視限以外，還有數以億計的星體存在。*

讓我們現在看看　神怎樣說。

閱讀:創一14-19

主題：神是全能的

詩卅三6

神一說話，太陽、月亮和眾星宿就都造成了。

一只有　神才有能力完成這宏大工程！

一神在賽四十四24說：「…我耶和華是創造萬物的，是獨自鋪張諸天舖開大地的。」

賽四十26

一這宇宙正如一切　神所創造的植物般，都在顯示那設計之主的傑作。

一例證：

*人類在以往的世紀中發現了我們的地球是環繞太陽運行的，繼而，更發現了地球是太陽系的一部份，這太陽系就是一組的星球環繞太陽運行的系統，在更先進的望遠鏡協助下，人類不斷地發現更多的銀河系。*

*人類在二十世紀中，得以觀察另一個系統，這系統的設計跟宇宙系統甚爲相近，委實令人感到不可思議。原子曾一度被視爲是最渺小的物質，但在高倍的顯微鏡下，可以看見一顆原子內有很多微小的電子，這些電子環繞著原子的中心（核子）運行，*

*在這本被認爲是最小的物質中發現的規律，竟與那在酷大無邊的太陽系規律非常接近。*
*怎麼有這樣的可能？答案只有一個：萬物，就是由最微小到最宏大的東西，都是由同一的設計者所創造，只有　神獨自創造了宇宙和其中的萬物，祂設計的印鑑正銘刻在每一件被造物之中。*

主題：神每時每刻都是無所不在的

我們只能看見這無邊宇宙的一個角落。
神正是創造了最遙遠的銀河系和星體的主——祂創造了萬有。
神如何得以涉足那些距離千百光年的地方？
—耶廿三23—24說：「*我豈爲近處的　神呢？不也爲遠處的　神嗎？…我豈不充滿天地嗎？…*」
—神不受距離的限制。
—神無所不在。
—我們既然不能思議宇宙之廣；更不能測度　神的偉大！
雖然　神存在於宇宙中的每個角落，但宇宙並非　神的一部份。（註三）
—聖經中從沒有提及　神是萬有而萬有就是　神的觀念。
—真　神只有一位，祂不是由「眾神」組成的。
—聖經稱宇宙及其中的萬有爲　神的創造物，而非　神本體的一部份。

註三：
正如先前所述，這是一個分水嶺。新世紀運動及泛神主義教導　神乃萬有，萬有即　神的觀念。

箴三19

主題：神是全知的

閱讀:耶十12

—神無限的智慧和知識，都藉著祂所造之物彰顯出來。
—建議例證：
*科學家經過不斷的研究和實驗後，發現了原來自然律一貫地支配著我們目前所認識的宇宙，這些自然律控制著所有物質的特性。人類在掌握了這些自然律以後，得以做出一些如太空旅行等創舉，但這些所謂「創舉」都是基於　神在起初創造宇宙時所立定的自然法規。*

主題：神永不改變

—神永不改變，祂所創造的法規也是永不變更。
—思想：
*試想像一套控制整個宇宙萬物秩序的法規！科學家和工程師必須忠實地遵守這套恆常的法規，才得以設計可靠的太空船、私家車及其他的東西。*

*體驗　神的法規並不是科學家和工程師的專利，我們每天腳踏實地的生活，都要依循這些法規。*
*在我們的生活中，曾否遇見沒有日出日落的日子？即使太陽會被雲層遮蓋，但它仍是恆常地朝昇暮降。月亮又如何？你可知道日曆和潮汐表可在多年前預計的原因，正是因爲月球、地球和太陽的運行及方位是完全可以正確地推測的嗎？*
*這些當然不是巧合而生，都是　神自己的巧妙設計。*

閱讀:詩一百零四19

*神要我們居住在一個井井有條的世界中，有可靠的白天、晚上、季節和潮汐。*

一比較:
*當我們目睹太空船在太空的軌道運行時，我們會情不自禁地感到興奮。事實上，這是値得興奮的事，因爲這是經過千辛萬苦的研究及努力才得的成果。*
*現請試想　神的知識，試想　神作爲創造主所擁有的創意及技巧，試想像　神的能力，神一說話，宇宙便造成了！*

閱讀:詩十九1-3

一請留意　神能力的彰顯及　神給我們的信息。

主題：神是聖潔的

詩十八30；
九十三5；
九十九3,5,9
賽六3
雅一17
啓四8

神在第四天所造的，盡都美好。
一神是完美的，因此祂所作的一切都是完美的。
一神十分滿意祂自己的創造。

D.第五天：神創造了海洋生物及鳥類

閱讀:創一20-23

主題：神是愛

試想像那轉瞬間美化了的海洋和天空！
一神按照祂創造植物的作風，創造了無數各式各樣的海洋生物及飛鳥。
一當我們不斷探測淵深的海洋及渺無人煙之地時，我們可以不斷地發現更多品種的魚類和鳥類。
一爲何　神要創造這麼多種類和美侖美奐的生物？
　祂這樣做爲要顯示祂對我們的愛。
　祂這樣做爲要彰顯祂的創意和知識。

詩一百零四24

主題：神是全能的

神運用了祂的大能和知識創造了美妙的萬物。

—比較：
我們可以創造一隻普通的麻雀嗎?
—我們可以造一個模型或一個仿製品。
—但我們絕不可能創造一隻有生命的麻雀。
神卻可以：神創造了麻雀和一切生物。
—最微小和最普遍的生物也是　神所造的，而且牠們都結構複雜。
—建議例證：
「現今的分子生物學顯示地球上最簡單的生物系統，即細菌細胞，是極爲複雜的生物。細胞本身雖然極其微小，重量亦只有$10^{-12}$克，但每一個細胞都是一個微型工廠，當中安置了由千億
原子所組成的千萬部分子機器，它們遠勝任何人手所造的機器，在無機體中更是絕無可比。」（註四）

註四：
Evolution: A Theory in Crisis, by Michael Denton, p.250.

E.第六日：神創造了走獸世界

主題：神是全能的
主題：神是全知的

閱讀:創一24,25

詩十八30
詩九十三5
詩九十九3,5,9
賽六3
雅一17
啓四8

神創造了不可勝數及各從其類的動物。
—其中一些是我們日常生活中也能接觸到的動物。
—一些可以在動物園中看見。
—我們亦從電視及書籍中知道更多的種類。
神創造的各種動物也有個別的特性，而每種動物亦只可繁殖與自己同一模樣的動物。
—狗生小狗。
—貓生小貓等。
—我們在最小的動物身上也可以看見設計主的印鑑。
只有　神擁有創造動物的能力。
人從沒有創造動物，亦不可能創造動物。

主題：神是聖潔的

神在第五天和第六天所造的一切都是美好的。
神所創造的萬物，盡都美好。
因爲　神是完美的，所以祂所作的盡都完美。

F.結論
每天環繞著我們的事物都可以證實：
—神的存在。
—神無限的能力及知識。

—神的愛。
—神的秩序。
—神的聖潔。
—我們四周的事物都顯示著那位設計主，祂以諸般的技巧按步就班地創造了萬有。

我們可以透過觀察　神的創造去進一步認識　神，但我們還是要遵照　神在聖經中所說的，來眞正地認識祂和祂如何創造萬有。
—來十一3說：「*我們因著信，就知道諸世界是藉　神話造成的，這樣所看見的，並不是從顯然之物造出來的。*」
—神是創造者，祂在太初已經存在，祂親自在聖經中記載了祂創世的記錄。
本星期：
—找尋設計主——就是萬有的創造主——的證據。
—思想我們從祂的話語中所學習的東西。
—我們將在下一課繼續研讀　神的創世記錄。

問題：
1.爲何　神可以吩咐海水分開並停留在祂所指定之處？
*因爲　神是全能的，祂創造了海洋。*
2.爲何　神要創造美麗的萬物，又爲何祂要創造水和不同種類的水果及蔬菜？
*因爲　神滿有慈愛和仁慈，祂爲我們預備一切。*
3.神對祂所造的一切有何評價？
*神說它們都是美好的。*
4.爲何　神創造的萬物都是完美的？
*因爲　神是完美的。*
5.爲何神能夠創造這佈滿星宿和宏廣的宇宙？
*神是全能的，並且恆常存在於時間和空間之中。*
6.爲何　神要太陽朝昇暮墜，要月亮和星宿每年按一定的軌跡運行？
*因爲　神是先後有序的　神，祂將太陽、月亮及星宿懸掛在空中，爲要使我們有日子、月份、季節及年歲，叫我們生活有序。*
7.科學家和工程師基於甚麼原則去進行研究及設計？
*神在創造之時所立定的法規。*

# 第六課　神創造了人

參考經文

伯十二10
詩九十五6;
一百1-3;
一百卅九
詩一百四十四
3
賽四十五5－
12
徒十七24-28

賽四十五5,21
,22
賽四十六9
徒十七28

## 課前預備

此段只供教師使用

左列的各參考經文有助於你準備這一課。但因經文帶出的眞理有些會在稍後課文中講授，故不宜於此立刻講解這些經文。

**請注意：若你沒有教授過本書課文，請詳讀書前『教師必讀』部份。**

經文：創一26-31;二7

本課目的：

說明　神的主權。

說明人類在　神諸般創造中的特殊地位。

說明　神的原意乃是要人類管理全地。

本課可幫助學生：

明白人獨特（與別的動物截然不同）的被造方法及與　神的獨特關係。

明白　神擁有人。

**教師的觀點：**

這部份所論及的創造與先前所說明的創造都是同樣地不可能以科學的方法證明，都必須要憑信心接受。　神的話明確地指出人在　神諸般創造中的特殊地位，聖經強調只有人是按照神的形像被造出來的，這獨特的創造包含了人類與　神之間的獨特關係，人不單是按照　神的形像被造出來，更是　神的寶貴產業——我們都要向創造主交代。

相信及明白　神（創造主）與人（擁有　神形像的被造物）之間的關係，正是同學們要進一步理解聖經中其他眞理的先決條件，這是信仰根基中不可或缺的部份，否則其他的部份便岌岌可危了。凡不認識自己是被造物的人，他們也不會曉得自己要向創造主交代，換句話說，若人以爲自己是進化的產品，那麼，他大可以不理會　神的話了。

進化論似是而非的欺哄手法，就是要人否認　神的存在和　神的性格，並要人產生錯覺，誤以爲自己不需要　神。可是，這觀念只會帶給人類莫大的不安，因爲人本不是要作自己的　神，我們的被造，正是要我們順服那位尊貴、掌權、全知、全能和永恆的　神，只有祂可以供應我們一切的需要。因此，人若不信靠全能的創造主，他們自然要落在極大的困惑中，因爲人根本不可能滿足自己的需要（註一），只有　神才可以切實地供應我們一切的需要。

課文概覽

**本課介紹　神是掌權的，祂創造萬物及人類，人乃是按照　神的形像造成的，是神獨一無二的創造。**

同時思想：
「　神的形像」包括了思維、感情及意志。
亞當是唯一用泥土做成的人，他是世上第一個人，也是人類的始祖。神揀選了亞當去管理全地。

註一：
聖經強調　神是創造者，是人類的主宰，人文主義卻高舉人要操控一切，人文主義就像進化論一般滲入我們的社會中進行哄騙。學生中可能沒有人自稱「人文主義者」，但他們可能已深受該思想的薰陶，他們會感到本課的內容十分新鮮，或會產生不安之感，故請正面和客觀地講授，並避免爭論，以忍耐的心靜候　神的話緩緩地滲透人心。今天以抗拒之心聆聽的同學，他日可能愛慕擁抱　神的話。

**視覺教材:**

第三圖「創造」

圖表

## 授課要點

此課程特爲非信徒安排，故授課時務要奠定聖經基礎，以爲日後傳福音的根據。若你班上有信徒參與，則授課的目的是使他們明白信仰的根基，以致日後他們亦可運用同樣教材去教導未信的人。

**課文信息要明確簡潔，切忌節外生枝!**

請注意這課程是有範圍和有主題的聖經研讀，並非徹底深入的聖經鑽研，亦非漫無邊際的小組討論。**請依照主題帶領討論，以保持課程進度。切記緊依大綱，突出教義主旨。**

**課程編排形式:** 每一頁的中間部份是教授學生的內容，**粗體字的標題**只供教師參考，不需口誦，因爲標題內容會在接著的課文大綱提及。至於左右**兩欄**所列的經文是給教師作參考之用，不宜在課堂上詳授。

## 學生的教授內容
(中間部份)

**課文大綱:**

複習第五課的問題。

A.序言

我們正要進入創造故事的高潮。

一神用祂的話創造天地萬物:

祂創造了光。

祂創造了高懸穹蒼以上的水、天與地之間的雲層、旱地及海洋。

祂創造了植物、樹木和花朵。

祂創造了太陽、月亮及星宿。

祂使海洋中充滿生物，使天空佈滿飛鳥。

祂創造了所有的動物。

*建議視覺教材:*

第三圖「創造」

—神並不是爲了滿足自己而創造萬有，因爲　神一無所缺。
—那麼，　神爲何創造這一切的東西？

B.神爲人預備了全地

啓四11

主題: 神是至尊而掌權的

神是掌權的，祂成就了創造的宏業，爲要彰顯祂的榮耀。

主題: 神是愛

祂創造萬物，因爲祂要顯露祂的愛、仁慈和眷顧。
神以慈愛，細心地創造了完美的萬物，都是爲了祂最後的創造——人——所預備的。

閱讀:賽四十五18

—人所需用的一切都已準備就緒。
比較:
試想像一個等候初生嬰孩誕生的家庭。他們都興奮地爲未來的嬰孩預備房間，母親要在嬰孩誕生以前爲他準備一切，好讓嬰孩出生以後，得以在家享受他所需要的一切，並在那專爲他而設、充滿愛的環境中成長。
神正是以此心情爲人類預備地方。

C.神計劃按自己的形像造人

閱讀:創一26

當神說: 「*…我們要照著我們的形像…造人*」之時，祂在跟誰說話? （註二）
—當時是聖父、聖子和聖靈在彼此對話。
—祂們彼此商議要按　神的形像造人。

註二:
請參閱第二課有關三位一體的註釋，並請特別留意D項的說明。

主題: 神是至尊而掌權的

—比較:
*當我們要做一些非常重要的事情時，例如建造一所房子，我們必會預先思量及計劃它建成的模樣。*

伯卅八41

*神當時正在思量創造第一個人的計劃。*

神是掌權的，祂獨自策劃萬物的創造。

—神在往昔決定了如何創造靈體、太陽、月亮、星宿、大地及在地上的一切活物，如今，祂選定了造人的方式。

—這是　神自己的決定，祂不須要徵詢別人的意見。

—神比萬有更偉大和更重要。

—人是　神諸般創造中最重要的部份，因此神要「按照自己的形像」造人。

太五16

神按自己的形像造人，好讓:

—人類得以認識　神及與　神對話。

—其他受造在　神創造的人身上看見　神的形像而懂得讚美和榮耀　神。

約四24

D.何謂　神按自己的形像造人?（註三）

神藉祂的話語告訴我們祂按著自己的形像造成了人類的始祖。這事實背後有何眞義?（註四）

—我們都曉得這裡並不是說我們的身體。

神是靈。

我們都有血肉之軀，神卻沒有這血肉之軀。

—神在這裡要指出那眼不能見的部份。

聖經稱這眼不能見的部份爲我們的魂與靈。

人的身體只是魂與靈的「寓所」。

在　神的計劃中，那不能見的部份包括了思想、感情和意志，這些都是按著　神的形像造成的。

主題: 神與人對話

詩八十六11;
一百十九73
箴二1-6
耶卅三3
約十七3
腓三10
約壹三1,2

—人的思想——人的智慧:

神有無限的思想，祂要創造懂得思想的人，好讓他們得以認識　神，得以像　神一般地思考，及擁有像　神一般的理解能力。

—神要與人對話，亦希望人與他對話。

—神不單盼望能與人在言語上對話，祂更要透過文字，就是祂的話語（聖經）向人說話。

—神要賜人足夠的能力去完成祂交付人類在地上的責任。

—注意:

*我們都曉得　神也賜動物有思想的能力，但動物沒有像人一般的頭腦，牠們可作人類的寵物，牠們可幫助人類完成某些任務（就如馬、騾、牛和狗等），但動物始終不能跟我們談話，牠們無法分享我們的思想，亦無法作出像我們一般的決策，因爲動物沒有像人類一般的思考能力，牠們不能以話語或文字與我們溝通。*

註三:
聖經並沒有正面地回答這問題，本課的大綱乃綜合聖經的多處觀點而成。
本課有關「　神的形像」的討論絕非這論題的唯一答案。

註四:
神按著自己的形像造人，因此人擁有思考、道德及靈魂，換句話說，人的被造是要他們懂得回應　神。他有　神所賜的智慧，好叫他得以認識神，他有　神所賜的感情，好讓他愛　神，他有　神所賜的意志，好使他曉得順從　神。請鄭重地說明　神按自己的形像造人並不是指人的肉體擁有　神的形像。

羅十一33，
34

神賜人思想，讓人得以體驗　神如何思考，但這並不是說人擁有了　神的智慧。

—比較：

*試想像小孩子們，他們懂得他們所做一切事情背後的因由嗎？不懂得。但他們可以像我們一般地思想，因此，我們可以教導他們。*

*世上最聰明的人在　神的眼中也像小孩子，　神賜人思考的能力，為要他們聆聽及明白　神的話語，並要他們按　神的話語而行，此外，　神更可與人對話，與人為友，並教導他們作　神的工作。*

以下只是一些例子：
慈愛：
耶卅一3
約三16
約壹四7-10

恨惡：
箴六16-19
瑪二16
悲傷：
太廿三37
路十九41
欣喜快樂：
耶九24
番三17

—人的感性——人的情感

—思考：

*一些人認為感性這詞包含著不好的意味，他們可能只是指「情緒化」而言，因為感性是重要而有幫助的。*

聖經告訴我們　神也有感性的一面：祂滿有憐憫和溫柔，並為公義而發怒。

我們在　神的身上學會感性是好的。

神有慈愛、恨惡、悲傷、欣喜及快樂等感情。

既然　神富有感情（感性），祂要造出同樣地富有情感的人。

—比較：

*我們有孩子的人當然愛我們的孩子，對嗎？你是否也希望你的孩子愛你？這當然囉！父母都希望孩子愛他們。*

*神也是這樣。　神愛世人，但祂亦同樣地盼望世人愛祂，這正是　神賜人情感的主要原因。*

—人的意志——人的選擇能力

神除了擁有思想及感情以外，祂還有意志，祂可以決定去實行還是不去實行某些計劃。（註五）

因此，　神造人為要叫他們得以作出自己的決定。

—比較：

*我們每天早上起來，就得決定當天要穿甚麼衣服，要吃些甚麼早點，要駕車往那裡去。*

*當我們穿衣服時，衣服可否給我們意見叫我們穿甚麼？我們的食物可否決定它們在甚麼時候才可以被我們吃掉？我們的車子可否決定我們要把它駛到那兒去？都不可以，因為只有我們才有權決定以上的一切。*

*神大可在創造人類的始祖時不賜他任何的選擇能力（正像我們的衣服、食物和車子一樣），　神大可使人類完全依照祂的吩咐而行，毫無自己的選擇能力。*

註五：
整本聖經及創造的記載都環繞著　神的主權。切勿離題討論　神的主權及人的自由意志。若要歸回正題，請向同學們說明你必須在有限時間內完成計劃中的課程，並他們可在日後的課題中獲悉更多。
亦可提醒同學們我們都不可能完全掌握聖經中所說的一切，我們目前只要研讀　神明顯地要我們知曉的事情，但他們可自行作深入的研究。請謝謝他們的問題及興趣。

*這本是　神創造太陽、月亮及星宿的方法，　神使它們周而復始地每年、每月和每天履行同樣的任務。　神卻不要將人造成這個樣子，　神有意志力，祂可以選擇要做的事情，祂要人像祂一樣有選擇的能力。*

神創造人類，要叫他們選擇愛　神及服從　神，這選擇是人以智慧認識　神是那位慈愛、仁慈及全知的創造主之後，而作出的決定。

—比較：

*小朋友若心悅誠服地明白他們的父母親都是聰明和仁慈的，那麼他們便更樂於服從父母。*

*神造人，要叫人與祂談話，並要認識　神的智慧及慈愛，讓人得以選擇順服這位創造他們的奇妙主。*

—小結：

神賜人思想，讓人得以聆聽、思考及明白　神向他們所說的話，並得以向　神回應。

約十四21

神賜人感性，讓人得以透過愛及靜思而向　神回應。

神賜人意志，讓人因著聆聽　神的話語及愛　神而自發地選擇遵行　神的計劃，並不是像機械人般執行指令。

—神的本意乃是按照祂自己的樣式造人，讓人得以在地上執行　神的工作。

詩九十七11-12

—神在祂的創造中賜給人一個獨特的角色。

人要成為　神在地上的大使（註六）。

神要人在地上管理　神的萬物，要成為動物、鳥類及魚類的領袖。

神賜人思想、情感及意志，要人像　神一般工作，好讓　神和人得著喜悅。

註六：
我們需要強調　神應有的地位，我們亦理應在此強調　神創造人的時候所賜予人的獨特地位。我們透過　神對我們的評價可知我們自己的眞正價値。當人認識了神所賦予他的價値後，他便能自然地追求建立與　神之間的正確關係，因此，我們必須強調神的本意乃要賜人一個獨特的地位，就是要人成為地上萬物的管理者。

E.神創造了亞當

主題：神是全能的
主題：神是至尊而掌權的

圖表：顯示「亞當」和「夏娃」的名字

**閱讀:創一27、二7**

神創造了第一個男人和第一個女人。（註七）

—神首先創造了男人，　神賜男人生命氣息以後，祂在同一天為男人創造了他的妻子。

聖經在下一章告訴我們神創造女人的經過，但我們將在日後的課題中才作進一步的探討。

我們今天只集中探討　神創造第一個男人的經過。

註七：
若以比喻方式授課，切忌使用過份擬形繪影的比較，以致歪曲了　神的形像。例如，曾有人教導說　神用手拿起塵土造人，這位教師甚至問他的聽眾神會不會因此將一些塵土藏了在指甲下，這樣的描述，只會使聽眾將　神當作超人而已。因此，只要教導聖經所說的眞理，不要過份擬形繪影，亦不要加上屬靈的分解。
神沒有用手拿起塵土造人，因為　神是靈，祂不需要有形質的身體，更不須像人一般以手運作。

—神稱那人爲「亞當」，就是「人」的意思。
—當　神完成那人身體的所有部份後，那人尚未有生命氣息。
那人身體各部份都已齊全，卻像死人一般。
他的身體尚未呼吸，因爲他按照　神形像而造的部份，　尚未活在他身體裏。
當　神吹了生氣給人以後，人才成爲活人，擁有認知、愛及順從　神的本能。

申卅20
伯十二10
徒十七25

—只有　神才可以將生命賜予亞當。
太陽、月亮、地球、飛鳥、走獸、魚類、　神的天使、人、撒但和他的黨羽都不可以賜人生命。
凡被造的活物，沒有一樣不是　神賜生命的，凡受造的，都不能賜生命給別的受造之物。
神與眾被造之物不同，祂超乎萬有。（註八）

註八：
在此再次一提：請鄭重地闡明這點（新世紀運動及其他泛神主義思想認爲　神本萬物及萬物本　神。）

—比較：
*我們都十分倚重電力。電燈泡若未能裝妥在燈泡座裡，它不可能發亮。電源若沒有開啓，我們的房子不可能得著電力供應。除了我們的房子以外，商業和工業也相當倚重電力。一旦電力中斷，我們很多日用的東西就不能運作，沒有了電力，就是最先進和最複雜的機器也不能施展它們的威力。*
*發電廠是電力的來源；　神是生命之源，　神賜生命給一切活物，凡活著的，都是靠著　神所賜的生命而活。*

—神將生氣吹在那人的鼻孔裡，那人便立時活過來。
他會呼吸，並且是一個有能力和健康的人。
那時，世上並沒有疾病和死亡。

## F.唯有亞當是神從塵土中創造的男人

徒十七26

閱讀:創二7

唯有亞當是神從塵土中創造的男人，他是人類的始祖。（註九）
神從塵土中創造了一男一女，女的乃爲男的而造，神並吩咐他們要生養眾多，要讓人類遍滿全地。
亞當是人類的始祖。
—他是所有人的始祖，其中並沒有種族、文化和國籍之別。
亞當是你的祖先。
亞當也是我的祖先。
他是世人的始祖。
我們都源於這位人類的始祖。
—他是人類之始，是人類之父。

註九：
這是十分重要的一點，因爲撒但不願意人知道我們都是同出一源。我們將在首十課中不斷地重複這重點。我們要確定同學們都認識他們同是「源於亞當」。除非他們明白他們都因著「源於亞當」而死在過犯罪惡之中，就無法明白「源於基督」的救贖。（羅五12—21；林前十五22）

G.神差遣人經營全地

主題：神是至尊而掌權的
主題：神與人對話

閱讀:創一28-30

詩卅二8
賽四十八17
太十一29

神要人管理全地及其中所有的一切。
神的本意是要幫助人去學習承擔　神所交付他的重任。
一比較：
*試想像一位擁有無數物業及公司的富商，他十分愛他的兒子，並很喜歡他兒子的表現。當他要將自己的所有產業交給兒子管理之時，他深知兒子需要指導才可承受這重大的責任，於是，他歡喜地教導兒子，將他需要懂得的東西都傳授給他，並樂意將工作交託給兒子，更願意與兒子傾談每一項決定和他期望兒子在接管以後的工作果效。*
*同樣地，　神十分喜悅祂所創造的第一個人，就是亞當。他是　神在地上的代表者。神向他說話，並告訴他作為　神在地上的代表者應有的責任。*
神有權決定要將全地交給誰去管理。
一祂沒有將全地交給天使。
一祂沒有將全地交給撒但和他的黨羽。
為何只有　神有權決定要將全地和其中萬物的管理權交給人呢?
因為　神創造了萬有。

閱讀:詩廿四1

所以祂可以隨意將管理權交給祂所喜悅者。

閱讀:代上廿九11：
「**耶和華啊，尊大**、*能力*、*榮耀*、*強勝*、**威嚴都是你的：凡天上地下的，都是你的；** *國度也是你的*，**並且你為至高，為萬有之首。**」（註十）
一比較：
*那富商揀選了自己的兒子統管他的企業，這是父親所擁有的決策權，他將管理權交付了自己的兒子，並沒有將這權交給別人，除了富商的兒子以外，沒有人能管理他那企業。*
*神創造了萬有，因此，這世界和其中所有的都屬於神，祂有權決定將全地的管理權交給誰。祂決定了要交給人類。　神是至尊而掌權的。*
神給了人何等特殊的地位!
神將這重任交給人，讓人得著莫大的殊榮和特權。

註十：
本節經文牽涉目前所述歷史的未來發展，請只強調文中粗體字部份，萬勿討論別的主題。

閱讀:詩八3-9

H.神所造的盡是美好

主題: 神是聖潔的

閱讀:創一31

神是完全又美好的，因此，祂所造的一切都是絕對正確和美麗的。（註十一）
—起初，世上沒有一種動物懂得傷害人類。
—人和動物都不用殺生以飽肚腹。
—荆棘、蒺藜和野草並未存在。

神是完全和聖潔的:
詩十八30；
九十三5；
九十九3，5，9
賽六3
雅一17
啓四8

註十一:
講述　神的完美創造時，同學們可能追問爲何現時的世界卻截然不同。請暫時不要回答這問題，並說明這問題將在日後的課題中獲得解答。

I.結論
神是掌權者。
祂是偉大而獨一的創造者，祂創造了萬有，因此，祂擁有萬物。
祂從塵土中造了第一個人。
祂按照自己的形像造人，並賜人:
—思想，叫人得以認識祂。
—感情，叫人懂得去愛祂。
—意志，叫人選擇順從祂。
亞當是世上的第一個人，他是全人類的始祖。
神是創造和擁有人類的主宰，祂賜人類管理全地的權柄。
我們將在下一課研讀更多有關　神的事，並祂如何在亞當身上運用祂的主權和慈愛。

問題:
1.神爲誰預備了全地?
*爲人。*
2.神創造人和創造動物時有何分別?
*神按照自己的形像造人。*
3.神按自己的形像造人，這話應作何解?
*神是個靈，所以　神的形像並不是指著人的身體而言。神如此創造了亞當和夏娃，是要叫他們能夠認識　神、愛　神和順從　神。*
4.神在起初創造了多少男人和女人?
*神只創造了一男一女。*
5.誰是你我的先祖?
*亞當。*
6.神創造了第一個人——就是亞當——以後　神要他管理甚麼?
*全地和其中所有的一切。*
7.爲何撒但和他的黨羽沒有管治全地和其中一切的權柄?
*因爲神沒有賜他管理地上任何東西的權柄，　神將全地賜了給人類。*
8.世上萬物在起初時是怎樣的呢?
*全然美好，一切都是完全的。*

# 第七課　　神將亞當安置在伊甸園中

參考經文

## 課前預備

此段只供教師使用

左列的各參考經文有助於你準備這一課。但因經文帶出的眞理有些會在稍後課文中講授，故不宜於此立刻講解這些經文。

**請注意：若你沒有教授過本書課文，請詳讀書前『教師必讀』部份。**

經文：創二１－９,16,17

本課目的：

說明　神是君尊、慈愛和充滿智慧的創造主，祂亦擁有人類。

說明罪的工價乃是死。

本課可幫助學生：

明白他們必須認識　神。

明白他們必須順從　神。

重視　神對他們的關懷。

明白罪的工價乃是死。

教師的觀點：

本課旨在說明　神的主權和聖潔，並闡明人與　神之間的關係。社會教導我們要獨立，「想做就做」；　神的話卻教導我們以信心去順從我們聖潔和公義的　神。社會驅使我們勇於爭取自己的權益；聖經卻促使我們安然地享受從我們尊貴、慈愛和全知的　神而來的賞賜。社會縱容我們遠走高飛、逃避責任；　神的話卻警戒我們，叫我們曉得　神是聖潔的，罪的工價就是死亡。社會鼓勵我們去發掘自我，去肯定自我；聖經卻督促我們先要認識　神，因爲我們必需透過認識　神，才可以在　祂裡面眞正地曉得我們是誰！

重點：

本課將要介紹一個在我們的文化中鮮被論及的觀念：神擁有人及人必須敬畏　神。請細心閱讀參考經文欄中所提供的經文，以求備課充足及預備解答有關這觀念的問題。

視覺教材：

請預備一段尙有綠葉的樹枝在本課及日後數課的課堂上使用。這樹枝是用以說明人與　神分離的後果：人因罪與　神隔絕，正像這樹枝斷絕了它生命之源一樣。

「罪的工價乃是死」的圖示。這教材可於課堂上一邊講述一邊製作，亦可在課前製成小海報張貼在課室的牆上。

## 課文概覽

**本課將繼續闡述　神是創造者，祂擁有一切的主權，並且擁有人類。本課亦將介紹罪的工價乃是死的觀念。**

並同時提出：

— 神在第七日的休息並不是完全停止工作，乃是放下已經作成了的工。
— 神將亞當安置在伊甸園中，乃是要顯明　神的主權：祂是人類的創造主，祂擁有人類。
— 神呵護亞當。
— 神盼望亞當選擇吃生命樹的果子，好讓他能永遠活著。
— 神清楚地警戒亞當，說明凡違背　神去吃分辨善惡樹果子的，必要滅亡。
—罪的代價：與神隔絕，與身體隔絕，永遠隔絕在火湖中。

## 授課要點

此課程特爲非信徒安排，故授課時務要奠定聖經基礎，以爲日後傳福音的根據。若你班上有信徒參與，則授課的目的是使他們明白信仰的根基，以致日後他們亦可運用同樣教材去教導未信的人。
課文信息要明確簡潔，切忌節外生枝!

請注意這課程是有範圍和有主題的聖經研讀，並非徹底深入的聖經鑽研，亦非漫無邊際的小組討論。請依照主題帶領討論，以保持課程進度。切記緊依大綱，突出教義主旨。

課程編排形式：每一頁的中間部份是教授學生的內容，粗體字的標題只供教師參考，不需口誦，因爲標題內容會在接著的課文大綱提及。至於左右兩欄所列的經文是給教師作參考之用，不宜在課堂上詳授。

## 學生的教授內容
（中間部份）

課文大綱:
複習第六課的問題。

A.序言
你有沒有做事半途而廢的經驗?
我們可能都想起一些工作，我們開始了，卻因著某些原因而沒有完成。
一你近日有沒有半途而廢的經驗?
是甚麼原因促使你半途而廢?（註一）
一你改變了初衷。
一你對事情失去了興趣。
一計劃過份艱巨。
一工作比預期龐大。
一因遭受干擾。
一時間不許可。
一經濟不許可。
一其他。
神不像我們。
一祂永遠不會半途而廢。
凡祂展開的工作，祂定必完成。
祂從不改變初衷，絕不半途另謀發展。

B. 神完成了祂一切的計劃

主題: 神是至尊而掌權的

註一:
請讓同學們簡略地發表他們半途而廢的因由。

主題:　神是信實的，祂永遠不會改變

閱讀:創二１

神完成了祂一切的計劃。
一比較:
我們經常改變初衷和改變計劃。
神永遠不會這樣。
神定下計劃後，絕不改變初衷。
沒有任何人事物阻擋　神的計劃。
一人不可能阻撓　神。
一撒但不可能阻止　神。
一神遠勝萬有。
神必完成祂的計劃。
因此，凡　神所承諾的，我們可以確信祂定必實踐。

賽四十六10，11；五十五8-11

閱讀:詩卅三11

C.　神完成了創造之工，在第七天歇息了

主題:　神是全能的

閱讀:創二２，３

神用了多少天創造萬有? 只用了六天!（註二）
一比較:
*建造一所房子要花上多少天? 就是建築商也要花上一段頗長的時間，對嗎? 他要預備一切材料和準備工人，繼而，所有工程必需妥善完成，並加上檢視合格，房子才正式建成。*
*反觀　神在短短六天的創造，　神是最偉大和全能的，祂萬事都能作。*
祂花了六天完成了祂一切的計劃，在第七天歇息了。（註三）
一神是不是因著完成工作以後，感到疲倦而歇息?
一比較:
*我們在一天忙碌的工作以後，總希望回家歇息。我們有些時候甚至必須馬不停蹄地工作，試就我們工作的忙碌比擬　神在一星期內完成的創造過程!*
*神是不是因爲疲倦而歇息? 祂創造了無數的星宿、太陽及月亮，祂更創造了地上的萬物。那麼，神是不是躺了下來說:「我累了，今天理應好好地休息」?*
*不是，　神不會像人一般地感到疲憊，因爲　神是靈，祂沒有一個必須經常歇息的肉身，今天的祂與*

註二:
同學可能追問這六天是不是以每天二十四小時計算。請小心地處理這問題，因它曾引起不少爭論（如非必要，切勿提出這問題）。聖經說明「有晚上，有早晨，是第一【二、三、四…】日」（創一5,8,13,19,23,31），這可能指出每天確是以二十四小時計算。有些人認爲這六天是不同的進化時期，但　神在聖經中並沒有這樣說，彼後三８說:「　神看一日如千年」，這經文與創世記第一章的文理大爲不同，創世記中說明有早晨和晚上，並且日子先後有序。

註三:
同學可能問及守安息日和主日上教堂等問題。請勿在現階段就以上問題加以探討。只要說明目前我們主要集中注意神如何敘述祂在創造萬有以後的安息。

*昔日創造萬物的祂沒有兩樣，　神永不改變。*

閱讀:賽四十28

一比較:

*當你完成了一項重要計劃以後，會不會作出檢討？儘管你仍有氣力，你大概不會再埋頭苦幹了；既然計劃已經完成，理應再沒有可以增添的餘地了。*

*神也是一樣，　神對自己所創造的一切都感到十分滿意。*

神用了六天創造萬有，在第七天歇息了。

神創造完畢便歇息，是因爲祂已完滿地成就了祂的計劃。

D.霧氣（不是雨水）滋潤大地

閱讀:創二4-6

在我們思想這段經文的教訓以前，請先留意　神在這裡用另一名字稱呼自己。

一在第一章，祂稱自己爲「　神」，就是那位以大能創造天地萬物的　神。

一神在這裡稱自己爲「耶和華」，是要說明　神是永恆的主，祂不必倚仗任何事物行事，並且永不改變。

一聖經從這兒起採用「　神」、「耶和華　神」及「耶和華」等稱呼。

這段經文教導一些有關創造的有趣觀念。

一神在創世之時，並沒有使用雨水灌溉大地。

一代之，祂運用了從地上騰出來的水氣。（註四）

E.　神設立了一個園子

主題：神是愛

閱讀:創二7,8

神因著寵愛亞當，以致特別爲他設立了一個美麗的園子。（註五）

神在園中栽種了亞當所需的一切蔬菜和水果，好讓亞當過著快樂、強壯和健康的生活。

一比較:

*你會爲誰預備上好的東西？主婦爲著愛她的家人而爲他們烹調美味的菜餚；丈夫因爲愛妻子而爲她花數小時雕製木刻；就是小孩子也懂得自製美麗的小禮物向父母表示對他們的愛。*

註四：
這裡的解釋是爲了日後易於帶出洪水和人類首次目擊下雨的故事：「挪亞因著信，既蒙　神指示他未見的事…」（來十一7）

註五：
代課教師注意：人類的創造已於第六課中講述。

神因爲愛亞當而爲他設立了一個美麗的園子！
世上一切的花園和動物園都不能與　神的園子同日而語。

## F.　神把亞當安置在園子中

主題：神是至尊而掌權的

閱讀:創二8

當　神預備好園子以後，祂把亞當安置在園子中。
—神沒有徵詢亞當是否願意入住園子。
—祂把亞當安置在那稱爲伊甸的園子中。（註六）
—解釋：
*神沒有對那人說：「亞當，看哪，我爲你預備了一座美好的園子，你要安住其中嗎？」　神並不是向亞當提供住處，乃是將祂所造的人安置在園中。*
—爲何　神可以這樣作?
—因爲　神創造了人，祂有權任憑己意安置他並吩咐他作　神心中所想的一切事。
—例證：
*在世界上某些地方，製造者和擁有者的關係是顯而易見的，因爲當地的人都必須自造自用。*
*例如，若有人問「這槳是誰人的？」答案自然是那造槳的人。那造槳的人正是槳的擁有者，他有權將之自由運用。*
—比較：
*在我們的社會中，製造者和擁有者的關係不太顯而易見，但這關係是存在的。*
*假如你栽種了一個菜園，鄰居可否擅闖你的菜園，並收割所有的菜蔬回到他的家裡去？當然不可以！你既然栽種了菜園，便同時擁有它，你何以任憑己意而作。*
*別人可否擅進你的家裡帶走你的財物？不可以，因爲你擁有那些財物。*
*若從另一角度觀之，某人不可以對另一個人說：「我建了一座房子，你必需住在其中，爲我管理房子和園子。」那人只可以對他的妻子和兒女說這番話，因爲他們是他的家人，卻不可以對別人說同樣的話。*
*那麼亞當又如何？　神有沒有權將亞當安置在園子裡呢？*
*誰擁有亞當？　神，因爲　神創造了他。*
—　神擁有萬物。
祂有權按祂的意願對待我們並運用祂所造的一切。
祂有權吩咐我們應作何事。
神創造了亞當，因此祂擁有亞當。（註七）

代上廿九11，12
詩廿四1；九十七9；一百3
耶十10,23

註六：
同學可能追問伊甸園的所在。聖經學者各有不同的見解，一些學者認爲可能在現今伊拉克境內，因某些河流的名稱與創世記第二章的記載吻合。另一些學者認爲在創世記第六和第七章記載的洪水後，生還者因地形被洪水更易而將古老的大河名稱套入新形成的河川上，因此伊甸園的位置實難以稽考。（參閱The Genesis Record, by Henry Morris,p.90）

註七：
請務要確立　神擁有我們的觀念。這是信仰根基中常被人（包括信徒）忽視的觀念。
一位成爲基督徒多年的女士上了這課不久後要接受癌症檢驗，醫生計劃若發現癌症細胞便要立時進行手術，害得她終日不安。但她明白了神擁有她和她的身體，所以她因著相信　神有權處理祂所擁有的一切，而得著內心的平安和喜樂。在接受檢驗的前一晚，她甚至興奮地等待　神在她身上的計劃。檢查的結果是良性瘤，但她卻因著　神預先賜她內心的平安而充滿喜樂。

神是最高權威，再沒有比　神更高的了。

主題：　神是愛
主題：　神是聖潔公義的
主題：　神永不改變

神吩咐亞當看管園子，但亞當不必勞苦作工，因爲一切本是美好。
—園子中不長雜草。
—蝸牛、蛆和昆蟲不會蠶食園中的蔬果。
—思想：
*我們很難想像伊甸園的景像，那兒竟然沒有雜草和害蟲，管園的直接地領受　神的命令，並且得著　神的信任去管理園子，這正是　神向亞當顯明的大愛。*
*神創造了美麗的大地，祂叫地球並列於太陽、月亮及衆星宿之中，祂叫全地充盈著各種動植物，叫人不單「活」在其中，而是享受　神因著愛而賜予大地的豐厚祝福。　神本可創造極少品種的植物和動物已可使人滿足，祂卻添上了千變萬化的色彩、結構、聲音、品味、香氣，其中的豐富遠超想像。亞當正是每天過著這般完美和充滿愛的生活。*
*你可能會慨歎爲何我們今天的世界竟一落千丈！是的，今天的世界與昔日的世界實在相去甚遠，聖經告訴我們個中的眞正原因，我們亦將於日後的課題中詳論。*
*我們目前要學習的是永不改變的　神：「至於　神，祂的道是完全的。」（詩十八30）　神因著愛創造了一切美好的事物，我們大可信靠祂必能成就那美好和正直的事，「耶和華在祂一切所行的，無不公義，在祂一切所作的，都有慈愛。」（詩一四五17）*

G.生命樹和分別善惡的知識樹

主題：人需要　神

閱讀:創二9

神在園中栽種了二棵很重要的樹：生命樹和分別善惡的知識樹。
神是亞當的生命源頭。
—神希望亞當能擁有美好的東西。
—亞當完全依靠　神的供應。
—神希望在凡事上引導亞當作出抉擇。

閱讀:創二16,17

主題：神與人對話

神清楚地吩咐亞當：
—當　神把亞當安置在園子中的時候，祂沒有容讓亞當斷定應作和不應作的事。
—神向亞當立定那萬不可作之事，並說明違反者死。
神清楚地吩咐我們：
—神至今仍沒有一點改變。
—神沒有容讓我們斷定何謂對錯。
—神賜我們聖經，是要我們曉得　神所喜悅和厭惡之事。

詩一一九 105,128

神吩咐亞當：
—神栽種了不同種類的樹木，要爲人提供食物及美化園子。
—神不容許亞當接觸其中的一棵樹。
—亞當不可以吃這稱爲分別善惡的知識樹上的果子。（註八）

註八：同學們可能追問爲何神要在園中栽種分別善惡的知識樹，這是不是神要誘試祂所造的人？教師可參閱雅一13—15。這論點已超越目前的進度，故以不涉及爲佳。這論題的重點在於當我們背逆之時，不可以只曉得責怪　神。

神知道甚麼東西最適合亞當。
—神在創造亞當之時經已決定了甚麼最適合亞當。
—神爲亞當預備了他所必須的一切，並把他安置在伊甸園中。

申卅19,20

—正因爲　神爲亞當所預備的，盡都美好，所以亞當並不曉得何謂罪惡和敗壞。
亞當曾有選擇是否服從　神。
—亞當可以選擇單吃　神指定是好的食物，因爲他曉得神的選擇都是好的。
—他可以吃生命樹上的果子，得以存活到永遠。
—倘若亞當違背　神的吩咐，選擇吃分別善惡樹上的果子，就是表明他要脫向　神獨立。
—亞當吃那果子之時，他不但曉得何爲善，亦曉得何爲惡。

羅六23下

—亞當沒有聽從　神所立定的善惡標準，反而按照自己的意思去斷定是非。
背逆的下場：
—倘若亞當違背　神，要脫離　神，他的收場就是死亡，就是與　神隔絕。

## H.背逆　神的懲罰就是死

主題：神是聖潔和公義的，祂命定罪的代價就是死亡

閱讀：創二17

神警告亞當說：「你吃的日子必定死！」

—亞當至今只曉得何爲美善，因爲　神凡事供應。
—如今，　神鄭重地警告亞當，說明若他選擇吃禁果以表明要向　神獨立，他必要同時曉得何爲醜惡。
—亞當必定死。
—比較：

*我們發出的警告可能十分含糊，　神的警告卻是一針見血，亞當沒有可能誤解　神的話說：「…你吃的日子必定死！」*

神警告亞當他必定死，這「死」有何含意？

1.與　神隔絕——關係的死亡

—亞當要與　神分隔。
—比較：

賽十四13-15
結廿八14-17
彼後二4

啓廿10

*撒但和他的黨羽企圖叛逆的收場是甚麼？*
*神的愛和友情不再臨到他們身上。*
*—正因撒但和他的黨羽企圖叛逆，他們不再是　神的朋友。*
*—他們與　神分隔。*
*—他們被　神廢黜天上的職份，　神更爲他們預備了可怕的刑場，要永遠地刑罰他們。*

—比較：

*若兩個朋友之間起了極大的爭辯或雙方都不願意淡忘的爭執時，他們還有沒有可能再次一起閒談、逛街、釣魚或做一些他們從前喜歡做的事情呢？不可能，因爲不和乃分裂之根，大家也不願意與自已不和的人在一起。*

—　神警告亞當，說明若他不服從　神的命令，他便不再是　神的朋友。
亞當要像撒但一般成爲　神的仇敵。
亞當不能再享受　神的愛和友情。
亞當必定死。
亞當要與　神（就是生命和一切美善之源）分隔。
倘若亞當吃了禁果，在他裡頭按照　神形像造的那部份要與　神隔絕，這本是　神按自己的形像創造的，爲要亞當認識　神、愛　神和順從　神的那部份。

2.身體與生命隔絕——肉身的死亡

—　神不是說亞當吃了禁果後，他的肉身要在當天死亡。
—　神是說亞當吃了禁果後，他要與　神（就是他生命的源頭）分隔。
—正因如此，他的肉身亦必要死亡。

展示在樹上折下來的樹枝

*樹枝被折下來以後會成爲甚麼樣子？它不會立時死亡，對嗎？樹葉在數天內還是翠綠的，與樹枝被折前沒有多大分別，可是，它既然與樹木分隔，就得不著它所必須的養份來維持它的生命，這就是說，它已經與*

太廿七50
約十九30
徒七59

*生命的源頭分隔，不久便要枯乾凋謝。*

*神說亞當要像這樹枝一樣，他若吃了禁果，便要立時與　神（就是賜予並維持他生命的源頭）隔絕，最終帶來肉體的死亡。*

—解釋:

*人死後，與身體分離，他的靈與魂，就是那眼所不能見的部份，離開了身體，所以那人肉身死了。*

*神創造亞當身體的初時，亞當沒有生命，他的身體正像死人的身體一樣。　神將生氣吹在亞當的鼻孔裡，使亞當成爲有靈與魂的活人。我們的身體只是我們靈與魂的居所，我們的靈與魂都住在我們的身體裡。*

—比較:

*我們若要探望鄰居，總是要到他們的屋子去探望他們。若他們要遷到別的地方，就得離開他們的房子，不再住在其中。若有人問及他們的下落，我們會說:「他們經已遷居別處，不再住在這兒了。」*

*人的死亡，亦同此理，就是說那人的靈與魂已遷離了他們的住處，就是那人的身體。*

—闡明:

*神告訴亞當，若他吃了分別善惡樹上的果子，他必要與　神（就是賜他生命的源頭）分離。*

*亞當不可能再享受　神的愛和友情。*

*亞當的身體亦將要按時而逝（就是說他的靈與魂要離開身體，亞當的肉體因而死亡）。*

3.永遠分隔在火湖中——與　神爲亞當預備的永遠喜樂絕緣

—倘若亞當背逆　神，他不但要面臨肉體的死亡，更將要步入火湖之中。

這火湖是　神爲撒但和他黨羽預備的恐怖刑場。

倘若亞當選擇不順從　神，他必要接受本爲撒但預備的「報應」，卻得不著　神爲他預備一切美好的事物。

—沒有人能逃避　神；更沒有逃避的途徑。

—亞當將要接受永遠的刑罰。

展示下圖作結:

罪的代價就是死亡

1.與　神隔離。

2.肉身與生命隔絕。

3.在火湖中永遠與　神隔絕。

## I. 神對人的權威

### 主題: 神是至尊而掌權的

詩廿四1
耶十23

神掌權，祂可以吩咐亞當怎樣行。
—神創造了亞當，並賜他生命。
—亞當屬於 神。
—比較:

*造物者亦擁有被造之物。你焗製的蛋糕和你建造的書架都是屬於你的，你大可隨意運用。*
*神擁有亞當，所以祂大可吩咐他怎樣行。*

### 主題: 神是愛

詩卅二8-10

神本著愛而告訴亞當應作何事。
—神冀望亞當以愛和友情回應祂。
—神希望亞當享受上好的東西。

### 主題: 神無所不知

詩十九7-11

神有權吩咐亞當應作何事，因為 神洞悉萬有。
— 神知道甚麼東西最適合亞當。
— 神比亞當聰明， 神的智慧遠勝萬有的智慧。
— 神深知倘若亞當吃了分別善惡的知識樹上的果子，亞當必要與 神(就是他的創造者)隔絕。
—比較:

*神知道甚麼是上好的， 神認識眞理，祂將聖經賜給我們，要叫我們都認識眞理。我們應當留心聆聽 神的話，因為祂是全知的 神，更是我們的創造者。*

## J.結論

閱讀:詩一一九73
閱讀:箴一7

詩九十1,2
箴二1-5
賽四十三7
來一10-12;
十一3

這裡所說的「敬畏」並非我們對邪惡「敬而遠之」及「畏懼」之意。反之，這是因為認識 神而從內心產生的驚歎及尊敬。(註九)
—神掌有萬物的主權。
—神是我們的創造主。
—神擁有我們。
—神無所不知和無所不能。
—神是聖潔公義的，祂命定犯罪者死。
請重溫我們到目前為止對 神有多少認識!
—神在萬有被造以前已經存在。
—祂從虛無中創造萬有。

註九:
社會的標準與這基要眞理正背道而馳。若同學對我們屬於 神及我們必須敬畏 神的觀點抱有懷疑，請不要因此感到不解，他們雖然不同意聖經，但 神的話要不斷地在他們心中作工。請勿與他們爭論，只要清晰地闡明眞理，說明這是 神的話。

—神是無所不能、無所不知、無所不在及永不改變的。
—祂創造人類，是要人順服祂的主權。
若不敬畏及尊崇這位擁有莫大能力的　神，世上再沒有比這更愚昧的事了。
這位　神要與我們談話，祂將祂的話語賜給我們。
我們將要在下一課探討　神創造了第一個女人——夏娃。
我們只有透過認識　神才可以認識生命的眞締，因爲神正是生命的賜予者。
祂因著愛我們，所以賜我們聖經，好讓我們從祂的話語中得悉生命之道。

問題:

1.神做事會不會半途而廢?
*不會。*

2.爲何　神不會半途而廢?
*因爲　神永不改變，沒有任何事物可以阻礙祂計劃的進展。*

3.神爲何在第七天歇息?
*因爲祂已完成創造之工。*

4.神在創世之初有沒有降雨灌溉大地?
*沒有，　神用地上騰起的霧氣去滋潤大地。*

5.神爲誰設立伊甸園?
*亞當。*

6.爲何　神可以不必須徵詢亞當的同意而把他安置在園中?
*神創造了亞當，因此亞當是屬於　神的。*

7.萬有（就是一切物質、靈體及人）屬於誰?
*都屬於　神，就是他們的創造主。*

8.神容許亞當吃園中多少棵樹上的果子?
*除了一棵樹以外，其他樹上的果子都可以吃。*

9.誰爲亞當在園中栽種生命樹?
*神。*

10.神禁止亞當吃其上果子的樹有何名稱?
*分別善惡樹。*

11.神說亞當若吃了分別善惡的的知識樹上的果子將有何下場?
*亞當要死亡。*

12.神說人要死亡，其中有何含意?
*a.人要與　神（就是他生命之源）隔絕。*
*b.當他的靈與魂離開他身體時，他的身體要死亡。*
*c.人要在　神爲撒但和他黨羽預備的刑場中，靈、魂和身體也要永遠地與　神隔絕。*

# 第八課　神創造夏娃

參考經文

## 課前預備

此段只供教師使用

左列的各參考經文有助於你準備這一課。但因經文帶出的眞理有些會在稍後課文中講授，故不宜於此立刻講解這些經文。

**請注意：若你沒有教授過本書課文，請詳讀書前『教師必讀』部份。**

經文：創二18-25

本課目的：

說明　神就著祂的尊貴、慈愛、聖潔、智慧及能力爲亞當預備了一位妻子。

本課可幫助學生：

明白　神以智慧和愛去切合我們的需要。

神同樣地重視男人與女人，並要我們彼此尊重。

明白婚姻是　神所設立的。

**教師的觀點：**

在我們的社會中，人因著要管理自己的生命及不願意向別人委身，使神聖婚姻的觀念變得含糊不清。以神聖形容婚姻本是合宜的，「神聖」乃「在生活及性情上的聖潔…不可侵犯、分別爲聖…」（韋氏字典）。

我們藉著思想聖經的教訓可以更新我們對婚姻的正確觀念。本課旨在介紹　神對婚姻的計劃。婚姻是　神所設立的契合，因此，我們不應當以婚姻爲不合時宜或可以先嘗試後實行的契約，因爲　神一點也沒有改變祂對婚姻的定命。

神按照自己的形像造男造女，並叫他們負起對　神和對人的神聖責任。我們若從　神造人的原意去觀察自己，我們自然會發現　神愛我們，我們亦要向　神負責。今天眾人追求的自我形像，只有透過了解我們與創造者的關係，才得以尋見。

祝覺教材：

圖畫第四號「在伊甸園中的亞當和夏娃」

注意：

本課篇幅較短，若完成此課後尙餘時間，請開始講授第九課，該課乃過往課程之複習。

## 課文概覽

**本課介紹　神以祂的尊貴權能創造了女人，並將她賜給男人爲禮物。**

摘要：

—神明白亞當需要妻子。

—亞當替所有的動物命名，卻在其中找不著他的伴侶。

—神從亞當的肋骨中造出女人。

—神創造了毫無瑕疵的女人，因爲神本是完美的。

—神設立婚姻。

## 授課要點

此課程特爲非信徒安排，故授課時務要奠定聖經基礎，以爲日後傳福音的根據。若你班上有信徒參與，則授課的目的是使他們明白信仰的根基，以致日後他們亦可運用同樣教材去教導未信的人 。

課文信息要明確簡潔，切忌節外生枝!

請注意這課程是有範圍和有主題的聖經研讀，並非徹底深入的聖經鑽研，亦非漫無邊際的小組討論。請依照主題帶領討論，以保持課程進度。切記緊依大綱，突出教義主旨。

課程編排形式: 每一頁的中間部份是教授學生的內容，粗體字的標題只供教師參考，不需口誦，因爲標題內容會在接著的課文大綱提及。至於左右兩欄所列的經文是給教師作參考之用，不宜在課堂上詳授。

## 學生的教授內容
（中間部份）

課文大綱:
複習第七課的問題。

A.序言

我們常常聽聞有關婚姻的話題。（註一）
一有人認爲婚姻可以先嘗試後實行，就好像一般的選擇，在乎個人的感覺作決。
一有些人更提出婚姻已是不合時宜的觀念。
但聖經如何教導婚姻的觀念呢?
一你知道　神在起初已訂立了婚姻制度嗎?
一今天很多婚禮中也還引用創世記第二章的一些經文。
讓我們細看　神賜給第一對男女的角色。

B.神知道亞當需要妻子幫助並陪伴他

**主題: 神是至尊而掌權的**

**閱讀:創二18**

神認爲亞當獨居不好。
一神是他的創造主，祂深知甚麼最適合亞當。
一神沒有徵詢亞當想要甚麼或他認爲甚麼最適合他。
一神決定爲亞當創造一位妻子。

**主題: 神是愛**

註一:
請勿在本課討論婚姻關係，只要說明　神在起初便設立了婚姻，祂至今仍沒有改變。（請參閱註四）

太六8下
腓四19

神愛亞當，盼望他過著美滿的生活。
—神明白亞當若繼續孤獨生活，他將不會得著快樂。
—神因爲愛亞當，要將最適合他的都賜給他，因此　神爲亞當造了一位妻子。
神早已識透我們的需要，祂亦深知如何適切地滿足我們。
—神沒有同時造出亞當和夏娃，就是創造他們的方法也有所不同。
—神在最適當的時刻，也用最恰當的方法創造夏娃，以切合亞當的需要。

C.神將所有的動物帶到亞當面前，讓亞當命名

閱讀:創二19,20

神委派亞當管理一切的動物，所以祂亦將替動物命名的責任交給他。（註二）

註二:
一位創造論的發言人JohnWhitcomb博士指出：亞當從他替所有動物命名中，顯露了他完全的智慧。這智慧是因當時他還未犯罪，他的思維還保持著　神所創造的完美狀態。

D.沒有一種動物可作亞當的伴侶

主題: 人需要　神

閱讀:創二20（註三）

註三:
「配偶幫助」即賢內助之意。

神創造人與別的動物不同。
—人乃按照　神的形像造成，所以懂得去認識　神、愛　神和順從　神。
—動物不能像人一般地去認識、愛和順從　神。
—人感到有興趣的事，動物不會感到有趣。
—很多人可以做的事，動物都不能做。

徒十七24,25

亞當需要一位可以與他交談以及可以跟他做同樣事情的伴侶。
—動物不可能成爲人的最佳伴侶。
—亞當需要一位與他相似的伴侶。
人沒有能力爲自已製造一位妻子作伴侶。
—天使、撒但和鬼魔也沒有能力爲亞當製造一位妻子。
神深知亞當需要妻子，　神愛亞當，不忍叫他獨居。

E.神從亞當的肋骨中創造了夏娃

主題: 神無所不能

閱讀:創二21,22

耶卅二27

只有　神才可以這樣做。
—神洞悉萬事。
—祂可以做祂心中所喜悅的事。
神創造了頭一個女人，作爲禮物送給男人。
—比較：
*倘若一個愛你的人送了一份特別的禮物給你，你會不會好好地珍惜？當然會！你會珍惜這禮物，因爲它帶來了送禮者的關懷和愛。*
*神送了亞當一個妻子，祂盼望亞當好好地照顧和愛護她。*
—思想：
*雖然亞當替動物命名的時候曾遇見不少有趣的動物，但當他看見　神爲他創造的可人兒時，我們可以想像他心中的欣悅！夏娃也是　神創造的，但　神不像創造亞當般從塵土中把夏娃創造出來，　神乃是從亞當身體的一部份（他的肋骨）創造夏娃，可想而知夏娃對亞當是何等的寶貴和親密！　神同樣地賜予夏娃思維、感性及意志，好讓她得以與　神並與亞當溝通。*

F.神設立婚姻

主題：神是聖潔公義的

閱讀:創二23,24

神爲男人創造了女人，是要他們結婚、同住及養育兒女。（註四）
—「…要生養眾多，遍滿地面…」（創一28）
—這是　神對亞當的吩咐。
思想：
*神所創造的既然盡都美好，我們可以想像夏娃必定極爲可愛！　神叫她成爲亞當正需要的「配偶」（即「賢內助」之意）。*
*亞當對　神賜給他這可愛的妻子是何等的滿意，夏娃正切合亞當的需要，並且是從他肋骨中造出來，懂得與　神並與他溝通，更是與亞當一起領受　神的任命，要他們繁衍於全地，並要管理這大地。亞當得以透過婚姻的制度與妻子契合，實在是好得無比之事。*
婚姻是　神爲亞當和夏娃設立的完美計劃。
—夏娃是　神送給亞當的禮物，她切合了亞當的需要。
—正因　神是完全的，祂所作所說的，盡都完美。
　神不可能思想、講說或實行邪惡之事。

閱讀:雅一17

既然婚姻是　神所設立的，那麼婚姻必定是美好的。

註四：
請勿在現階段剖析夫妻關係、通姦及淫亂等題目。在討論人需要　神預備的拯救以前，切勿談論更新及成聖等問題。因爲現階段的目標只在於立穩根基，好在日後循序建造。
我們需要先指出罪惡之根，才可談論罪惡之果。我們將透過創三去介紹罪惡之根，就是人因爲悖逆以致與　神隔絕，種下了罪性。我們亦將透過創四中記載該隱的生平來觀察罪的惡果。倘若學生們在未能領悟他們所做的只是反映他們眞我以前，反著重了罪的惡果（如通姦、偷盜、說謊等），那可能導致他們尋求在　神面前以自我更新的方式達至廉正無瑕的生活。因此，切勿脫離歷史及教義上的發展去討論在現階段未能題及的問題。

G.亞當和夏娃並不曉得自己赤身露體，他們全不感到羞恥。

閱讀:創二25

*建議視覺教材:*

第四圖
「在伊甸園中的亞當和夏娃」

H.結論
亞當和夏娃生活美滿。
—神供應他們一切的需要。
—神所供應的美物和一切的豐盛，遠超他們肉體所需。
—他們懂得與　神並與對方溝通。
—神要他們管理祂所創造的。
—神與他們同在，引導他們作每一個決定。
—他們不需要勞苦工作。
—他們沒有病痛。
欲知後事如何?
—我們將在日後研讀扭轉了這一切平安及美好生活的轉捩點。
但　神的話始終沒有改變。
—自從亞當和夏娃成爲夫婦至今已有千萬年的歷史，但神從沒有改變祂對婚姻的初衷。
—神沒有轉移祂對婚姻的立場。
我們將在下一課複習我們至目前爲止所學會的東西。
—複習可讓我們:
穩固我們所學習的知識。
清除積累的疑問。
重溫錯失了的部份。
—請按時出席。

來十三4

問題:
1.誰決定亞當需要一位妻子作他的伴侶?
*神。*
2.神爲何決定爲亞當創造一位妻子?
*因爲　神愛亞當，祂不願意亞當孤獨地生活。*

3.神並沒有徵求亞當的同意而行，祂可以這樣做嗎?

*可以，因爲　神創造了亞當，　神遠勝萬有、萬靈及萬民。*

4.神如何創造第一個女人?

*神叫亞當沉睡，取了他一條肋骨，然後從肋骨中創造了第一個女人。*

5.爲何　神能夠從亞當的肋骨中造出夏娃?

*神沒有難成的事，祂可以按照自己的心意去作。*

6.誰要亞當和夏娃結婚及養育兒女?

*他們的創造主，就是　神。*

# 第九課　複習第一至第八課

參考經文

課前預備

此段只供教師使用

　　左列的各參考經文有助於你準備這一課。但因經文帶出的眞理會在稍後課文中講授，故不宜於此立刻講解這些經文。

請注意：若你沒有教授過本書課文，請詳讀書前『教師必讀』部份。

經文：創一、二

**總綱：**

複習至目前所學有關聖經、神、撒但及人的知識。

注意事項：

　　我們在創世記第一及第二章介紹了聖經所記載歷史洪流中的三大主角，就是　神、撒但和人。我們正要進而研讀聖經中十分重要的一章，就是創世記第三章，這章聖經記載了人的罪根、死亡、全球的悲劇及　神賜下拯救者的應許，但在進入這些課題以前，必先要肯定學生們已經完全掌握　神、撒但及人的特性，方可作進一步的討論。第九課正爲求達到此目標而設，並在課中加插有關　神話語（聖經）的權威的問題。

利用問答方式進行複習。

1.倘若同學們不曉得回答問題或答錯，請藉一些有關的問題或提示去引導他們。倘若他們還是不曉得回答，請直接地說出答案。切勿責罵他們或滯留於某一問題上，以免引起尷尬。
2.若班上有許多位同學，可將某些問題公開給全班作答，另一些問題可邀請指定的同學作答。
3.若只有一兩位同學回答問題，可使用循環作答的方式，給每一位同學有作答的機會。但切勿強迫某一同學作答。
4.若班上人數不多，可預先預備問卷，在課堂上以比較輕鬆的形式討論，若各同學手持問題，便可省掉發問的時間而可專注於他們的回應。
5.班上可能有一些好爭辯的同學，當他們遇上某些富爭論性的問題時，總希望辯論一番。若有如此情況，請先謝謝他們對該題目的興趣，然後告訴他們本課程的目的絕不是課堂上的辯論，並要說明這些題目在過往已引起不少爭論，而且這些爭論將要繼往不絕。但本課程的焦點是要他們明白聖經怎樣說，好正確地聆聽　神的話。無論如何，請盡量避免提出富爭論性的話題，因爲勝了一場辯論，絕不能使人心悔改。故此，只要著實地講解，

課文概覽

**本課旨在複習至目前所學有關　神、撒但及人的知識。這複習乃爲預備我們將在日後探討的創世記第三章而設。**

並以愛心和忍耐等候聖靈親自在反對者的心中啓導眞理。

請運用第一課介紹的圖表：就是那列出主要歷史事件的掛衣繩；那顯示我們現在只在表面概覽、不作詳細探討各層次的圖表；還有那說明我們旨在打穩根基，非在建築上層的圖表。

複習尤爲重要，切勿爲節省時間而把它刪掉。複習可鞏固學生心中儲藏的資料，同時，對老師而言，亦可以評估自己傳達知識的功效，看看日後自己在那方面要加以注意。不論我們講授時如何出色動聽，從學生眞正學習到的知識方可證實我們教授的效果。最佳考驗學生知多少的方法莫過於發問題了。

## 授課要點

此課程特爲非信徒安排，故授課時務要奠定聖經基礎，以爲日後傳福音的根據。若你班上有信徒參與，則授課的目的是使他們明白信仰的根基，以致日後他們亦可運用同樣教材去教導未信的人。

**課文信息要明確簡潔，切忌節外生枝!**

請注意這課程是有範圍和有主題的聖經研讀，並非徹底深入的聖經鑽研，亦非漫無邊際的小組討論。**請依照主題帶領討論，以保持課程進度。切記緊依大綱，突出教義主旨。**

**課程編排形式：** 每一頁的中間部份是教授學生的內容，**粗體字的標題**只供教師參考，不需口誦，因爲標題內容會在接著的課文大綱提及。至於左右**兩欄**所列的經文是給教師作參考之用，不宜在課堂上詳授。

## 學生的教授內容
（中間部份）

課文大綱：

A.聖經

在繼續研讀亞當和夏娃的故事以前，讓我們先複習我們至今所學有關聖經、　神、撒但及　神所創造一對男女的故事。讓我們首先回答有關聖經（就是　神話語）的問題。

1.誰是聖經的作者?

*神。*

2.神使用誰寫下聖經?

*祂使用了四十餘人，除了一位以外，其他都是猶太人。*

3.聖經爲誰而寫?

*爲世上的每一個人。*

4.聖經自從寫成以來有沒有經過修改?

*沒有，聖經並沒有被修改，將來亦不會修改。*

5.神的話前後用了多了年才寫成?

*一千六百年。*

補充問題:

6.神爲何賜我們聖經?

*祂希望與我們對話——祂盼望我們認識祂及曉得如何生活。*

B.神

1.請用你自己的說法，試解釋何謂　神是掌權者。

掌權就是至高無上、至尊及統治者之意。

2.神有沒有具形質的身體?

*沒有，祂是靈，所以沒有血肉之軀。*

3.從亙古以來，　神有否不存活的一刻?

*沒有。*

4.神有否改變? 祂會否死亡?

*沒有，　神永不改變，祂是永恆的，祂不會死亡。*

5.我們都需要食物、水份、空氣、陸地供行走和溫暖的陽光，神也需要這些東西嗎?

*神一無所需。*

6.神依靠甚麼活著?

*祂依靠自己的能力而活。*

7.神在那裡?

*神每時每刻也無處不在。*

8.天下有多少位　神?

*只有一位　神。*

9.這位　神是誰，祂有何位格?

*神就是聖父、聖子和聖靈。*

10.神用甚麼材料去創造天地?

*神不需要使用任何材料，祂可以從無變有。*

11.神如何創造萬物?

*神吩咐它們說有就有。*

12.神何以創造萬物?

*神是全能全知的，祂沒有難成的事。祂洞悉萬事，也具有創造萬有的能力。*

13.神怎樣評估自己的創造?

*祂說一切都是美好的。*

14.爲何　神所創造的盡都完美?

*因爲　神是完全的。*

15.神爲何替人在地上預備了多彩多姿及美侖美奐的萬物?

因爲　神是慈愛和仁慈的。

16.神創造了太陽、月亮及眾星宿，使它們按著一定的軌道運行。這些創造反映了　神的甚麼特點?

*神是法規之主。*

17.科學家和工程師所說的物理定律實在是誰的定規?

*神定下宇宙的物理定律，人只是運用這些法規。*

18.神何以擁有萬物?

*祂創造了萬物，並賜生命予一切的活物。*

19.爲何　神有權要求我們服從祂?

*因爲祂是我們的創造者，祂擁有我們。*

以下是補充問題：（註一）

20.請就目前你對神的認識，申述你對下列句子的觀感：

a.「舉頭三尺有神明」

b.「眾人都要尋找一個更高的能力。」

c.「宗教是個人的事，各人可擁有自己對　神的觀點。」

21.創一及二如何說明萬有並非巧合而生?

*聖經說明　神先後有序地創造了萬有，這創造的過程絕無巧合的成份。*

22.創一及二如何說明人並非經過進化而來?

*聖經清楚地記載　神以截然不同的方式創造人：　神按照自己的形像造人，祂吹了生氣給亞當，使他成爲有靈的活人，　神繼而從亞當的肋骨中創造了夏娃。這創造的過程絕無進化的成份。*

23.請就你的見聞及你對聖經的認識，舉例證明一切活物都是被造而非進化的產品。

*動物、植物和人的複雜生物系統並不可能因應巧合而生。聖經是歷史的記載，不是理論的書，它記載著　神創造萬有的史實，人的理論會因時間而改變，聖經卻自起初至今從未改變。*

24.神要藉著祂所創造的一切來向我們顯明祂自己，當我們每天看見　神的創造時，總覺得有一位比我們偉大的創造主，我們也從聖經中學會了　神的一些性情。那麼，就我們目前所學和你自己的感受，你認爲　神最突出的性情是甚麼?

註一：
若要討論這些問題，請謹慎地控制討論的過程，一方面要鼓勵同學坦白地表達意見，另一方面不要只讓一位同學發表，若該同學觀點不正確，更會破壞討論的原意。
請讓同學按問題的要求去反思他們所學的東西。
請對他們保持耐性。
若有同學指出另一同學的錯誤答案，請不妨反問他說：「我們正在徵詢不同的意見，那麼你的看法又如何？」

C.撒但

1.靈體從何而來?

*他們都是　神創造的。*

2.神有沒有爲靈體創造血肉之軀?

*沒有。*

3.神創造的靈體，是盡都美好，還是好壞滲雜?

*神創造他們盡都美好。*

4.神爲何創造靈體?

*神要他們作祂的僕人。*

5.神創造他們之初，他們住在何處?

*他們與　神一同住在天上。*

6.靈體可否好像　神一般無處不在?

*不可以，他們只可以遍滿全地，卻不能無處不在。*

7.神創造的靈體中，誰最賦美貌與智慧?

*路西弗。*

8.神委派路西弗擔任何職?

*天使長。*

9.路西弗本要事奉及服從誰?

*神，就是他的創造主。*

10.路西弗有何陰謀?

*他要與　神同等，要篡奪　神的地位。*

11.誰隨從了路西弗的叛變?

*很多　神的天使。*

12.神作了何事?

*神廢黜了路西弗和他黨羽貴爲 神僕的職份。*

13.路西弗現今稱爲甚麼? 這名字有何意義?

*撒但，就是叛逆、仇敵、抵擋者及誣告者之意。*

14.神預備了甚麼地方作爲撒但和他的黨羽的刑場?

*他們將要進入火湖。*

15.撒但對抗誰?

*他要對抗 神和 神所愛的一切。*

D.人

1.人與動物的創造過程有何重大分別?

*神按照祂自己的形像造人。*

2.神按自己的形像造人應作何解?

*神賜人思想，讓人得以認識 神，賜人感情，讓人曉得去愛 神，並賜人意志，讓人選擇去服從 神。*

3.神起初創造的人是好還是壞的呢?

*人本是好的。*

4.神創造了第一個人（亞當）以後，祂讓那人管理甚麼?

*大地及其上的萬物。*

5.神創造了亞當以後，把他安置在何處?

*在一個名爲伊甸的園子中，這美麗的園子是神精心爲亞當預備的。*

7.神在伊甸園中栽種了兩棵非常重要的樹，它們有何名稱?

*生命樹和分別善惡的知識樹。*

8.神叮囑亞當不可吃那一棵樹上的果子?

*分別善惡的知識樹的果子。*

9.神說明人若吃了分別善惡樹上的果子，將有何惡果?

*神說人要因此而死亡。*

10.神說人要死亡有何含意?

*a.人要立時與 神（就是他生命之源）分離，他不再是 神的朋友。*

*b.當他的靈與魂離開身體時，他的肉身要死亡。*

*c.人的靈、魂及身體要永遠在 神爲撒但和他黨羽預備的刑場中永遠地與神隔絕。*

11.神把亞當安置在伊甸園以後，他爲亞當創造了甚麼?

*神造了夏娃，好讓她成爲亞當的妻子。*

12.神爲何創造夏娃?

*因爲沒有一種動物可以成爲亞當的伴侶，並且 神愛亞當，祂不願意亞當獨居， 神更要人類生兒育女。*

13.神創造夏娃時要她擔任甚麼角色?

*她要成爲亞當的賢內助，並要成爲他的伴侶，好讓亞當不致孤單。此外， 神更吩咐她與亞當一起管理 神所創造的萬物，並要生養衆多，遍滿全地。*

14.亞當是不是唯一可以直接與 神談話的人?

*不是，夏娃也是 神按照祂自己的形像創造的，因此，夏娃亦同樣地賦有 神所賜的思維、感情和意志，以致她也能像亞當一般與 神談話。*

補充問題：

15. 請就我們所學，有關　神和人的知識，抒發你對以下句子的見解：

*a.*「*我行我素！*」

*b.*「*我不需要向任何人負責！*」

*c.*「*我擁有自己的生命，所以我可以任意而爲！*」

# 第十課　亞當和夏娃違背　神

参考經文

## 課前預備

此段只供教師使用

左列的各參考經文有助於你準備這一課。但因經文帶出的眞理有些會在稍後課文中講授，故不宜於此立刻講解這些經文。

**請注意：若你沒有教授過本書課文，請詳讀書前『教師必讀』部份。**

經文：創三1-8

說明撒但憎惡 神且憎惡人，他是撒謊者、騙子、誣告者及兇手。

說明人選擇了違背　神及犯罪所帶來的立時後果。

本課可幫助學生：

明白撒但是　神的敵人，也是他們的敵人。

鑑別撒但的某些技倆。

明白他們需要認識及相信　神的話。

明白罪的恐佈後果。

教師的觀點：

很多人以爲自己十分熟識聖經，也曾聞說有關　神、亞當、夏娃、伊甸園、亞當和夏娃的罪及撒但的事。

可是，他們認爲這些只是故事或神話，甚至有人教導他們將亞當和夏娃的史實當作寓言或神話看待。他們甚至還說他們相信聖經，可是，他們根本沒有研讀　神的話語或將他們所聽見的教訓應用在他們的生活中。

那擁有聖經卻不研讀者，是可等的可惜！他們還要向神負上忽視及排斥聖經的責任。

本課所引述的經文，對只聽聞當中故事的同學，將有莫大的裨益。經文所記載的事跡，並非單是「蘋果」、蛇和女人的故事，而在基督降臨以前，這一樁扭轉人類歷史的事蹟。

視覺教材：

第四圖「亞當和夏娃在園子裡」

第五圖「人類的墮落」

課文概覽

**本課闡述撒但引誘女人犯罪及亞當不順從神吩咐的事蹟。**

請在本課中思想：

—撒但的本性和技倆。

—亞當和夏娃犯罪後的立時後果——就是與 神隔絕。

第六圖「以無花果樹葉蔽體」
本課的補充視覺教材可在課前預備或在講課時繪畫。
使用第七課的樹枝（這樹枝將在第十三課中再次使用
）。

## 授課要點

此課程特為非信徒安排，故授課時務要奠定聖經基礎，以為日後傳福音的根據。若你班上有信徒參與，則授課的目的是使他們明白信仰的根基，以致日後他們亦可運用同樣教材去教導未信的人 。

**課文信息要明確簡潔，切忌節外生枝!**

請注意這課程是有範圍和有主題的聖經研讀，並非徹底深入的聖經鑽研，亦非漫無邊際的小組討論。**請依照主題帶領討論，以保持課程進度。切記緊依大綱，突出教義主旨。**

**課程編排形式：**每一頁的中間部份是教授學生的內容，**粗體字的標題**只供教師參考，不需口誦，因為標題內容會在接著的課文大綱提及。至於**左右兩欄**所列的經文是給教師作參考之用，不宜在課堂上詳授。

## 學生的教授內容
（中間部份）

**課文大綱:**

A.序言

我們今天將要學習聖經中記載、歷史上最具關鍵性的事件。

我們需要明白事件的背景，就是我們上次複習的問題。

現在，讓我們再以一段簡單的複習來開始今天的課題。

1.神創造了亞當以後，把他安置在何處?
*在神親自為亞當預備名為伊甸的美麗園子中。*

2.神在伊甸園中栽種了兩棵重要的樹，它們有何名稱?
*生命樹及分別善惡的知識樹。*

3.神吩咐亞當不可吃那一棵樹上的果子?
*分別善惡的知識樹上的果子。*

4.神說明人吃了分別善惡*的知識*樹的果子後將有何後果?
*神說人必定死。*

5.神說人必定死，這話有何含意?

*a.人要立時與　神（就是他生命之源）分離，他不再與　神爲友。*

*b.當他的靈與魂離開身體時，他的肉體要死亡。*

*c.人的靈、魂和肉體要在　神爲撒但和他黨羽設立的刑場中永遠與　神隔絕。*

6.神把亞當安置在伊甸園後，爲亞當創造了誰?

*神創造了夏娃，好讓她成爲亞當的妻子。*

7.神爲何創造夏娃?

*因爲沒有一種動物可以作亞當的伴侶，而且　神愛亞當，祂不忍看見亞當獨居，並希望亞當生兒育女。*

B.在伊甸園中的生活

亞當和夏娃在伊甸園中過著快樂的生活，園中一切都美好。

太廿八1-4

*建議視覺教材:*

第四圖

「在伊甸園中的亞當和夏娃」

—他們享受著他們需要的一切。

—神是他們的朋友，　神愛他們，他們過著快樂的生活。

—神要亞當管理祂一切美麗的創造。

那時並沒有疾病、痛苦、害蟲、雜草和荊棘，所以亞當的工作十分輕省。

亞當只需要按照　神的意思而行，　神會將對他最有益處的事指示他。

—神賜亞當和夏娃各種可吃的植物、果子和菜蔬。

—他們沒有經濟的困難，因爲當時根本沒有經濟體系，神已爲他們預備了一切。

—亞當和夏娃懂得與　神交談，亦懂得互相溝通。

在他們尚未犯罪以前，他們得以毫無阻隔地與　神並與對方交談。

他們從沒有口角或以話傷害對方，他們也從未犯錯。

—他們彼此並與　神之間享受著完美的友誼和交通。

*建議視覺教材* R

| 人 ←→ 神 |
|---|
| |

神的大敵又如何?
—撒但竊聞　神吩咐亞當不可吃分別善惡*的知識*樹上的果子。〔註一〕
—撒但對　神心懷怨忿，所以他立定計謀，要毀滅　神所創造的男人和女人。
—因此，撒但陰謀哄騙夏娃。

註一:
我們從撒但歪曲　神這命令中可知他早已曉得這項命令。

C.撒但僞裝爲蛇去哄騙夏娃

主題: 撒但與　神並祂的旨意對敵，他是撒謊者，是騙子，他討厭人類。

閱讀:創三1

這並不單是蛇對夏娃說話。
—撒但操縱了蛇。
—撒但僞裝爲蛇，爲要哄騙夏娃。
—神創造蛇比萬獸都靈巧。
撒但是騙子。
—他不容許夏娃看穿他利用蛇去說話。
—對　神話語認識更深者，可更透徹地看出撒但的惡行和虛僞。
他知道自己撒謊。
約八44道出撒但是騙子和兇手。
他名字的意義正是「騙子」和「誣告者」。
這些亦正是他要做的事。
—他要使人將美好之事看爲虛無和邪惡。
—他要使人將邪惡之事看爲美好。
—他要使人誤以爲神在撒謊，但他內心卻明白　神的話正是絕對的眞理。

閱讀:林後十一14

撒但哄騙夏娃的方法，就是僞裝爲蛇，到夏娃的跟前。
當時猛獸並不會傷害亞當和夏娃，因此夏娃對蛇全無畏懼之心。

D.撒但今天仍要哄騙人
撒但哄騙人的動機和技倆至今仍沒有兩樣，他還是努力地哄騙和毀滅人。
他今天不會重用昔日誘騙亞當和夏娃之時，僞裝爲蛇的技倆，但他卻化爲人樂於接納的形像和技倆去誘騙人。
—有些時候，撒但會直接地在人的心中撒謊。
當撒但進行誘騙時，他不會讓被誘者知道他的眞正身份。
被誘者會誤以爲那是發自他內心的話。

徒五 3

事實上，是撒但將這些思想注入那人的心。

—解釋:

—撒但不能無處不在。昔日當他背叛神之時，有不少本為天使者成為了他的黨羽。　神因著他們的叛變而廢黜了他們本在天上事奉　神的職位，這些撒但的黨羽（或我們眼不能見的靈體）現今遍佈全地，為撒但工作，要與　神並與人為敵，撒但正利用他們到處誘騙人。

林後四 4

就是當我們聆聽　神話語之時，撒但也要進行哄騙。

—他會令你心中產生疑惑說:「我為何要信這本聖經？」

—撒但不願意任何人認識　神，相信　神。

—縱使他曉得　神的話語是眞理，他還是憎恨　神和神的話語。

有些時候，撒但利用別人向我們說謊話。

—那些被撒但利用的人可能自願的跟從他，也有好些像夏娃般被他哄騙的人。

—撒但要矇蔽我們，他要吸引我們去跟從那些人，至終卻步向死亡之路。

他要我們產生錯覺，以為:

—不跟從那些人就是損害自己的益處。

—寧可隨從錯誤的領導，也不願意因著堅守正道而失去我們的朋友。

—撒但也可以從我們的傲氣著手。

我們可能不喜歡隨波逐流，反之，我們要顯出自己比別人聰明，並且可以自給自足。

撒但曾在多人心中散佈這謊話，叫人誤信人可以不需要神，以為自己極其聰明而富有能力，可以隨從自己的心意而行。（註二）

註二:
這些正是人文主義的描述。請不必在此說明這名詞，只要加描述它的特徵便可。

—我們在近年常聽聞有關崇拜撒但一類的活動。

一般人不會刻意地隨從明顯地與撒但有關的事情。

很多人卻參予一些模稜兩可的活動，這些活動的背後正是以撒但為中心。

要提防:

—除了　神以外，自稱可以提供解決生命問題的能力。

——些內裡邪惡，外表卻是美好、悅人耳目和引人入勝的事物。

—主題環繞著兇殺、說謊、偷盜、污言穢語和不道德的遊戲、音樂和娛樂。

—否認　神的存在或低貶聖經價值的事。

這些都是出於撒但。

無論這些事情看來是如何的清白、受歡迎或無傷大雅，它們都是撒但在幕後弄的把戲。

E.撒但試探並誘騙夏娃

主題: 撒但與　神並祂的旨意對敵，他是撒謊者，是騙子，他討厭人類

閱讀:創三1

撒但爲何這樣問夏娃?
—他本已知道答案。
—他根本不管　神說甚麼。
—他要試探夏娃，讓自己得以進一步誘騙她。
—他要使人懷疑　神的話，這是撒但常用的手法。

主題: 神與人對話

閱讀:創三2,3

撒但成功地混淆了夏娃的思想。
夏娃的答案並非　神所說的話。
—神並沒有吩咐他們不可觸摸那果子。
—神說他們不可以吃那果子。
神吩咐了亞當和夏娃。
—神首先吩咐亞當。
—亞當理應已將　神的吩咐轉告夏娃。
—雖然　神沒有直接地吩咐夏娃，但祂的命令同時應用在他們兩人身上。
—神對亞當的吩咐同樣地應用在夏娃身上。
—思考:
*神在多年前對人頒發這命令，至今，這仍是　神的話，　神不會對不同的人頒發不同的命令，祂的訓令應用於萬民，不分種族、國家、男女、老幼，祂對我的吩咐，也同樣是對你的吩咐。*

閱讀:創三4,5

撒但稱　神爲騙子。
他不再佈下懷疑，而是否認眞理，這也是他慣用的手法。
撒但本身才是騙子。
—他顚倒了　神對亞當的吩咐。
—他這番話的意思就是指控　神不說實話。
—思想:
*神說: 「分別善惡的知識樹上的果子，你不可吃，因爲你吃的日子必定死!」　神是說亞當和夏娃要與神(就是他們生命之源)隔絕。　神說: 「你…必定死」但撒但說: 「你們不一定死」。因此，撒但是說謊的。*
撒但爲何說謊?
—撒但背叛了　神的權威。

他因著要篡奪　神的地位而犯罪。
　他不願意再順從　神。
　他要脫離　神的管理，要掌管自己的生命。
—撒但要誘惑夏娃去違背　神。
　撒但要引誘夏娃去吃那果子，並聲稱她吃了果子以後便可以像神一般分辨善惡。
　撒但要使夏娃誤信她不再需要神告訴她何謂對、何謂錯。

詩十九7-12;一一九
箴二;三5,6
提後三16,17

眞理卻是這樣:
—神沒有讓人任憑他們的意願而活。
—神要我們按照祂的指導而行。
—我的想法、你的想法、別人的想法、甚至撒但和他黨羽的想法都變成毫不重要。
—最重要的是神怎樣說。

**F.夏娃吃了果子，並將果子給亞當吃**

**主題: 人滿懷罪孳，不能自拔，需要　神的拯救**

**閱讀:創三6**

*建議視覺教材:*

**第五圖「人類的墮落」**

提前二14

撒但哄騙夏娃，夏娃陷入了他的圈套。
—她相信撒但的話。
—她相信她可以擁有　神的智慧。
亞當雖然知道不可以吃那果子，他卻蓄意違反　神的命令。
—亞當不再依靠　神。
　他要向　神獨立。
　他要自己決定善惡的標準。

林前廿九11,12
詩廿四1

　亞當不再以　神為首，反倒以自己為首。
　他要獨斷獨行，任己意而為之。
　亞當不希望再受　神的管治。
神有沒有權管治亞當?
—有，因為　神是他的創造主。
—他的一切都是　神所賜的。
神有沒有權吩咐我們怎樣做?
有，我們的一切都是從　神而來，祂賜生命給我們。

## G.亞當和夏娃的罪使他們與　神隔絕

**主題：神是信實的，祂永遠不會改變**

**閱讀:創三7,8**

神說明他們吃了分別善惡的知識樹上的果子後，將有甚麼後果?
神說的「死」是甚麼意思?
—他們吃了果子後，並沒有應聲倒地而死。
—他們還可以自由走動。
—他們用樹葉爲自己編織衣服。
—這是不是證明了　神的話不能應驗?
—到頭來，是撒但說對了嗎?
絕不是！他們吃果子之時，已經與　神隔絕了。
—神必定實踐祂的諾言。
—神永不改變。
—祂不會忘記懲罰那些違背祂命令的人。

**主題：神是聖潔公義的，祂命定罪的代價就是死亡**

爲何他們的罪使他們與神隔絕?

閱讀賽五十九２：「*但你們的罪孽使你們與　神隔絕，你們的罪孽使他掩面不聽你們。*」（註三）
—神是聖潔公義的，祂不會與那些違背祂命令的人爲友。
—神厭惡一切惡事，並要以死亡去懲罰凡違背祂命令的人。
—羅六23說：「*…罪的工價乃是死…*」
亞當和夏娃因爲違背　神，以致他們斷絕了與　神之間的友誼。
—他們與　神的關係告吹。

註三：
只要著重解釋粗體r的一段，切勿離題。

*建議視覺教材*　：

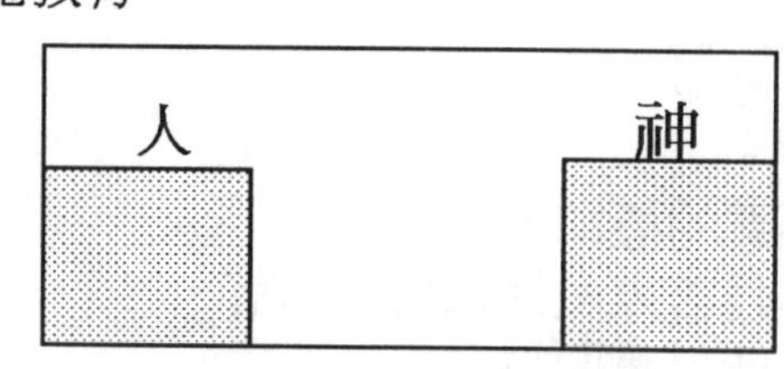


太十二30
路十一23

—他們不再與　神契合。
—他們與　神的大敵撒但同流合污，並且成爲了　神的敵人。
—例證：
*試想你的一位朋友與你割蓆而坐，並混入了那極度憎恨你，甚至要將你置諸死地的敵人當中，這種反目成仇的感覺，實在不好受。*

—比較：

*昔日亞當和夏娃正是與　神割蓆而坐，並隨從了撒但。撒但是　神的大敵，因此，亞當和夏娃隨從了撒但，就是與　神反目成仇了。*

展示那從樹上摘下來的樹枝

*當樹枝剛從樹上（就是它生命之源）摘下來的時候，它不會立時死亡，要經過數天才會枯乾。當枝上的綠葉乾涸發黃之時，我們便可知道它眞的枯死了。*
*亞當和夏娃也是這樣，他們背叛　神以後，肉體並沒有死亡的徵兆，他們仍可呼吸和走動。事實上，他們已經向　神死了，神按照祂自己的形像安置在人裡面的認知、愛和順服的心，已因著他們的背叛立時與神隔絕。他們已經與　神斷絕關係，成爲了　神的仇敵，他們的身體亦漸趨死亡，並要落在　神本爲撒但和他黨羽而設的永遠刑場之中。*

**H.與　神隔絕的徵兆**

以下是他們與　神隔絕的徵兆：
—首先，他們轉變了對自己身體的態度。
在他們尙未背叛　神以前，他們赤身露體也不覺得羞恥。
他們與　神隔絕以後，他們不再依從神的思想。
—他們心存歪念，他們轉變了對自己身體的態度。
—他們因著自己赤身露體而感到羞恥。
—繼而，他們要自給自足。
在他們尙未背叛　神以前，　神供應他們一切的需要。
現在，他們要爲自己預備一切。
—他們要以無花果的葉子蔽體。
—他們不再依靠　神的供應。
—他們要獨立生存。
—他們可能以爲只要遮蓋自己，　神就沒有辦法知道他們所作的事。

*建議視覺教材：*

—神斷不會以貌取人。
—思想：
*昔日，亞當和夏娃以爲只要遮掩自己便可以得著　神的接納。今天，很多人也抱有同樣的錯誤觀念，以爲神會因著他們的外表去接納他們，例如：*

*一成爲教會的會友*
*一作盡責的父母*
*一致力作良好公民*
*一成爲民生關懷組織及慈善機構的成員*

一撒上十六7說：「*…人是看外貌，耶和華是看內心。*」

一亞當和夏娃除了試圖遮掩自己的赤身露體以外，在 神要找他們的時候，他們還企圖躲避 神。

*建議視覺教材：*

圖畫第六號
「以無花果葉蔽體」

主題：神滿有慈愛、憐憫和恩典

一比較：

*你有沒有一些你很喜歡去探望的朋友？ 神愛亞當和夏娃，所以祂在一天結束以前去探望他們，要與他們閒談。*

*在他們與 神隔絕以前，他們很愛 神，切望與 神談話。可是，當他們違背了 神以後，他們躲避 神，他們經已改變了他們對 神的態度。他們因著違背了 神而不再是 神的朋友。 神起初創造他們之時，他們與 神心靈相通，可是，這已成爲過去，他們的心歸附了撒但。他們不能夠再去認識和了解 神，他們不再愛 神，卻已落在撒但的魔掌之中，成爲了撒但的附從。*

*他們因著違背了 神的命令而感到羞恥且沒有面目去迎見 神。*

一比較：

來二15

*當小朋友故意違背父母的命令時，他們會不會樂意地去接近他們的父母？他們可否理直氣壯地面對父母？就是他們與父母一起時，會不會感到快樂？*

罪——就是違背 神——帶來恐懼並使人離棄 神。

一神創造亞當和夏娃之時，他們一無所懼。
他們不曾畏懼世上任何事物。
神本是他們的朋友。
動物不會傷害他們。
世上一切盡都美好。
疾病和死亡尚未出現。

一我們產生恐懼是因著違背了 神。

自從亞當和夏娃違背了　神以後，人心便產生了極大的恐懼。
雖然我們都不願意談到恐懼，但它卻存在於我們各人的內心。
—我們所恐懼的東西包括：
　疾病
　死亡
　經濟崩潰
　敵人襲擊
　戰爭
—只要我們閱讀報章，便可知道我們的社會充滿了恐懼。
　我們的水眞的可以喝嗎?
　這些食物可以吃嗎?
　和平談判的結果如何?
　股市的走勢怎樣?
　個人的擔憂：
　我有沒有能力繳付下月的賬單?
　我的家人會不會患上癌症?
　我的兒女在遊樂場玩耍是否安全?
你曾否注意到起初　神創造亞當和夏娃之時，他們沒有這些恐懼呢?

主題：神是信實的，祂永不改變

—你認爲亞當和夏娃應否畏懼　神?
　他們不順從　神，神會懲罰他們嗎?
　神是否像一般的人，只會虛張聲勢而沒有實質?
—比較：
　*我們常常聽見危言聳聽，但最後卻不了了之的威嚇。*
　*政客們經常發出宣戰的威嚇，但他們並不會致力地付諸實行。*
—比較：
　*在個人層面而言，父母爲要阻嚇孩子們，常常警告說若他們再犯同樣的錯誤，便要懲罰。可是，下次孩子們再犯錯的時候，父母卻因爲太忙碌或太疲倦而沒有執行所定的懲罰。*
　*神是這樣的嗎? 路西弗和他的黨羽叛變之時，　神有沒有只是加以阻嚇了事? 沒有! 神言出必行，一般人卻出爾反爾。　神是信實的，祂絕不會收回成命。*
神有沒有向亞當和夏娃說明罪的後果?
—有，　神早已警告了他們!
—神向祂們彰顯祂的慈愛，亦著實告訴他們違背　神的後果。
—撒但沒有強迫他們犯罪，是他們選擇要犯罪。

約十四21

神本要亞當和夏娃如何去回應祂的命令?
一他們應當因愛服從　神。
一神已向他們申明背叛的懲罰，他們理應順從　神。
一雖然神向亞當和夏娃彰顯了祂的慈愛，另一方面也頒佈了警告，他們還是要違背　神。
這時，亞當和夏娃變得畏懼　神。
爲何亞當和夏娃不得不畏懼　神?

創二7
徒十七25

因爲他們違背了他們的創造主。
一他們本完全依靠　神的供應。
一神賜他們生氣，叫他們成爲活人。
一他們所有的，都是從　神而來，亞當卻刻意地違背神。
一神必懲罰凡違背祂命令的人。

主題：神是無所不在和無所不知的

詩一三九

亞當和夏娃可以逃避　神嗎?
不可以！神看見了亞當和夏娃躲在樹下。
人可以逃避　神嗎?
我們可以走到　神不存在的地方嗎?
不可以，因爲神是無所不在的！
一沒有人可以逃避神。
一神明察一切在光明中和在黑暗中的事。

閱讀:耶廿三23,24

一例證:
*人若要做他們心中認爲錯的事，總是要在沒有人看見的環境下進行，他們要在暗中行事。但　神明察萬事，沒有任何事情可以逃避　神的眼目。*
*神明察我們自出生以來的一切舉止言行。*

H.總結
在本課中，我們並不單是聽聞有關男人、女人和蛇的故事。
一那實在是人與　神隔絕的悲劇。
一亞當和夏娃因著犯罪以致他們與　神隔絕。
一正如神所命定的，他們立時與　神分離了。
我們在這史實中學習了一個要點，就是神從不說謊。
一祂的話就是眞理。
一祂言出必行。
神只說實話，撒但卻是騙子是兇手。
一撒但哄騙亞當和夏娃，雖然他深知他們吃了那果子後必定死，他卻瞞騙他們說吃了以後不會死。
一他說謊哄騙和誘惑亞當和夏娃，爲要使他們步入死亡。

當心！撒但至今仍匪性不移。
—他不會以童話中手持三頭叉和身穿紅衣的形像出現，因爲那形像實在太容易叫人辨認出來。
—他是騙子，是靈魂的敵人。
—他不擇手段施計謀使我們不聽　神的話語。
—他不希望我們聽從　神的話，他要我們因此與ㄞ咱遠地隔絕。

問題：
1.撒但哄騙夏娃之時，他有沒有與夏娃面對面地談話，好讓夏娃認出他的身份？
*沒有。*
2.撒但與夏娃對話時，他用甚麼去掩飾自己的身份？
*一條蛇。*
3.神吩咐亞當說，他吃分別善惡的知識樹果子的日子必定死，可是撒但卻對夏娃說他們不會死。撒但意圖要捏造說 神是甚麼？
*騙子。*
4.撒但對夏娃說吃了果子以後會怎樣？
*撒但說他們不但不會死，反會變成 神的樣式，更可以自行定斷是非。*
5.今天撒但會不會哄騙和作弄人？
*會。*
6.今天撒但以甚麼形式或途徑去對人說話？
*a.他和他的黨羽直接地在人的心中說話。*
*b.他藉著別人出口。*
7.撒但希望你聽聞和相信　神的話嗎？
*不。*
8.爲何撒但不希望人聽聞和相信　神的話？
*a.他憎恨　神。*
*b.他憎恨所有的人，並盼望他們全都落在永火的刑罰中。*
9.神說亞當和夏娃吃了分別善惡樹的果子後必定死，撒但卻說他們不會死。究竟誰說眞話？
*神。*
10.撒但是強而有力的。那麼亞當和夏娃的罪過可否全歸於撒但？
*不可以，因爲亞當和夏娃選擇了犯罪。　神已明確地囑咐了他們，並且　神因著愛他們，賜給他們選擇的權利，可是，他們卻選擇了犯罪。*
11.亞當和夏娃吃了分別善惡的知識樹的果子後並沒有應聲倒地而死，　神卻說明凡違背者必定死。那麼，神的實意爲何？
*a.他們要立時與　神（就是他們生命之源）隔絕，他們與　神之間的關係立告終止。*
*b.他們的身體亦要因著他們的背叛而漸趨死亡。*

*c.他們的身體、靈與魂要永遠地在火湖中與　神隔絕。*

12.亞當和夏娃發現自己原是赤身露體時，他們怎樣做？又他們爲何這樣做？

*他們以樹葉蔽體，因爲他們已改變了對自己身體的觀點，他們不再依靠　神的供應，而要自行滿足一己之需。*

13.當　神要找尋亞當和夏娃時，他們怎樣做？又他們爲何這樣做？

*他們因著不再喜歡與　神一起而躲藏起來，他們因著犯了罪的緣故而改變了對神的態度，他們不再是　神的朋友，他們感到羞恥和懼怕。*

14.人可以躲避　神嗎？

*不可以，因爲　神無處不在。*

# 第十一課　神的應許和咒詛

**參考經文**

羅五12-21，
八20-22
林前十五21，
22

**課前預備**

此段只供教師使用

左列的各參考經文有助於你準備這一課。但因經文帶出的眞理有些會在稍後課文中講授，故不宜於此立刻講解這些經文。

**請注意：若你沒有教授過本書課文，請詳讀書前『教師必讀』部份。**

經文：創三9-20

本課目的：

說明　神知曉一切；祂會審判一切的罪。

說明　神決不會容許撒但長久得勝，不會容許他引人墮入罪惡的深淵裡。祂會差遣拯救者來，爲人的緣故，擊敗撒但，拯救人脫離撒但的權勢。

說明犯罪帶來可怕和永久的後果。

說明人不能救自己脫離罪惡。

本課可幫助學生：

明白沒有人在犯罪以後可以逍遙法外。

明白神有擊敗撒但的方法。

明白世上一切的問題皆源於人類的罪惡。

教師的關點：

本課闡釋爲何現今的世界亂作一團。人常常要將自己和世界的問題全歸於　神，但創世記第三章清楚地道出眞正的原因：就是人的罪帶來了這一切的問題。

自亞當和夏娃犯罪以後，人類的基本態度絲毫沒有改變，他們將一己的罪行歸咎於　神和別人的身上去。就是心腸最硬的人看了這段經文也有同感。這段經文有如一面鏡子，讓我們看清楚我們若非在基督裡重生，我們的內心實在與亞當夏娃無異。

本課除了幫助同學們認識要對自己的行爲負責以外，還要讓他們曉得逃避　神並不能解決問題。人違背了　神以後，他們理當畏懼　神的忿怒，因此，在授課時，要不折不扣地指出罪行所帶來的嚴重後果。

爲要使同學們獲益更多，在講授　神的恩典和祂要差遣拯救者到世上來的應許時，請清晰地闡明：（１）人與慈愛的　神（就是他的創造者和擁有者）在起初時的友誼；（２）人叛逆　神和不順從　神的可怕；（３）罪帶來了恐怖和必將執行的刑罰。

今天很多人以爲他們配被原諒，是因爲他們對　神抱有錯誤的觀念，並沒有正確地認識　神。　神是聖潔公義的，祂命定犯罪者死。可是，神卻定意要賜下拯救者，這是　神賜予人類極大的恩典，遠超過我們所配得的。

**課文概覽**

**本課闡述亞當和夏娃犯罪以後所發生的事情，就是　神首次應許要賜下一位拯救者到世上來。**

本課亦將談及：

—神的全知：祂看見了亞當和夏娃。

—神的愛：祂呼叫亞當。

—神的聖潔：祂咒詛蛇、亞當、夏娃和全地。

—人的罪：世人都是亞當的後裔，因此眾人都要面對死亡。

—神的恩典：祂應許賜拯救者。

**視覺教材：**

在課文中的小型視覺教材。此教材展示亞當和他的後裔都要死。

## 授課要點

此課程特爲非信徒安排，故授課時務要奠定聖經基礎，以爲日後傳福音的根據。若你班上有信徒參與，則授課的目的是使他們明白信仰的根基，以致日後他們亦可運用同樣教材去教導未信的人 。

**課文信息要明確簡潔，切忌節外生枝！**

請注意這課程是有範圍和有主題的聖經研讀，並非徹底深入的聖經鑽研，亦非漫無邊際的小組討論。請依照主題帶領討論，以保持課程進度。切記緊依大綱，突出教義主旨。

課程編排形式：每一頁的中間部份是教授學生的內容，粗體字的標題只供教師參考，不需口誦，因爲標題內容會在接著的課文大綱提及。至於左右兩欄所列的經文是給教師作參考之用，不宜在課堂上詳授。

## 學生的教授內容
（中間部份）

**課文大綱：**

複習第十課問題。

A.序言

創世記教導我們很多有關　神的事。

一正如第一課所說，我們不單是閱讀聖經故事，而且要認識　神：

要認識祂是怎樣的　神。

要認識祂的作爲。

要認識祂如何處理人。

一讓我們細聽　神在亞當和夏娃犯罪以後的反應。

請首先緊記下列的前題：

一神按照自己的形像創造了他們，爲要彰顯自己的榮耀。

一他們都屬於　神。

一祂愛他們。

一祂供應他們一切的需要。

一祂已警告了他們，向他們說明了不順從　神的後果。

一他們卻選擇了不聽從　神的命令。

B.神呼喚亞當

主題：神與人對話

閱讀:創三9

神因著亞當和夏娃沒有主動地與祂談話，便呼喚：「亞當，你在那裡？」
—神為何呼喚亞當?
神不是早已知道他們躲在那兒嗎?
神不是無處不在的嗎?
神不是早已與他們一同在樹下嗎?
神不是時刻都曉得他們在那兒嗎?
—神當然曉得亞當和夏娃躲在那裡。
—那麼，　神為何呼喚亞當?
是因為　神雖然定意要因著亞當和夏娃的罪去懲罰他們，但　神仍然愛他們。

彼後三9

神依然給他們機會承認自己的過錯，就是他們聽從了撒但，沒有聽從　神。
神依然給他們機會承認　神所說的都是眞理。
神從不改變，今天，我們雖然不能像亞當一般清楚地聽見　神的呼喚，但祂照樣呼喚我們。
—神怎樣呼喚我們?
神藉著我們周遭的事物去呼喚我們。
—例證:
*神每天對我們說：「聽啊！我是萬有的創造主，我是眞　神，我知曉萬事，我是全能者。看啊！我為你所創造的一切，是因著我愛你。看啊！我為你預備的一切食物，是因著我愛你。看啊！我賜給你的生命，也是因著我愛你。來聽我，來尋我。」*
*當我們環顧世上的萬物，或舉目觀看浩瀚的星際，或思索這廣闊無邊的宇宙時，請記著　神在呼喚我們，祂盼望我們都聽見祂的輕微聲音。*

閱讀:詩十九1-3

—神呼喚我們，要我們認識祂。
我們因著千變萬化、美不勝收和宏峻浩瀚的創造，都要不其然地停下來思想探索:
—宇宙間必定有一位比人類更偉大、更富智慧和更具能力者。
—我們切望要認識祂!

羅一16,17

—神不單藉著祂的創造彰顯自己，祂更透過祂的話語呼喚我們。

來二3

聖經正是　神給我們的信息。
—還記得我們可以隨時隨地閱讀　神的說話是何等大的特權嗎?
那麼，漠視　神的話是何等可怕的作為啊!

所以我們都務要認識、明白和相信　神的說話。
還記得我們曾討論　神如何在歷世歷代準確無誤地向人類啓示眞理嗎?
神小心地保存了祂的信息，是要:
—叫我們這世代的人能認識祂。
—叫你們能認識祂。
—叫我能認識祂。

約十七3
腓三10

C.亞當和夏娃試圖躲避　神

主題: 神是無所不知的

閱讀:創三10

亞當和夏娃因著違背了　神的命令而懼怕　神。
—比較:
*小孩子若定意要做一些父母禁止他們去做的事情時，他們必在父母不在的時候去做。若他們聽見父母走近時，他們會試圖躲藏起來，因爲他們都害怕被父母抓個正著並因而受罰。當小孩子知道自己不順從父母時，他們都感到羞愧而不願接近父母。昔日亞當和夏娃正像違背了父母的孩子，因著自己的羞愧和害怕而躲避　神。*
亞當和夏娃是理應感到害怕的。
—他們深知自己的所作所爲。
—神早已告訴他們犯罪的後果，他們知道這後果必要應驗在他們身上。

D.神審問亞當

閱讀:創三11

神審問亞當和夏娃是要給他們悔改的機會，就是讓他們扭轉己意，向　神承認他們的過錯。
—神有審問亞當的權能，因爲　神是他的創造主。
神造了亞當以後，再從他的肋骨造了夏娃。
他們都屬於　神。
神創造他們，是要他們愛祂和順從祂，從而榮耀　神的名。
賽四十三7說: 「…是我爲自己的榮耀創造的，是我所作成、所造作的。」(註一)
—神賜生命給我們，也賜給所有的人。
—徒十七25說: 「…自己倒將生命、氣息、萬物賜給萬人。」
神是我們合法的擁有者。
昔日亞當和夏娃要因著他們所作的向　神負責，今天我們也要爲我們所行和所想的向　神交代。

註一:
教師只須引用從賽四十三7及徒十七25摘錄的經段，若引用整節經文只會使同學們感到混淆。

閱讀:來四13

—這節經文道出了亞當和夏娃的境況，亦說明了我們目前的光境。
神參透萬事。
我們要因著我們所作的事向　神交賬。

E.亞當和夏娃試圖推卸責任

主題: 人滿懷罪孳，不能自拔，需要　神的拯救
主題: 神是聖潔公義的，祂命定罪的代價就是死亡

閱讀:創三12,13

亞當責怪夏娃。
夏娃責怪蛇。
神卻早已通曉一切，沒有任何事情可以逃過　神的眼目。
—比較:
*人被揭發錯處時，都試圖將責任推卸到別人身上。有些時候，推卸責任的行徑甚至傷及無辜的人。*
*我們都像亞當和夏娃一般，常常試圖歸咎別人以求自己免於受罰，但　神卻知曉一切，祂絕不會容許我們這樣行。*
*人在犯錯以後，不論是男女老幼，都會設法推卸責任。在現今的社會中，犯了罪的人會不計資財地試圖洗脫自己的罪名。我們的社會因著一些不以公正為原則的律師和法官，加上不健全和不公正的法律制度，使許多罪犯得不到應有的制裁。有些時候，法律制度反使受害者遭受極大的損害。*
*神的公義絕非如此。雖然律師可以被收買，法官可以作出不智、模稜兩可和不誠實的判決，某些法例可能有不公正之嫌，但　神卻是永不改變的，那逃脫人的法網者，終不可以逃出　神的天網。　神定立了嚴峻和不變的制裁祂既是聖潔，又是公義的，祂參透萬事，並要一絲不苟地執行祂所定立的法規。*

F.神咒詛蛇

主題: 神是聖潔公義的，祂命定罪的代價就是死亡

閱讀:創三14

神因著蛇被撒但利用而咒詛牠。

—神沒有告訴我們蛇在牠被撒但利用以前是甚麼樣子的，但我們可知　神起初創造牠的時候，　神沒有叫牠用肚腹行走。

—神咒詛蛇，叫牠用肚腹行走，並要吃地上的塵土。

神曉得那本是撒但藉著蛇去引誘夏娃。

—神知曉撒但和牠黨羽的陰謀，並他們的心思意念。

—他們在　神面前無所遁形。

神必按撒但和他黨羽的一切惡行和他們陰謀叛變　神的罪懲罰他們。

弗二1,2

## G.女人後裔的應許

亞當和夏娃隨從撒但的引誘違背　神以後，他們便與神隔絕，落在撒但的魔掌中。

約十二31
林後四4

—他們不再是　神的兒女。

—他們反成爲了撒但的兒女。

撒但成了世界之王。

—當時，撒但以爲他已擊倒　神，以爲他可以完全地控制世界和世人。

—這是撒但朝思暮想要達到的目的。

但神是屹立不倒的，沒有人可以擊倒祂。

—神是全能的創造者。

神應許要賜一位拯救者來擊敗撒但，並要將人類從撒但的魔掌中救拔出來。（註二）

註二：
同學們對拯救者會產生很多疑問。首先，那些對基督已有初步認識的，便渴望談論基督的事。可是，請鼓勵未信的同學先複習以前所學的東西，並要讓他們知道你十分樂意在課後與他們談論耶穌的事蹟，但你在課堂上要依照主題講授。此外，亦可勸告同學們先要打穩信仰的根基。
不妨在課後跟一些你認爲可以詳談的同學進行個別討論，若他們對聖經已有相當認識，便可與他們仔細分析他們的見解和問題，並欣賞他們在課堂上呈現的興趣。但要讓他們知道本課程乃按歷史的進程講授，而班上某些同學對課程所述的歷史尚未有全面的概念，因此你必須在課堂上依照課本的編排授課，以免那些同學產生不必要的混淆。（續下頁）

賽七14
路一27

閱讀:創三15

—神計劃祂應許的拯救者將要藉童女所生。

聖經並不是說「他們」的後代

這段經文完全沒有提及男人。

—聖經說女人的後裔要傷蛇的「頭」，是指一個大而有力的強權將被粉碎。

那「頭」被壓傷的，必不能繼續生存。

但那「腳跟」被壓傷的，仍可保全牲命。

—解釋:

拯救者將要與撒但——就是世界的王並萬惡的主腦——爭戰，並要將他擊倒。撒但在角力時要傷害拯救者，卻不致將他擊倒。這位應許中的拯救者將要摧毀撒但，並將人從撒但的魔掌中救拔出來，讓人可以與　神破鏡重圓。

主題：神滿有慈愛、憐憫和恩典

我們已透過創世記第一和第二章對　神有更深入的認識。

—我們學會了:

神在萬物被造以前已經存在。

祂存活到永遠。
祂沒有起始。
—我們從　神的創造工程中學會了:
祂無所不能。
祂每時每刻無所不在。
祂無所不知。
祂滿有慈愛和仁慈。
—我們也曉得　神是聖潔公義的；凡反抗祂和違背祂命令者，祂定必懲罰。
—現在，我們更認識到祂是一位滿有恩惠和憐憫的　神。

閱讀:詩一四五8

恩惠和憐憫都是佳美的詞語。
有人曾說:
—「恩惠」就是將上好的東西賜給那有需要，卻本來不配得著者。
—「恩惠」就是　神的仁愛澆灌在那本來不配得著者。
—「憐憫」就是徹銷了本要施行在那罪有應得者身上的刑罰。
—闡釋:
*我們知道　神必要懲治罪惡，但在另一方面，　神卻因著祂的大愛，應允賜人類一位拯救者，透過　神特設的計劃，讓人類免於他們應得的懲罰。*
*神大可以讓亞當和夏娃受到死亡和永恆的刑罰，因為他們本是罪有應得的，　神卻應許要賜下一位拯救者。這位拯救者將要救拔他們和全人類脫離撒但的魔掌，並要把他們帶回　神那裡去。祂實在是滿有慈愛和恩典的　神。*
—例證:
*一位年青人不聽從父親的勸導，擅自駕駛他們家中的汽車，結果因為不能控制車子而致重傷。父親驚聞兒子的消息後，立刻趕到醫院探望兒子。兒子因為感到十分慚愧而沒有膽量正視父親，他更清楚地知道他理應受到父親的嚴厲責罵。*
*父親不但沒有傾怒於兒子，反而關注於兒子的需要。雖然父親明白兒子理應因著他的反叛而受到應得的責罰，但他對兒子十分仁慈，亦明白他在這時應當協助兒子康復。*
*父親沒有將兒子應得的懲罰加在兒子身上，反倒專注他的需要，這事件顯示了父親的恩慈。*
—比較?
*神比世上任何一位父親更疼愛和恩待祂的兒女，　神在起初創造亞當和夏娃的時候，已經供應他們一切的需要，　神根本沒有義務賜他們一切美好的事物，祂卻本著祂的愛和仁慈，將一切美好的都賜給他們。亞當和夏娃既然背叛了　神，便理應承受　神的忿怒，但　神卻作了甚麼裁決?祂有沒有立時把他們送到永*

（續上頁）同學們亦可能追問為何　神沒有在亞當和夏娃犯罪後立刻賜他們拯救者。　神沒有直接地在祂的話語中給我們答案，我們只要相信　神的計劃和時間是十全十美的。這對同學們來說可能不是最完滿的解答，但請鼓勵他們思想他們在課程中對神的認識、　神的主權和　神的全知等問題，提醒他們　神的智慧始終遠超人的智慧，並請他們專注於學習聖經的教導。（事實上很少人可以這樣做！）與其讓同學們問一些他們難以明瞭的問題，倒不如請他們專心認識　神和聖經上記載有關　神的作為。我們要經常對同學們的發問抱有謙和的態度，讓他們知道你很欣賞他們求問的精神和熱心的參與。

*遠的刑場去？沒有！因爲　神滿有憐憫和恩典，祂應允必要賜一位拯救者來救拔他們脫離他們理應承受的刑罰。*

—神的恩典和　神的憐憫正好與人的罪成爲強烈的對比。

神透過創造萬有彰顯祂的愛。

人雖背叛那位極愛人類的　神，然而祂仍向人施憐憫和恩典。

H.神咒詛女人

閱讀:創三16

神因著女人的背叛而命定:

—她和一切作母親的都要受到生產之苦。

—她的丈夫要管治她。

I.神咒詛男人和全地

閱讀:創三17-19

亞當沒有聽從　神的命令，反而糊塗地聽從了夏娃的說話。

—亞當清楚地知道　神的命令。

—但他卻隨從了夏娃的意思，沒有按　神的意思而行。

—撒但盡施詭計，爲要我們不聽從　神，反倒隨從他!

—比較:

*連我們的家人也可能叫我們以爲不需要相信　神。昔日撒但利用蛇去瞞騙夏娃，並叫夏娃誤導亞當去背叛神。他們清楚地知道　神的命令，可是，卻作了錯誤的決定。*

*我們要清楚地知道我們所信的是　神，並不是人。我們透過課文，學會了撒但喜歡透過人說出那娓娓動聽的謊話。*

*相信大家還記得我們在第一課論及聖經的權威。我們必須緊記　神將祂的話語賜給我們，是要我們去認識祂並知道甚麼才是對的，　神是一切眞理的絕對權威，沒有任何人的智慧能與　神的智慧相比。夏娃要知道撒但是否眞的比　神更有智慧，而亞當則要爲自己的生命籌算。他們犯罪的結果正好提醒我們要好好地研讀聖經，用心鑽研內中的話，並相信　神透過聖經向我們所說的一切話。*

亞當和夏娃聽從了撒但，落在他的網羅之中，以致違背了　神，　神就立時咒詛全地。

—比較:

—在他犯罪以前，亞當可以管理園子。

亞當不需要付出很大的勞力，萬物也自然地生長。

那時沒有雜草，也沒有害蟲。

—可是，在亞當犯罪以後，　神便咒詛全地。

地上長出雜草。

這些雜草迫使亞當更辛勤地工作。
罪不但影響了亞當和夏娃，甚至影響了　神賜給他們美麗的園子。

事實上，世上一切的醜惡都根源於違背　神。
—撒但和他的黨羽違背　神，現今仍遍行全地。
—人違背　神以後，禍延　神的一切創造。

為何人的罪禍延萬有?
—神為人創造了全地。
神愛人，因此祂供應了人一切的需要。
神愛人，因此祂不單創造了足夠的東西，更創造了美麗和豐富的萬有。
—人卻拒絕了　神對他的厚愛。
—此舉的後果，就是人要生存在一個不完全的環境中。

我們今天仍然生存在那被咒詛的環境中。
—我們要時常面對疾病、痛苦、軟弱、生產之痛、勞碌工作、惡劣天氣、害蟲、雜草、憂傷、悲痛和死亡。
—這些東西在亞當和夏娃犯罪以前並未出現。
神賜他們一個完美的居所，並盼望他們可以永遠與祂和諧共處。
可是，人選擇了背叛　神，他們的背叛帶來了災難性的後果，以致我們今天都要承受這些罪的後果。

按著　神的審判，亞當的肉體必要死亡。
—神從塵土中造出亞當。
—亞當犯罪以後，　神裁定了亞當的肉體必要死亡，並要歸回塵土之中。

神創造亞當和夏娃之時沒有想要他們死亡。
—可是，亞當和夏娃因著違背　神的緣故而要面臨一死。
—罪的懲罰就是死亡——
不單是肉體的死亡。
而是從今直到永遠地落在火湖的刑場中，永遠地與神隔絕。

## J.亞當和夏娃是全人類的始祖

閱讀:創三20

人類雖然膚色有別，但我們都源於同一的始祖，就是亞當和夏娃。（註三）

使徒行傳十七26說明　神「*從一本造出萬族的人。*」
—夏娃是第一個女人，她是萬族之母。
—亞當是萬邦之父。

亞當因著違背　神以致與　神隔絕。
—亞當的罪破滅了他與　神的關係，並破壞了　神賜給他這完美的大地。

註三:
這是一個重點。若某些同學嘗試辯論這事實，請萬勿與他們爭論，只要指引他們在徒十七26中找出眞理。

—亞當的罪孽帶來了連鎖性的惡果。
亞當因著罪的緣故而死，他的後代都要因著罪的緣故而死。

*建議視覺教材:*

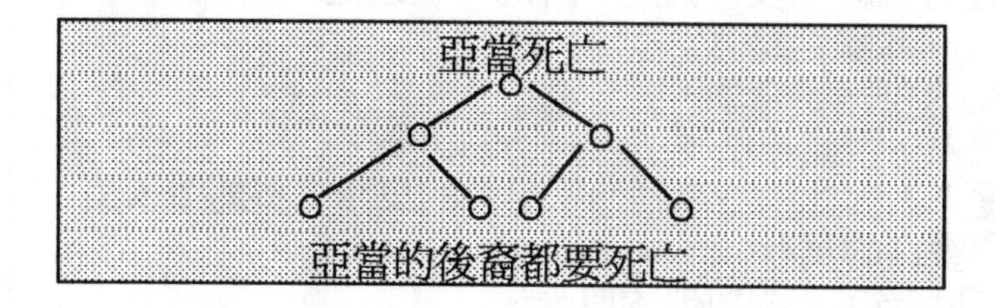


**閱讀:羅五12**

無論在世上任何一個國家的人都要面臨死亡，因爲萬民都是亞當的後裔。

K.結論
撒但沒有威迫他們犯罪。
—亞當和夏娃知道　神的命令。
—但他們仍要背叛　神。
試想　神對亞當和夏娃所施出的大愛。
—神創造了一切美好、美麗和合用的東西給他們享用。
—神創造了他們，並賜他們生命。
—神是愛他們的創造主，　神與他們談話，並告訴他們需要知道的一切。
試想在慈愛和聖潔的　神面前，他們和我們的罪是何等的可怖。
神卻因著祂的恩典應許要賜下拯救者!
神的愛是何等的奇妙!
活在　神的厚愛中仍要犯罪的人是何等的可憐呵!
罪帶來了可怕的惡果。
—我們每天都生活在這些惡果之中。
—我們從聖經中認識了一切憂患的起源。
—我們也認識了一位聖潔和公義的　神，祂所作的盡都公正、眞確和完美。
我們將在下一課討論　神如何恩待了亞當和夏娃。

問題:
1.神是不是因爲不曉得亞當和夏娃在那裡而呼叫他們?
*不是。　神曉得他們在那裡，　神是要他們自動上前來承認自己的罪。*
2.人可以躲避　神嗎?
*不可以。我們無論到那裡去，　神都時常明察我們。*
3.神爲何有權呼喚並審問亞當?

*a.神是亞當的創造主。*
*b.亞當和夏娃都屬於　神。*
*c.神創造亞當，是要亞當愛服從祂。*
4.神為何有權要求人服從祂?
*因為　神賜人生命。*
5.神如何咒詛蛇?
*蛇從那時起要用肚腹走路。*
6.撒但和他的黨羽可能向　神隱藏甚麼?
*他們不能向　神隱藏任何的事，因為　神參透他們的心思意念。*
7.神應許要差遣誰到世上來?
*神應許要差遣一位拯救者。*
8.拯救者要從何途徑降臨世上?
*透過女人的後裔。*
9.神說明了那位藉童女而生的兒子要作何事?
*祂要戰勝撒但，將人類從死亡和撒但的魔掌中拯救出來。*
10.神為何應許要賜一位拯救者給人類?
*因為神愛世人。*
11.亞當和夏娃配不配接受　神的愛和　神要賜下拯救者的應許?
*不配，他們理應被送到永遠的刑場中。*
12.你會如何向人解釋何謂恩典?
*恩典就是施予人所需要的而非他所應得的。*
13.我們為何沒有在第一課討論　神的創造時談及　神的恩典?
*人在犯罪以前並不需要恩典和憐憫，這是　神對人犯罪的回應。*
14.試就下列命題，比較亞當和夏娃在犯罪前後的處境。
a.他們與　神的關係。
*他們本是　神的朋友，現在成為　神的敵人；他們本受　神的管理，現在他們被撒但操縱；他們本可永遠地與　神生活，現在他們要在永遠的火湖中與　神隔絕。*
b.他們彼此間的關係。
*夏娃本是亞當的助手，與亞當一起管理全地；現在亞當要管治她。*
c.他們的日常生活和健康。
*亞當本可輕省地工作，現在卻因為雜草和害蟲滋生，使他難於耕作；亞當和夏娃本來沒有疼痛，現在夏娃要承受生產之痛，他們都要面對疾病和死亡的痛苦。*
15.今天世上有何事物證明　神對亞當和夏娃的咒詛仍然存在?
*疾病、憂患、生產之痛、死亡、勞碌工作、荊棘和野草、旱災、暴風、毒草、和害蟲等都是　神的咒詛。*
16.誰是人類的始祖?
*亞當和夏娃。*
17.為何人人都有一死?
*因為亞當違背了　神，亞當的後裔都要面對死亡。*

# *第十二課　神的供應和審判；*
# *該隱與亞伯之生*

參考經文

課前預備

此段只供教師使用

左列的各參考經文有助於你準備這一課。但因經文帶出的眞理有些會在稍後課文中講授，故不宜於此立刻講解這些經文。

請注意：若你沒有教授過本書課文，請詳讀書前『教師必讀』部份。

經文：創三21-24；四1-2

本課目的：

說明　神知曉一切；祂會審判所有的罪。
說明人不能救自己脫離罪惡。
說明只有　神才有辦法使人可蒙悅納。
說明亞當的罪遺傳到萬代。

本課可幫助學生：

明白他們是罪人。
明白「法網難逃」。
明白他們不能以任何作爲討 神的悅納。

教師的觀點：

本課介紹一些已被社會弄到模糊不清或被完全反了的基本觀念。可悲的是那些反對者當中竟有自稱爲基督徒者，他們正像保羅說的選擇了「別的福音」（加一6）

首先，聖經淸楚地說明了神要宰殺動物來代替亞當和夏娃贖罪。雖然動物的血本身不能贖罪，但自從當時起至基督的死，　神接受動物的血作爲一種象徵或一幅圖畫，去說明罪所帶來的刑罰。羅六23說：「*罪的工價乃是死…*」，來九22說：「*…若不流血，罪就不得赦免。*」

再者，聖經說明人不能按自己的辦法來到　神的面前，反之，人必須依照　神的定規來親近　神。就如昔日神沒有接納亞當和夏娃按他們自己的辦法，用樹葉製成的衣服，同樣地，　神也不會接納我們憑我們自己的辦法來取悅　神的企圖。

一些假宗教正是因爲拒絕或歪曲了這兩個原則而產生，人企圖去隨從一個淡忘犯罪者死的宗教，人企圖要按自己的辦法去處理罪的問題。罪是何等的僞善！人心是何等的虛妄！我們的敵人是何等的詭詐！

撒但只要驅使我們滿以爲自己虔誠，內心卻失去了神的眞理；這樣，我們便要與　神和永生隔絕，而撒但的這個陰謀亦已得逞。人若滿以爲自己十分虔誠，他便不會竭力去追尋認識　神。

課文概覽

**本課強調　神的聖潔和祂的恩典。我們將透過本課認識人類首次獻上流血的祭，並神如何以恩典覆庇亞當和夏娃。　神要讓人明白他們沒有能力去救拔自己，並藉著實例介紹那位將要來的拯救者。**

重點：

—神沒有接納亞當和夏娃用樹葉製成的衣服。
—神用獸皮爲他們製造衣服。
—神將亞當和夏娃趕離了園子，並封鎖了入口，不許他們返回園子裡。
—神是生命的源頭。
—該隱和亞伯生於園子之外，他們生下來就是罪人。
—亞當的所有後裔生下來都是罪人，他們都要與神隔絕。

約九41記載了耶穌向法利賽人所說的一番話：「*你限若瞎了眼，就沒有罪了；但如今你們說：我們能看見，所以你們的罪還在。*」

本課將要敘述人類首次獻上流血的祭，並要說明　神只悅納那些依照祂的定規去到祂面前的人。

很多宗教團體認為這是「狹窄」的教導。耶穌豈不是也曾提出「窄門」的觀念嗎？太七13—14記載了耶穌的話說：「*你們要進窄門，因為引到滅亡、那門是寬的，路是大的，進去的人也多；引到永生、那門是窄的，路是小的，找著的人也少。*」

讓我們都忠心地協助同學們認識並找著那窄門！本課帶出的眞理正是日後要談及有關窄門眞理的根基。

視覺教材：

圖畫第七號「亞當和夏娃被逐出樂園」

圖表

在課文中的視覺教材。此教材展示亞當和他的後裔都是罪人，並展示亞當和他的後裔都要與　神隔絕（這圖表可在課堂上製作）。

## 授課要點

此課程特為非信徒安排，故授課時務要奠定聖經基礎，以為日後傳福音的根據。若你班上有信徒參與，則授課的目的是使他們明白信仰的根基，以致日後他們亦可運用同樣教材去教導未信的人。

**課文信息要明確簡潔，切忌節外生枝！**

請注意這課程是有範圍和有主題的聖經研讀，並非徹底深入的聖經鑽研，亦非漫無邊際的小組討論。請依照主題帶領討論，以保持課程進度。切記緊依大綱，突出教義主旨。

課程編排形式：每一頁的中間部份是教授學生的內容，**粗體字的標題**只供教師參考，不需口誦，因為標題內容會在接著的課文大綱提及。至於左右兩欄所列的經文是給教師作參考之用，不宜在課堂上詳授。

## 學生的教授內容
（中間部份）

課文大綱：

複習第十一課問題。

A.序言

歷史學的學生會告訴我們過往的歷史可以引為鑑戒，亦可以幫助我們更加明瞭今天的處境。

聖經是眞確的歷史記載。

記載在創三的史實對全人類（就是時至今天，包括了你我）也有著深遠的影響。
神將這事記載在祂的話語中，好讓我們閱讀並理解其中的眞義。
神將這事告訴我們，是要我們認識祂。
當我們繼續閱讀之時，讓我們留意　神在這歷史性的時刻所作的事。

B.神不接納亞當和夏娃自製的衣服

主題：人滿懷罪孳，不能自拔，需要　神的拯救
主題：人只可依照　神的旨意和計劃來到祂的跟前

閱讀:創三21

讓我們重溫亞當和夏娃如何遮蓋他們赤身露體的羞恥。

閱讀:創三７

賽六十四６
弗二8,9

一他們用樹葉蔽體。
一他們因著違背了　神而害怕　神看見他們赤身露體。
可是，　神沒有接納他們爲自己編造的衣服。
一爲甚麼?
神要叫他們曉得他們斷不可以憑著自己的方法去博取神的悅納。
神絕不會接受任何從人意做成的事。
神只會接納一切按祂旨意而作的事。
沒有人可以按自己的方法去博取　神的接納。
今天，很多人也企圖用自己的工作去博取　神的接納，他們都犯了昔日亞當和夏娃所犯的錯誤，就是企圖憑自己的方法去「遮掩」他們的罪。
一例證:
*有些人以爲到教會去或多作善事可以抵償他們的過犯。*
*相信各位都可以舉出不少這些「自食其力」的贖罪例子。　神斷不會接納人爲自己贖罪的努力，祂一眼就看穿了。我們要知道應當怎樣行才可以蒙　神的接納，倘若我們只按自己的意願去行，無論我們所作的是看來何等有心思、何等虔誠或何等昂貴，神都絕不會接納，因爲我們所作的這一切，都不能滿足　神的要求，都不能遮掩我們的罪惡，更不能使我們免受永遠的刑罰。*

C.神宰殺動物

主題：神是聖潔公義的，祂命定罪的代價就是死亡

罪帶來了世上的首宗死亡事件。
—神宰殺動物。
動物流血。
神繼而取了動物的皮。
—神親自宰殺了動物，並取了牠們的皮，亞當和夏娃並沒有這樣做。
—神要向亞當和夏娃說明凡不順從　神的，都要將死亡帶到世上。（註一）

D.神爲亞當和夏娃預備了衣服

主題：神滿有慈愛、憐憫和恩典

神爲何宰殺動物?
爲滿懷罪孽的亞當和夏娃預備衣服。
—神宰殺動物以後，取了牠們的皮，爲他們預備衣服。
—雖然亞當和夏娃不配　神的恩典，但　神仍爲他們預備。
只有　神可以爲他們製造合祂心意的衣服。

E. 神爲亞當和夏娃披上皮衣
神爲亞當和夏娃披上皮衣
—神爲他們造了衣服後，沒有吩咐他們穿上。
—神親自將衣服披在他們身上。

F.神將亞當和夏娃逐出樂園，叫他們遠離生命樹

主題：神是聖潔公義的，祂命定罪的代價就是死亡

閱讀:創三22,23

這是聖父、聖子和聖靈說的。
—祂們是說亞當和夏娃。
—起初　神創造亞當和夏娃之時，他們不曉得分別善惡。
—他們只知道何謂善。
神賜他們的一切盡都美好。
神吩咐他們所作的一切盡都美好。
—但他們違背了他們的創造主以後，他們發覺萬物並不是盡都美好。（註二）
夏娃誤信了撒但的謠言，以爲分別善惡的知識樹上的果子好作食物。
可是，當亞當和夏娃吃了果子以後:

註一：
神在這裡要顯示賽六十一10所說的救恩：「*…因祂以拯救爲衣給我穿上，以公義爲袍給我披上…*」我們將在稍後引用這史實去說明代罪和因信基督而稱義的道理，切勿過早向同學們講述救恩，只要說明　神不喜悅亞當和夏娃自己造的衣服，　神卻爲他們預備了衣服。並且我們不可能靠外表去討　神的喜悅。我們在目前要致力立穩根基及奠定屬靈的原則，我們將在日後講述福音之時重用這例子。

註二：
有人會懷疑說：「既然神創造萬物都是美好的，那麼爲何還有壞東西存在？」你可以再次說明撒但選擇了違背　神，他的本性是邪惡的。

—他們的內心充滿了羞愧和恐懼。
—他們現在曉得並非一切都是美好的，因爲壞的東西也同樣地存在。
亞當和夏娃本應順從　神。
—神可以分辨是非。
—亞當和夏娃本可等候　神告訴他們何謂善惡而用不著自己去找尋答案。
神賜他們一切美好的食物，甚至給他們機會去吃生命樹上的果子。
可是，他們選擇了違背　神，去吃　神吩咐他們不吃的果子，就是分別善惡的知識樹上的果子。
神因爲他們違背了祂的命令而不再容許他們吃生命樹上的果子。
—思想：
*創三22說明神把他們逐出了樂園，是爲了不容許他們吃生命樹上的果子，免得他們吃了以後肉體不死。*
*這實在是　神的憐憫。*
*—神不希望他們永遠地活著作罪人（試想倘若自古的惡人到今天還沒有死，那麼現在的世界會變成甚麼樣子？）*
*—神把人逐了出園子，是要罪順理成章地付上罪的代價，就是死亡。*
他們既然與　神隔絕，他們的肉體亦必死亡。
因此　神將你和我的始祖，就是亞當和夏娃，逐出了樂園，要他們遠離生命樹。

主題：神是至尊而掌權的

—神曾經將他們安置在園中，讓他們可以吃生命樹上的果子。
—可是他們既犯了罪，　神便要將他們逐出園子，叫他們面對死亡。
—比較：
*撒但犯罪以後，　神廢黜了他在天上的職份。同樣地，神因著憎惡罪孽而將亞當和夏娃逐出樂園*
神沒有徵求任何人的意見要怎樣做，因爲祂正是萬有的至高者。
—沒有人何以敵擋　神，更沒有人能勝過　神。
—我們不可能欺哄或瞞騙祂。
神憎恨一切違背祂命令的人，更絕對不會容許任何反叛的人與祂一起。

G.神差遣天使和火劍把守生命樹

主題：人滿懷罪孽，不能自拔，需要　神的拯救

閱讀:創三24

*建議視覺教材：*

第七圖
「亞當和夏娃被逐出樂園」

神差派了撒拉弗（就是神得力的天使）並設置了一把可四面攻擊的火劍在伊甸園的東面，以免亞當和夏娃重返園裡去吃生命樹上的果子。

—他們若試圖重返園子，守園的天使必然看見他們，而他們也必死在劍下。

—他們束手無策。（註三）

—神把他們逐出園子以後，他們在園子中的生活即告一段落。

—他們絕不可能重返生命樹下。

他們要面對衰老和死亡。

註三：
當講述人被逐出樂園時，請著重地說明他們絕不可能重返園子裡。我們要透過　神的話教導學生，讓他們知道若不是　神開闢生路，我們只有等候永遠的刑罰，再沒有其他的途徑可以重返　神的面前。

H.神是生命的源頭

主題：神是至尊和掌權的

閱讀:創四1

詩一百3
徒十七25

夏娃這番話表明了她曉得　神是一切生命的源頭。

—神在塵土中造中亞當，並向他吹氣，使他成爲活人。

—神從亞當的肋骨中造出了夏娃。

—神賜生命給每一個人。

—神賜你生命。

—詩一百3說：「*你們當曉得耶和華是　神，我們是祂造的，也是屬祂的…*」

展示在圖表上「該隱和亞伯」的名字

I.該隱和亞伯都在園子外出生

主題：人滿懷罪孳，不能自拔，需要　神的拯救

閱讀:創四2

神因著亞當和夏娃犯了罪，就把他們逐出了園子，叫他們遠離生命樹。

—因爲亞當在園子外，因此他的兒子該隱和亞伯都在園子以外出生，他們都遠離了生命樹。

—因爲亞當是罪人，因此該隱和亞伯生下來就是罪人。

亞當若沒有犯罪，該隱和亞伯生下來便可以認識　神、愛　神和順從　神。
可是，他們一生下便要落在撒但的魔掌裡。
起初　神創造亞當和夏娃時，他們在　神眼中是美好的，　神愛他們並接納他們。
—若他們服從　神，他們本可永遠生活在伊甸園中，享受生命樹上的果子。
—他們的兒女本可生來就是完全的，並可以在園中生活。
—他們本可愛　神，也可以蒙　神的接納。
可是，因爲亞當犯了罪，吃了禁果，以致該隱和亞伯生下來便是罪人，他們都要與　神隔絕，活在園子以外，並要遠離生命樹。
亞當不單是該隱和亞伯的父親，更是全人類的始祖。
—他是你的先祖。
—他是我的先祖。
—他是全人類的始祖。（羅五12）
亞當因著背叛神而與　神隔絕，因此，全人類生下來就是罪人，都要與　神隔絕，並且成了撒但的兒女。

*建議視覺教材：*

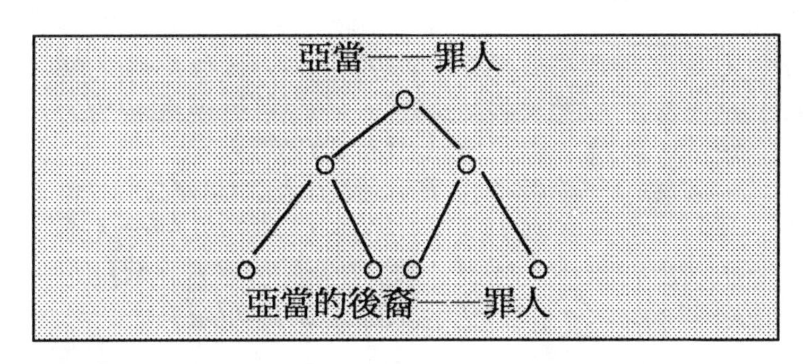


—解釋：

*我們都不希望生下來就有罪，但請細想一些小孩子的行爲，你有沒有見過一個毫不自私的小孩？沒有。我們都教導小孩子要懂得與人分享並關心別人。小孩子不是生下來就有順服的天性，都要我們教導他們。你有沒有見過一個小孩在懂得說「不」以前曉得說「是」的呢？你有沒有見過一個小孩曉得完全依照父母的話而行的呢？沒有。小孩子在某程度上都是自我中心的，他們都需要經過教導後才曉得聽從父母和順從神。*

*我們的遺傳和四周的環境對我們的成長有很大的影響，我們遺傳了父母的特徵，而我們的父母也是遺傳了他們父母的特徵，如此類推，最後遠推至亞當爲止。（徒十七26）我們除了承受了先祖的基因、行爲和文化特徵外，更承受了犯罪的特性，因爲我們都是罪人的後裔。罪的淵源可以一直追朔到人類的始祖亞當身上。*

神賜人生命，可是，我們生下來並不是　神的朋友，都不可以與　神契合。

*建議視覺教材：*

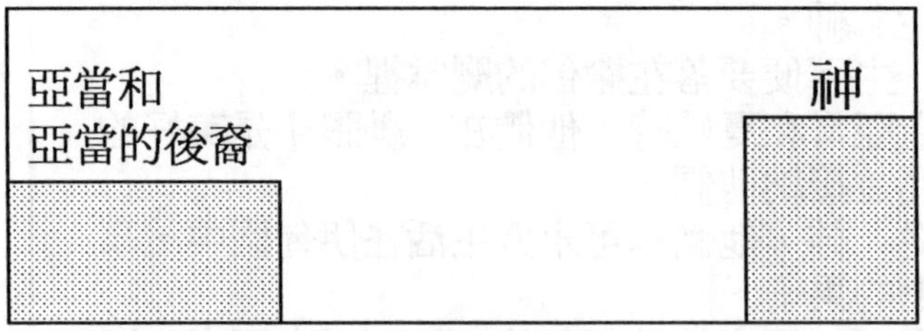

—撒但在我們的生命中取代了　神的地位，成爲了我們的屬靈父親。

這是甚麼意思？

這就是說我們都像該隱和亞伯一般，生下來都不曉得認識　神、愛　神和順從　神。

我們都生在撒但的魔掌之中。

—我們務要承認我們生來有罪。

—我們和所有的人生下來就與　神隔絕，都是撒但的兒女。

代上廿九11
伯四十一11
詩篇

雖然我們生來是罪人，但我們卻要緊記　神賜我們生命。

—神是生命的源頭。

—神擁有一切的生命。

—祂創了萬民和萬有。

—比較：

*有些人認爲我們「全都是　神的兒女」，這是令人快慰、討人喜悅和聽來敬虔的話。他們都不經意地相信了這假設，以爲　神不會永遠撇棄他們。*

*可是，這樣的假設並不合乎聖經的說法。當然，　神創了我們，但正如我們剛才所說，亞當的罪把全人類都關在撒但的家中，因此，我們再不可能生下來就是神的兒女，反之，我們生下來都是撒但的兒女。*

J.結論

聖經記載的都是眞確的歷史事實。

—亞當和夏娃乃眞有其人，我們都是他們的後裔。

—神在新約也提及他們的名字。

—亞當和夏娃的罪影響著我們每一個人。

神寫了這些給我們，是要我們認識祂。

主題：神無所不在，祂洞悉萬有

神從來沒有改變，祂知曉我們所作的一切。

—人沒有可以逃避　神的地方。

—人不可能欺哄或詐騙　神。

—神不受光和暗所限制。

—神時刻鑑察我們。

—祂曉得我們一切的心思意念。

我們將在下一課討論　神如何對待亞當和夏娃的兒女。

問題:

1.神爲何拒絕了亞當和夏娃自製的衣服?
*因爲　神要亞當和夏娃知道他們不能按自己的辦法來討　神的喜悅。*

2.人可不可以靠美好的衣裝或行爲取得　神的接納?
*不可以。*

3.請舉例說明人如何按自己的辦法來博取　神的接納。

4.神會不會接納以上所舉的例子?
*不會。*

5.只有誰有辦法叫亞當和夏娃獲得　神的接納?
*神。*

6.神爲何宰殺動物來爲亞當和夏娃預備衣服?
*因爲　神要提醒他們罪的刑罰就是死亡。*

7.神爲何替他們預備衣服?
*雖然他們犯了罪，但　神仍然愛他們，　神更要他們知道只有順從　神才可以取得　神的接納。*

8.亞當和夏娃吃了分別善惡知識樹的果子以後，他們在那方面與　神相似?
*他們曉得何謂善和惡。*

9.神爲何驅逐他們離開伊甸園?
*神要使他們不可能再吃生命樹上的果子，好叫他們不致永遠地活在罪孽之中。*

10.神用了甚麼方法使他們不得重返園中?
*神差遣了天使撒拉弗和放置了可以四面攻擊的火劍來把守園子。*

11.人可不可能欺哄或詐騙　神?
*不可能。*

12.誰賜人生命?
*神。*

13.該隱和亞伯生在何處?
*在伊甸園以外。*

14.爲何該隱和亞伯生來就是罪人，要與　神隔絕?
*因爲他們的父親亞當是罪人。*

15.爲何我們生來就是罪人，要與　神隔絕?
*因爲亞當是我們的始祖。*

# 第十三課　神拒絕了該隱和他的祭物，卻悅納了亞伯和他的祭物

參考經文

課前預備

此段只供教師使用

左列的各參考經文有助於你準備這一課。但因經文帶出的眞理有些會在稍後課文中講授，故不宜於此立刻講解這些經文。

**請注意：若你沒有教授過本書課文，請詳讀書前『教師必讀』部份。**

經文：創四3-16,25

本課目的：

說明亞當的罪遺傳到萬代。

說明人只可以按照　神的方法來到　神的面前。

說明人非因信不能討　神的喜悅且不能得著拯救。

說明　神使用了塞特代替亞伯，繼承了人類族系的主流，並保持了賜拯救者的應許。

本課可幫助學生：

明白我們都是罪人。

明白我們不能自拔。

明白他們需要憑信心按照　神的方法到　神的面前。

明白罪的工價就是死。

教師的觀點：

自古以來，人就不願意承認　神的存在和罪的嚴重性。今天，社會的衰敗和淪落日見嚴重。昔日，就是非信徒也懂得遵守明確的道德標準，可是到了今天，這些標準已變得模稜兩可，叫人無所適從，以致罪人得以橫行無忌地犯上滔天大罪。「想做就做」的觀念竟成了現今的主導標準。

但　神沒有改變，祂的標準一字千金，罪的刑罰仍是死亡，　神永遠都是聖潔的。

該隱的生命正好反映了人背逆　神以後的可怕惡果，他拒絕了　神給他悔改的機會，反倒殺了他的兄弟，以致他在地上的生命和永遠的生命都要與　神隔絕。

該隱和亞伯的故事是一則典型的史實，同類型的事件在我們的社會中更是司空見慣，不少人與　神背道而馳，以致傷害、哄騙、盜取、甚至殺害了他們周圍的人。

當有人成爲罪案的受害者，或有人風聞罪案時，他們會問：「爲何　神容許這樣的事情發生？」這疑問可能是在自然反應下產生的，可是，這也是錯誤的質疑。

就如一位母親囑咐她六歲的兒子不要欺負仍是嬰孩的幼妹，可是，那兒子轉頭來出手打妹妹。那麼，你會不會質問：「爲何那位母親讓他的兒子打妹妹？」當然不會，問題應當是：「爲何兒子不聽母親的命令？」

課文概覽

**本課說明亞伯因著憑信心和依照　神的心意到祂面前而得蒙神的悅納。反之，該隱卻因著要用自己的方法親近　神而被　神拒絕。**

神命定罪的刑罰就是死，爲要彰顯祂的聖潔。

神爲罪人開闢了一條可以重返祂面前的道路，並與忿怒的該隱剖析事實，是爲要彰顯祂的恩典和憐憫。

神審判該隱殺害了他兄弟的罪。

該隱的後裔都是屬世的。

神興起塞特代替亞伯，繼續了拯救者的族系。

神早已指示該隱，叫他明白應作的事，並且在該隱違背了祂的時候，　神仍然懷著恩典向他解釋為何他不被　神接納。可是，該隱與　神的話背道而馳，甚至出去殺了他的兄弟。

這正是我們不斷遇上的問題，新聞經常報道各種的罪案和惡行，這並不表示　神理應制止這些事情發生，而是人應當相信並順服　神。

罪惡一旦蔓延便十分可怕了，羅五12說：「這就如罪是從一人入了世界，死又是從罪來的，於是死就臨到眾人，因為世人都犯了罪。」須知道人該對自己的所作所為負上全部的責任，不應歸咎於　神。

神恨惡罪惡。人有權選擇是否要相信並服從　神，人卻要對自己的決定負上責任。那麼，罪惡就不是　神的過錯，人亦毫無辦法彌補自己的過犯。這是現今的人所忽視的眞理，因此，請加以講授。　神應許說：「在我打發他去成就的事上必然亨通。」（賽五十五11）

視覺教材：

圖畫第八號「該隱和亞伯向　神獻祭」
圖畫第九號「該隱殺亞伯」
應用曾在第七課和第十課中使用的樹枝
圖表

## 授課要點

此課程特為非信徒安排，故授課時務要奠定聖經基礎，以為日後傳福音的根據。若你班上有信徒參與，則授課的目的是使他們明白信仰的根基，以致日後他們亦可運用同樣教材去教導未信的人。

課文信息要明確簡潔，切忌節外生枝！

請注意這課程是有範圍和有主題的聖經研讀，並非徹底深入的聖經鑽研，亦非漫無邊際的小組討論。請依照主題帶領討論，以保持課程進度。切記緊依大綱，突出教義主旨。

課程編排形式：每一頁的中間部份是教授學生的內容，粗體字的標題只供教師參考，不需口誦，因為標題內容會在接著的課文大綱提及。至於左右兩欄所列的經文是給教師作參考之用，不宜在課堂上詳授。

## 學生的教授內容
（中間部份）

課文大綱：
複習第十二課問題。

A.序言

罪有何嚴重性？（註一）
若有人拒絕相信　神，決心不聽從祂，這人將會如何？

註一：
請不用費時討論這些問題，只要依照課程的進度授課。這問題的目的在於啓發同學們思想有關罪的問題。

注意：此類問題不宜在小組中發問，避免學生感受務要作答的壓力。

—你可否說：「那是他個人的意願，就隨他這樣做吧」？
—人的罪會不會影響其他的人?

人有甚麼方法來解決他的罪所帶來的問題?
人可否用自己的方法來到　神的面前?
神會否因著我們所付出的努力而接納我們?
當我們研讀亞當和夏娃的兒子該隱與亞伯的事蹟時，請留心看　神對這些問題的回應。

B.　神曉喻他們當如何敬拜　神

主題：人滿懷罪孳，不能自拔，需要　神的拯救

亞當、夏娃、該隱和亞伯都不能靠自己的方法來到　神的面前。
—神厭惡罪，而他們正是罪人。
—他們與　神隔絕。
—罪的代價就是死亡。
—他們不能爲自己的罪付上贖價而代替死亡的刑罰。

主題：神是至尊而掌權的
主題：神滿有慈愛、憐憫和恩典
主題：人只可依照　神的旨意和計劃來親近祂

神設立了讓人可以重返祂跟前的計劃。
—這並不是人的計劃。
—這是　神精心的設計。
—除了　神以外，再沒有人能夠爲人類開闢這條生路。　約三16

主題：　神與人對話

神必曾曉喻亞當和夏娃怎樣才可以返回祂的面前。
亞當和夏娃亦定必告訴該隱和亞伯那返回　神面前的途徑。
我們可以從聖經中找到充足的理由相信　神曾曉喻亞當和夏娃，而該隱和亞伯也應當知曉此事。
我們將於稍後更深入地探討這個問題。

主題：神是聖潔公義的，祂命定罪的代價就是死亡

這是　神曉喻他們應作之事：
—他們必須獻上羊羔作爲祭物才可以來到　神的面前。

利十七11
來九22下
來九24
結十八4
羅六23上

一他們要以特定的方式去宰殺羊羔，讓血可以流出來。
既然動物的血不能贖還他們的罪價，那麼 神爲何要他們宰殺羊羔?
一因爲 神要他們緊記罪的代價就是死亡。
一 神要他們緊記，若不是 神拯救他們，他們定必落在永遠的刑場中。
一他們若承認自己是罪人，並且只有 神可以拯救他們脫離永遠的刑罰，那麼，他們便要依照 神的吩咐，宰殺羊羔獻給 神。

主題： 神永不改變

一解釋：

*我們在本課程開始時曾談到我們將要學習聖經中的主旨和基要眞理。 神的話是奇妙的：聖經中的主題正是貫穿了整本聖經。*

*聖經中的一個基要主題就是 神是聖潔公義的，祂命定犯罪者死。聖經更明確地指出凡不流血的，罪就不能被赦免。*

閱讀:利十七11

*神應許祂的子民，若他們因著相信 神的應許，向神獻上動物的血， 神必要赦免他們的罪。*

閱讀來九22：「*按著律法，凡物差不多都是用血潔淨滿A*若不流血，血就不得赦免了。」（註二）

*以上只是兩個貫穿聖經基要眞理的例子， 神滿有恩典的救贖計劃就是要透過流血的祭將人從撒但的魔掌中拯救出來。（註三）*

C.該隱和亞伯都來到 神面前獻祭

主題：人只可依照 神的旨意和計劃來親近祂

閱讀:創四3-5

該隱和亞伯都相信 神的存在，他們都向 神獻祭。

一思想：

*該隱和亞伯活現了教會的兩類人：那些按照人的辦法敬拜 神的人，和那些依照 神的命令來到 神面前的人。*

一思想：

*我們若只限於相信 神的存在，也將我們認爲上好的獻給 神， 神並不會因此而接納我們。雅二19說：「你信 神只有一位，你信的不錯，鬼魔也信，卻是戰驚。」（「鬼魔」一詞是指那些隨從路西弗——就是日後稱*

註二：
只要強調粗體字部份，切勿離題探討律法的問題。

註三：
同學們可能詢問爲何不相信聖經的人也懂得用祭牲。你可以說人的罪蔓延至生命的每一部份，我們現時看見的事物都帶著 神起初創立時的影子——其中攙雜了被罪和撒但的謊話所歪曲的眞理。撒但要以似是而非的手法，叫人誤以爲自己十分虔誠。請提醒同學們 神對罪的態度至今毫無改變，但我們今天已不用向 神獻上流血的祭。

*為撒但者——叛變的天使，他們因著叛變而被　神廢黜了他們在天上的職份）這裡說明了　神絕不會因著撒但的黨羽認識祂而接納他們。我們將在稍後研讀該隱和亞伯的史實。*

D. 神悅納了亞伯的祭物

主題：人必須憑著信心討　神的喜悅
主題：人只可依照　神的旨意和計劃來親近祂

閱讀：四4

亞伯獻了一隻羊羔給　神。
—那羊羔是頭生的。
—亞伯宰殺了羊羔，使牠成為流血的祭，並將羊和脂油都獻給　神。
為何亞伯將這些獻給　神？
—因為他向　神承認自己是罪人，並承認只有　神才可以救拔他脫離永遠的刑罰。
—因為他相信　神在驅逐他的父母離開伊甸園以前向他們許下的承諾。
　神應允要賜下一位偉大的拯救者。
　神應允那位拯救者要粉碎撒但，並要將人從撒但的魔掌中拯救出來。
神喜悅亞伯的祭嗎？　神有沒有接納亞伯？
有，　神悅納了亞伯。　神十分喜悅亞伯的祭，並且接納了他。
—解釋：
*我們必須明白動物的血絕不能抵償罪的代價，　神沒有將亞伯的羊羔當作抵償亞伯眾罪孽的代價，因為罪人只有親身永遠地與　神隔絕，才可抵償他所犯的罪，　神寬恕了亞伯的罪，是因為亞伯不是信靠自己，乃是信靠　神和祂要賜下拯救者的應許。（註四）*

來十一4

來十4；十一6

E. 神拒絕了該隱的祭物

主題：人必須憑著信心討　神的喜悅
主題：人只可依照　神的旨意和計劃來親近祂

閱讀：創四5

該隱將他栽種的農作物獻給　神。
　神拒絕了該隱和他的祭物。
為何　神要拒絕他？
—是該隱的農作物不好嗎？
—是　神不喜歡農作物嗎？
—這些都不是真正的理由。

註四：
請在講述每段史實時強調恩典，使同學們明白人絕不可能成就救恩。並務使他們了解動物的血絕不能當作罪的贖價，因為只有人的生命才是罪的代價，動物的血（即生命）決不可能與人的生命相比（來十4，5）。並請強調　神絕不會容忍罪，人必須全數清還罪的代價，那犯罪的靈必要死亡（結十八4），就是必要永遠地與　神隔絕。

—神拒絕該隱的祭物是因爲該隱犯了比亞伯更大的罪嗎？

—不是，這絕不是　神拒絕了他的原因。

—該隱和亞伯生下來都是罪人。

我們必須清楚了解爲何　神悅納了亞伯和他的祭物，反倒拒絕了該隱和他的祭物。（註五）

來十一4,6

—解釋：

*希伯來書給了我們一些明確的啓示。　神在來十一說明人非因信便不能得著　神的喜悅，並說明亞伯是有信心的人，該隱卻缺乏信心。*

詩三8
約十四6
徒四12

*神在羅馬書說明了信心是建立在　神話語之上，羅十17說：「…信道是從聽道來的，聽道是從基督的話來的。」人若不依照　神命定的方法來尋找祂，那便是靠自己的推測，那便是罪，　神必拒絕一切以自己的方法來尋找祂的人，　神絕不能接納人自己創立的方法。*

利三16

*由此可見，亞伯的信心必定是基於遵守　神清楚的訓誨，不然，他的祭物也不會蒙　神悅納。*

*亞伯將羊的脂油都一起獻給　神，實在是他願意服從　神的另一憑證。聖經中記載了　神在日後命定以色列人（就是希伯來民族）要將祭物的脂油一同獻上。因此，若說亞伯開啓了同獻脂油的先河是有違聖經教導的，因爲　神絕不會接納任何從人衍生的方法。*

註五：以下是課文題外的參考（這論證已超越目前討論的歷史進程，因此將不包括在課文內）：人們在挪亞時代已曉得分辨潔淨和不潔淨的動物，因此，　神可能在該隱和亞伯的時代已界定了潔淨和不潔淨之物。亞伯懂得挑選一隻羔羊，並非巧合之事，因爲聖經以羔羊預表　神兒子的完全和無罪（賽五十三7；約一29；彼前一19—20）。神在創世以前已將耶穌基督和祂的犧牲預表爲完全的羔羊，這預表絕非出自亞伯的構思（啓十三8）。

*建議視覺教材：*

第八圖
「該隱和亞伯獻祭給　神」

詩六十六18

神拒絕了該隱和他的祭物是因爲：

來十一4

—該隱沒有在　神面前承認他自己是罪人。

—他沒有依照　神的旨意來到　神的面前，反倒要按自己的意願和自己的方法來親迎　神。

—該隱不相信　神。

—他不相信　神命定人來到　神面前的途徑。

—這就是　神拒絕了他的原因。（註六）

—比較：

*昔日　神用甚麼行動來表示祂拒絕了亞當和夏娃自製的衣服？爲何　神拒絕了他們的衣服？因爲　神要他們曉得他們不能靠自己所作的來取悅　神，反之，他們必須遵行　神的旨意，才可蒙　神悅納。　神要他們曉得他們必要透過動物的死和流血才可以蒙　神的悅納。*

註六：務要強調該隱和亞伯的分別乃在於他們是否有信心。我們若以服從爲重點，便會誤導同學們覺得行爲比信心重要。來十一說明　神因著亞伯的信心接納了他，因此，信心判別了該隱和亞伯。並請強調相信的眞理，要讓同學們曉得他們只有透過相信　神才可得著　神的悅納。但亦要說明信心和行爲的相互關係，亞伯因信獻羔羊，挪亞因信建方舟，亞伯拉罕因信而讓　神引導他的去向。請同時引用來十一去了解一些舊約人物的行爲。

*同樣地，該隱和亞伯若非依照　神的旨意來到祂的面前，　神是絕不會接納他們的。　神所命定的途徑，就是要他們宰殺羔羊和流出羔羊的血。亞伯相信　神，因此他依照　神吩咐的途徑來到　神的面前，以致　神接納了他。可是，該隱卻一意孤行地要按自己的意願來親近　神，最後被　神拒絕了。*

*神從沒有改變。今天，祂雖然不再需要我們獻上羔羊爲祭，但祂仍然命定了人可以到祂面前的唯一途徑。我們都要依照　神的吩咐而行，否則，　神昔日怎樣拒絕了該隱，今天祂必要同樣地拒絕我們。（註七）*

註七：
同學可能會問及何謂神的途徑，答案當然是要透過耶穌基督。但一些同學可能需要明白更多的眞理才可以接受福音。那麼，你可以回答說：「　神當然定立了一條途徑，這亦正是整個課程要討論的主題，就是　神要履行祂的應許，要賜下一位拯救者。倘若你有興趣詳談這題目的話，很歡迎你在課後留步。」我們要敏於聖靈的帶領，要找出發問的同學是因爲心中已預備好要接受耶穌作他個人的救主，或只是自然地回應他剛聽見的講述，但卻仍未明白或尙未有悔罪之心。若我們求問　神，祂必要告訴我們（雅一5），我們信靠祂必要履行祂的承諾。

—例證：

展示從樹上採摘下來的樹枝

*請看這從樹上採摘下來的枝子，它因爲脫離了母樹所供給它的生命而死亡。倘若我們現在要將這枝子接回母樹上，它可以繼續生存嗎？枝子上的葉會不會轉綠，並再一次得著生命？你認爲你可否將這枝子接回母樹上，讓它再次得著生命？不可能，我們都不可能將死了的枝子接回母樹上，讓它再次生長起來，因爲凡離了母樹的枝子都不能再回到母樹上。*

*建議視覺教材：*

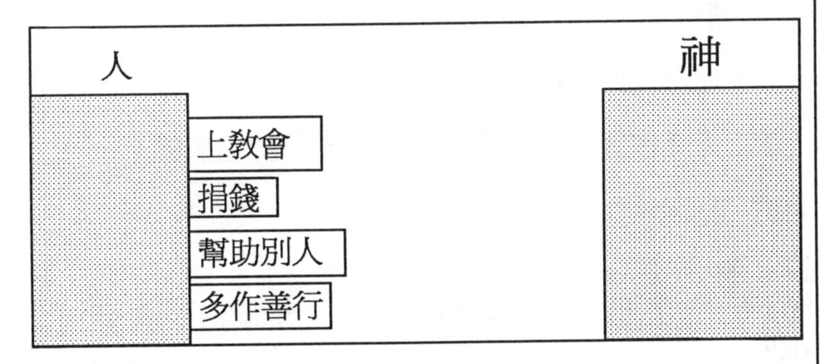


請在講授下列課文時展示以上視覺教材：

—闡釋：

*很多人一生中都在追求那將自己「接回」屬靈生命之源的方法，他們使用了一些看來十分虔誠的途徑：上教會、捐獻給教會、多行「善事」、作「善人翁」或藉著其他相類的方法。你可以舉出其他依靠自己的努力來親近　神的方法嗎？*

賽五十九2；六十四6
羅三23

*我們生下來都是罪人，因此，我們都與生命之源「分離」了，這生命之源就是　神。我們絕不可能依靠我們自己的方法與　神和好，因爲罪把我們與　神分離了，就好像枝子被折離了母樹一樣。*

—比較：

*亞當、夏娃、該隱和亞伯的景況正是這樣，他們因爲不順從　神以致與　神分離。因此，該隱和亞伯都在*

徒十七26
羅五12

*伊甸園以外出生，他們都與　神隔離，他們不能靠自己的努力來與　神和好。*

*亞當和夏娃為自己編製衣服，企圖藉此取悅　神，　神卻拒絕了他們的衣服。該隱用自己的方法到　神的面前，神拒絕了他和他的祭物。人只有透過　神的途徑才可以重返　神的面前而重整人與　神的友情。*

*我們都是亞當的後裔，我們生下來就是罪人，並因著我們始祖的罪與　神隔絕了。我們不能憑自己的努力而成為神的朋友，只有按照　神的途徑，才能重返　神的面前。*

F.　神與忿怒的該隱分辨道理

主題:　神與人對話
主題:　神滿有慈愛、憐憫和恩典

閱讀:創四6,7

雖然該隱故意不相信　神，並隨己意而行，但　神仍然與他分辨道理。

箴一23

神與該隱交談，盼望他能夠回心轉意來順從　神的吩咐，這是基於祂的愛和恩典。

神要該隱曉得，若他願意像他的兄弟一般，按著　神的旨意來到　神的面前，就要相信　神的話、獻上流血的祭並相信　神要賜下拯救者的應許；他也得以同樣蒙神的悅納。

G.該隱不願意聽從　神的話，並且殺了亞伯

主題: 人滿懷罪孳，不能自拔，需要　神的拯救

閱讀:創四8

該隱怒火中燒。
他不聽從　神的話，反倒像他的父母一般聽信了撒但的驅使。

*建議視覺教材:*

圖畫第九號「該隱殺亞伯」

一比較:

*今天，很多人也皓似該隱，他們不願意聽從　神，並進而傷害別人。有些時候，他們的叛逆甚至帶來了殘酷的罪案，就像昔日該隱殺了他的親兄弟亞伯一樣。*

*有些時候，罪惡可能只表現於一些尖酸的態度或自私的行徑，縱然它們看來不一定那麼殘暴，但它們的後果至終要帶來悲劇或傷害別人。*

主題：撒但與　神並祂的旨意對敵，他是撒謊者，是騙子，他討厭人類

當時是誰在操縱該隱？該隱聽從了誰的指使？是誰將殺害親兄弟的念頭放進該隱的意念中？
是撒但！（註八）

註八：
雖然這些章節中沒有直接提及撒但，我們可知他必然在幕後參予。約壹三12說該隱「屬那惡者，殺了他的兄弟。」

—思想：
*我們曾討論撒但喜歡哄騙人，他要我們以爲自己永遠不會像該隱般敗壞，以爲我們永遠不會殺人或傷害人，可是，星星之火可以燎原，且看該隱的怒火如何蔓延！且看他背叛以後所帶來的罪和殘暴！*

箴十四12

*今天，很多人忽視了罪的結局就是死亡，不論是殘酷的謀殺或是漸漸的遠離　神，罪只會將人帶到那永遠與　神分離的火湖裡。*
*起初，撒但謀殺了該隱的父母。撒但對他們說：「你們不一定死，你們必定平安無事，不要聽　神的話，祂只是不想你們享受美味的果子罷。」可是，撒但心裡知道亞當和夏娃吃了分別善惡知識樹果子的日子，他們必定死。他告訴他們吃了以後不會死，就是欺騙他們，因爲撒但就是要亞當和夏娃死。同樣地，指使該隱出手殺害亞伯的也是撒但，撒但是一名兇手。*

啓廿10,15

*撒但憎惡人類，他要欺騙世人，爲要他們與他一同落在那永遠的刑場裡。*
*約八44稱撒但爲那「殺人的」。*
*今天，撒但仍致力欺騙人，叫他們不要相信　神，叫他們不要相信聖經，就是　神的話。*

## H.　神懲罰該隱

主題：　神無所不在，祂洞悉萬有
主題：　神與人對話

箴十五3

閱讀:創四9

神問這問題時經已曉得該隱殺了亞伯。
—神看見他所作的一切。
—神無所不在，祂洞悉萬有。

主題：　神是至尊而掌權的
主題：　神是聖潔公義的，祂命定罪的代價就是死亡

閱讀:創四10-15
神必報應一切的罪。

結十八4

一凡向別人犯罪的，就是向　神犯罪。
一　神是萬民的創造者，因此，祂必懲罰那在說話或行為上傷害他人的人。
一比較:
*若有人攻擊你的妻子、兒女或你所愛的人，你會不會袖手旁觀?*
*　神創造了萬民，祂賜生命給亞當，也賜生命給我們。雖然我們生下來都是罪人，但我們仍是祂所造的。*
*雖然我們都是罪人，但　神仍然關心我們。　神就像我們關心不行正路的親人一般地關心我們。因為　神創造了我們，所以我們都屬於祂。*
*若有人來偷了你的音響器材，那麼音響器材是屬於那賊人的，還是屬於你的呢? 當然是屬於你的。若賊人破壞了音響器材又怎樣? 雖然音響器材被破壞了，它仍舊是屬於你的。*
*雖然撒但將亞當和我們都偷了去，　神仍舊擁有我們的主權。*
*　神必懲罰那傷害別人的人，因為祂擁有世上一切的人。因此，開罪他人的，就是開罪　神，因為　神賜生命給世上一切的人。*

羅六23上

一這並不是說　神要立時懲治罪惡，但　神必追討罪的代價。
罪的代價就是死。
此外再沒有任何贖罪的代價。
一捐錢給慈善機構不能買贖我們的罪。
一捐錢給教會不能買贖我們的罪，更不能滿足　神的要求。
　神終要懲治一切的罪，因為祂擁有世人。

閱讀:創四16

該隱仍硬心不聽從　神。
一他背叛　神，隨從了撒但。
該隱不願意悔改，他不願意轉變他對　神和對他自己罪的態度。（註九）

註九:
我們要留心教導悔改的道理，有人認為悔改就是要離開或應允離開一切的罪，這是錯誤的觀念。
悔改是向　神回心轉意，是扭轉對　神、對自己和對自己罪的態度。
悔改就是罪人在　神面前說:「你是對的，我錯了。你所吩咐的盡都美好、公義而聖潔。我失敗了，我失去了指望。」這就是真正的悔改。
請同時強調信心而非行為或順從，倘若我們強調服從，那麼他們都可能變成了遵行條規者，而非真正的信徒了。
　神沒有要求罪人酗飽u永遠不再犯罪」才來拯救他，因陸@神不會跟罪人討價還價，祂不會說R「只要你滿足這些條件，我便會那樣損A了。」　神從不要求個人改革為得滄漸　M條件。

創四17-24

I.該隱的後裔崇尚物質

主題: 人滿懷罪孽，不能自拔，需要　神的拯救

該隱的後裔效法了他們的先祖。
一他們在生活中毫不思念　神。
他們企圖以各樣的物質享受來填滿他們的生命，他們建造城市、峻立堡壘和製造各樣的工具與樂器。
這些事本身都沒有不對的地方，但若關心這些事而將　神置諸度外，那就是不對了。
　他們耗盡了他所有的心思和時間來做他們以為美的事。他們再沒有時間留給　神來作　神要他們作的事。

—他們受了撒但的操縱。
—思想:
*且看不順從　神而為這世界帶來的惡果！亞當和夏娃的罪叫一切的後裔生下都是罪人，都要與　神隔絕，都不能明白　神的心意。他們的長子該隱殺了次子亞伯。該隱背離　神，不願意聽祂的話，以致他的後裔都背離　神，偏行自己的路。他們按著自己的罪性生活，因為他們不認識　神，也不尋找　神和祂的真理，他們都被撒但和他的謊話操控了。*
*凡違背　神而不願意聽從　神的父母，他們的兒女也可能不願意聽從　神。我們除了要對自己負責以外，更要對我們的兒女負責，我們除了自己務必聽從　神的話語以外，更要讓我們的兒女聽聞　神的話。*

J.　神使塞特代替了亞伯

主題:　神是信實的，祂永遠不會改變

閱讀:創四25

在圖表上顯示塞特

神賜亞當和夏娃另一位兒子來代替被殺的亞伯。
神在伊甸園中曾應允要賜下一位拯救者來粉碎撒但的權勢。
—因著亞伯的順服，這拯救者必要出於亞伯的族系。
—撒但卻驅使該隱殺了亞伯。
撒但使用了千方百計要阻礙　神差遣救贖者的計劃。
—思想:
*這是不是　神要差遣拯救者的應許和計劃要被迫擱置？不是，因為　神必要履行祂的諾言，祂絕不會因著撒但的阻撓而撤銷或改變祂的計劃。*
*神賜塞特給亞當和夏娃，好讓塞特代替亞伯的位份。*

主題: 人必須憑著信心來討　神喜悅並得著拯救

塞特生來是與　神隔絕的，但他像亞伯一樣地信靠　神。　神計劃中的拯救者要透過塞特的族系來到世上。

問題:
1.神為何悅納了亞伯和他的祭物?
*因為亞伯相信　神:*
*a.亞伯向　神承認他是罪人，並且只有　神可以救拔他脫離刑罰。*
*b.亞伯相信　神要履行祂在伊甸園中向亞當和夏娃承諾，要賜下拯救者的應許。*
*c.亞伯遵照　神的吩咐，預備了羊羔、宰殺了，並獻上了流血的祭。*

2. 神爲何拒絕了該隱和他的祭物?

*因爲該隱不相信 神:*

a.該隱不承認他是罪人，更否認只有 神可以救拔他脫離刑罰。

b.該隱不相信 神要賜下拯救者，來粉碎撒但的權勢和拯救人類的應許。

c.該隱沒有獻上 神所要求的祭物。

3. 神爲何要與該隱辨明道理?

*因爲 神愛該隱，盼望他能夠承認自己是罪人，並將適當的祭物獻給 神。*

4.該隱有沒有相信 神且同意 神的話?

*沒有。*

5.該隱作了何事?

*他怒火中燒，並殺了亞伯。*

6. 神如何曉得該隱的所作所爲?

*神明察和洞悉萬事。*

7. 神爲何要懲治那些用說話或行動去傷害別人的人?

*因爲世人都屬於 神，若有人開罪別人，他就是開罪神了。*

8.若有人開罪了別人，繼而賠償他的損失， 神會不會因此赦免他?

*不會。 神命定罪的刑罰就是要犯罪者在那本爲撒但和他黨羽而設的永遠刑場中與 神隔絕。*

9.該隱最後有沒有改變初衷?

*沒有，他背離了 神。*

10.他的行動有何後果?

*該隱的後裔步了他的後塵，他們過著與 神隔絕的生活，死後也要與 神隔絕。*

11.你可以作甚麼來抵償你所犯的罪?

*你不能作任何事來抵償你的罪。*

12.該隱和他的後裔爲何而活?

*爲金錢和物質的享受而活。*

13. 神爲何將塞特賜給亞當和夏娃?

*a. 神要他代替亞伯。*

*b. 神要那一位拯救者透過他的族系來到世上。*

以下是補充問題:

14.我們可以從這些先祖們身上學會甚麼?

答案的範圍可以十分廣泛，其中的主要範圍包括:

*a.凡不願意相信和服從 神的人，他們的兒女和後代也可能會不相信和不服從 神。*

*b.凡不願意相信和服從 神的人，他們都沉醉於世界的物質享受上，以致忘記了 神。*

*c.凡相信和服從 神的人，他們的兒女和後代一般也會相信和跟從 神。*

*d.神必重重地懲治那些拒絕相信祂的人。*

*e.神必恩待那些相信祂的人。*

# 第十四課　神審判整個世界，卻藉著方舟拯救了挪亞一家

## 課前預備

此段只供教師使用

左列的各參考經文有助於你準備這一課。但因經文帶出的眞理有些會在稍後課文中講授，故不宜於此立刻講解這些經文。

**請注意：若你沒有教授過本書課文，請詳讀書前『教師必讀』部份。**

**參考經文**

詩百零四6-9
太廿四37-39
來十一7

經文：創六3,5-22;七1-5,15-17,23

本課目的：

說明　神言出必行，祂要懲治一切的罪。
說明　神拯救凡相信祂並遵照祂的吩咐到祂面前來的人。
說明只有一條到　神面前的途徑。
說明只有　神可以拯救我們。
說明　神是信實的，祂必履行祂的諾言。

本課可幫助學生：

懂得敬畏　神。
明白罪的欺哄性和明白順從眾意或長期遠離　神的危險性。
明白對　神單純的信心和服從的重要性。

教師的觀點：

本課的經文剛好針對著今天的需要！在教授本課時，我們必然會碰見一些類似挪亞時代的人，他們的問題就是：那些在挪亞時代的人雖然聽聞　神的審判，但他們的心卻因罪的緣故變得剛硬起來，以致他們忽視了　神明確的啓示。

談論　神的審判足可使人敬畏　神。社會的風氣似乎不喜歡談及敬畏　神，但　神說明「敬畏耶和華是知識的開端，愚妄人藐視智慧和訓誨。」（箴一7）

本課要講述的聖經史實與亞當和夏娃的史實都是耳熟能詳的，可是，很多人只把它們當作神話與傳說，並不承認他們是人類歷史的一部份。更可惜的，就是一些上教會的人也許「相信」這些史實，卻不願意將其中的眞理應用於日常生活上。

授課時請為學生們代禱。他們當中可能有人在罪孽的深淵中掙扎，求　神使他們不要像挪亞時代的硬心者，並求　神軟化他們的心，好讓他們能夠接受　神的話。

我們現代的人需要透過創世記的這幾段經文來認識　神的本性：祂憎惡罪惡、祂忍耐人類為要他們全都得救、祂迅速而確實的審判，祂為凡憑信心來到祂面前的人預備了愛顧和救恩。

## 課文概覽

**本課縱跨了該隱和亞伯的時代及挪亞和洪水的時代。主旨在於指出　神的全知和對罪人的忿怒，並　神的恩典和忍耐，為要全人類都懂得悔改。此外，亦指出　神如何控制一切受造之物以示祂的主權與全能。**
**我們可從　神指示挪亞建造方舟的過程中認識祂如何精確地敘述祂為人類開闢的唯一生路。**
**當我們教導新約時，方舟將被喻為基督。**

我們這日益腐敗的社會正好與昔日挪亞時代的社會相比，就是人心變得剛硬了。
神因著祂的恩典拯救了挪亞和他的一家——這表明了　神的恩慈要臨到一切本來不配接受的罪人身上。
洪水是歷史上的事實——是　神用以刑罰不願悔改的罪人。

在聖經以外的洪水故事:

因爲洪水乃確有其事，因此，差不每一個文化中都有洪水的傳說。可是，除了聖經記載的洪水史實以外，其他的傳說都像神話或加插了不少與歷史記載大有出入的細節。這原因正是因爲那些傳說是世代口傳的，那些不認識神的民族在相傳的過程中歪曲、增減了其中的眞理，異端邪說、敬拜假神和人類善忘的性格都使得這史實淪爲殘章片簡。曾參與「以訛傳訛」遊戲（就是參予者圍著圈，由發起者輕聲傳話給鄰人，至話傳回起點爲目的的遊戲）者，都知道起初的話與「回頭話」常有天淵之別! 就洪水的史實而言，其中更要加上撒但蒙蔽人以後所產生的混淆，因此，我們可以理解爲何洪水的故事有這麼多不同的版本了。

在另一方面，　神親自鑑察了這史實，因此祂可以正確地告訴我們事件的始末，祂向先知們默示整件事的細節。我們可以透過聖經來來認識　神而不需要口傳，眞是幸福極了!（註一）

欲詳閱有關洪水的地質學論證者，可到基督教書局搜購有關書籍。在美國加州的創世研究中心將可提供寶貴的資料（地址詳見第四課的「參考資源」部份）。

以下這本書十分適合小朋友閱讀:

Morris, John D., Ph.D.
Noah's Ark and the Lost World.
Master Books, El Cajon, CA 92022.

成人閱讀此書，亦可避免一些深奧的科學術語而輕鬆地獲取概括的科學背景。

視覺教材:
圖畫第十號「挪亞方舟」
圖表
將在課文中詳述的「恩典」小插圖

## 授課要點

此課程特爲非信徒安排，故授課時務要奠定聖經基礎，以爲日後傳福音的根據。若你班上有信徒參與，則授課的目的是使他們明白信仰的根基，以致日後他們亦可運用同樣教材去教導未信的人 。

課文信息要明確簡潔，切忌節外生枝!

請注意這課程是有範圍和有主題的聖經研讀，並非徹底深入的聖經鑽研，亦非漫無邊際的小組討論。請依照主題帶領討論，以保持課程進度。切記緊依大綱，突出教義主旨。

課程編排形式: 每一頁的中間部份是教授學生的內容，粗體字的標題只供教師參考，不需口誦，因爲標題內容會在接著的課文大綱提及。至於左右兩欄所列的經文是給教師作參考之用，不宜在課堂上詳授。

註一:
當直接引用聖經時，你就是教導眞理。當你不能回答某些問題時，不要感到不安，請引用有關的經文來回答。雖然目前的科學和考古學證據都支持聖經的記載，但要曉得某些答案是神尙未向我們啓示的，而外在的證據亦未嘗完整。　神的話才是最完全的證據。
請鼓勵同學們自行閱讀和探討本課程並其他有份量的聖經參考資料。爲師者，最重要的是要信靠　神的話和聖靈在人心所作的工。

# 學生的教授內容
## （中間部份）

課文大綱：
複習第十三課問題。

A.引言
我們在上一課認識了罪的惡果，這惡果蔓延後代。
我們也認識了　神給人一條生路，讓凡相信祂的人可以返回祂的跟前。
聖經包括了奇妙的歷史記載。
讓我們從圖表看起。

B.從亞當至挪亞
從亞當至挪亞共有十代相信　神的人，他們都期待　神在伊甸園答允要賜下的那位拯救者。

圖表：展示從亞當至挪亞時代的相信者：亞當、塞特、以挪士、該南、馬勒列、雅列、以諾、瑪土撒拉、拉麥和挪亞。

我們今天要查考聖經記載　神如何恩待挪亞和他的三個兒子（就是閃、含和雅弗）並他們的家屬。
這事件在　神創造亞當約一千五百年以後發生。（註二）
當我們探究這史實時，讓我們緊記這事件曾多次在聖經被引用為歷史的例證。

C.人口增多
在挪亞、閃、含和雅弗的時代，地球上已經人口眾多。（註三）
可是，大部份的人只會盡情享樂。（註四）
—他們沉醉於性和嫁娶。
—他們無暇思想如何討　神的喜悅。

D.聖靈與人爭戰

結十八32
彼後三9

主題：神與人對話
主題：神滿有慈愛、憐憫和恩典

神憎惡人所犯的罪，但祂仍然愛他們，盼望他們悔改。
—祂盼望他們回心轉意。
—祂盼望他們承認自己的過錯。
—祂盼望他們相信祂。

註二：
這數字是按照創五的資料計算出來，並假設其中沒有遺漏了的族系。若同學對這數字有所疑問，可請他們自行研究有關的參考資料。

註三：
按現今的人口增長率計算，當時地球上約有三億人口（資料選自Biblical Cosmology and Modern Science, Henry Morris, p.78）

註四：
這裡涉及創六１，２的真理。這兩節經文甚難詮釋，並可能引起不必要的討論，故避免直接講述為佳。

聖靈經常催促他們悔改，可是他們卻硬著心腸。

閱讀:創六3

神警告他們說，祂不會永無休止地發出要人悔改的信息。
一若他們還是拒絕　神的話，　神會讓他們隨從撒但，並要因他們犯罪而懲治他們。
一神說祂要給他們一百二十日的期限。
一若他們在一百二十日後仍不悔改，　神必要懲罰他們。
人心中經常有這樣的爭戰：
一聖靈向我們的心靈說話，要我們細心傾聽。
祂藉著聖經和別人的分訴向我們說話。
聖靈催促我們說：「要聆聽　神的道，要信靠祂。」
一可是，撒但同時向我們的心靈說話，使我們的心靈變成了如戰場一般。
羅一24
撒但和他的黨羽對我們說：「不要聽　神的信息。」
撒但要對我們說：「你就是沒有　神也可以生存的。」
倘若你不仔細地聆聽和相信　神的話，聖靈的聲音可能會逐漸消逝。
一祂的聲音不再周而復始地提醒你來相信　神。
啓廿15
一倘若你不向祂認罪並相信祂的話，祂的聲音要逐漸地變得微弱起來。
一祂要任憑你隨己意而行。
聖經稱那不再聆聽　神話語的心靈爲剛硬的心。
一這是叫　神極其憂傷之事，因爲　神知道那硬著心腸的人，死後必要落在永遠的刑場中與　神隔絕。
一神在結卅三11說：「*…我斷不喜悅惡人死亡，惟喜悅惡人轉離所行的道而活…你們轉回、轉回罷，離開惡道，何必死亡呢?*」

E.罪惡加增

主題：人滿懷罪孳，不能自拔，需要　神的拯救

閱讀:創六5,11（註五）

很多人都像該隱一般過著忘記了　神的生活。
一他們的罪孳日漸深重。
一他們不願意相信　神的信息，也不願意信靠　神和祂的恩慈。
他們都是亞當的後裔，因此生下來就是罪人。
他們都沉醉在罪中之樂，並故意拒絕　神。
一比較：
*我們和挪亞時代的人同是亞當的後裔，我們都生在伊*

註五：
若被追問爲何沒有交代創六4時，請告訴同學們我們目前是要透過研讀聖經來明白　神的基要眞理而非著眼於每節的仔細分解，因此，我們只挑選那些與基要眞理有關的經文。
這是一節深奧難明的經文，這經文已帶來很多不同的詮釋。若有同學堅持要獲得答案，可以請他參考一些好的聖經註釋資料，並進而自行研究。但因爲這經文與基要眞理和課程的主題沒有關係，因此。我們並不會在課堂上講授。

*甸園以外，因此，我們都與　神隔絕，並且擁有犯罪的本性。*
*人因著喜愛罪惡而犯罪，因此，犯罪者不能怪罪別人。我們都不能責怪亞當、　神或撒但，因爲我們自己選擇了罪。*
*當我們繼續研讀聖經時，讓我們捫心自問：「這段經文如何應用在我的身上？這段經文有沒有一針見血地指出了我的心思意念？我有沒有做了一些這經文所記載的事？」*

羅一18-32

挪亞時代的人無暇思想　神。
—他們雖然曉得　神的存在，卻故意地忽略了　神。
神所創造的萬物都環繞著他們，向他們訴說　神的妙手奇工，可是他們不懂得感謝　神，也不願意相信祂。

猶14-16

神也曾藉著先知向他們說話。
—塞特的其中一位子孫以諾就是　神的先知。
—那時，　神要藉著挪亞向當代的人說話（彼後二5稱挪亞爲「*傳義道的人*」）。
—人能以爲自己的惡行狡辯。
他們都背叛　神。
他們都隨從了自己的罪性。
第五節說人「*終日所思想的盡都是惡*」。
—他們只圖謀物質的享受、身體的享受和個人的成就（註六）。
他們都是高傲、自私和自大的人。
他們要謀奪別人的產業。
他們妒忌和恨惡別人。
他們常常互相責罵和打鬥。
他們性格殘暴，其中更有殺人兇手。
他們常常互相陷害、撒謊和哄騙。
他們在商場上巧取豪奪。
他們不斷地在別人背後撥弄是非。
他們不曉得管束自己的情慾，並發展了不正常的關係。
—比較：
*今天，不論閱讀報章、或收聽新聞，往往我們對詳盡報導的諸般罪像也感到不以爲然。創六所記載當時人類的道德和屬靈境況的淪亡，正好成爲我們這世代的借鏡。*

註六：
這裡借用了羅一18—32的話，若被問及經文出處時，可以指出以上經文或翻查閱讀。因課程所述的歷史次序關係，本課並未將經文列入課文以內。
在引用經文時，請以詮釋本課主題爲目的，切勿偏離主題。

F.神察看不信的世人和他們的罪

主題：神無所不在，祂洞悉萬有

閱讀:創六5,12

來四13

神洞悉他們一切的罪。
—他們可能成功地在別人面前掩飾了自己的謊話、姦淫、偷盜和謀殺。
—但他們在 神面前必無所遁形，神洞悉一切。
神必鑑察萬事。
沒有人可以隱瞞 神。
神無所不在，祂是全知的 神。
祂鑑察我們的心思意念，並我們在黑暗中所行的事。
祂聽聞我們的每一句話，並知曉我們心中的動機。

G.神決意要毀滅世界

主題: 神是聖潔公義的，祂命定罪的代價就是死亡
閱讀:創六6,7（註七）

那時，人類罪惡滔天， 神因而決定要毀滅他們，並要摧毀 神賜給他們地上的萬有。
—思考:
*你認爲 神眞的要毀滅一切不願意悔改和不願意信靠祂的人嗎? 這是眞確的，因爲 神一諾千金。*
—比較:
*神在伊甸園中曾對亞當和夏娃說: 「你們不服從的日子必定死，你們必要永遠地與我分離。」他們果然不服從 神的命令，並且因此而死。 神吩咐該隱和亞伯要獻上羊羔和流牠的血才可以回到 神的面前並得著 神的接納。 神說的話就是金科玉律，該隱要用自己的方法來到 神的面前，最後遭受 神的拒絕。到了挪亞的時代， 神決意要傾倒洪水在地上，要毀壞全地，並摧毀地上的萬有，雖然自創世以來 神未嘗降下雨水，但祂有權柄叫雨水傾空而降。 神最後有沒有施行祂所說的懲罰? 還是祂只是危言聳聽? 當你怒火中燒時，你曾多少次威嚇地說出危言聳聽的話，可是，當你平服下來後，你可記得你的威嚇嗎? 爲人父母者又曾有多少次威嚇兒女們要懲罰他們，最後卻不了了之? 神像人的性情嗎? 祂是不是只會警告而不能付諸實行? 不會， 神言出必行。*

註七:
若被問及既然 神一諾千金爲何祂會「後悔」，便請回答說「後悔」一詞應用在這裡和舊約中可被詮釋爲「傷感」或「憂傷」。
告訴學生們這樣的詮釋是爲要他們更明白聖經中的基要眞理: 就是我們切勿斷章取義，必須按經文的上下文來解釋聖經; 最重要的是要按著 神的固有屬性來分解經文。主要的眞理既已屢次闡明，那麼一些表面看來有衝突的獨立事件，便不應當作衝突看待，而是要將它看作需要仔細地探究和明白的地方。眞理是不變的， 神已向我們展示了我們需要明白的眞理。那些難以明白的經文應當不會影響我們對眞理的了解; 我們亦可信靠神會按照祂的方法和時間向我們顯明經文的眞義。

H.神恩待挪亞

主題: 神滿有慈愛、憐憫和恩典
主題: 人滿懷罪孳，不能自拔，需要 神的拯救

神因著祂的愛和憐憫，決意保存一個家庭。

閱讀:創六8-10

挪亞也是亞當的後裔，因此他生下來就落在撒但的魔掌之中。
—挪亞本來不配得著　神的拯救。
—他本應接受懲罰。

主題：人必須憑著信心來討　神的喜悅並得著拯救
主題：人只可依照　神的旨意和計劃來親近祂

挪亞因著行了亞伯、塞特和以諾所行的，就是將牲畜的血帶到神的面前。（註八）
—挪亞聽從了神的話。
—他按照　神指定的方式向　神悔改、相信　神並來到神的面前。
—挪亞相信　神要藉著那位將要到來的拯救者去拯救他。
神因著祂的恩典饒恕且接納了挪亞。
「恩典」一詞包括很多意思，其中一個簡單的定義就是：

*建議視覺教材：*

| 恩典<br>神向不配的罪人所彰顯的慈愛 |
|---|

I.神曉喻挪亞

主題：神與人對話

當時人類罪惡滔天，並且不願悔改，因此，　神決定要摧毀全地。
但挪亞和他的一家又如何？

閱讀:創六13-21

神告訴挪亞祂要讓洪水覆蓋全地。
神又曉喻挪亞建造一艘大船，好讓凡相信　神的人都得著拯救。

主題：人只可依照　神的旨意和計劃來親近祂。

—挪亞必須完全依照　神的吩咐來建造該艘大船。
挪亞需要依循　神的指示。
挪亞需要按照　神的計劃來建造方舟。
—思想：
*神並沒有對挪亞說：「挪亞，我必藉著洪水審判全地，你去設計並建造一艘方舟，好爲審判之日作好準備。」反之，　神指示挪亞如何建造方舟。*
—比較：

註八：
挪亞獻上流血之祭的根據：1)創八20——他獻上燔祭，2)聖經沒有記載其他贖罪的途徑。在耶穌基督以前，凡相信者都向　神獻上牲畜爲祭，以表示他們相信神必要差派拯救者。利十七11和來九22下分別闡明了這原則。

*昔日，　神沒有接納亞當和夏娃自製的衣服，他們的衣服必須乎合　神所指定的樣式。該隱和亞伯也必須依循　神所指定的方式獻祭。挪亞的方舟亦必須符合　神的規格。*

主題：神無所不在，祂洞悉萬有

—神心中早已有方舟的準繩，祂也給挪亞詳盡的指示。（註九）

—思想：

*我們雖然不知道方舟的樣式，但　神記載了一些對我們很有幫助的資料。昔日　神指示挪亞建造的方舟，在比例上正吻合了今天橫越海洋的大郵船。　神創造了宇宙，　神立定了浮力的規律，　神當然可以設計一艘完美的大船！據我們所知，自從挪亞建造的方舟以後，直至二十世紀才有人成功地建造同樣龐大的船隻！*

*這些有趣的事實叫我們思想到　神的智慧和聖經的眞理。*

—我們需要認清　神曉喻挪亞時的一個重點。

—神吩咐挪亞在方舟的旁邊只造一扇門。（註十）

要進入方舟只有一個途徑。

凡要獲得　神拯救的人或動物都必須經過那一扇門進入方舟。

只有一艘方舟可以拯救人脫離　神忿怒的審判，只有一扇門可以引進這方舟。

J.挪亞順從　神

主題：人必須憑著信心來討　神的喜悅和得著拯救

閱讀:創六22

挪亞順從　神。

—他相信　神，並信靠祂必然拯救他和他的一家脫離　神定命要傾覆的洪水。

請勿忘記，自從創世至當日，地上未嘗下雨。

當時，上騰的霧氣滋潤全地。

人未嘗目睹下雨的景象。

—但挪亞相信　神說要降下洪水的諾言必要應驗。

挪亞相信　神，因此他依照　神的吩咐建造了方舟。

—比較：

*有些人因爲看不見　神、天國或　神所預備的刑場而不願意相信　神。可是，聖經的話語都是眞確無誤的。正如挪亞雖然未嘗目睹下雨的景象，但他依然相信神。*

註九：
方舟爲何可以裝載那麼多動物?
Henry Morris在Genesis Record中說：「…方舟約一百四十萬立方呎，約相等於五百廿二個載運動物的車箱…可乘載超過十二萬五千頭羊…當時，方舟上可能有多達七萬二千頭動物…地上生物的體積一般比羊的體積小…方舟約百分之六十的體積應可容納所有動物…體積較大的動物…只可收容其中幼小者」(p.181,185)
恐龍又如何?
恐龍確曾存在，也是神所造的，年幼的恐龍曾棲身方舟。恐龍是蜥蜴類，因此身體可按年齡不斷地增長。牠們可能在洪水以後因著環球氣候的轉變而絕跡。據推測，地球在洪水以前被霧氣環繞（當時尚未有下雨的現象），這霧氣造成了「溫室效應」，保持了地球的恆常氣溫，洪水以後，霧氣消失，引致地球氣候驟變，地上很多動物因失去居所而絕跡。
有關恐龍的研究可參考The Great Dinosaur Mystery by Paul S. Taylor, Master Books, El Cajon, CA 92022, 1987.
這是兒童讀物，但亦解答了不少成人的問題。

彼前三20
彼後二5

K.神吩咐挪亞帶領他的家人、動物和飛鳥進入方舟

閱讀:創七1-5

挪亞宣告　神要施行的審判。
當時，世人拒絕了　神藉挪亞向他們發出的警告。
—當聖靈向他們的心靈說話時，他們拒絕聖靈的感動。
—他們不願意向　神承認自己的過錯和罪所帶來的刑罰。
—他們不信靠　神要賜下拯救者的應許。
—他們不相信　神要藉著洪水毀滅世界。

主題：神滿有慈愛、憐憫和恩典

神耐心地寬容了一百二十年，要讓他們可以悔改，但到了時候滿足，　神便施行祂的刑罰。（註十一）

主題：神與人對話

神在降雨以前吩咐挪亞帶領他的家人和揀選的動物進入方舟。

主題：人必須憑著信心來討　神的喜悅並得著拯救

挪亞相信　神要毀滅整個世界。
他相信只有　神才可能拯救他和他的全家，因此他遵照神的吩咐而行。
神並不是因著挪亞的善行而拯救他。
乃是因爲挪亞願意順服和信靠祂。

L.他們都從唯一的門進去

主題：人只可依照　神的旨意和計劃來親近祂

閱讀:創七15,16

神吩咐挪亞在方舟上只造一扇門，挪亞和他的家都從那扇門進入了方舟。
—這是人得以脫離神對罪的忿怒和洪水的唯一途徑。
—所有的動物都從這扇唯一的門進入了方舟。

M.神關了門

主題：神是至尊而掌權的

閱讀:創七16

他們進入方舟以後，　神關上了門。

註十：
請強調「唯一的門」和「唯一的方舟」，我們將在日後談論耶穌基督是救恩「唯一的途徑」。

註十一：
聖經告訴我們在洪水以前人類可有數百年的壽數，創五也舉出了不少例子。科學家試圖爲當時人類的長壽作出不同的解釋，但聖經中並沒有明確的闡述，我們只知道這是史實。當遠古帝王紀出土和翻譯以後，其中記載了帝王的長壽。雖然這帝王紀存在不少神話傳說，但其中有關人類的長壽卻吻合聖經的史實。
既然當時人類享有長壽，那麼　神的一百二十年警告應在一般人的壽歲以內，所以他們沒有藉口拒絕　神（今天的人也不例外！）

一思想:

一*「耶和華就把他關在方舟裡頭」（第十六節）。我們有些時候讀聖經時會忽略了　神在當中記載的細節，神將挪亞、他的一家和所有動物都關在安全的地方。*

神不再容許其他人改變他們的主意來相信　神。

一當　神關上門以後，那時已經太遲了。

他們就是在門外大叫和求情，也不可能進入方舟。

挪亞也沒有辦法讓他們進入方舟，因爲　神已關上了門。

他們再沒有其他得救的途徑了。

一在方舟內的，都得著拯救，因爲　神將他們關在裡面。

一在方舟以外的，都要面對神的忿怒，因爲　神把他們關在外面。

一比較:

一當　神將亞當和夏娃逐出樂園以後，他們有沒有辦法重返園中? 絕對沒有。

一當　神決意要懲罰世界時，人必定無法逃脫　神。

N.神毀滅了在方舟以外所有的人

主題: 神是聖潔公義的，祂命定罪的代價就是死亡

閱讀:創七17-23

神關上方舟的門以後便降下大雨。

第十圖「挪亞方舟」

主題: 神無所不能

主題: 神是至尊而掌權的

一神掌管全地、雨水、風、太陽、月亮、星宿和萬物。

一神創造和控制這一切。

當時下著傾盆大雨，甚至連最高的山也被淹沒了。

那些水從何處來?

一神創世之初，地球是怎樣的呢?

地是淵面黑暗，全地都被水淹蓋。

神在第一天創造了光。

神在第二天創造了空氣和天空，並將本在地上的水高懸在天上，可能是環繞地球的水氣。

一當　神要用洪水毀滅世界之時，　神將高懸天空的水傾回地上。

—這並不是普通的雨水，而是洪水！
—部份的水從地下湧出。
在洪水以前，地上河流和溪澗的水源可能從地下水而來。
神可能藉著地震和火山爆發開啓地殼，讓地下水騰湧出來。（創八2）

主題：神無所不能

神有能力作成任何事。
—神沒有不能成就的事。
—唯有祂是全能的　神。
神不斷地降雨，達四十晝夜之久，直至全地被水淹蓋，就是最高的山和樹木盡都沒頂。
神毀滅了在方舟以外的人。
—凡拒絕相信　神的，都盡被毀滅。
—只有挪亞和他的一家相信　神，因此他們得以進入方舟。

0.結論
神對人十分忍耐。
在挪亞的日子，　神給人一百二十年的時間去認罪悔改。
他們沒有任何的藉口來遮掩自己的罪。
神雖然屢次藉著挪亞警告他們，但他們不願意聽從　神。
當他們正沉醉於罪中之樂時，就被一沖而去。
在方舟以外的男女老幼都無一倖免。
神是聖潔而公義的。
神本是慈愛的，但祂對罪惡卻不留餘地。
挪亞和他一家都相信　神，因此，他們得以在方舟內安然地避過了洪水。

問題：
1.在挪亞的時代，大部份人抱著甚麼態度？
*他們沉醉於性慾、婚嫁和滿足自己的事上，他們都自私殘暴，更不願意認識　神和討　神的喜悅。*
2.我們現今的社會與挪亞時代的社會有沒有相似之處？試舉例說明之。
*今天的社會與昔日的社會有很多相似之處，例如*
*人不願意來認識　神、只會謀取自己的利益和無惡不作——如姦淫、偷盜和兇殺等。*
3.是誰向人的心靈說話，勸喻他們回心轉意和憑信心到神面前？
*是聖靈。*
4.是誰提醒人　神的話並勸導人慎重地考慮相信　神寫在聖經上的話？
*是聖靈。*

5.神說祂要因著人類不肯悔改而作何事?
*神說祂要毀滅地上的一切活物。*
6.挪亞是否配得　神的拯救，讓他脫離永遠的刑罰?
*他不配得，因爲挪亞也是罪人，他本要與其他人一同被毀滅。*
7.神爲何要拯救挪亞?
*因爲挪亞向　神承認自己是罪人，並相信神要藉著那位將要來的拯救者拯救他。*
8.神吩咐挪亞作何事?
*神吩咐他建造一艘方舟。*
9.神有沒有任憑挪亞隨著自己的意思建造方舟?
*沒有。挪亞必須完全按照　神的指示來建造方舟。*
10.我們必須緊記方舟的甚麼特徵?
*方舟只有一扇門，人只有從這唯一的門進入方舟，才可脫離　神的審判。*
11.挪亞有沒有完全依照　神的指示去建造方舟? *有。*
12.挪亞在建造方舟的同時還作了何事?
*他向人傳講神的信息，警告他們　神將要降下大雨，要藉著洪水來毀滅整個世界。*
13.當時的人有沒有見過下雨的景象?
*沒有，當時從未有下雨的景象。*
14.當時的人有沒有聽挪亞的話，有沒有回心轉意?
*沒有，他們不願意相信　神且向　神悔改。*
15.神給當時的人多少時間悔改和相信祂的話?
*一百二十年。*
16.那得蒙拯救者是如何進入方舟的?
*神吩咐挪亞在方舟的旁邊只造一扇門，他們都要從這扇唯一的門進入方舟。*
17.誰關了方舟的門? *神。*
18.神爲何關了那門?
*讓那在方舟以內的得蒙拯救，叫那在方舟以外的都不能進入方舟，免得他們因而得著拯救。*
19.當　神要審判罪惡時，有沒有可能逃出　神的法網?
*沒有。*
20.神如何叫洪水淹沒高山和全地?
*神在創世的第二天將水高懸在空中，那時祂吩咐水傾回地上，此外，祂更吩咐「大淵的泉源」湧騰出來。*
21.在方舟以外有沒有生還者? *沒有，他們都死了。*

補充問題:
23.聖經告訴我們在挪亞時代的人都擁有特別的技能，他們都十分能幹，但亦十分崇尙物慾。到了挪亞的時代，人心充滿罪惡，甚至他們的每一個思念都是邪惡和背逆　神。這對所謂人的「進化」(即人類是逐漸進步的說法)有何啓迪?
*人類根本沒有進化。　神創造人之時，人本是完美的，可是人類在靈性和道德上都因著罪的侵入而不斷退化。*

# 第十五課　神記念挪亞和凡在方舟裡的；神分散了巴別塔的叛逆者

**參考經文**

耶五十35-40

**課前預備**

此段只供教師使用

左列的各參考經文有助於你準備這一課。但因經文帶出的眞理有些會在稍後課文中講授，故不宜於此立刻講解這些經文。

**請注意：若你沒有教授過本書課文，請詳讀書前『教師必讀』部份。**

經文：創八1-4,14-17;九1,2,12-15;十一1-9

本課目的：

說明　神絕不會容忍那奢望取代　神地位的人。
說明　神的干預引致人類產生不同的語系。
說明　神在人類一切活動上的主權。

本課可幫助學生：

明白　神絕不會寬容驕傲和謀反的人。
明白　神是至尊而掌權的。
明白歷史的根源都出於　神對人的計劃和介入。
明白聖經記載了人類的史實。

教師的觀點：

當我們研究歷史時，往往會閱及「在這帝國最繁華的時期，其版圖橫跨某某地域，可是日後因著某某原因而沒落，我們現時只能看見那古文明的遺跡。」　神在創世記十一章中給了我們有關國家盛衰的啓示，第四節開始指出了興衰過程的推動力，就是「我們」，第七至第八節道出了　神如何處理他們這計劃：「我們下去，在那裡變亂他們的口音，使他們的言語彼此不通。於是耶和華使他們從那裡分散在地上，他們就停工不造那城了。」　神設計並施行了這樁人類歷史中的大轉變。聆聽　神在歷史中所施行的計劃和祂如何記載人類文明衰落史實，豈不是一件有意義的事情嗎?

神擁有人類一切活動的主權，因此，要解釋人類的歷史進程，理應從這位創造主和至尊的　神出發。近年來，人文主義者試圖在坊間的歷史書中除掉　神的名字，但神的名絕不可能從眞理中被除掉。我們都應當把持這態度去研讀任何的歷史。

神除了在聖經中記載了巴別塔以外，更讓我們發掘出巴比倫城的一些遺跡。今天，我們雖然不能知道昔日巴別塔的正確位置，但在巴比倫的遺跡中仍可看見很多塔的殘骸，相信在未被發掘之處仍埋藏著不少遺跡。在　神分散了人類以後，巴比倫城曾被重建，可是，　神因著當地的

**課文概覽**

本課是　神拯救挪亞和他一家的史實和總結，也說明了　神如何叫人在洪水以後分散在全球。

本課亦將略提在創十記載的萬國族譜，然後進而談及巴別塔事件。

**本課的重點乃　神的全知和至尊。祂變亂那些企圖建造巴別塔的叛逆者的口音，進而分散他們於世界各地，藉此充份表現出神掌有人類一切歷史進程的權力。**

人罪惡滔天而叫那城變爲頹垣敗瓦，直至今天仍無人居住。

神藉巴比倫這實存的地方向今天的人發出了祂的信息，就是　神絕不會容讓人高舉自己並不斷地背叛　神，祂必要懲治一切的罪，並要以祂的大能作成祂心中要作的工。

視覺教材：
第十二圖「巴別塔」
地圖第一號
圖表

## 授課要點

此課程特爲非信徒安排，故授課時務要奠定聖經基礎，以爲日後傳福音的根據。若你班上有信徒參與，則授課的目的是使他們明白信仰的根基，以致日後他們亦可運用同樣教材去教導未信的人。
課文信息要明確簡潔，切忌節外生枝!

請注意這課程是有範圍和有主題的聖經研讀，並非徹底深入的聖經鑽研，亦非漫無邊際的小組討論。請依照主題帶領討論，以保持課程進度。切記緊依大綱，突出教義主旨。

課程編排形式：每一頁的中間部份是教授學生的內容，粗體字的標題只供教師參考，不需口誦，因爲標題內容會在接著的課文大綱提及。至於左右兩欄所列的經文是給教師作參考之用，不宜在課堂上詳授。

## 教授學生的內容
（中間部份）

課文大綱：
複習第十四課問題

A.引言
聖經是一本令人讚嘆的書。
它提供了對人生所有重要問題的答案。
它詳細地記錄了人類歷史的史實，這資料的來源別無其他出處。
例如：你有沒有想過爲何在世界不同地方的人操不同的方言?
聖經正記載了這問題的答案。
我們將於稍後探討那答案。
現在，讓我們先總結有關挪亞和他家人的記載。

B.神記念挪亞和凡進入了方舟的

主題：神是信實的，祂永遠不會改變
主題：神是至尊而掌權的

閱讀:創八1-4,14-17

神藉方舟保守了挪亞和他一家，並進入了方舟的動物。
一他們都不至於死。
一神記念他們，將雨水止住了。
一神吩咐強風吹乾了水，讓陸地重現出來。
一神掌管風雨。
神永不改變，也不會忘記任何事情。
一祂記念挪亞和其他在方舟裏的人。
一神言出必行。
一神說要拯救他們，便眞的如此行了。
一神說要毀滅一切在方舟以外的，便果然如此行了。

在地圖上指出亞拉臘山（在現今土耳其境內）

一思想：（註一）
*近年來很多人曾試圖在亞拉臘山發掘方舟的殘骸。這是一個有趣的可能性，　神或許有一天讓人類在當地的冰封以下掘出方舟。無論我們是否找到方舟，要緊的是洪水、方舟和挪亞都是史實。*
*很多科學家都相信聖經記載的史實正好解釋了大量恐龍和已絕種動物化石的來源。*
*洪水亦解釋了某些地理環境形成的原因，這些地形曾被誤以為是進化的產品。當我們更多研讀聖經時，便會曉得　神的話正是奇妙、正確和科學的歷史記錄。*

註一：
某些同學會很喜歡這類的資料，這會幫助他們以開放的心情去學習。但其他同學可能會引爲辯論的話柄。
倘若你認爲這些資料可能會引起不必要的討論，請省略之。到達課程的現階段，爲師者應對同學們已有較深的認識。

C.神向挪亞頒佈命令和應許

主題：神與人對話

閱讀:創九1,2

神讓挪亞的三個兒子，就是閃、含和雅弗管理走獸、飛鳥和魚，這正是　神在創世之初曾賜給亞當的權柄。
一世界和其中所有的都屬於　神。
一神將管理的權柄賜給人。

D.神以彩虹爲記號

主題：神是信實的，祂永遠不會改變

閱讀:創九12-15

一神以彩虹爲記號，保證祂從此不會再用洪水毀滅世界。

閱讀:詩一百零四6-9

一洪水以後至今已經過數千年。
一神實踐了祂的承諾。
一當我們看見彩虹之時，應記念　神以虹爲記，保證不會再用洪水毀滅世界。
一神是可信的。

E.神記錄了世人的族譜

創十常被稱爲「萬國族譜」，就是從挪亞的兒子們發源出來的族譜。

在圖表上指出「萬國族譜」

雖然我們目前不會仔細地研究這段經文，但我們要曉得這是　神所記載的一段十分嚴緊和客觀的族譜，因爲神認識萬事和萬民。
神的記錄與一般有關上古人類的傳說截然不同。
既知道我們都是亞當的後代，那麼我們理應可以從創十中找出我們的族系。

F.人類反叛和驕傲的本性

主題：人滿懷罪孽，不能自拔，需要　神的拯救

閱讀:創十一1-4

神拯救了挪亞和他的妻子，他的兒子和媳婦以後，地上又過了數百年。
那時，地上的人口再次繁盛起來。

第十二圖「巴別塔」

很多挪亞的後代都忘記了　神如何用洪水毀滅了世界。
他們故意忽視　神。
一他們不管　神在他們身上的旨意。
一他們不願意效法亞伯、塞特和挪亞來認識和相信　神。

詩十九1-3
羅一18-32

他們受著撒但的操縱，並感染了撒但的思想。
—他們要逞強和高抬自己。
—他們不願意認識、敬拜、信靠和順從　神。
我們的祖宗也曾在這些人當中。
—他們都知道洪水的事蹟，亦曉得　神是他們的創造主。

他們晝夜不斷地看見　神藉萬物彰顯出來的創造大能。
神時常將彩虹高懸在空中，叫他們記念　神保證不再用洪水毀滅世界的應許。
他們根本沒有任何不相信　神的藉口。

—可是，他們不曉得敬拜　神，也沒有感謝　神賜他們生命、健康、陽光、雨水和食物。（註二）
—他們雖然心中曉得眞理，卻故意與眞理背道而馳，他們的心充滿了惡念和愚妄。

他們敬拜自己雕刻的偶像。
他們敬拜走獸和飛鳥。
最後，他們敬拜蛇和其他爬蟲。

主題：撒但與　神意願相違，他是騙子，是說謊者，他恨惡人類

撒但誘導我們的祖宗反叛　神和　神的旨意。
—撒但要使人敬拜假神。
—現時很多原始的部落還在敬拜太陽、月亮、飛鳥和走獸。
—思想：

*我們看見這些人何等容易覺得他們愚昧無知。可是，撒但是狡猾的，他知道每一個文化的弱點，他知道不同的文化會「接納」不同的謊話。*
*我們可能沒有明顯地看見求神拜佛的人，但我們可在報章上看見刊登的占星術！我們更目睹很多人犧牲了所有的時間、精力和人際關係，去努力地追求物質的享受，甚至債務纏身也在所不計，他們集中力量來高抬自己。在這些情況下，　神的地位何在？*
*敬拜就是要盡上我們的意志、我們的心、我們的資源、甚至我們的生命去事奉我們敬拜的對象。敬拜出於「配得」一詞，只有　神才配得我們的景仰和敬拜。撒但就是要我們不去敬拜　神，此外，他不管我們去拜甚麼。*

主題：神是至尊而掌權的

註二：
這裡有關他們逐漸遠離神的論點乃基於羅一18—32。
當被問及你爲何知道這段經文是指這一撮人時，請回答這是　神的話所描述人逐漸腐敗的模式。這模式亦可用以解釋爲何今天的人逐漸遠離神。當然，這模式若應用在今天的社會，其外在的特徵可能沒有那麼明明可見，但人類腐敗的方式仍是一樣的（如星座和生肖運程便是不敬拜　神的例子）。

神是掌權的。
一只有祂是　神。
一神在賽四十二8說：「*我是耶和華，這是我的名，我必不將我的榮耀歸給假神，也不將我的稱讚歸給雕刻的偶像。*」
可是，那企圖建造巴別塔（或巴比倫）者卻沒有思想神。

在圖表上指出「巴別」

— Bible Knowledge Commentary（註三）
指出那些企圖建造那城者，乃出於拜偶像的思想和滿足他們驕傲的動機：
「*根據一些巴比倫的文獻，巴比倫城乃由天上諸神所建造的天城，爲要傳揚他們的驕傲…這些文獻更描述了與創世記十一3吻合的造磚方法，並且在每一塊磚上刻上巴比倫神馬德的名字。此外，那層壘式的塔據信首見於巴比倫，傳說中此塔塔頂通天（參第四節）。這座人造的高山成了城中的敬拜對象，塔頂更建有小型的廟宇供人參拜。巴比倫常以他們的建築爲榮，他們常常誇口說他們的城除了屹立不倒以外，更是天上的城，城的名字就是　神的門的意思。*」
一馬德是巴力的別名，當時的人不敬拜眞　神，反而創造一個假神來敬拜。敬拜巴力的程序充滿了罪惡、情慾和殘酷的事情。

註三：
The Bible Knowledge Commentary: Old Testament, by John F. Walvoord and Roy B. Zuck, p.44. Victor Books, 1986.

在第一號地圖上指出希底結與伯拉河平原，就是巴別塔的所在

一今天，在這平原上仍可看見一些塔和層壘的遺跡，這些遺跡讓我們想起昔日的巴別塔，它們的建築結構顯示了聖經所說那時採用燒磚和石漆的材料。

主題：神是至尊而掌權的

當時的人集合起來要建造巴別塔，因爲他們不願意散居全地。

閱讀:創十一4

他們當時想到誰？（註四）
他們自己，因爲他們傲氣蓋天。
他們本應高舉　神的名，絕不是他們自己的名。
請細讀本節的後段，他們還犯了甚麼錯誤？
神曾經向亞當、挪亞和他的後裔頒佈甚麼命令？

閱讀:創一28和九1-2

註四：
請讓同學們去發現那些人說：「我們要…爲要傳揚我們的名…」，並試試他們還記不記得　神在洪水以後對挪亞子孫的吩咐。

—神吩咐亞當和挪亞要生養眾多，並要管理地上一切的走獸、飛鳥和魚。
—神不願意人聚居一方，只作他們喜歡作的事。
—神知曉他們若聚居一方便會忘記　神和祂的旨意。
—神造人，是要人在地上遵行祂的旨意。
不論我們住在何方、我們的膚色或我們的語言是甚麼，我們都是　神所創造的，也是屬於　神的人。

當時的人故意地違反了　神吩咐亞當和挪亞的命令。
—他們不願意遵行　神的吩咐散居到世界各地。
—他們聚居一方、建造城市和豎立一座高大的塔。

G.神明察他們所作的一切

主題：神無所不在，祂洞悉萬有

神是否喜悅這些背叛者?
—神有沒有看見他們的所作所為?
—神是否知曉他們的心意和計劃?
—神有沒有注視他們的行動?

閱讀:創十一5

雖然他們忘記了　神，但　神仍舊注視他們。
神鑑察在每一個角落的人。

詩一三九

閱讀:箴十五3

—祂注視每一個人。
—祂也洞悉我們的一切。
你和我在祂面前都沒有隱秘的事。
祂參透我們所有的意念、話語和行動。

結十八4

祂是我們的創造者。
—祂擁有世上所有的人。
—祂甚至擁有那些因著罪以致與祂隔絕的人。

H.神分散了他們

主題：神是至尊而掌權的

有沒有人可以勝過　神?
—撒但還在天上之時，他試圖向　神挑戰，結果是一敗塗地。
—那些隨從撒但的天使也試圖向　神挑戰，他們也徹底失敗了。
—亞當、夏娃、該隱和挪亞時代的人都曾試圖背叛　神，可是，他們全都失敗了。

—那些企圖建造巴別塔的人又如何？撒但和他們有沒有勝利？
沒有人能夠勝過　神，　神是遠勝萬有。
現在我們要看看　神如何處理這事。

**閱讀:創十一6-9**
—注意:
*還記得　神在起初說:「…我們要照著我們的形像造人…」（創一26）嗎?*
*現在，我們再次看見聖父、聖子和聖靈互相議論祂們將要採取甚麼行動。*
—神使眾人說出不同的語言。
—正因為人再不能互相溝通，所以他們只有各歸本家，分散到不同的地方去。
—若干年以後，他們便靠著步行或泛舟分散到更遠的地方。
這本是　神原先的計劃，就是人要遍滿全地，不是聚局在一個區域。
—思想:
*我們聽聞不少有關歷史、列國與語言的起源的揣測，這些揣測都只是基於人對這些問題有限的了解，我們只有細心研讀聖經，才能真確地了解人類歷史的起源。只有　神才可以給我們歷史上的細節，當我們相信神的話時，我們才可以將考古學的發現和其他歷史的證據放在歷史的進程上。除了靠著聖經以外，我們再沒有其他的方法可以寫出準確的歷史，因為　神創造了萬有，並為人類準確地記載了他們應當知道的史實。這段經文告訴我們列國和萬族的起源，其中包括了我們的祖先，他們曾在巴別塔下聚居。這就是我們的家族、國籍和語言的起源。*
*我們的祖宗雖然曉得　神的真理，卻聽信了撒但和他黨羽的謊言，遠離了真理。凡研究上古史者都曉得遠古時代正是充滿了敬拜偶像和假神之事。不論是原始社會或先進的社會，人都傾向隨從世上的領袖、心中的惡念、假神和偶像，卻偏要遠離真道和永活的　神。*
雖然世上仍有敬拜真　神的人，但大部份的人卻遠離了神。

I.總結
聖經光照了歷史的進程；更重要的，就是它將　神顯明出來，並訴說　神如何與人交往。
這些遠古的事蹟似乎與我們今天社會上的現像十分相似，就是人仍然在背叛　神。
神卻仍然沒有改變。
祂關心每一個人。
祂知道發生在每一個人生命中的事。
祂仍要審判罪惡。
祂仍然呼喚人來相信祂。

問題:

1.神爲何有權叫挪亞和他的子孫管理一切的走獸、飛鳥和魚?

*因爲世界和世上的一切都是屬祂的。*

2.神用甚麼記號保證祂永遠不再用洪水毀滅世界?

*彩虹。*

3.神有沒有實踐祂的承諾?

*有, 神一諾千金,祂永遠不說謊話,祂永遠不會改變。*

4.在洪水以後的世代知曉 神的眞理嗎?

*知曉。*

5.他們如何知道?

*a.神是創造者和祂用洪水審判世界的事實世世相傳。*

*b.他們可以從全能的創造中體會 神。太陽、月亮、星宿和地上的萬物都顯明了那位全能的創造者。*

*c.神將彩虹高懸天上爲記號。*

6.挪亞的後裔是否全都敬拜 神? 他們是否相信 神的話和神要差派一位拯救者的應許?

*不是,他們當中只有少數人相信和敬拜 神。*

7.其餘大部份的人作甚麼?

*a.他們雖然曉得眞理,卻故意隨從了撒但的謊言,遠離了 神的眞道。*

*b.他們敬拜那像人、鳥、獸和爬蟲樣式的偶像,此外,他們更敬拜日頭、月亮和星宿。*

8.那些是甚麼人?

*他們是亞當的後裔,是挪亞三個兒子(就是閃、含和雅弗)的後裔,也就是我們的祖宗。*

9.他們爲何要建造巴別塔?

*a.他們不願意按照 神的吩咐去遍滿全地。*

*b.他們要在地上高舉自己。*

10.神知道他們的計劃嗎?

*知道。*

11.神知道人心中的隱秘嗎?

*神知曉一切。*

12.神作了何事?

*祂叫不同的家族說不同的口音,以致他們再不能彼此溝通。*

13.這事有何後果?

*各家族逐漸遷居他方,離開其他的家族。*

14.上古的人類從何處獲得他們的宗教觀?

*當他們遠離 神以後,他們便從撒但和自己的猜想中建立了自己的宗教觀。*

補充問題:

15.今天的人與昔日在巴別塔者有那些相同的態度?

*驕傲和反叛。*

16.今天的人在敬拜甚麼?

# *第十六課　神揀選、呼召和引導亞伯蘭；*
# *羅得選擇了所多瑪和蛾摩拉的肥沃平原*

參考經文

來十一8-10

## 課前預備

此段只供教師使用

左列的各參考經文有助於你準備這一課。但因經文帶出的眞理有些會在稍後課文中講授，故不宜於此立刻講解這些經文。

請注意：若你沒有教授過本書課文，請詳讀書前『教師必讀』部份。

經文：創十一27-32；十二1-5；十三5-13

本課目的：

說明　神必信實地實踐祂的計劃和履行祂的諾言。

說明人需要信靠和順服　神，不應附和眾議。

本課可幫助學生：

明白聖經的貫徹性。

明白　神不會因著人的行爲而改變初衷，反之，祂必然履行祂的諾言。

預備心靈去聆聽拯救者的眞理。

教師的觀點：

加三6—9說：「*正如亞伯拉罕信　神，這就算爲他的義。所以你們要知道：那以信爲本的人，就是亞伯拉罕的子孫。並且聖經既然預先看明，　神要叫外邦人因信稱義，就早已傳福音給亞伯拉罕說：萬國都必因你得福。可見那以信爲本的人，和有信心的亞伯拉罕一同得福。*」

神的道實在是奇妙的！亞伯拉罕正是我們信心之父！我們應當因著他的見證而得著鼓舞和安慰。當他離開他不信的父家時，祂就像黑暗和狂風中的一線曙光。來十一8告訴我們他根本不知道自己要往那裡去，但他就像挪亞一般的相信和順服　神。亞伯拉罕是我們信心的模範，但他也是人，也有失敗和在信心上跌倒的時刻（註一），但我們都看見他總是勇於認罪，並再次起來與　神同行。

我們的文化需要一些「英雄」，我們缺乏一些能在生活中言行一致的好榜樣，　神卻使用了亞伯拉罕的一生來說明祂的恩典並透過亞伯拉罕來彰顯祂的恩慈福澤，而這一切史實的主角正是　神，我們可以從亞伯拉罕身上看到神的恩典。

亞伯拉罕並不是一個風馬牛不相及的遠古人物，他是我們的信心之父！耶穌在太廿二31至32中說：「*… 神在經上向你們說的，你們沒有念過嗎？祂說：『我是亞伯拉罕的神，以撒的　神，雅各的　神。』　神不是死人的　神，乃是活人的　神。*」

課文概覽

本課說明　神以信實和恩典呼召亞伯蘭離開吾珥進入迦南地，並亞伯蘭信心的回應。創十二記載了神開始應許亞伯蘭：祂要使亞伯蘭成爲大國，並且萬國都要因著亞伯蘭而得福（就是拯救者要出於亞伯蘭的後裔）。

本課亦將提及羅得選擇了他認爲較好的土地——就是所多瑪和蛾摩拉。

註一：
本課程將不會提及亞伯拉罕的罪，亦不予敘述夏甲、以實瑪利和割禮等事蹟，我們只著重於那些與　神的性情和因信得救有關的事件和細節。
若遇上盼望討論其他細節的同學時，請說明本課程著重於「點題」和帶出基要眞理，並建議你將會在課後解釋其中的某些問題。

請仔細思量這話！我們在教導　神永活的話語，我們需要懇求聖靈幫助我們講授　神眞確而活生生的話語，讓學生們得以聽而相信。

視覺教材：

　第十四圖「離開哈蘭」

　地圖第一號

　圖表

## 授課要點

此課程特爲非信徒安排，故授課時務要奠定聖經基礎，以爲日後傳福音的根據。若你班上有信徒參與，則授課的目的是使他們明白信仰的根基，以致日後他們亦可運用同樣教材去教導未信的人。

**課文信息要明確簡潔，切忌節外生枝！**

請注意這課程是有範圍和有主題的聖經研讀，並非徹底深入的聖經鑽研，亦非漫無邊際的小組討論。**請依照主題帶領討論，以保持課程進度。切記緊依大綱，突出教義主旨。**

課程編排形式：每一頁的中間部份是教授學生的內容，粗體字的標題只供教師參考，不需口誦，因爲標題內容會在接著的課文大綱提及。至於左右兩欄所列的經文是給教師作參考之用，不宜在課堂上詳授。

## 學生的教授內容
（中間部份）

課文大綱：

複習第十五課問題

A.引言

　你們當中有多少人知道曾祖父的名字?

　大多數人不知道我們祖先的名字，但我們今天正要講述一位四千多年前的人物，他至今仍被他的子孫所記念。

　爲何他的子孫要記念他?

　一因爲　神對他所作的應許。

　一因爲他相信　神。

**B.亞伯蘭是閃的後裔**

　挪亞有三位兒子，就是閃、含和雅弗，而亞伯蘭就是閃的後裔。

他拉的兒子亞伯蘭住在人們曾建造巴別塔的附近。

在第一號地圖上指出巴別

閱讀:創十一27-30

在圖表上指出亞伯拉罕、撒拉和羅得

我們將在稍後看見亞伯蘭和撒萊更改了名字。
亞伯蘭與撒萊結婚以後一直沒有兒女。
—闡釋:
*在當時的社會中，不育是一件羞恥的事，沒有孩子的夫婦會被人看不起。他們特別喜歡兒子，因爲關乎一姓的傳宗接代。*

閱讀:創十一31,32

亞伯蘭的父親他拉從吾珥遷往哈蘭。
—他拉與亞伯蘭和撒萊同往哈蘭去。
—他拉亦帶同他的孫子羅得同去，因爲羅得的父親已在吾珥逝世。
他拉希望進入迦南地，可是他們到達哈蘭以後，他拉便去世了。

當提及吾珥、哈蘭和迦南時，請在一號地圖上指出這些地方

C.神呼召和命令亞伯蘭

主題: 神是信實的，祂永遠不會改變

閱讀:創十二1（註二）

主題: 神與人對話

—神呼召亞伯蘭離開他的家鄉到迦南地去。
—神直接向亞伯蘭說話，指示他當作的事; 在亞伯蘭的時代，聖經尙未寫成。
今天， 神不用聲音向我們說話。
祂藉著聖經向我們說話。
我們只有透過聖經才可以認識　神和祂給我們的信息。

主題: 人滿懷罪孽，不能自拔，需要　神的拯救

亞伯蘭原居於米所波大米，當地的人都拜偶像。
—他們不信靠　神，不愛祂，也不順服祂，就是他們的創造者。

註二:
徒七2，3說在亞伯蘭跟從父親往哈蘭以前，　神早已呼召他。

—書廿四2說亞伯蘭的父親他拉是個拜偶像的人。
亞伯蘭同樣是罪人嗎?
是的，他也是罪人，因爲他是亞當的後裔。
但亞伯蘭相信　神。
—他按照　神指定的方式來親近　神。
—他信靠　神和　神的應許。

主題：神是至尊而掌權的

若亞伯蘭繼續與他拜偶像的同鄉聚居，　神便不可以實行在亞伯蘭身上的計劃。
—他必須離開家鄉。
—他必要到　神帶領他去的地方。
神有權指示亞伯蘭應作何事。
—神超越萬有。
—神是至尊貴的。

D.神給亞伯蘭的應許

主題：神滿有慈愛、憐憫和恩典
羅一23-25　主題：神是信實的，祂永遠不會改變

創十一3,4

挪亞的後裔，就是我們的祖宗，他們都故意地背離　神。
—他們不敬拜　神，反倒敬拜　神所造的東西。
—他們企圖建造巴別塔，存心背叛　神，人類雖然罪惡滿盈，然而　神卻沒有撤銷拯救人類脫離撒但魔掌和永遠刑罰的計劃。
—沒有任何人事物可以阻撓　神實行祂的計劃。
—思想：
*請聽　神在多年以後藉著先知以賽亞對那些仍在拜巴比倫假神者所說的一番話：「你們當想念這事，自己作大丈夫。悖逆的人哪，要心裡思想。你們要追念上古的事，因爲我是　神，並無別　神；我是　神，再沒有能比我的。我從起初指明末後的事，從古時言明未成的事，說：『我的籌算必立定，凡我所喜悅的，我必成就。』」（賽四十六8-10）*
　神言出必行。
　神所起始的，祂必成就。
　沒有任何事物足以障礙　神實行祂的計劃和成就祂的旨意。
—神藉著呼召亞伯蘭實踐拯救世人脫離罪孽的另一步。
神從亞伯蘭的時代至今仍沒有改變。
—祂仍舊滿懷慈愛、憐憫和恩典。
—祂沒有忘記要拯救世人脫離永遠刑罰的計劃。
—祂盼望所有人都得以脫離撒但的權勢和罪孽的纏繞。
讓我們看看　神給亞伯蘭的應許。

閱讀:創十二2

—雖然亞伯蘭和撒萊沒有兒女，但　神卻應允他要成為大國之父。
—神亦應允保護和賜福亞伯蘭，讓他成為一位重要的人物，並要讓別人透過他得著益處和幫助。

閱讀:創十二3

—神亦答應必要賜福給凡幫助亞伯蘭的人，卻要咒詛那惡待他的人。
—讓我們仔細地看看第三節的後段:「*…地上的萬族都要因你得福。*」

加三8

這是　神給亞伯蘭最大的應許，因為這應許關乎那位拯救者。
當我們研讀伊甸園時，你記不記得　神要差派一位拯救者到世上來，為要粉碎撒但的權勢？
現在　神應許那位拯救者要出於亞伯蘭的後裔。
世上的萬族都要因著亞伯蘭的後裔得福。
—這應許包括了你和你的一家，我和我的一家，並地上所有的人。
—神要將這位拯救者賜給全地的人。

E.亞伯蘭相信和順從　神

主題:人必須憑著信心討　神的喜悅並得著拯救

亞伯拉罕面對的環境和處境:
—亞伯蘭原居住在一個拜偶像和充滿罪惡的地方，他的家庭並不敬拜　神。
—亞伯蘭好像挪亞一般生活在那些蔑視　神，和隨從自己私慾而行的人當中。
—亞伯蘭和撒萊沒有孩子。
亞伯蘭卻不受環境和處境的影響，他相信　神的應許。
—亞伯蘭相信　神要差遣拯救者，而拯救者正要出於他的後裔。
—亞伯蘭好像挪亞一般相信　神的話，因此他懂得順從神。

閱讀:創十二4,5

在一號地圖上指出吾珥、哈蘭和迦南，並指出亞伯蘭可能曾走過的路徑。

—思想：

*當我們研讀亞伯蘭的事蹟時，讓我們緊記他是一位實在的歷史人物，舊約和新約聖經中多次提及他。*

*據考古學的發現，吾珥、瑪力、伊布拉和一些遠古城市在主前約二千年的生活方式，與聖經記載有關亞伯蘭時代的生活方式十分吻合。近日發現一些有關遠行和經商、婚姻和家庭與及一些名字的細節都乎合聖經的記載。*

*建議視覺教材：*

第十四圖「離開哈蘭」

—思想：

*亞伯蘭十分富有，他有很多工人、牛、綿羊和山羊，他帶同一切的東西遷居。我們不能想像當時遷居的情景，但我們可以肯定亞伯蘭立志跟從主，這並非出於一時衝動或他的探險精神，他要遷居的決定乃是基於他相信　神。*

*要帶著家人和一切的財物，千辛萬苦地離開家園到一個陌生的國家，這眞是不可想像的事情，亞伯蘭這樣做，只是爲了要順從那位被他的鄰舍所蔑視的　神。*

*別忘記，亞伯蘭因著他的財富，別人都注意他的舉動。亞伯蘭的本家，就是迦勒底的吾珥，是一個都市，當地有很多類似巴別塔的房屋和廟宇。吾珥的遺蹟在今天伊拉克境內可見。*

*但是，現在亞伯蘭在旅途上要住在帳棚內。*

彼後二7-9

*亞伯蘭在種種的不方便和社會壓力下，他仍然相信和順從　神，並將家人和他的財產都交給　神照顧，因爲亞伯蘭曉得　神是可信的。*

亞伯蘭的姪兒羅得與亞伯蘭和撒萊一同遷居。
羅得也相信　神和信靠　神的應許。

**主題：神是信實的，祂永遠不會改變**

神信實地帶領亞伯蘭進入了迦南地，就是祂應許要賜給他的那地。

**F.亞伯蘭的牧人和羅得的牧人起了爭端**

**閱讀:創十三5-7**

羅得，就是亞伯蘭的姪兒，也是富有的人。

他們都擁有很多牛羊。不久，他們的牧人之間起了爭端。

G.亞伯蘭的解決方法
亞伯蘭向羅得提出了一個解決方法。

閱讀:創十三8,9

H.羅得的選擇

閱讀:創十三10,11

羅得四周觀看，要作出他的選擇，他選了一片草原，好餵養他的牲畜。
—羅得雖然相信且順從　神，但他沒有想到怎樣才是對他和家人最好的，亦沒有考慮此舉將如何影響他們對神的認識或他們是否能以討　神喜悅。
—羅得可能單考慮如何賺更多的錢。
—羅得的選擇為他帶來了悲慘的後果。
—思想:
*該隱選擇忽視　神的後果是甚麼? 他的後裔都被洪水淹沒了。*
*我們要謹慎地作出抉擇。我們常常被社會上不同的壓力驅使我們作出一些沒有永恆價值的抉擇，例如: 如何賺更多的錢? 我們應當買甚麼? 我們當往何處去? 我們明天要作甚麼? 何時度假?*
*但我們卻甚少思考有關生命的問題，就如: 我們與　神的關係如何? 我們的兒女對　神有多少認識?　神在祂的話語中寫了些甚麼東西給我們? 我們犯罪的刑罰是甚麼?*

閱讀:箴十四12

彼後三9

*若有人故意地背離　神的話語，他將要為他這抉擇後悔終生。我們難於面對的事實，就是　神為背叛祂的人所預備的刑場，撒但就是不要人來面對這現實! 火湖卻是千真萬確的事實，它是為撒但和他的黨羽，並一切拒絕　神的人所設下的永遠刑罰。我們就是在世上擁有一切，死後卻落在地獄當中，那又有甚麼益處呢?*
*沒有人願意探討這些問題，我們常常被驅使去爭取更多的東西而不常想念　神，但　神藉著祂的話語呼召我們，懇求我們聽祂的話和相信祂。*

主題: 人滿懷罪孽，不能自拔，需要　神的拯救

—比較:
*—亞伯蘭停留在那滿佈石頭而貧瘠的山上。*

*—羅得遷到較肥沃的平原去。*
*—在人看來，亞伯蘭在這分地的事上吃虧了。*
*—但　神曉得那些我們在表面上看不見的眞理。*

閱讀:創十三12,13

在平原上有兩個城市，就是所多瑪和蛾摩拉。
—這兩個都是腐敗的城市。
—那兒的居民不願意認識　神，也不願意知道　神要他們作甚麼。
—他們只爲自己和他們的惡行設想。
神知曉一切，若羅得求問　神，　神必定讓他知道。
可是，羅得選擇了他眼目以爲美的事，卻逐漸遠離了神，走向那罪惡滔天之地。

主題: 神無所不在，祂洞悉萬有

所多瑪和蛾摩拉的居民雖然沒有思想　神，但　神卻鑑察他們的所作所爲。
—神是他們的創造者。
—他們雖然隨從撒但，　神卻擁有他們。
—思想:
*人就是忽視　神且拒絕聽從　神的話，神仍能洞悉他們的一切。他們雖然選擇背棄　神而隨從撒但，　神卻仍然擁有他們。當　神讓他們回心轉意的時限滿足時，祂便要懲罰他們。*

I.結論
羅得按著自己的喜好作出了抉擇。
亞伯拉罕卻順從　神，因爲他相信　神必然履行祂所有的諾言。
我們將在下一課探討　神如何在他們身上工作。
讓我們就今天所學習的，去反省我們的生命和我們的抉擇。

問題
1.人類雖然企圖興建巴別塔而背叛　神，但祂有否因此而放棄了差遣拯救者的計劃?
*沒有。*
2.神如何讓拯救者生到世上來?
*神揀選並呼召了亞伯蘭，爲要讓拯救者出於他的後裔。*
3.神吩咐亞伯蘭作何事?
*神吩咐他離開家鄉，到　神應允要帶領他去的地方。*

4.當　神吩咐亞伯蘭遷居別國時，亞伯蘭和撒萊有多少兒女?

*他們沒有兒女。*

5.神應允亞伯蘭甚麼?

*a.神說亞伯蘭的後裔要成爲大國。*

*b.神應允要保護和賜福亞伯蘭，讓他成爲一名重要的人物，並要多人因著他得蒙幫助和恩惠。*

*c.神說祂要賜福給幫助亞伯蘭的人，卻要降禍給惡待他的人。*

*d.神說世上萬國都要從亞伯蘭的一名後裔獲得　神的幫助。*

6.這位亞伯蘭的後裔是誰?

*他就是那位拯救者，他要戰勝撒但，讓人得以與神合一。*

7.神昔日直接地向亞伯蘭說話，今天，祂如何向我們說話?

*藉著聖經。*

8.神是不是因著亞伯蘭不是罪人而揀選他?

*不是，世上的人都是罪人。*

9.亞伯蘭如何到　神面前敬拜祂?

*他採取了亞伯、塞特和挪亞的方式，他們都按照神的心意來敬拜祂。*

10.神應許亞伯蘭之時，亞伯蘭作了何事?

*他相信　神。他離開了家鄉，到　神要帶領他去的地方。*

11.亞伯、塞特、以諾、挪亞和亞伯蘭有何相似之處?

*他們相信　神，並遵照　神所吩咐的方式到　神的面前；他們順從神。*

12.羅得爲何離開亞伯蘭，遷往所多瑪和蛾摩拉的平原?

*a.亞伯蘭和羅得各人都擁有很多牛羊，因此那地不能提供足夠的草原和可以共處的地方。*

*b.羅得看見平原上有水源滋和茂盛的草原，好牧養牲畜，因而遷往那兒去。*

13·人若擁有家財萬貫，死後卻落在永遠的刑場中，那有何益處?

*他們的財富於他們完全無益。*

14·誰看見了所多瑪和蛾摩拉居民的惡行?

*神。*

15·我們有沒有任何不能被　神悉透的思想、話語或行動?

*沒有。*

# 第十七課　神摧毀了所多瑪和蛾摩拉；神重申祂對亞伯拉罕的承諾

## 課前預備

此段只供教師使用

**參考經文**

左列的各參考經文有助於你準備這一課。但因經文帶出的眞理有些會在稍後課文中講授，故不宜於此立刻講解這些經文。

請注意：若你沒有教授過本書課文，請詳讀書前『教師必讀』部份。

來十一11,12

經文：創十三14-17；十五5-6,13-16；十七1-5,15-17；十八20,21;十九1-7,10-17,24-26

本課目的：

說明　神看重亞伯拉罕對祂的信心，並因此稱他爲義人。

說明　神審判罪。

說明錯誤抉擇的後果。

說明　神關懷每一個人。

本課可幫助學生：

明白亞伯拉罕的信心使他得以被稱爲義。

明白沒有一人能夠逃避罪的後果。

明白罪和背叛　神的嚴重性。

明白神個別地關心他們。

明白聖經是眞理。

教師的觀點：

所多瑪和蛾摩拉的事蹟正好對我們這廢棄道德和公義標準的世代說明　神不變的眞理。

城中居民所犯的罪正是我們今天的警戒，同性戀（並其他與性有關的罪行）正在我們的社會中氾濫，人們卻以「個人生活取向」作爲這些罪行的藉口。無神的生活方式逐漸變得普遍，並且受到社會的接納。 神卻始終沒有改變，祂絕不會接納任何不道德的行爲。

很多人以爲一位「充滿慈愛」的　神不會懲罰人，可是，他們忽略了　神也是公義的；　神是慈愛的，也是可畏的，祂必懲治罪。這事蹟提醒了我們要審愼地作出抉擇，亞伯拉罕選擇相信　神，　神至今仍不斷地降福給他的後裔，就是那些效法亞伯拉罕去相信　神的人。羅得的抉擇，卻將自己和家人無謂地放在那悖謬和無神的環境中，這抉擇使他失去了妻子、女婿們及自己和女兒們的見證。在十九30—38（我們不會教授這段）記載羅得和他女兒們的事蹟，顯示了他們雖然逃離了那兩座城，他們卻帶著城中罪孽的羞恥。羅得的女兒所生的兒子們日後繁衍爲摩押

**課文概覽**

本課將探討二樁相關的事蹟：

**說明　神看重亞伯拉罕對祂的信心，並因此稱他爲義人。　神把羅得救離了所多瑪和蛾摩拉，好讓祂能夠毀滅那兩座罪惡滔天的城。**

重點：

—從神應許亞伯拉罕一事中看出　神與人對話。注意：我們將在稍後的課文中重提這些應許，因此，請現在講授。

—從亞伯拉罕向　神的回應中，說明人必須按照　神的心意去到　神的面前。

—從所多瑪和蛾摩拉的事蹟中，看出　神對人的關懷和對罪的刑罰。

人和亞捫人，他們與亞伯拉罕的子孫成了世仇。

罪惡帶來了連綿不絕的痛苦、憂傷、虛耗的生命、摧殘和死亡。某些學生聽了所多瑪和蛾摩拉的事蹟後，可能願意相信和悔罪，讓我們祈求神幫助我們講解眞理，並藉著我們的講授在人的心中動工。

**視覺教材:**

第十六圖「羅得和他女兒的逃亡」
第十七圖「所多瑪和蛾摩拉的毀滅」
地圖第一號
「亞伯拉罕相信　神」小海報（將在課中詳述）

## 授課要點

此課程特爲非信徒安排，故授課時務要奠定聖經基礎，以爲日後傳福音的根據。若你班上有信徒參與，則授課的目的是使他們明白信仰的根基，以致日後他們亦可運用同樣教材去教導未信的人。
**課文信息要明確簡潔，切忌節外生枝!**

請注意這課程是有範圍和有主題的聖經研讀，並非徹底深入的聖經鑽研，亦非漫無邊際的小組討論。**請依照主題帶領討論，以保持課程進度。切記緊依大綱，突出教義主旨。**

**課程編排形式:** 每一頁的**中間部份**是教授學生的內容，**粗體字的標題**只供教師參考，不需口誦，因爲標題內容會在接著的課文大綱提及。至於**左右兩欄**所列的經文是給教師作參考之用，不宜在課堂上詳授。

## 學生的教授內容
（中間部份）

**課文大綱:**
複習第十六課問題

A.引言
本課將要探討一些非常重要的問題。
神認爲甚麼是義?
神稱怎樣的人爲義人?
人若選擇過不道德的生活，　神會不會介意?
同性戀是罪嗎?
聖經清楚地說明了這些問題的答案。
這事件將使我們聯想起挪亞的時代。
亦將使我們思量我們身處的社會中目前發生的事情。

B.神重申對亞伯蘭的應許

主題: 神與人對話
羅得離開了亞伯蘭以後， 神向亞伯蘭說話，再次應許要將迦南全地都賜給他。

閱讀:創十三14-17
在一號地圖上展示迦南
一比較:
*在黑暗無雲的夜裡，你可以看見多少顆星 S神在一個晚上帶領亞伯蘭步出他的營帳，要他舉目數算繁星。在亞伯蘭尚未生下第一個孩子以前， 神已經應許他的子孫要好像繁星那麼多。*

閱讀:創十五5,6

主題: 人必須憑著信心來討神的喜悅並得著拯救
亞伯蘭相信 神。
一神的應許似乎不可能實現。
一亞伯蘭和撒萊已經結婚多年，現在他們都年老了，還是未有孩子。
一但亞伯蘭相信 神要賜他一名孩子，並要讓拯救者出於他的族系。
神因著亞伯蘭的信心而接納他，並以他爲無罪。
一亞伯蘭是罪人，但因著他對 神的信靠， 神就接納了他，以他爲完全了。

閱讀:創十五6
何謂義?
一義包含了正直之意。
一神因著亞伯蘭行事正直而算他爲義人或蒙 神悅納的人。

羅四3

亞伯本像我們一樣，也是一名罪人，因爲他也是亞當的後裔。
神在亞伯蘭身上找著甚麼特點，可以算他爲義人?
既然亞伯蘭本是罪人， 神爲何要接納他?
神算亞伯蘭是義人的唯一原因就是亞伯蘭相信 神。

*建議視覺教材:*

亞伯拉罕相信 神
神算他爲義人

我們也可以這樣說，亞伯蘭因著罪的緣故，他在 神那裡的帳戶已經呈現赤字， 神卻將公義加進他的帳戶內。神將公義如禮物般送給亞伯蘭，使他得以完全地蒙 神悅納。

神爲何這樣做?
因爲亞伯蘭相信　神。
亞伯蘭曉得他不能救拔自己脫離罪孽，但他相信　神必定差遣一位拯救者救拔他脫離撒但、罪惡和死亡。

加三8

主題：神無所不在，祂洞悉萬有
閱讀:創十五13-16
在亞伯蘭的後裔誕生以前，神已經知曉一切將要發生在他們身上的事情。
一比較:
*你可否預知下星期、明年或十年後將要發生的事情? 那麼在一百或二百年以後將要發生的事又如何? 除了神以外，沒有人可以知道，只有　神才能夠知曉將來要發生的一切事情。*

閱讀:創十七1-5
當亞伯蘭年屆九十九時，　神再次向他說話。
一神替他改名爲亞伯拉罕，因他將要成爲多國之父。
一亞伯蘭是「可尊之父」的意思，而亞伯拉罕就是「萬國之父」的意思。

C.神應允亞伯拉罕和撒拉要生一名兒子

主題：神與人對話
閱讀:創十七15,16
神爲撒萊改名爲撒拉，因爲她雖然未有孩子，但　神應許她要生一名兒子。
一撒萊是「公主」的意思，而撒拉就是「多國之母」的意思。
一她要成爲多國之母。

主題：神無所不能
主題：人需要　神

閱讀:創十七17
亞伯拉罕和撒拉似乎不可能再生育了。
一亞伯拉罕快要一百歲了。
一撒拉快要九十歲了。
一但　神的應許不會受他們的肉身所限制。
這是　神的應許，祂是全能的　神。

D.神對所多瑪和蛾摩拉的態度（註一）

讓我們現在看看亞伯拉罕的姪兒羅得。

主題：人必須憑著信心去討　神喜悅和得著拯救
主題：神無所不在，祂洞悉萬有
閱讀:創十八20,21

註一:
請閱讀創十八整篇，這將有助預備創十九記載有關所多瑪和蛾摩拉的事件。
請指出聖經有數處記載　神以人的形像向人說話，這稱爲「神的顯現」。
從第十八章記載　神知曉撒拉的反應（12—15節），及祂與亞伯拉罕對話等事件之中，可見　神的恩典和全知。
請仔細闡釋　神在十八18的評語乃爲亞伯拉罕的好處而說的，神知曉在所多瑪和蛾摩拉發生的一切事情，就如一位父親對兒子說：「我聽聞你的房間弄得一團糟，我得進去看看是否果然這樣。」而父親本是知道兒子的房間正是一團糟!
當時，　神引導亞伯拉罕，與他談話，好讓他在對話中體會神深厚的恩典和祂的全知。　神說祂若在所多瑪和蛾摩拉找到十個義人便不會毀滅他們（可是，只有三人完全聽了　神的警告而逃生）。
若講授這章聖經，請使用第十五圖「亞伯拉罕、撒拉和從天上來的訪客」。

在一號地圖上指出所多瑪和蛾摩拉的可能位置

大家還記得羅得遷居到這兩個腐敗城市的附近。
當時，世上雖然有很多的人， 神仍然看見所多瑪和蛾摩拉的居民所作的一切事，並聽見他們所說的每一句話。

主題：神滿有慈愛、憐憫和恩典

主題：神是至尊而掌權的

主題：神是聖潔公義的，祂命定罪的代價就是死亡

在羅得遷近這兩座城以前， 神早已不滿當地居民的惡行。
—神經已容忍了他們一段頗長的時日，最後，祂決定不再容忍他們的罪。
—他們不能逃避 神的審判。

—比較：
*還記得 神如何耐心地等待挪亞時代的人悔改嗎？可是，當 神認為時候滿足之際，那些不向 神悔改者沒有一人得以逃脫 神的審判 C神是至尊而掌權的，祂不需要徵詢任何人的意見，當祂要懲罰罪人時，沒有一人可以攔阻 神。*

—思想：
*神不會立時施行懲罰，並不表示祂容許罪惡，祂至終必定懲治一切的罪。沒有人能夠逃出我們創造者父神的刑罰，祂看見每一個人的罪，並且必定按罪施罰。*

彼後三9

E.神的使者到了所多瑪

閱讀:創十九1-3

羅得在那裡?
—羅得本來居於城市附近。
—現在他遷了入城，與那些惡人同住。
他的訪客是誰？他們從那裡來?
—他們是 神善良的天使，他們沒有隨從撒但。
—神差派他們去所多瑪完成一項特別的任務。
神要他們警告羅得和他的一家那將要發生的事情。

主題：神無所不在，祂洞悉萬有

神知道雖然羅得住在所多瑪和蛾摩拉人之中，但羅得相信神。
祂知曉萬事。
聖經中啓示了所多瑪人的罪行。

**閱讀:結十六49,50**

他們驕傲、好口腹之樂，並且不爲他人設想。

F.所多瑪人的罪

**主題：人滿懷罪孽，不能自拔，需要　神的拯救**

創十九18-20

**閱讀:創十九4-7**

—思想:

*這是一段令人嘆息的記載；　神要我們加以閱讀。請仔細思量：我們的社會比他們好嗎?「雞姦」（Sodomy）一詞今天仍被沿用，那正是因爲那罪仍然存在。性本是神爲夫妻而設的特別關係，並讓他們可以透過這關係生兒育女。那曾一度在所多瑪流行的罪，是一種違反自然、墮落、不受控制和自私的瘟役，這瘟役今天仍在蔓延，人因著違背　神在他們身上的計劃而爲社會帶來了那可怕的疾病。*
*羅得本以爲「美好」的地方，原來是可怖之地。　神若沒有差派天使去警告他們，羅得和他兩個女兒的後果眞是不堪設想! 但聖經告訴我們羅得相信　神，因此　神拯救了他。*

G.羅得、他的妻子和女兒逃離所多瑪

**主題：人滿懷罪孽，不能自拔，需要　神的拯救**
**閱讀:創十九10-17**

彼後二6-9

神並不因著羅得、他的妻子和女兒是好人而拯救他們。
—羅得沒有隨從所多瑪的罪惡生活，但他生下來也是罪人。
—但羅得向　神承認自己是罪人，並信靠　神的仁慈。

**主題：人必須憑著信心去討　神喜悅且得著拯救**

—羅得相信　神賜給亞當和他的叔父亞伯拉罕的應許，就是拯救者將要到世上來。

**主題：神滿有慈愛、憐憫和恩典**

神的天使在神毀滅那兩座罪惡滔天的城以前，引領他們逃生。

神要拯救那些順從和相信祂的人。
—亞伯順從和信靠　神，因此　神悅納了他。
—挪亞順從和信靠　神，因此　神拯救他免於洪水。
—羅得順從和信靠　神，因此　神在毀滅所多瑪以前將他拯救出來。

H.神毀滅所多瑪和蛾摩拉

主題：神是聖潔公義的，祂命定罪的代價就是死亡
閱讀:創十九24,25

*建議視覺教材：*

第十七圖
「毀滅所多瑪和蛾摩拉」

來十一4,7
彼後二5

—闡釋：
*當羅得安全地離開了那城後，　神就用火毀滅了所多瑪和蛾摩拉，正如祂在挪亞時代以洪水毀滅世界一樣。*
神在彼後二6說明那兩座城的毀滅正是不信者的一個收場。

主題：神是信實的，祂永遠不會改變
神今天仍沒有改變。
—神沒有改變。
—祂仍然看見且憎惡罪。
—沒有人能夠逃離祂的審判。

I.羅得的妻子回頭觀看

主題：神是聖潔公義的，祂命定罪的代價就是死亡
閱讀：創十九26

當天使帶領羅得、他的妻子和他的女兒逃離所多瑪時，天使吩咐他們不要向後看，只要往山邊跑。
可是，羅得的妻子不順從天使的吩咐。

*建議視覺教材：*

第十六圖
「羅得和他的女兒逃出城」

神參透羅得妻子心中的思念。
—羅得的妻子像該隱一般。
—她不信靠　神。
神知道她爲何回頭看。
—她回頭觀看是因爲她喜歡所多瑪人的罪行。
—好不願意離開。
她違背　神的吩咐委實是不智之舉，因爲當她回頭一看，　神馬上把她變成一根鹽柱。

主題：神是信實的，祂永遠不會改變

—思想：
*若我們憎恨某人，我們可能在怒火中燒之際作出很多威脅，可是，不久後我們便忘記了。但　神絕不會威脅要施行刑罰，稍後卻忘記了自己的話，祂是不會改變的　神，祂應許必要祝福凡信靠祂的人，卻要懲罰凡不順從的人，　神絕不會忘記這應許，並要實踐出來。在罪債倘未完全清還以前，　神不會忘記罪，而罪的刑罰就是死亡，就是永遠地在火湖中與　神隔絕。*

J.結論
—思想：
*神關懷每一個人，世上雖然有億萬的人口，　神仍然認識和關懷每一個人，一切的生命——就是一隻麻雀——在　神看來都是重要的。世上雖然有億萬的麻雀，但聖經（太十29）告訴我們　神知道那一隻麻雀甚麼時候死去。　神在詩五十11說：「山中的飛鳥，我都知道；野地的走獸，也都屬我」。*

約三18
啓廿11-15

*我們比鳥獸寶貴。詩百卅九１－４告訴我們：「耶和華啊，你已經鑒察我，認識我。我坐下，我起來，你都曉得，你從遠處知道我的意念。我行路，我躺臥，你都細察，你也深知我一切所行的。耶和華啊，我舌頭上的話，你沒有一句不知道的。」*

結十八４
彼後三９

*試想　神知識的廣博！這位偉大、全知和全能的　神竟然關心每一個人，包括了你和我　神知道我們正在學習祂的話語，祂正盼望我們相信祂要教導我們的一切。*
*—神盼望我們傾聽和相信，因爲　神關心每一個人，但祂也要懲罰那不願意相信的人。*
*有些人以爲自己實在太渺小，談不上　神的注意，這想法是不對的。我們剛才讀的詩篇告訴我們　神將麻雀也看爲重要，祂認識每一隻麻雀　神豈不是更要關懷人嗎？祂洞悉我們的一切，祂也知曉你的一切。*
*—神關心我們，祂盼望我們都相信祂。在另一方面，神也是眞實和公義的，祂必要審判一切不順從祂的人。　神關心每一個人，但祂也必懲治罪惡。*
神從來不會改變，今天的　神就是亞伯拉罕、羅得、所多瑪和蛾摩拉時代的　神。

問題:

1. 羅得離開了亞伯蘭以後，　神向亞伯蘭說了甚麼?

   *a. 神告訴亞伯蘭祂要賜迦南全地給他。*

   *b. 神應允亞伯蘭他的子孫要比天上的星更多。*

   *c. 神說明亞伯蘭的後裔將要遷居別國，並要在那裡被苦待四百年，然後　神要帶領他們回到神應許賜給亞伯蘭的迦南地。*

2. 神爲亞伯蘭和撒萊改了甚麼名字?

   *亞伯拉罕和撒拉。*

3. 在神應許要在亞伯拉罕和撒拉身上施行神蹟以前，爲何他們不可能有孩子?

   *a. 撒拉經已過了生育的年齡。*

   *b. 他們都年老了，亞伯拉罕正是一百歲，撒拉亦已九十歲了。*

4. 誰創造第一個男人和女人，並讓他們生兒育女?

   *神。*

5. 神有沒有一些祂想要做卻做不來的事情?

   *沒有，　神可以做任何祂想要做的事情。*

6. 誰知道每一個人的將來?

   *只有　神知道。*

7. 神知否所多瑪和蛾摩拉的惡行?

   *知道。*

8. 人若忽略　神，　神會否不管他們並且不懲罰他們?

   *不會。　神關注每一個人，並要審判每一個人。*

9. 神爲何沒有立時懲罰所多瑪和蛾摩拉人? 爲何　神今天沒有立時懲罰犯罪的人?

   *因爲　神滿懷慈愛、憐憫、恩典和忍耐，祂要讓人有機會回心轉意來相信祂。*

10・神是不是只會恐嚇要懲罰罪人，卻永不執行刑罰?

   *不是。　神雖然充滿忍耐，但祂終要執行刑罰。*

11・當　神認爲祂給人悔改的時日滿足時，有沒有人能夠攔阻　神施行刑罰?

   *沒有，　神是至尊的，沒有人比他更偉大。*

12・神爲何差遣天使去拯救羅得、他的妻子和他的女兒?

   *因爲羅得向　神承認自己是罪人，並信靠　神要差遣拯救者的應許。*

13・神爲何將羅得的妻子變成了一根鹽柱?

   *神吩咐他們不可以回頭觀看，可是她不順從　神的命令。*

補充問題:

14・今天很多人說婚外性行爲是可以接受的，因爲人人都這樣做。你認爲神會不會同意這樣的說法?

   *神是永不改變的，因此我們肯定地知道祂不會同意這種行爲。*

# 第十八課　神賜以撒；神免了以撒一死

參考經文

來十一17-19

## 課前預備

此段只供教師使用

左列的各參考經文有助於你準備這一課。但因經文帶出的眞理有些會在稍後課文中講授，故不宜於此立刻講解這些經文。

**請注意：若你沒有教授過本書課文，請詳讀書前『教師必讀』部份。**

經文：創廿一1-3，廿二1-19

本課目的：

說明人和萬物都屬於　神。
說明　神沒有難成的事。
說明人不能救拔自己。
說明　神拯救一切相信祂的人。

本課可幫助學生：

明白他們只有憑著信心才可以到神面前來。
明白　神的主權、全能、信實、決斷不移和恩典。
明白　神是可信靠的，信靠　神的人可以作成難成的事。
明白　神擁有萬民和萬物，因此祂有權收取生命。

教師的觀點：

很多人很難接受本課將要談及的史實，就是一位聖潔公義的　神怎可以叫人殺掉自己的兒子？那人又怎可能綑綁自己的兒子，放他在祭壇上，並要拿刀殺他？那兒子（一位年輕力強，比老父更有力氣的人）又怎會任由父親綑綁，被放在祭壇上，並要成爲祭物？

我們應當原原本本地對未信者敘述這事件，並且不要期望他們完全明白這故事，因爲我們只有透過信心，從十字架回望過往，才能明白這事。這是一件不尋常和出人意表的史實；這是一個有關信心的故事，藉此可預見　神如何犧牲祂的兒子耶穌基督。亞伯拉罕的信心成了我們的模範，我們都應當單信靠　神，爲我們的罪預備了那完全的祭。

亞伯拉罕完全地放棄了他一切家財、生命和他兒子生命的主權，這些都是感人之舉。他對　神的信靠，就好像孩子般毫不猶豫地將一切交託父　神。這是亞伯拉罕信心的表現；更重要的，就是這事件顯明了　神的信實。亞伯拉罕曉得　神是全然信實的，祂必履行祂的諾言。

課文概覽

**本課透過　神賜以撒，並如何預備了山羊代替他爲祭的事件中，說明　神的全然信實、恩典和權能。**

**亞伯拉罕的信心，是他對　神信實的正確回應。**

本課的故事預表基督，可在日後講述福音時再被引用。

來十一19告訴我們亞伯拉罕以爲神能叫以撒從死裡復活，因爲他知道　神要使他後裔眾多，並要叫拯救者出於以撒的後裔。因此，從亞伯拉罕的行動，反映了他相信神必要解決他目前的困境，並要在將來成就祂的應許。

我們都知道　神將自己的兒子當作祭物時，祂沒有預備任何人取代耶穌在十字架上的位置，祂讓自己的兒子代替了我們成爲祭物，好叫我們的罪得蒙赦免！我們可以獲取這莫大恩典的唯一途徑，就是效法亞伯拉罕一般，憑信心到　神的面前！

當我們將要講授這眞理的根基時，讓我們再次反思這眞理，並預備日後在這根基上建立耶穌基督的福音。

**視覺教材：**

第十八圖「亞伯拉罕獻以撒」

圖表

## 授課要點

此課程特爲非信徒安排，故授課時務要奠定聖經基礎，以爲日後傳福音的根據。若你班上有信徒參與，則授課的目的是使他們明白信仰的根基，以致日後他們亦可運用同樣教材去教導未信的人。

**課文信息要明確簡潔，切忌節外生枝！**

請注意這課程是有範圍和有主題的聖經研讀，並非徹底深入的聖經鑽研，亦非漫無邊際的小組討論。**請依照主題帶領討論，以保持課程進度。切記緊依大綱，突出教義主旨。**

**課程編排形式：**每一頁的中間部份是教授學生的內容，**粗體字的標題**只供教師參考，不需口誦，因爲標題內容會在接著的課文大綱提及。至於**左右兩欄**所列的經文是給教師作參考之用，不宜在課堂上詳授。

## 學生的教授內容
（中間部份）

課文大綱：

複習第十七課問題

A.引言

我們在上一課講述亞伯拉罕相信　神，　神因著亞伯拉罕的信心稱他爲義人。

—我們今天將要探討亞伯拉罕面對的一個重大考驗。

—但比亞伯拉罕的信心更要的，就是我們所信靠的　神是信實的。

神是這史實和整本聖經的中心。

B.神履行了祂的諾言賜亞伯拉罕和撒拉一名兒子

主題：神無所不能。

雖然亞伯拉罕和撒拉都年老了，但　神應允要賜他們一個兒子。
一那時，亞伯拉罕經已一百歲，撒拉亦已九十歲了。
一神說他們要生一個兒子時，撒拉笑起來了。
撒拉從沒有孩子。
她知道她不可能再懷孕的了。
但　神沒有難成的事，祂必然成就祂要作的事。

創十八12
詩百十五3
耶卅二17
路一37

主題：神是信實的，祂永遠不會改變

神在很早以前已經應許要賜亞伯拉罕一個兒子，祂從沒有忘記祂的應許。
一神沒有改變主意。
一神的應許應驗在撒拉身上，撒拉生了一個兒子。
亞伯拉罕和撒拉為他們的兒子取名為以撒。

閱讀:創廿一1-3

在圖表上指出以撒

主題：神是至尊而掌權的

神是萬民和萬物的創造主，因此祂可以叫亞伯拉罕和撒拉生兒子。
一神賜生命予萬民。
一祂賜生命給我們的先祖。
一祂賜生命給我們和我們的兒女。
這世界和世上的人都屬於　神。
一亞伯拉罕和撒拉都屬於　神。
一他們的兒子以撒也屬於　神。

徒十七25
代上廿九11, 12
詩廿四1

C.神吩咐亞伯拉罕獻上以撒

主題：神與人對話

不久以後，以撒成了一個年輕人。（註一）
他的父母都疼愛他。
亞伯拉罕相信神要差遣拯救者的應許，必要透過以撒和他的後裔實現。
一天，神吩咐亞伯拉罕做一件困難和不可思議的事情。

主題：神是至尊而掌權的

閱讀:創廿二1,2

註一:
本段經文稱以撒為「童子」，別處經文有翻譯為「少年人」或「僕人」（如創廿二3說亞伯拉罕的僕人）。
聖經沒有說明以撒當時的年齡，但在以撒成長的過程中曾有多宗事件發生。明顯的就是以撒強壯到有能力背負獻祭的柴。

神要試驗亞伯拉罕，看看他是否愛以撒過於愛　神。
神有何權力吩咐亞伯拉罕獻以撒為祭?
一比較:

*你的鄰居有沒有權吩咐你如何對待你的兒女、房子、車子和你的產業? 沒有! 為何他們沒有這些權力? 因為那些東西都是屬於你的，這些並不是你鄰居的產業。*

*以撒豈不是屬於亞伯拉罕的嗎? 他不是亞伯拉罕的兒子嗎? 亞伯拉罕沒有權管理以撒嗎? 以撒當然是亞伯拉罕的兒子，但誰賜以撒生命? 是誰賜以撒給亞伯拉罕和撒拉? 是　神! 以撒是屬於　神的。*

神賜生命給每一個人和每一個活物。
神創造萬物。
因此，　神有權掌管萬民和萬物。

## D.亞伯拉罕相信　神

主題: 人必須憑著信心來討　神的喜悅並得著拯救

試想像當時的情況!
一亞伯拉罕是何等的戰兢!
一這是何等艱巨的試驗!
一神是否改變了祂對以撒的計劃，和祂曾許下的諾言?
一若亞伯拉罕殺了以撒，　神的計劃如何實現?
一神有沒有改變主意?
一神是不是改變了初衷，現在不讓拯救者出於以撒的後裔?
亞伯拉罕有何反應?
一神吩咐亞伯拉罕獻以撒為祭，亞伯拉罕沒有質問　神。
一他接受了　神的話。
他為何能這樣做?
他認識且相信　神。
一他深知　神不會說謊。
一他深知　神不會許下諾言以後卻改變初衷。
一他信靠　神，並相信　神仍會履行祂的諾言。
這是不是一件不可思議的事?
一亞伯拉罕也是像我們一般的人。
一這是一項艱鉅（對我們來說甚至是不可能）的試驗。
一但亞伯拉罕完全地信靠　神。
一他曉得　神永不食言!
一比較:

*我們實在難以想像一個從不食言的人。我們的動機往往是好的，可是我們總是作不成事，我們常因著繁忙、疲倦、分心而沒有履行我們的諾言。*

*神卻不像我們，我們要個別地親身體會當日亞伯拉罕所領略的眞理，就是　神必定履行祂的承諾，因此我*

*們可以全然信靠祂，這也是　神盼望我們做的——就是相信祂。*

來十一19說亞伯拉罕相信就是他真的按照　神的吩咐宰殺以撒，　神也會叫以撒從死裡復活。

—他知道人不可能這樣做。

—但他信靠　神必能成就這事。

—比較：

*亞伯拉罕跟亞當和夏娃不同，當亞當和夏娃在伊甸園時，　神吩咐他們不可以吃分別善惡知識樹上的果子，因爲他們吃的日子，他們必定死。可是，當撒但哄騙他們，說他們吃了以後不會死，他們竟相信了撒但的話，他們懷疑　神的話，也不服從祂。亞當和夏娃不相信　神，亞伯拉罕卻相信　神，他相信　神必定履行祂的諾言。*

亞伯拉罕因著相信　神，他立刻預備要往　神要帶領他去的地方。

閱讀:創廿二3-5

E.亞伯拉罕回答以撒的問題

主題：人必須憑著信心來討　神的喜悅並得著拯救

閱讀:創廿二6-7

試想以撒的境況。

—他必定曾經多次目睹獻祭。

—他不明白他們爲何沒有預備祭物。

—亞伯拉罕沒有將　神的吩咐告知以撒。

來十一17-19

閱讀:創廿二8

亞伯拉罕信靠　神。

信靠　神是最要緊的事。

—我們若只憑聽道，甚至聽或讀　神記載在聖經裡的話語，還不能救我們脫離撒但的魔掌。

—我們必須接受　神的話和信靠祂。

—比較：

*若你不幸生病，醫生給你開了葯方。若醫生單向你解釋葯方和它如何幫助你復原，或你只聽醫生的講解，那葯方對你有沒有好處?*

*我們若單聽　神的話，不會得著幫助。我們若只聽神的話卻不相信，我們正像當日夏娃被撒但誘騙時的反應：就是將　神當作騙子。　神絕不會接納那些拒絕相信祂的人，祂只會接納那些效法亞伯拉罕，全然相信　神的話和單單信靠祂的人。*

F.亞伯拉罕綑綁以撒

主題：人滿懷罪孽，不能自拔，需要　神的拯救。

主題：神是聖潔公義的，祂命定罪的代價就是死亡

閱讀:創廿二9,10

以撒不能掙脫。
—他被綑綁且放在祭壇上。
—亞伯拉罕舉刀要殺他。
—神吩咐亞伯拉罕獻以撒爲祭，以撒則在被綑並放在祭壇上以後便無法再掙脫。
—比較：
*這正像昔日　神在挪亞進入方舟以後爲方舟關上了門一般，挪亞一家和凡在方舟內的都得著安全，但那些不相信　神，被關在方舟以外的人卻盡都滅亡。*
*當　神降火焚燒所多瑪和蛾摩拉時，城內的犯罪作惡者無一倖免。羅得的妻子不順從　神，向所多瑪回望時亦不得倖免。*
*神拯救挪亞和他的一家脫離洪水，　神拯救了羅得和他的女兒脫離那燒毀所多瑪和蛾摩拉的火。現在，只有　神才可以拯救以撒脫離死亡。*
*我們有沒有任何途徑，可以救拔自己脫離我們的罪所帶來的死亡和永遠的刑罰？沒有！我們不能救拔自己，　神審判所有的罪，沒有人能夠逃避　神。*
*只有　神才可以開闢一條生路，你知道　神作了甚麼事嗎？讓我們看看聖經的記載。*

G.神預備了一隻公羊代替以撒

主題：神與人對話
主題：神滿有慈愛、憐憫和恩典

閱讀:創廿二10-12

神拯救了以撒；神吩咐亞伯拉罕不可殺他的兒子。
可是，若沒有其他的祭物獻給神，以撒也難逃一死。
—亞伯拉罕和以撒沒有帶備合適的祭物。
—但神預備了代替以撒的祭物。
—亞伯拉罕不能找到祭物。
神向以撒施恩，預備了一隻公羊代替他。

閱讀:創廿二13

第十八圖
「亞伯拉罕獻以撒為祭」

主題：神是聖潔公義的，祂命定罪的代價就是死亡

主題：人只可依照　神的旨意和計劃來到祂的跟前

神叫公羊的角被扣在樹叢中。
—公羊若因牠身體的其他部份被樹叢阻攔，牠必因掙扎而受傷。
—受傷的祭物是　神不喜悅的。
神只悅納健康和強壯的動物為祭。
神是完全的，因此祂只會悅納完全的祭物。
神預備了可被悅納的祭物來代替以撒。

出十二5
利廿二17-22

主題：神是信實的，祂永遠不會改變

神是信實的。
—祂遵守了祂對亞伯拉罕的應許。
—神要透過以撒賜亞伯拉罕眾多的後裔。
亞伯拉罕將以撒從祭壇上放下來，把公羊放在其上，好殺掉公羊而不是殺掉以撒。
—亞伯拉罕殺掉公羊，把牠焚燒獻給　神。
—公羊代替以撒而死。
—公羊是他的代替品。
—神預備了公羊代替以撒受死。

H.亞伯拉罕信靠　神要賜下拯救者

主題：人必須憑著信心來討　神的喜悅並得著拯救

閱讀:創廿二14-19

亞伯拉罕稱　神預備了公羊的地方為「耶和華以勒」（就是　神預備之意）。
—神預備了公羊代替以撒受死。
—亞伯拉罕亦相信　神必差遣拯救者來，為要拯救人類脫離撒但的魔掌和罪的刑罰。

加三6-9

I.總結
我們很難想像亞伯拉罕當時要面臨的巨大考驗。

但我們看見　神獎勵了亞伯拉罕的信心。
祂爲以撒開了一條生路，就是爲他預備了一隻可被悅納的公羊來代替他受死。
神保存了拯救者的族系。
神必履行祂的諾言。
祂值得我們信靠。

問題:

1.神爲何能夠在亞伯拉罕一百歲和撒拉九十歲之時還可以賜他們一個兒了?
*a.因爲 神賜萬民生命。*
*b.神是全能的，祂凡事都能作。*
2.神以何權力吩咐亞伯拉罕獻以撒?
*a.神創造萬有，因此祂是萬有的主宰。*
*b.神賜以撒生命。*
3.亞伯拉罕有沒有懷疑　神改變了主意，不再叫以撒成爲多族之父，也不讓拯救者出於他的族系?
*沒有。亞伯拉罕信靠　神，也深信　神必履行祂的諾言。*
4.亞伯拉罕以爲　神要作何事?
*他以爲他若順從　神的吩咐殺了以撒後，　神要叫以撒從死裡復活。*
5.亞伯拉罕綑綁以撒並將他放在祭壇上以後，以撒還有沒有逃生的機會?
*沒有，以撒再不能救拔自己脫離死亡。*
6.人有沒有辦法救拔自己脫離因著自己的罪而帶來的死亡和和永遠的刑罰?
*沒有。沒有人可以救拔自己脫離　神的刑罰，沒有人能夠逃避　神。*
7.誰向亞伯拉罕說話並拯救了以撒?
*神。*
8.除了　神以外，還有誰可以拯救以撒脫離死亡?
*沒有。*
9.誰預備了代替以撒的祭物?
*神。*
10・公羊爲何被自己的角扣在樹叢中?
*因爲　神是完全的，祂只會悅納強壯和健康的祭物。*
11・亞伯拉罕爲何稱　神預備公羊的地方爲「耶和華以勒」?
*亞伯拉罕相信　神終有一天，要像當時爲以撒預備公羊一般，爲人類預備一位拯救者，祂來爲要勝過撒但，拯救人類脫離撒但的魔掌和永遠的刑罰。*

# 第十九課　以撒的兒子以掃和雅各；雅各的兒子約瑟

## 課前預備

此段只供教師使用

左列的各參考經文有助於你準備這一課。但因經文帶出的眞理有些會在稍後課文中講授，故不宜於此立刻講解這些經文。

**請注意：若你沒有教授過本書課文，請詳讀書前『教師必讀』部份。**

經文：創二十五19-21, 24-27; 二十八10-15； 二十九1； 三十七1-14，18-20,24,28; 三十九1。

### 本課目的：

- 顯示 神是信實的。祂實踐應許，要差遣一位拯救者來。
- 顯示 神如何通過平凡、有罪的人來成就祂的旨意。
- 顯明只有一個途徑能到達 神那裏，就是透過 神自己。

### 本課可幫助學生：

- 了解 神的信實。
- 明白選擇追隨這世界的生活方式是愚蠢的。
- 明白世人在罪的懲罰中是無法自救的。
- 明白只有 神才能將罪人從罪惡的懲罰中拯救出來。

### 教師的觀點：

詩篇一四六篇5節："以雅各的 神爲幫助，仰望耶和華祂神的，這人便爲有福。" 你會問：雅各的 神？當我們閱讀聖經中全部有關雅各的事情時，我們看到雅各並非一直常常對神有信心。然而雅各卻由一個陰謀密佈的人變成一個對 神滿有信心的人。他在希伯來書十一9,20,21中被列入「信心聖賢榜」，並被 神揀選成爲十二支派之父，就是後來以色列民族的先祖。

本課不會詳細講述雅各和以掃的生平；但會指引學生將焦點放在將臨到的拯救者的事上。

身爲教師，當我們閱讀雅各的整個故事時，它可能提醒我們， 神的方法非同人的方法。我們可能決不會"揀選"雅各這種人，同樣地，有些學生並不容易教導，甚至可說是很難教的。但我們要記得 神從開始就知道終；然而祂將這些學生帶到我們面前，是要我們將 神的話語給予他們。

你可能會問：我們怎能知道？那些看來最不會相信 神的學生，他們對 神話語的反應往往令我們訝異萬分。認識神，並知道祂的智慧、知識和判斷是遠超乎人所能理解的，這是件令人興奮的事。我們是 神的僕人，我們的工作是將祂

## 參考經文

查考有關雅各和以掃的整個故事，有助準備解答學生的問題。

創二十五19-34；
二十七1-三十三20；
三十五1-29

## 課文概覽

本課講到亞伯拉罕的後裔，從以撒直至約瑟。其中強調 神的信實：祂遵守差遣拯救者的應許。本課以約瑟在埃及爲終結。

### 本課重點

- 以掃：一個輕看 神應許的人。
- 雅各：一個看重 神應許的人。
- 雅各的夢：說出 神要差遣一位救主來使 神、人復和。
- 雅各和以掃的故事：只是簡潔的陳述，重點放在有關拯救者來臨的事上。
- 約瑟：雅各最疼愛的兒子；他的夢顯示 神預知約瑟將來的事。

的話語清楚地講解給每位學生聽。

研讀雅各的故事，美麗之處莫過於 神親自數次對雅各說話，並將祂的應許賜給他。

讓我們在聖靈的大能下忠心地教導學生，叫我們能愛那些不可愛的人，並憑完全的信來分享 神的話，深信那位能將最可厭的罪人變為心愛的兒女的 神。

班上常常煩擾我們的"雅各"可能會變成一個大"部族"的信徒之"父"！

## 視覺教材：

- 第二十圖 – 「雅各的愛」。
- 地圖第一號
- 圖表
- 參看課文中加插的圖畫，用來說明 神怎樣作人的橋樑。

## 授課要點

此課程特為非信徒安排，故授課時務要奠定聖經基礎，以為日後傳福音的根據。若你班上有信徒參與，則授課的目的是使他們明白信仰的根基，以致日後他們亦可運用同樣教材去教導未信的人。

課文信息要明確簡潔，切忌節外生枝!

請注意這課程是有範圍和有主題的聖經研讀，並非徹底深入的聖經鑽研，亦非漫無邊際的小組討論。請依照主題帶領討論，以保持課程進度。切記緊依大綱，突出教義主旨。

課程編排形式：每一頁的中間部份是教授學生的內容，粗體字的標題只供教師參考，不需口誦，因為標題內容會在接著的課文大綱提及。至於左右兩欄所列的經文是給教師作參考之用，不宜在課堂上詳授。

## 學生的教授內容
(中間部份)

## 課文大綱:

請複習第十八課的問題。

### A.序言

今天的課文簡述亞伯拉罕的後代一些最重要的事蹟，
這些都記載在創世記最後的二十六章。
故事開始在迦南地，但以亞伯拉罕的後裔居住埃及地為終結。

## B. 以撒娶利百加爲妻

閱讀：創二十五19,20
利百加是以撒的妻子，出生於亞伯拉罕的故居，就是 神尚未領他到迦南地之前的地方。

參考地圖第一號：米所波大米

神保存以撒的生命； 神曾應許亞伯拉罕，他將會有很多後裔，包括那拯救者也由以撒而生。

## C. 以掃和雅各的出生

閱讀：創二十五21.24-26

參考以掃和雅各的圖表。

## D. 以掃不相信且不重視 神的應許

主題：人滿懷罪孽，不能自拔，需要 神的拯救

閱讀：創二十五27a
以掃是個熟練的獵人，他常在田野追蹤和獵殺野生動物。
拯救者來臨的應許理當傳給以掃。（註一）
- 以掃是以撒的長子。
- 因此拯救者按理該是以掃的後裔。
  但以掃對 神的應許並沒有興趣。
- 他不像亞伯拉罕和以撒那樣信靠 神。
- 以掃就像該隱那樣,他不認爲自己是罪人，也不看見自己需要被 神接納。
- 當我們閱讀以掃的故事時我們可以看見他偏行己路，並爲屬世的事物而活。
- 對他而言，屬世的事比 神想賜給他和教導他的事物更爲重要。

希伯來書十二16

註一：
聖經和其他同時代的寫作都提及遺產的承承權。這些權利是很重要的。一家的領導權往往授予長子，他擁有特別的權利,和得到較多（雙倍）父親積存的財產。

## E. 雅各珍重和相信 神的應許

主題：人必須憑著信心來討 神的喜悅並得著拯救
閱讀：創二十五27b
雅各靜處帳棚，以飼養牛羊爲生。雅各不像以掃，倒像亞伯拉罕和以撒，是一個信靠 神的人。
- 雅各承認自己是個罪人，需要 神差拯救者來到世上。
- 他很關注 神的應許。

- 思考：

*我們每人都需要問：「我是否背棄 神的真理，像該隱和以掃一樣去跟從自己的意念？或者，我們是不是像亞伯，以諾，挪亞，亞伯拉罕，以撒和雅各那樣承認自己的罪，並相信 神要賜下拯救者？」*

## F．雅各歸回到亞伯拉罕和利百加之地

因以掃和雅各的差別太大，兩兄弟中間的問題日增，直到以掃要恐嚇殺死雅各的地步。

因此，雅各離開父母的家，開始長途跋涉，返回米所波大米；他祖父亞伯拉罕就是從那裏來的。

請參考地圖第一號：米所波大米

閱讀：創二十八10

## G．雅各的夢

主題：神與人對話

從迦南地到米所波大米路程遙遠，途中雅各要在山上露宿。

閱讀：創二十八11

一天晚上，當雅各熟睡時， 神賜給他一個夢。
- 那時代， 神有時會藉著夢境來對人說話。
- 但現在 神的話語既已經完成了，祂就藉著聖經對我們說話。

閱讀：創二十八12

第二十圖「雅各的夢」

藉著這夢， 神啓示雅各，那將來臨的拯救者是人與 神之間的橋樑。

約十四6

- 只有 神才能開一條路讓我們來到 神面前。

提前二5

- 就算一個人作了很多好事來嘗試討 神喜悅，他的努力仍然不足以彌補罪所形成的罅隙。

- 比較：

*這提醒我們起初亞當和夏娃與 神相通， 神也與他們同行，他們與 神是好朋友。但當他們不服從 神時，他們和所有他們的後代包括你我，都與 神分離。那天梯，即是達到 神的通道，已被除去，除非神開一條路,否則世人絕沒有方法可以重新歸向神,與祂建立團契。*

參考圖：

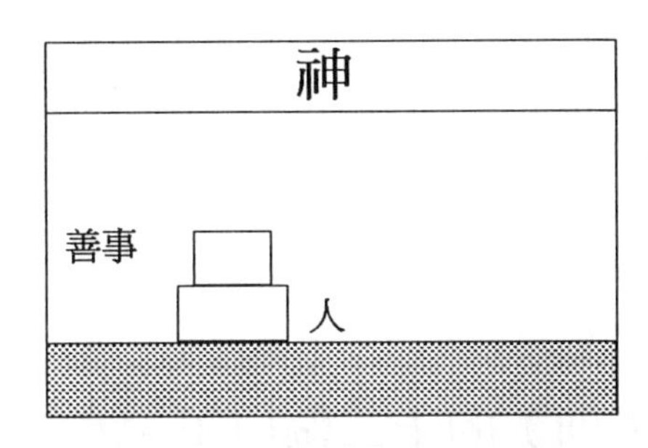


約一51

*但 神應許一位拯救者，他將會毀滅撒但，使人與 神復和。這拯救者就像雅各所見的階梯,從地上延伸到天堂。藉著這拯救者，世人可以再次與 神合一。*

林後五19,21

參考圖：

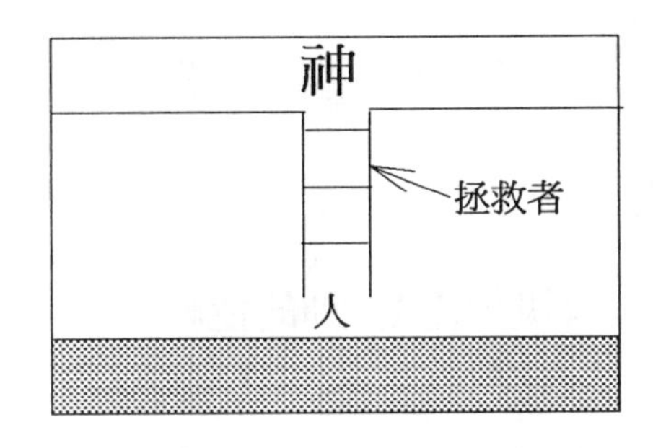


*雖然世人因撒但的謊言及亞當對 神的背叛而與 神分離，神卻計劃差派拯救者來，好讓 神與世人能復合、重聚。*

主題：神滿有慈愛、憐憫和恩典

雅各像我們一樣是個罪人。
- 神滿有恩慈，讓雅各知道，只有一條通路能達到祂那裏去。
- 神顯示給雅各知道，福氣只能從 神而來，雅各必須信靠神，而不是靠祂自己的能力去操縱環境。

## H. 神將祂賜給亞伯拉罕和以撒的應許傳給雅各

主題：神是信實的，祂永不改變
閱讀：創二十八13-15

神繼續成就祂差遣拯救者的計劃。
- 自 神在伊甸園頭一次應許差派拯救者來，至今已經過了很多年。

詩三十三11

- 神呼召作救主祖先的那位亞伯拉罕已經死了。
- 但 神並沒有忘記祂的計劃。神應許雅各：那位要來臨的拯救者將會是他的後裔。

雅各深知那從前賜給他祖父亞伯拉罕和父親以撒的應許現屬於他。

閱讀：創二十九1
很多年之後,雅各回到迦南地。

參考迦南地圖第一號

雅各總共有十二個兒子。

**指出圖表中雅各（以色列）的十二個兒子。**

創三十二28

神把雅各的名字改爲以色列，那應許之地迦南以他命名。

## I. 約瑟;雅各最疼愛的兒子

閱讀：創三十七1-3
指出約瑟在圖表的位置
當約瑟的兄弟作了錯事，約瑟會向他父親雅各告發。

## J. 約瑟的長兄們憎惡他

主題：人滿懷罪孽，不能自拔，需要 神的拯救
閱讀： 創三十七4

因約瑟是他父親最寵愛的兒子，所以眾長兄都憎惡他。

思考：
*人積蓄怒氣,彼此怨恨，皆因人生下來就與 神隔絕，而且內心邪惡。你有沒有忿怒,憎恨和邪惡在你的心思意念中呢？所有的人都是生來就與 神隔離，而且我們沒有辦法改變自己。我們作惡和犯罪，皆因我們一生出來就是罪人，就像我們的始祖亞當一樣。*

## K. 約瑟的夢

主題：神無所不在， 祂洞悉萬有
閱讀： 創三十七5-11

神明明知道約瑟的家將會發生何事。

賽四十六10

- 約瑟不能預知未來。
- 他不知道他的夢境將會成眞。
- 但 神清楚地表示約瑟將會成爲一家之主並管轄他的全家。

未來之事，神盡知曉。

## L. 約瑟被賣往埃及

閱讀：創三十七12-14,18-20,24,28;三十九1。

地圖第一號，指出迦南地，米甸和埃及。

## M. 結論

約瑟，就是 神應許將成爲領袖的那人,現在淪落埃及爲奴，遠離他的家人及故鄉。 但 神成就祂承諾的每一個應許。神知道未來。

- 祂知道約瑟的將來。
- 祂知道我的將來。
- 祂知道你的將來。

下一課我們將繼續研讀 神如何在約瑟的生命中工作。

## 問題：

1.以掃和雅各最大的分別在那裏？

*以掃不珍惜 神賜亞伯拉罕有關拯救者的應許。以掃不承認他是個罪人，不信靠 神的憐憫。以掃以物質掛帥，爲現今而活。雅各承認他是個罪人,並信靠 神，雅各看重有關拯救者的應許。*

2.爲什麼 神不忘記有關拯救者的應許，就是祂在伊甸園賜給亞當和夏娃，後來又賜給亞伯拉罕的承諾？

*神不會忘記，因祂永不改變；祂言出必行。*

3.雅各在 神賜給他的夢裏看見什麼？

*他看見一個梯子立在地上，梯子的頭頂著天，有 神的使者在梯子上，上去下來。 神站在梯子之上。*

4.這個夢的意思是什麼？

*這夢指出那位拯救者,就是雅各的後裔，將會像那梯子一樣將天地相連。藉著這位拯救者，人與 神可以再次合一。*

5.神在夢裏向雅各說話，神今日如何向人說話？

*今天 神藉著聖經，就是祂的話，來向人說話。*

6.誰是雅各最疼愛的兒子？

*約瑟。*

7.父親如此疼愛約瑟，他的哥哥們有什麼反應？

*他們嫉妒並憎恨約瑟。*

8.約瑟夢見什麼？

*參閱創三十七7-9。*

9.這些夢的意思是什麼？

*這些夢預兆約瑟將得權位，作全家的首領。*

10.誰知道約瑟的將來並藉夢顯示給他？

*神。*

11.神對我們的將來知道多少？

*神全部知道。*

12.約瑟的哥哥們作了什麼？

*他們將約瑟販賣到埃及作奴隸。*

# 第二十課　神提升約瑟，並帶領以色列全家遷往埃及

參考經文

詩一零五16-23;
徒七9-15

## 課前預備

此段只供教師使用

左列的各參考經文有助於你準備這一課。但因經文帶出的眞理有些會在稍後課文中講授，故不宜於此立刻講解這些經文。

**請注意：若你沒有教授過本書課文，請詳讀書前『教師必讀』部份。**

經文：　創三十九20；　四十一1-8,14-16,25-32,38-41；四十二1-3,6-8；四十三1,2；四十五3-9,25-28；四十六5-7

### 本課目的：

- 說明 神是至高無上的。
- 說明 神的應許是永不落空的。
- 介紹凡事信靠 神的約瑟。

### 本課可幫助學生：

- 明白無論境況如何， 神的計劃和應許必會成就。
- 體會到 神是掌管萬有的。
- 明白 神是信實的。

### 教師的觀點：

從每天的新聞報告中，我們能得悉事件發生的始末和因由。但我們又曾否聽過在很久以前發生在埃及的事，全是因爲 神在當中使用法老王和感動他的心？

透過約瑟的故事， 神準確無誤地向我們報導和分析在埃及和以色列發生的事情。 神不但無所不知，祂更明瞭發生的一切事，因爲祂是掌管萬有的 神。

我們要讓學生們知道，在當今這個世代， 神仍在列國和萬民當中運行。祂是創始成終、永不改變的 神。雖然有些人認爲約瑟的故事古老過時，事實上卻事歷久常新，對現今的世代提供莫大的幫助。 神仍不斷透過信服祂計劃的人成就祂的計劃，有時甚至透過一些不相信祂的領袖和君王。

因著約瑟堅守對 神的信心， 神把整個以色列民族的命運扭轉過來。約瑟的信心之所以不動搖，全因這信心是建立在那位無形、無體，永不改變的 神身上。

雖然我們生活在一個充滿政治鬥爭和罪惡充斥的世代中，我們要讓學生們知道， 神仍在掌權，祂堅定不移，是我們唯一的盼望、唯一的救贖。

約瑟的事蹟正是耶穌基督的預表──祂對 神的堅強信念、祂的被賣、受羞辱和升高。遲些時候，待學生們認識了主耶穌的一生和祂的救贖恩典後，請你跟他們重溫這一課，比較耶穌和約瑟的一生。

課文概覽

**這一課顯示 神在約瑟一生中的主權，並在約瑟身上實行祂的計劃，把以色列和他全家帶到埃及去。約瑟對神的信靠顯示 神實在是信實公義的。透過約瑟的夢境，神透露了祂的旨意，祂跟著一步一步地實現祂自己的應許。**

這一課所講及關於約瑟的故事只著重在課文各個論題上─約瑟的升官、他與兄弟們的關係及以色列家遷往埃及。

**視覺教材：（圖片和地圖均按時間先後編排）**

- 第二十二圖 – 約瑟的長兄們向他下拜。
- 地圖一

## 授課要點

此課程特爲非信徒安排，故授課時務要奠定聖經基礎，以爲日後傳福音的根據。若你班上有信徒參與，則授課的目的是使他們明白信仰的根基，**以致日後他們亦可運用同樣教材去教導未信的人。**

**課文信息要明確簡潔，切忌節外生枝！**

請注意這課程是有範圍和有主題的聖經研讀，並非徹底深入的聖經鑽研，亦非漫無邊際的小組討論。**請依照主題帶領討論，以保持課程進度。切記緊依大綱，突出教義主旨。**

**課程編排形式**：每一頁的中間部份是教授學生的內容，粗體字的標題只供教師參考，不需口誦，因爲標題內容會在接著的課文大綱提及。至於左右兩欄所列的經文是給教師作參考之用，不宜在課堂上詳授。

## 學生的教授內容
（中間部份）

**課文大綱：**

請複習第十九課的問題。

### A.序言

前一課我們讀到約瑟被賣與商旅後又被帶往埃及的奴隸市場去。（指向地圖一的埃及）

在約瑟最初爲奴的一段短日子裏，他在主人家中所受的待遇可以說是不錯的。但後來他因受主人妻子誣告而被囚在監裏。

### B. 約瑟被下監

主題：人必須憑著信心來討 神的喜悅並得著拯救

閱讀： 創三十九20

約瑟仍專一仰望和信靠 神。

–少年的約瑟雖被哥哥們誤解和憎恨，以及後來被主人的妻子誣告，他仍信靠和順服那唯一的、永活的 神。

來十一6

-他深知他是一個罪人，只有 神的慈悲和憐憫，他的罪才得赦免。
-他抓緊 神的應許，就如他的列祖亞伯拉罕、以撒和雅各一樣。
沒有人能討 神的喜悅，除非我們肯相信祂的話。
我們既可行而又最偉大的事，就是接受祂的話語，並且相信祂在聖經上啓示的眞理。

徒七9,10

主題：神是信實的，祂永遠不會改變

在約瑟被囚的日子裏， 神一直沒有離棄他。

哀三22,23

- 神看顧約瑟，因爲祂爲約瑟的一生立定了奇妙的計劃。
- 在監獄中的約瑟看來難以成爲日後家中的領袖，但 神永不會改變。 神不像世人那樣常改變主意，忘記承諾或說謊話，祂是信實的，祂的應許是永不落空的。

## C. 法老的夢境

主題：神是無所不在，祂洞悉萬有
閱讀： 創四十一1-8

- 試想：
*在舊約時代， 神常透過夢境對人們說話。祂也用夢來指示法老王將要發生在埃及的事。但在現今的世代， 神爲什麼很少藉著夢境向我們說話呢？難道祂不再知道將有什麼事情會臨到我們身上嗎？絕對不是。 神始終沒有改變；祂仍掌管我們的將來。既然祂甚少透過夢境對我們說話，那麼祂用什麼方法讓我們得悉未來的事情呢？事實上，祂藉著祂自己的話語 —聖經—叫我們知道祂想讓我們知道的事。*

埃及法老王既不認識又不敬拜我們這一位又眞又活的 神。當時的埃及人拜太陽、月亮、星宿、動物、爬物以及尼羅河。
（指向地圖一的尼羅河。）
雖然埃及人不敬拜 神， 神仍藉著法老王和他的國家成就祂的目的。

主題：神是至尊掌權的

閱讀：箴二十一1

雖然有人不認識 神，甚至不敬拜祂， 神仍掌管萬國萬民。
- 神會按祂自己的方法使用祂揀選的人來成就祂的目的。
- 神是至高至聖的。
- 神是萬有的統治者。

- 比較：

*當我們造一件物品後，這件物品就屬於我們。我們可以自己的選擇來處置或使用這件製成品。*

*- 若你烤了一盤甜餅，你可以把它留起自用，送給朋友或賣給別人。*

*- 若你建好一幢大廈，你可以把所有單位出租或出售，又或把大廈業權轉讓。*

*神是創造人類的。*

*祂是生命的賦予者與維持者。*

詩二十四 1,2

王上二十九 11,12

徒十七 24,25

*- 神創造人類，我們是屬於祂的。*

*- 祂可以隨祂的意思來對待我們。*

*- 正因爲祂是一位公義的 神，祂行在人身上的事總是合宜的，是對的。*

- 神在法老王和一位以色列囚犯的生命中作王，爲的是要實現祂爲祂的子民所預備的計劃。

在這個時候，約瑟仍在獄中。

- 約瑟雖被囚在監裏，他仍確信 神的信實，知道祂所行的一切都是爲他好的。

來十一1,2

- 雖然約瑟當時並不知道究竟 神將會怎樣作工，但他凡事信靠 神。他憑信心過每天的生活，因他深信 神在這件事情上有祂自己美好的旨意在其中。

## D. 約瑟給法老解夢

主題：人滿懷罪孽，不能自拔，需要 神的拯救

主題：神與人對話

閱讀： 創四十一14-16;25-32

但二27,28

約瑟本沒有能力解明法老的夢，但他信靠 神，知道祂會指教他如何爲法老解夢。

神給約瑟悟性解明法老的夢，讓法老知道他的國家將來遭遇的事。

詩二十二 4,5

神永不會離棄信靠祂的人。

## E. 約瑟被擢升爲全埃及的第二號領導人物

主題：神是信實的，祂永遠不會改變

閱讀： 創四十一38-41

雖然約瑟遭遇一連串的痛苦和打擊， 神仍然在掌權。

- 神並未忘記約瑟。

- 神快要實現祂在少年約瑟的夢中所透露的旨意。
  神所計劃的祂必成就。
- 沒有人能夠攔阻 神。
- 神按祂自己的時間帶領約瑟離開被囚之地，接著又賜給他一個極高的職位。這一切正如約瑟少年時 神在他夢中顯示給他知道的一樣。

但四17

## F. 約瑟的兄弟們往埃及買糧

主題：神是信實的，祂永遠不會改變

閱讀： 創四十二1-3,6-8

創三十七5-9

第二十二圖
「約瑟的兄長們向他下拜」

神再一次實現祂在少年約瑟夢中所顯示的事 - 約瑟的兄長們果然俯伏在他面前。

## G. 約瑟表露自己的眞正身份

主題：神是至尊而掌權的
經文：創四十三1,2；四十五3-9

創五十20

當約瑟向他的兄弟表明自己的身份時，他不禁放聲大哭起來。
雖然他的兄弟曾設計謀害他，他不但沒有以惡報惡，反而告訴他們一切都是 神全權掌管的計劃。祂藉著他們的惡行來成就祂的美意。

創十五13

## H. 以色列全家下埃及

主題：神是無所不在的， 祂洞悉萬有
閱讀： 創四十五25-28；四十六5-7

神洞悉將要發生的事情；祂的應許永不會落空。
- 神在多年前已告訴亞伯拉罕他的後裔會寄居在別人的地方。
- 神在數百年後成就祂對亞伯拉罕的應許。-凡 神所說的必會全部應驗。

約瑟的生命幾經艱難，原來是 神在逐步實現祂的計劃。

雅各或以色列的後裔現在稱爲以色列族的兒女、以色列人或以色列。

## I. 結論

我們現在仍然經常在新聞中聽見有關以色列國的事。
在現今的世代中， 神仍履行祂所應許的。
祂仍是一位至高掌權的 神。
透過聖經上祂所講的一切眞道，祂不斷對人類說話，叫我們相信祂。

## 問題：

1.約瑟在埃及時有什麼遭遇？
*約瑟主人之妻誣告他，他因此被關進監裏。*

2.誰看顧在獄中的約瑟？
*神。*

3.爲何 神看顧約瑟？
*（a）雖然約瑟是一個罪人，他仍信靠 神且深信祂會施憐憫的。*
*（b）因爲約瑟相信 神拯救的應許。*
*（c）因爲 神在約瑟身上有祂自己奇妙的計劃。*

4.誰幫助約瑟解明法老的夢？
*神。*

5.法老的夢境有什麼特別的意思？
*神要法老明白他的國家先享有七個豐年，然後便會面臨七年的饑荒。*

6.有些地方的人仍未認識 神，也不敬拜祂， 神能在他們當中按祂的旨意運行嗎？
*神能夠按祂的旨意運行在他們當中，因爲祂是大有能力的。*

7.神如何實現祂給少年時的約瑟所作的夢？
*神使約瑟有聰明智慧來解釋法老的夢，因此獲得法老賞賜高職管理埃及全地。*

8.爲何雅各和他的全家遷往埃及？
*（a）因爲雅各得悉約瑟住在埃及。*
*（b）因爲埃及地糧食充裕。*
*（c）因爲法老王邀請雅各全家往埃及定居。*
*（d）因爲這事情是在 神的計劃中。*

9.亞伯拉罕、以撒和雅各的後裔叫什麼？
*以色列、以色列人或以色列民族的兒女。*

10.是什麼在促使約瑟行他所行的？
*他對 神無比的信心。*

# 第二十一課　神保存在埃及爲奴的以色列人，神揀選並保護摩西，呼召他拯救以色列人

**參考經文**

徒七17-35

來十一23-26

## 課前預備

此段只供教師使用

左列的各參考經文有助於你準備這一課。但因經文帶出的眞理有些會在稍後課文中講授，故不宜於此立刻講解這些經文。

請注意：若你沒有教授過本書課文，請詳讀書前『教師必讀』部份。

**經文：** 出一6-11；二1-22；三1-20；四13-20，27-31

### 本課目的：

- 說明 神是全知、全能、聖潔和掌權的。
- 顯示撒但用盡千方百計來破壞 神拯救人類脫離撒但轄制的計劃
- 說明無人可阻撓 神的意思，祂按著命定的時間，必守信成就一切。
- 說明人不能自拔，惟獨 神才能將人從撒但的轄制中拯救出來。

### 本課可幫助學生：

- 明白 神是信實的，祂掌管萬有，也執行其令。
- 單仰望 神的拯救，以脫離撒但的轄制。
- 倍加敬畏 神的心。
- 更明白 神的性格。

### 教師的觀點：

社會愛強調人的軟弱卻鮮於談及 神的大能和祂的旨意，然而聖經卻描繪出 神和人之間眞實的圖畫 – 人本身是軟弱的，但靠著相信祂，便能大大的被 神使用，因祂有恩典和大能，也是掌權的主。

我們的文化顯示大部份人對摩西的故事只有片斷和模糊的認識，許多人不知道原來掌權的 神才是故事的主人翁。

任何以色列的領袖都具人性的軟弱，摩西也不例外，這點我們從聖經可以看到。然而大能的 神卻從這軟弱的器皿中興起以色列的拯救。最後 神的救恩臨到萬人，乃是藉著以色列將要興起的拯救者耶穌，這是 神曾應許的。

聖經是眞實的，它不單是人類準確的歷史記載，也是從神而來活潑的信息。我們該提醒學生這戲劇性的故事就是歷史。

當我們教授這課程時，該謹記 神稱自己爲「我是」，這事實沒有改變。在焚燒的荊棘中顯現的 神，也是我們所事

**課文概覽**

**本課指出 神的主權和大愛。祂保全爲奴的以色列人，並興起摩西拯救他們。**

主題：

・神的全知：祂預知法老所作的事。

・撒但的攻擊：撒但設法鏟除那拯救者的家族。

・人是無法自救的：摩西想幫助以色列，但失敗了。

・神的聖潔，並祂與摩西的相交：神在火燄中與摩西對話。祂告訴摩西說「我是」，並差遣他作工。

奉，所敬拜，所教導學生認識的 神。縱使祂如今再也不在火燄的荊棘中向我們說話,但祂藉著祂的話與我們相交。當我們授課時， 神也將祂的信息傳講給所有留心聽道的人。

## 視覺教材：（圖片和地圖均按時間先後編排）

- 第二十四圖 －「嬰孩摩西獲救」。
- 第二十五圖 －「焚燒的荊棘」
- 地圖第一號
- 圖表

## 授課要點

此課程特爲非信徒安排，故授課時務要奠定聖經基礎，以爲日後傳福音的根據。若你班上有信徒參與，則授課的目的是使他們明白信仰的根基，以致日後他們亦可運用同樣教材去教導未信的人。

課文信息要明確簡潔，切忌節外生枝!

請注意這課程是有範圍和有主題的聖經研讀，並非徹底深入的聖經鑽研，亦非漫無邊際的小組討論。請依照主題帶領討論，以保持課程進度。切記緊依大綱，突出教義主旨。

課程編排形式：每一頁的中間部份是教授學生的內容，粗體字的標題只供教師參考，不需口誦，因爲標題內容會在接著的課文大綱提及。至於左右兩欄所列的經文是給教師作參考之用，不宜在課堂上詳授。

## 學生的教授內容
（中間部份）

### 課文大綱：

請複習第二十課的問題。

### A.序言

本課開始研讀出埃及記 － 聖經的第二卷書。

－「出埃及」一詞指「離開」的意思。

－ 此書記載 神如何領祂的子民以色列人離開埃及。

當我們研讀這奇妙的故事時，請記著：

（一）聖經是歷史事實

創世記和出埃及記的故事，在新、舊約聖經中出現好幾次。創世記和出埃及記所記載的細節，很多已被考古學家證實。

（二）定睛注視 神的作爲

這本書能告訴你很多關於 神的事情。 神的作爲往往顯示出祂的個性，正如人的一舉一動也充份表現出他的性格一樣。

（三）這故事發生時的 神跟現今的 神是一樣的，祂絲毫沒有改變。祂仍是那位聖潔、全能、全知、信實、掌權的主宰。

## B. 以色列國日漸富強和興盛

`約瑟和他那一代的人在埃及紛紛去世。

創五十26

- 饑荒雖已過去，約瑟和哥哥並整個家族，在父親去世之後，仍留在埃及。
- 他們並沒有回到 神應許給他們列祖亞伯拉罕、以撒、雅各的那地。
- 根據聖經的記載，約瑟和他那一代的人都死在埃及。由以色列民定居埃及至此書「出埃及記」敘述這故事時，其間大約已過了350年，以色列民一直住在埃及。

請在圖畫第一號中指出埃及的位置

閱讀：出一6,7

以色列的子孫在埃及繁盛起來。

- 他們生育眾多。
- 財富漸增，並擁有很多牛、羊。
  牧草豐富供應牲畜之需。
- 國王一直對他們十分好。但情況迅速改變了。

## C. 新法老的陰謀

主題：撒但和 神的意願相違，他是騙子，是說謊者，也恨惡人類

閱讀：出一8-11

誰驅使法老王出詭計？
是撒但；因撒但恨惡 神和人。
為何撒但要滅絕以色列民？
撒但深知 神要差那拯救者來，要除掉撒但，將人從他的權勢下拯救出來。

創十二3；二十八14

他也知道 神應許的那位救主，將誕生於以色列國。

- 撒但知道那拯救者是亞伯拉罕的後裔。
- 撒但要滅絕以色列民，因他們是 神的選民，將來要實現 神對人類的計劃。
- 撒但不想任何人逃脫牠的權勢，也不願任何人免受神公義的刑罰。

## D. 摩西的誕生和他母親的計策

主題：人必須藉著信來討 神的喜悅並得著拯救

請在圖表上指出「摩西」這名字。

閱讀：出二1-4
這孩子的父母信靠 神一定會看顧他們的嬰兒。

## E. 法老的女兒收養摩西

主題：神是信實的，祂永遠不會改變

閱讀：出二5

*視覺教材：*

圖畫第二十四號
「嬰孩摩西獲救」

徒四22

閱讀：出二6-10

神用摩西勇敢的姐姐，也用法老的女兒來保護摩西！
神將摩西交回他母親乳養，稍大後才送還法老的女兒。
神計劃差摩西將以色列人從奴役中拯救出來。
- 神知道摩西在法老家中較安全。
- 祂也知道摩西所受的栽培和操練，對他成爲日後民眾的領袖甚爲重要。
- 註：
*埃及文獻顯示，埃及官員的子弟，不單在軍事和民事上接受領袖訓練，也在文學和寫作技巧上受訓，在法老家中長大的摩西，一定在這幾方面有所操練。*

像在約瑟的故事中一樣，我們可以看見 神如何在困境中作工，將最好的賜給祂的子民，以達成祂最終的目的。

主題： 神是至尊而掌權的

神的權柄超乎撒但，也超乎任何人事物。
- 無人能制止祂實行祂的計劃。

- 就是在困境中，神的計劃仍然貫徹始終，將逆境化爲信靠祂者的祝福。
- 神的智慧高超。
  我們可信靠祂。

羅八28

以色列人雖在捆鎖中， 神仍看顧祂的子民，祂也看顧你。我們當明白 神的話語，知道祂如何將我們從撒但的權勢中拯救出來，回轉歸向祂。

## F. 成人摩西

閱讀：出二11-22

以色列民在惡者法老奴役下度日。
- 他們無法逃脫。
- 摩西欲助不成。
- 無人能將以色列人從埃及的殘暴統治中釋放出來。
- 只有 神才能幫助他們。

主題：撒但與 神的旨意對抗，牠既說謊又欺騙人，牠恨惡人類

- 比較：

*世人生下來就活在撒但的權勢下，這包括你，我，我們的祖宗和後代，正如以色列人不能逃脫法老的束縛一樣。我們不能憑自己的力量救自己，也沒有教師，傳道人可以救我們，唯有 神才能把我們從撒但的捆鎖中釋放出來。*

## G. 摩西看見焚燒的荊棘

主題：神是全能的 神

閱讀：出三1-3

*視覺教材：*

圖畫第二十五號
「焚燒的荊棘」

這荊棘與其它荊棘無異，它出奇之處在於它雖一直燃燒，但不致燒毀。因 神在荊棘中，荊棘就不致燒毀。
- 神是全能的。
- 無人能作 神所作的事。

賽十二6

那燃燒中的荊棘提醒摩西，以色列人的苦況。
- 他們有如火中的荊棘一般，面臨滅絕之險。
- 因 神在荊棘中運行它便不致燒掉，祂對亞伯拉罕的後裔，以色列眾子民也是一樣。
- 撒但和法老也不能消滅以色列人，因 神與他們同在。

## H. 神啓示摩西

主題：神與人對話

閱讀: 出三4
摩西一直不知道 神在荊棘中，直至 神從火中與他對話。

主題：神是聖潔公義的
閱讀：出三5,6

神命令摩西將鞋脫下來，以示對 神的尊敬，因祂是完美的，偉大的創造者。
- 赤腳是謙卑順服的表示。
- 奴僕是赤腳的。

主題：神是至尊而掌權的

詩一一五3
詩一三五 5,6

神要揀選誰成全祂的旨意，祂便揀選誰，當 神要實踐祂的計劃時，無一人能制止祂。神告訴摩西，他是被揀選的，要領以色列人從埃及的奴役中釋放出來，進入 神爲亞伯拉罕預備的美地。

閱讀：出三7-10
從過往的經歷中，摩西自知無法幫著他的百姓，他知道他不能靠自己的力量面對國王，拯救以色列脫離奴役。

閱讀：出三11
神告訴摩西，祂必與他同在，祂給摩西一個記號。
- 神應許摩西，會領他重登那山，就是他曾站在焚燒中的荊棘前那山。
- 這山稱爲西乃山，或何烈山。

在地圖第一號指出西乃山的大概位置。
閱讀：出三12

## I.「我是」
閱讀：出三13
摩西仍不滿意

- 以往他曾幫助自己的百姓，但以色列人拒絕他。
- 他思慮自己一旦回國時，百姓是否相信他是亞伯拉罕、以撒、雅各的 神所差遣，要把他們從被囚中拯救出來的那一位。

主題： 神是至尊而掌權的
閱讀：出三14
- 解釋

*聖經時代的人物，他們的名字很有意思，一個人的名字強調這人的特徵或品行。舉例說，摩西這名解作「救援出來」的意思，因法老的女兒尋見他時，他是從水中被救上來的。*

- 比較

*嬰兒出生時，很多人會閱書數本替嬰兒起名，很多名字具有有趣的意思。但為何 神給自己一個名字呢？這是辦不到的事，因 神太偉大了。祂是大能的創造者，是全知、全能、信實不變的 神,也是大能的審判者，報冤者，也是慈愛、憐憫人的救主，只有祂才能救人脫離撒但、罪惡和死亡。祂的特性不只是以上所述的,還有許多是未述的。*

*神要給自己什麼名字讓以色列人知道 神要他們明白的事呢？這是太難辦了。所以 神吩咐摩西對以色列人說「我是」差遣他去。「我是」這名字的涵意很廣，深不可測。它的意思是 神是自有永有的。你記得聖經開始的幾句：「起初 神 ...」嗎？ 神從起初已存在，祂沒有開始也沒有終結，祂從不需要依靠任何人，祂創造萬物，也將生命賜給我們。我們眾人在萬事上都需要祂。祂掌天地萬物的權柄。天地中的風、雨、河川、太陽、月亮、星星也聽命於祂，祂比萬物更高，祂是最偉大的「我是」（註一）*

註一
我們作教師的，並所有信祂的人對「我是」的回應，該是「是的，主啊，你是。」

當這位自稱「我是」的 神，決意拯救以色列人時，就是法老、埃及人或撒但也不能阻攔 神的子民。

閱讀：出三15-18

## J. 神知道法老將作的事

主題：神無所不在， 祂洞悉萬有
閱讀：出三19,20

神清楚知道埃及王的反應如何。
當我們尚未思想，未發言或採取行動時， 神十分清楚了解我們所想，所言,所作的事。

我們發生的事，祂一概知道，甚至連死後的事也知道。

詩一三九
來四13

## K．神差亞倫作摩西的助手

主題：神滿有慈愛，憐憫和恩典
摩西向 神建議，他求 神差遣另一位比他更適合的人前往。

閱讀：出四13
神向摩西發怒，因他繼續與祂爭論，但 神畢竟應許摩西，差遣他的兄弟亞倫協助他。

閱讀：出四14-17

## L．摩西聽從 神

閱讀：出四18
神叫摩西放心，因爲以前陷害他的國王和其他人已死去。
摩西得著鼓勵便勇往直前到埃及。

閱讀：出四19,20

## M．神使亞倫迎見摩西

主題：神是信實的，祂永遠不會改變
神向摩西守信，祂差他的兄長亞倫迎見他，幫助他並陪同摩西參見法老王，請求王釋放以色列人。

在圖表上指出「亞倫」的名字。

閱讀：出四27,28
於是摩西和亞倫回到埃及。
他們呼召自己的百姓以色列民，告訴他們 神對摩西所說的話。

## N．以色列人相信 神差摩西到他們中間

主題：人必須憑著信來討 神的喜悅並得著拯救。

閱讀：出四29-31
以色列相信摩西所講有關 神的話。
他們感謝 神聽了他們的呼求，讓拯救臨到他們。
試想：
*以色列人有智慧，他們相信 神藉摩西帶來的信息，當我們不信神的話時，我們便以 神爲說謊的。 神不能幫助那些拒絕聽祂話語的人。*

## O. 結論

我們剛讀過的，不單是一位名人「摩西」的故事，這是以色列的史實。
亦是 神日後差拯救者來之背景的計劃。
這是 神的故事。
沒有人比 神更偉大。
祂深知以色列的一切遭遇。
祂要將拯救帶給以色列民，也藉著他們，將拯救帶給你我。下一課，我們將討論多些有關 神拯救以色列人的事。

## 問題：

1. 爲何埃及王要將以色列民欺壓爲奴？
   *因爲以色列民生養眾多，人數超過埃及人，埃及王恐怕他們與埃及的敵人聯盟，一齊攻打埃及，然後佔領他們的國土。*
2. 誰主使埃及王的陰謀？
   *撒但。*
3. 爲何撒但要將以色列人消滅？
   *因爲撒但深知 神曾應許亞伯拉罕、以撒、雅各，日後拯救者必從他們的子孫出來。*
4. 爲什麼 神保護以色列，讓她繁盛？
   *因爲 神是不改變的，祂信守祂曾向亞伯拉罕、以撒、雅各所立的應許。*
5. 爲何 神容許法老的女兒收養摩西？
   *因爲 神計劃差摩西拯救爲奴的以色列人。*
6. 撒但或邪靈或任何人能否攔阻 神的計劃？
   *否，祂欲作的事必定成就。*
7. 以色列民或摩西能否從法老手中拯救他們出來？
   *不可能。*
8. 誰能救我們脫離撒但的轄制？
   *神。*
9. 神爲何要拯救爲奴的以色列人？
   *a.因爲 神目睹他們的苦況，聽他們的呼求。*
   *b.因爲 神愛他們，將祂的愛和憐憫向他們顯現。*
   *c.因爲 神曾應許亞伯拉罕和他的子孫必成爲大國，日後的拯救者必從他的後代出來。*
10. 爲何摩西眼見荆棘焚燒但不致燒掉？
    *荆棘沒有燒燬是因爲萬軍之 神在其中。*
11. 神的名字「我是」是什麼意思？
    *意思是說 神是自有永有的，祂不需要任何人或任何事物 ，祂在萬有之先，因祂創造了萬物，萬物也伏在祂的*

*權柄下，祂從不需要任何事物的幫助。*

12. 當摩西告訴埃及王 神對他所說的話時，你想 神知道埃及王會立刻釋放以色列民嗎？
*祂知道埃及王不會立刻釋放以色列民， 神知道萬事。*
13. 以色列人是否相信 神差遣摩西來？
*是的，他們相信這事。*
14. 神喜悅不信祂話語的人嗎？祂會接納他們嗎？
*不會， 神拒絕並懲罰一切以祂為說　謊者的人。*

# 第二十二課　神降瘟疫在埃及， 神越過以色列

參考經文

## 課前預備

此段只供教師使用

左列的各參考經文有助於你準備這一課。但因經文帶出的眞理有些會在稍後課文中講授，故不宜於此立刻講解這些經文。

請注意：若你沒有教授過本書課文，請詳讀書前『教師必讀』部份。

經文： 出五1,2；六1-8；七4,5；十一1,4-7；
十二1-7,12-14,22,28-36,46

### 本課目的：

- 說明 神的主權、信實及全能。
- 說明罪的刑罰是死亡。
- 說明 神爲信祂的人預備了生路。
- 介紹逾越節及這預表基督的象徵，日後將再提及此事。

### 本課可幫助學生：

- 看見 神的主權。
- 看見罪的嚴重性。
- 明白 神必定實現祂的應許，祂必看顧信靠祂的人。
- 看見人的無助，人是無法從 神的審判中自救的。

### 教師的觀點：

這是一個多麼震憾人的故事！活在一個許多「宗教學家」都厭惡提及血的世代中，我們發覺 神並不厭惡血；本課告訴我們只有那些受羔羊的血保護的才可以逃避殺長子之災。羔羊的血不單要流出，還要塗在每家的門楣上及兩旁的門框上。

熟讀 神的羔羊這故事的人，都會領悟到出埃及記這段經文的含意。誠然，我們也是因著信心，在基督寶血的蔭庇下得以逃脫 神的震怒。但許多人拒絕這看來簡單，其實極深奧的眞理，就如法老王信任自己的能力及假神的能力，人也拒絕降卑自己來相信 神。

神這簡單的預備，反倒成爲許多人的絆腳石。在這個時代，我們不斷強調要成爲「最偉大的」，或要「我行我素」，法老就是太遲明白到他既不是最偉大的，也不能隨心所欲。你的學生也可能爲這些事掙扎，世界的神可能已教導他們如何把自己放在第一位，也不讓 神或其他人左右自己的想法。

要爲你的學生禱告，神能用祂的話語刺透他們剛硬的心。起碼你的學生已來探索 神，他們的內心可能有重大的爭

## 課文概覽

本課藉著 神降瘟疫給埃及這事，顯明神的主權、全知及全能。同時， 神在逾越節拯救以色列民的事件，也充份表現出祂的聖潔、恩典及慈愛。

要點：

・神的主權、全知及全能：祂用法老的抵抗來展示祂拯救以色列的權能。。

・神的信實：祂保全以色列，並那位拯救者的族系。

・人沒有自救的能力：以色列人沒有能力救自己，只有 神能安排拯救他們的辦法。

・逾越節 – 耶穌基督的表徵：你要小心、仔細的教逾越節的事蹟，因日後你會用它來講解福音。

戰，因那敵 人憎恨他們聽從且信靠 神的話語。務要相信 神可以打開他們的眼睛及心靈之窗而相信眞理。

## 視覺教材：

- 第二十七圖 －「逾越節的血抹在門框上」。
- 第二十八圖 －「法老和他死去的兒子」
- 圖表

## 授課要點

此課程特爲非信徒安排，故授課時務要奠定聖經基礎，以爲日後傳福音的根據。若你班上有信徒參與，則授課的目的是使他們明白信仰的根基，以致日後他們亦可運用同樣教材去教導未信的人。

課文信息要明確簡潔，切忌節外生枝！

請注意這課程是有範圍和有主題的聖經研讀，並非徹底深入的聖經鑽研，亦非漫無邊際的小組討論。請依照主題帶領討論，以保持課程進度。切記緊依大綱，突出教義主旨。

課程編排形式：每一頁的中間部份是教授學生的內容，粗體字的標題只供教師參考，不需口誦，因爲標題內容會在接著的課文大綱提及。至於左右兩欄所列的經文是給教師作參考之用，不宜在課堂上詳授。

## 學生的教授內容
（中間部份）

## 課文大綱：

請複習第二十一課的問題。

### A.序言

今天的課程始於以色列人在有權有勢的法老王下被囚於埃及。

- 我們當中可能無人曾被擄爲奴,像那些以色列人一般。
- 但我們都是罪的奴隸。

讓我們看看 神怎樣拯救以色列人。

### B. 法老拒絕遵守 神透過摩西及亞倫給他的命令

主題：神與人對話

主題：人滿懷罪孽，不能自拔，需要 神的拯救

閱讀：出五1,2

神用摩西及亞倫向埃及王說話，但法老拒絕遵守 神的命令。
（註：法老是這時期所有埃及統治者的尊稱，聖經沒有告訴我們，當摩西作以色列領袖時，是那一個法老當權。）

法老不認識這唯一的眞 神及宇宙的創造者。

埃及人不敬拜 神，他們拜 神所造之物。

- 他們拜尼羅河，就是他們國家最大的河流。
- 他們拜太陽、月亮及不同的動物。
- 他們有很多假神。
- 此外，埃及人也視法老如神來拜。

世人故意轉離眞正認識 神的途徑。

- 他們在認識 神的事上變得愚昧。
- 因爲他們不想去認識 神， 神就讓他們去拜假神。

因世人大多數不認識 神，甚至拜偶像等物， 神就呼召亞伯拉罕成爲以色列國的國父。

- 神這樣作是因爲祂想藉著以色列來保存有關 神的正確知識。
- 神要透過他們使全世界知道有關 神的眞理。
- 所有有關 神的眞實都記載在聖經中，這聖經是 神透過以色列民而賜的。

神本來可以告訴埃及王，偶像並不是眞 神，只有亞伯拉罕及以色列的 神才是又眞又活的 神，可惜法老拒絕接受。

## C. 神藉法老的叛逆顯示以色列民：祂是他們的 神

主題：神與人對話

當摩西重返埃及時，那一代的以色列人從沒有見過 神的大能。

- 他們只聽過 神及 神爲亞伯拉罕、以撒、雅各及約瑟作的事。

- 現在 神要透過邪惡、反叛的法老王來顯示祂的能力及智慧給這一代的以色列人知道,使他們明白 神仍然是以色列的全能和者看顧他們的 神。

閱讀：出六1-8

## D. 神藉著法老的叛逆，計劃向埃及人顯明祂是那一位獨一無僞永活的 神

主題： 神與人對話

神計劃向埃及人顯明

- 祂是那位獨一無僞永活的 神,祂的權柄遍佈全地。
- 他們所信靠和敬拜的眾神並不能保護他們，或抵擋以色列的神。
- 思考：

*埃及民中不乏聰明和具優秀技能的人：出色的作家、數學家、化學家、軍事領袖和民眾領袖、建築師、藝術家和工匠等，但在屬靈方面，他們卻是全然瞎眼及愚昧的。埃及人雖然把以色列民束縛爲奴，其實他們自己才是無望的奴隸—被撒但俘虜，並全然屈服於撒但權柄之下。不久，他們便會知道以色列的 神是活的,是有大能的，祂能釋放祂的子民。*

- 思考：

*我們或許容易看見埃及人如此敬拜是愚蠢的，但記著，撒但用當日的文化及他們能接受的方法來欺騙他們。今日它仍舊對人施同樣手段。*

主題：神是聖潔和公義，祂命定罪的代價就是死亡

因爲法老決心與 神對抗，神計劃利用這個邪惡的王，去對所有違抗祂的人,彰顯祂偉大的權能和可怕的審判。

閱讀：出七4,5

這是對我們眾人的警告。

- 我們不能忽視 神或對抗 神，仍能逃避祂的審判。
- 對抗 神的,沒有人能勝過或逃避審判。

## E. 神降九災到埃及

主題：神是全能的

因爲埃及的王拒絕釋放以色列人，神開始顯明祂偉大的能力。（註二）

因爲時間所限，我們不會詳細閱讀所發生的事。

但如果你想自己用功夫，你可以在出埃及記七章十四節至十章二十九節找到這個故事。

- 首先， 神把河水變爲血。
- 跟著，祂降蛙災、虱災和蠅災。
- 然後 神令埃及人的馬、牛、羊、駱駝和驢生病。
- 跟著，耶和華令所有埃及人身上長了可怕的瘡。

註二：

**我們想把課堂時間用在這課的主題上，所以不讀聖經中關於這些災禍的記錄。但務要清楚說明這是一個眞實故事，明載於聖經中。**

- 隨之而來的是極具摧毀性的冰雹和蝗蟲。隨後，埃及人所住的地方都烏黑了三天。

法老和埃及人沒法從 神所降的可怖災禍中自救。

也沒有任何假神可以救他們。

- 註：

*有趣的是，每一個災禍都是直接指出某一個埃及人的假神虛妄：例如，他們的蛙神，他們的太陽神和他們的雷神。*

主題：神滿有慈愛，憐憫和恩典

若不是耶和華對以色列人的憐憫和慈愛，他們也會受到這些災禍。

耶和華保護以色列人免受這些可怕的災禍，雖然他們住在鄰近，也在同一個國家內，但沒有任何災害臨到他們。

- 耶和華保護以色列人，並非因為他們無罪，亦非因他們配受憐憫。
- 祂保護他們是因著祂的慈愛、憐憫和恩典。

主題：神是信實的，祂永遠不會改變

- 另一個為什麼 神保護以色列人的理由，是因為 神沒有忘記祂對亞伯拉罕、以撒和雅各的應許。

神揀選亞伯拉罕，並應許祝福他，令他的後裔成為大國，也應許祂要作他們的 神。

現數百年雖過，而以色列人又在埃及為奴， 神仍稱以色列人為祂的特別子民，正因為他們就是 神應許給亞伯拉罕的後裔。

主題：神是至尊而掌權的

- 神也保護以色列免受災禍，讓埃及王了解以色列的 神才是全世界唯一又真又活的 神。

神是至尊而掌權的，祂作祂喜歡作的事。

主題：人滿懷罪孽，不能自拔，需要 神的拯救

在每一個災禍中，回應的方式都是一樣的：

- 每一次當 神降災於埃及時，法老便召摩西來，叫他除去這災禍。
- 法老說他會讓以色列人離開。
- 當法老說他會讓以色列人得釋放時，耶和華便除去災禍。
- 但耶和華除去災禍時，法老便立刻硬著心，不容以色列人離開埃及。
- 當法老一次次這樣作時，他的心腸變得更剛硬、更驕傲。

## F. 耶和華對埃及人的最後審判

主題：神是至尊而掌權的
主題：神無所不在，祂洞悉萬有

九個可怕的災禍雖已降在這班悖逆的埃及人身上，但埃及王仍然拒絕服從 神，讓以色列人得釋放。

神一直知道法老的頑梗，並會拒絕釋放以色列人。
- 在祂未派遣摩西回埃及之前， 神已對摩西說將要發生的事。
- 神從不對人所作的或所發生的事覺得驚訝。
- 不論人說什麼或作什麼，在每件事發生之先，祂已預知。祂的計劃必通行無阻，節節勝利。
- 這邪惡的王不能阻止 神來拯救亞伯拉罕的後裔。神知道最後的災禍過後,法老才會釋放以色列人。

閱讀：出十一1,4-7

## G. 耶和華對摩西的指示

主題：神與人對話

神藉著摩西告訴以色列如何迎接最後最可怕的災禍。

主題：人滿懷罪孽，不能自拔，需要 神的拯救

以色列人也是罪人，理當以死贖罪。

主題：神滿有慈愛，憐憫和恩典

若不是因著 神的憐憫和恩慈，他們同樣要遭受這最後可怕的審判。

創十五
13-16

主題：神是信實的，祂永遠不會改變

神記得向亞伯拉罕、以撒和雅各所立的應許。
- 神應許要帶領亞伯拉罕的後裔回到 神給予他們的地方。
- 神成就這事的時候到了。

以下是 神藉摩西吩咐以色列人該作的事，免去長子被殺之禍。

### 1. 他們必須揀選一隻無殘疾的羊羔。

主題：神是聖潔和公義的
閱讀：出十二1-5

- 一家之主必定要揀選一隻綿羊或山羊。這隻綿羊或山羊必須是沒有殘疾的。

－ 回想：

*你記得那隻代替以撒被獻上的公羊嗎？它兩角被扣在荊棘叢中。爲什麼它的兩角被扣住？ 神是完全的，祂所說所作的一切盡都是完全的。祂絕不會接受一隻有疾病或受傷的動物作爲祭牲。*

## 2．他們必須宰殺那羊羔，並用盤子盛血。

主題：神是聖潔公義，祂命定罪的代價就是死亡

閱讀：出十二6

羊羔必須要留到 神所選定的日子，就是這月的第十四日。他們要在黃昏的時候，把羊羔殺了。

羊羔必須要死，它賴以爲生的血一定要流出來。這是要提醒以色列人，罪的懲罰就是死亡。

－ 回想：

*亞當和夏娃未犯罪以先，死亡還未臨到這世界。但亞當和夏娃因爲不服從 神的緣故與 神分離之後， 神說他們的身體一定會死亡。所有亞當和夏娃的後裔生出來便是罪人，與 神分離。這是你我和所有人的肉體都要死亡的原因。假如世上沒有罪，便沒有肉體的死亡。假如沒有罪，便不會與 神分離，而淪陷於爲撒但和牠的跟從者所預備的永火裏。*

－ 解釋：

*當以色列人殺了羊羔，並讓血流出時，人們便會被提醒罪的懲罰就是死亡。正如公羊代以撒而死，那些以色列人所選所殺的完美羔羊，就代他們的長子而死。*

## 3．他們必要把血塗在房屋的門框兩旁和門楣上。

主題：神是聖潔和公義，祂命定罪的代價就是死亡

*建議視覺教材：*

第二十七圖

「逾越節的血抹在門框上」

閱讀：出十二7

神告訴以色列人要用盤子盛血。

然後，他們把某種樹的一小把樹枝來蘸盤裏的血。

他們用小樹枝把血塗在門框的兩旁並門楣上；當晚，他們要在這屋子裏吃羊羔。
藉著門上羊羔的血，他們的長子便從 神的審判中被拯救出來。

## 4. 他們必須留在塗血的屋內，天亮之前他們不能離開此屋。

閱讀：出十二22
- 解釋：
*以色列人要留在塗血的屋內，他們被那羔羊之死及所流之血蔭庇，正如 神說過羊羔必要代長子而死一樣。*

## 5. 他們不可折斷任何一根羊羔的骨頭。

當他們宰殺或吃羊羔的時候，不能折斷那動物的骨頭。

閱讀：出十二46
主題：人只可依照 神的旨意和計劃來親近祂

這是 神對以色列人的指示。
他們要準確地實行耶和華對摩西所說的每一件事。

- 回想：
*神是永不改變的。祂不容人類用自己的方法來救自己。你記得祂在伊甸園中拒絕接受亞當和夏娃為自己所作的衣服嗎？神也拒絕了該隱的獻祭，因為那並不是根據祂的指示。 神吩咐挪亞如何準確地按祂的指示造一隻方舟，以色列人也同樣要準確地按 神指示摩西的一切而行。*

- 比較：
*神仍是一樣，祂並沒有改變。我們萬不能根據自己或他人的想法來到 神面前。我們必須根據 神的方法，不根據 神指定的方法來者，絕不會被 神接受。*

## H. 神對以色列人的應許

閱讀：出十二12-14
神應許以色列人，祂見到門楣上的血，便不容災禍進屋，殺害長子。

## I. 以色列人的信心和服從

主題：人必須憑著信心來討 神的喜悅並得著拯救

－ 思考：

*假如這事件現在發生，你會感覺怎樣？你可以聯想到那畏懼 神的心是如何籠罩以色列民。他們知道 神言出必行，他們相信 神、並順服祂。*

閱讀：出十二28

主題：人只可依照 神的旨意和計劃來親近祂

－ 思考：

*假如有一個以色列人說：「我不肯殺害一隻無殘疾的羊羔，我那隻患病的羊羔也行吧。」這將會怎樣？你想 神會接受這患病羊羔的血嗎？又或者，假如另一個人這樣辯論：「殺掉一隻好羊羔多可惜！我不殺它，我把它繫在門上， 神看見這隻活羊羔時就不會降災來殺我的孩子了。」你想 神會越過這屋子內的長子嗎？*
*不會！那羊羔必定要死，血必定要流出。他們千萬不可忘記罪的懲罰就是死。一切都要按照 神告訴摩西的方法來行。*

以色列人要相信 神，所告訴他們的：當祂看到屋子門框上的血，他們頭生的孩子並頭生的牲畜都不會死。

## J．所有埃及人的長子都死了

主題：人滿懷罪孽，不能自拔，需要 神的拯救
主題：神是聖潔公義，祂命定罪的代價就是死亡
閱讀：出十二29-30

*建議視覺教材：*

第二十八圖「法老和他死了的兒子」

每一個埃及人的長子，並所有埃及人頭生的牲畜都死了。

－ 思想：

*罪的懲罰是死亡。我們一定要謹記，罪的懲罰不單是肉體上的死亡，還有在火湖裏永遠的與 神分離。*

來二2-3

**主題：神是信實的，祂永遠不會改變**

耶和華遍行埃及全地，正如祂所說的。

- 祂言出必行，祂並不是單恐嚇而不執行警告。
- 當 神決定懲罰罪人時，他們是無路可逃的。

以色列人既遵行 神的吩咐，把血塗在門楣上，他們的長子並頭生的牲畜就沒有一個死亡。

- 神言出必行。
- 祂說祂會毀滅埃及人家中的長子，祂便行了。

申七9,10

- 祂說祂見血便越過那家，祂便行了。
- 神所說的每句話是可信的。

- 思想：

*法老曾否被警告？有，他曾被警告！耶和華應許要降下的其他九個災禍都已臨到，正如摩西所宣告的。法老拒絕順服 神，結果他和整個埃及不但喪失了牲畜和穀物，並且連他們的長子也喪失了；因爲法老拒絕相信 神，他和整個埃及付上一個極其悲慘的代價。因著他們的不信，他們還要付上一個更可悲永遠的代價：就是在火湖裏永遠與 神分離。*

## K. 法老叫以色列人離去

主題：神是至尊而掌權的

**閱讀：出十二31-36**

法老在深夜召摩西來，並告訴他帶以色列人離開埃及。

法老以爲他可以抗拒 神，連 神也不能令他屈服；其實沒有人能抗拒 神並且得勝的。

## L. 結論

我們很幸運有這故事。

我們不需像法老一般抗拒 神。

我們從這可怕的悲劇中可以學習到相信 神，並相信祂的話。

神並沒有改變。

- 祂仍要求我們來相信祂。
- 祂仍審判罪。
- 並且祂仍謹守祂的應許。

耶和華拯救祂的百姓，正如祂曾應許過的。

神會懲罰那些抗拒祂的人。但祂會向那些信靠祂的人彰顯祂的憐憫且賜予平安。

## 問題：

1. 當摩西告訴法老說，耶和華以色列的 神命令他釋放以色列人時，法老說什麼？
   *法老說：「我不認識耶和華，也不容以色列人離去。」*

2. 王的回答有否令 神驚訝？
*沒有，耶和華知道法老並不會讓以色列人立即離去。*
3. 人所說、所想或所做的事，是否令耶和華驚訝？
*沒有，甚至在每件事發生之前，祂已經知道。*
4. 神如何計劃利用這邪惡的王？
*神計劃利用這驕傲的王，彰顯給萬民知道：以色列的神才是那獨一無二，又眞又活的 神，而且祂是全能的。*
5. 耶和華如何顯示祂的能力？
*耶和華降下大而可怖的災禍在埃及人身上。*
6. 那些大災禍是什麼？
*耶和華把河水變成血。祂降下青蛙、虱子並蒼蠅。祂摧毀埃及人的馬、牛、羊、駱駝並驢子。祂也降下起泡的瘡、冰雹、蝗蟲，並使全地黑暗。*
7. 為什麼這些災禍並沒有同樣地臨到以色列人？
   *a. 因為耶和華有慈愛和恩惠。*
   *b. 因為 神並沒有忘記祂對亞伯拉罕、以撒和雅各的應許，就是他們的後裔會成為大國，並且祂要作他們的神。*
   *c. 這樣才令埃及王了解到以色列的神才是全世界獨一無二，永活的眞神，祂隨自己的意願而行。*
8. 以色列人是否值得 神這樣保護他們？
*不值得，他們同樣都是罪人，應得到 神的審判。*
9. 每一次當 神降下災禍時，法老做什麼？
*法老聲稱他已改變主意，並請求摩西除去那災禍。*
10. 當耶和華除去那災禍時法老做什麼？
*法老改變主意，硬著心，並拒絕讓以色列人離開。*
11. 神是否驚訝？
*不，祂知道那王會做什麼。*
12. 埃及王能否戰勝 神？
*不能。*
13. 有沒有人能對抗 神而得勝？
*沒有。*
14. 神降在埃及人身上的最後審判是什麼？
*神降下災禍，殺害埃及家的每一個長子，並頭生的牲畜。*
15. 神囑咐以色列人做什麼？以致他們的長子不會死亡？
   *a. 他們一定要選擇一隻沒有殘疾的羊羔。*
   *b. 他們一定要殺那羊羔，並用盤子盛血。*
   *c. 他們一定要塗血在門框兩旁並門楣上。*
   *d. 他們一定要留在他們已塗血的那間屋子裏。*
   *e. 他們不可折斷羊羔的任何一根骨頭。*
16. 假如以色列人不嚴謹地遵守 神藉摩西指示他們該行的事，後果將如何？
*他們的長子同樣會被殺。*

17. 誰是那唯一可以告訴我們如何能來到神面前並被祂接納者？

*神。*

18. 神預定毀滅每家長子的那夜，發生了什麼事情？

*神殺滅他們,正如祂所說的。*

19. 神對以色列人有什麼應許？

*神應許他們，當祂看見血在門的兩旁並門楣上，祂會越過他們。*

20. 以色列人又如何？

*他們所有的孩子都安全，沒有一個死亡。*

21. 為什麼以色列的孩子不用死？

*a. 因為以色列人做了 神要他們做的事，把血塗在門楣上。*

*b. 因為 神是值得信任的，祂謹守祂的應許並越過他們的屋子。*

22. 神是否言出必行？

*是，當祂說祂會懲罰罪，祂必定這樣作。當祂對那些信靠祂的人立下了應許，祂必定緊守它。*

23. 當埃及人的長子死後，法老王告訴摩西什麼？

*法老告訴摩西帶所有以色列人出埃及。*

選擇性討論問題：

24. 你在這課學了什麼？

# 第二十三課　神在紅海拯救以色列人並在沙漠中供應食物和水

參考經文

詩七十八13-53；一零五40-45；一零六6-15

課前預備

此段只供教師使用

左列的各參考經文有助於你準備這一課。但因經文帶出的眞理有些會在稍後課文中講授，故不宜於此立刻講解這些經文。

請注意：若你沒有教授過本書課文，請詳讀書前『教師必讀』部份。

經文：　出十三17,18,21；十四5-7,10-16,19-31；十六1-3, 11-15,35；十七1-6

## 本課目的：

- 顯明 神的主權及全能。
- 顯明人無能拯救自己。
- 顯明人只能隨著 神的意思及計劃而被拯救。
- 顯明 神信實地實現祂的應許。
- 顯明 神的恩典及祂如何照顧不配得祂恩典之人的需要。

## 本課可幫助學生：

- 了解神蹟乃與 神的本性並立；對人而言不可能的事，對神卻是可能。
- 明白 神對人的關心並要每個人認識祂。
- 思想他們無能拯救自己。

## 教師的觀點：

我們的社會不易接受神蹟，許多現代學者嘗試刪除那些記載在聖經中明顯的神蹟奇事。甚至有些自稱基督徒的教育家自欺欺人，以自然現象解釋奇蹟。有些人則完全否認聖經記載的事實，只稱他們爲故事或傳說。

任何人若要完全接受一項神蹟，他必須相信 神乃是祂自己所說的那一位。若 神是這位在宇宙中掌權的創造者,那麼聖經裏的神蹟實現絕不超出祂的能力範圍以外。這些人不僅否認神績，實在是拒絕 神。當我們相信聖經是 神的眞實話語之時，我們便接受 神所說關於祂自己的事。祂是有主權的創造者，也是全能、無所不知、唯一的 神。若我們對聖經記載細心探討，不但無法推翻它們，反倒要宣稱這些事乃是眞實的神蹟。譬如：若有人認爲憑自然定律，足可在西乃曠野供應二百五十萬人達四十年之久的，今天可去作實地考察（註一）。即使是一小群團體，在西乃曠野中停留極短時間，所需的後勤支持已難以想像，更不用提要滿足如此龐大的人群及動物突然缺水之需要。

課文概覽

縱使以色列人時常不忠於 神，本課說明神仍向他們顯示祂的大能、信實、恩典及憐憫。更強調了以色列人無能拯救他們自己。

神保全以色列
- 因祂對亞伯拉罕的應許。
- 因祂欲藉以色列而將信息傳遍世界。
- 爲顯現祂的能力使以色列人及我們相信祂。
- 因祂愛他們。

請強調本課的歷史性事實。

註一：
許多人曾懷疑舊約裏所提的數目，尤其是有關以色列人的數字。一個值得考慮的經節是：出三十八25,26， 如果所列重量經演算，它們很準確地符合龐大的人數（603550—二十歲以上的人數。 ）

我們無法改變人心及意志，但我們能夠向學生陳明 神話語的眞實，並禱告求他們得以聽見而相信。

## 視覺教材：

- 圖片第二十九號 －「越過紅海」。
- 圖片第三十號 －「曠野中的嗎哪」
- 圖片第三十一號 －「摩西擊磐石得水」
- 圖表一

## 授課要點

此課程特爲非信徒安排，故授課時務要奠定聖經基礎，以爲日後傳福音的根據。若你班上有信徒參與，則授課的目的是使他們明白信仰的根基，以致日後他們亦可運用同樣教材去教導未信的人。

課文信息要明確簡潔，切忌節外生枝！

請注意這課程是有範圍和有主題的聖經研讀，並非徹底深入的聖經鑽研，亦非漫無邊際的小組討論。請依照主題帶領討論，以保持課程進度。切記緊依大綱，突出教義主旨。

課程編排形式：每一頁的中間部份是教授學生的內容，粗體字的標題只供教師參考，不需口誦，因爲標題內容會在接著的課文大綱提及。至於左右兩欄所列的經文是給教師作參考之用，不宜在課堂上詳授。

## 學生的教授內容
（中間部份）

## 課文大綱：

請複習第二十二課的問題。

### A.序言

你如何看神蹟？

- 僅令人懷疑或訝異嗎？
- 僅是種奇怪的事嗎？

當 神選擇要超越祂所訂立的自然定律時，祂就把所發生的事記載在祂的話語裏成爲神蹟。

神表明的神蹟是歷史的一部份—祂處理這世界及人類的歷史。藉著記錄下來的神蹟，神向我們顯示祂的眞理。

試看我們從下一段所學習有關 神的功課。

## B. 神藉雲柱帶領以色列人

創十五16a

主題：神是信實的,祂永遠不會改變

神拯救在埃及被擄的以色列人，並開始帶領他們返回祂曾應許

他們的先祖亞伯拉罕的土地。

閱讀：出十三17,18

- 考古註解：（註二）

*幾年前，考古學家發現一連串廢墟，這些埃及人的城堡曾用來保護通往非力士的路。聖經記載細節的準確性因此再被提醒。正如 神所告訴我們的，這並不是 神要祂的子民逃離埃及的道路。*

- 原文註釋

*聖經裏翻譯爲「紅海」這字，在希伯來語的意思是「蘆葦之海」。許多聖經學者相信，這段經文是指一個很大的內陸「海」或湖，位於紅海尖端的北面。這個湖確實有蘆葦，而蘆葦並不在紅海的北端出現。我們不知道它的實際位置，但我們相信聖經所說的故事，細節是眞實的，我們將讀到這紅海是相當深的，我們可看看現今地圖上大概的位置。*

註二：
根據一位以色列考古家記載的，有關細節請參看 1982 年 12 月份的 National Geographic Magazine, pp. 738-768

地圖一，指出紅海北端的地方

出十二41

閱讀：出十三21

以色列人數劇增。

- 當初下埃及的以色列人僅只七十人。
- 四百三十年後，人數大約達到二百五十萬之多。

主題：神滿有慈愛、憐憫和恩典

神藉著雲柱帶領他們去祂要他們去的地方。

- 祂使雲柱一直走在他們前面。
- 若 神沒有引領他們,他們會迷路，至終死於曠野中。

因祂愛他們，所以祂照顧他們。

神保護以色列人，以致那位偉大的拯救者得以誕生於世。

- 以色列人是亞伯拉罕的後裔。
- 神應許亞伯拉罕，在他的後裔中有一位將是世界的救主。

賽四十一8-10
賽四十九6
羅三1,2

主題：神與人對話

神保護以色列，因祂要委託以色列民將祂的話語傳遍全球。

我們所讀的 神的話語是藉以色列傳給我們的，叫我們可以明白祂和認識祂。

## C．法老決定再捉拿以色列人

主題：撒但攻擊 神和祂的旨意，撒但是騙子，牠恨惡人

法老是被撒但主使的。（註三）
- 他不願放棄以色列人，不讓他們離開。
- 他計劃追趕並捕獲他們。

閱讀：出十四5-7

## D．以色列人害怕並責怪摩西

主題：人滿懷罪孽，不能自拔，需要 神的拯救

閱讀：出十四13,14

- 思考：

*我們和以色列人有什麼不同嗎？我們願意相信 神的話並唯獨信靠祂嗎？*（註四）
*撒但不要我們相信 神,就連我們同工同住的人都可能告訴我們不要相信祂，但我們願意相信 神嗎？*

主題：人滿懷罪孽，不能自拔，需要 神的拯救

主題：神滿有慈愛、憐憫和恩典

雖然以色列人犯罪，又不信任 神，但祂卻滿有憐憫，也計劃拯救他們。

他們無法拯救自己。
- 他們前面是海，四週有山，背後有敵人。
- *只有 神能拯救他們。*
- 回想：

*當 神將亞當和夏娃趕出伊甸園，遠離祂時，他們再也不可能重回到花園，也不可能與 神復和。唯獨 神能提供一個方法讓他們再次地被 神接納，是 神提供一個方法使亞伯被 神接納的。只有 神才能從洪水中拯救挪亞及其家人。當以撒被綁，置於祭壇上，父親高舉刀子時，只有 神能救他。以色列長子的父母們無法解救他們的長子脫離死亡，除非 神開出生路。同樣的，以色列人無法逃脫埃及人，除非 神為他們開路。對我們也是一樣，我們無法逃脫神的怒氣，憑著我們所作的，我們無法與 神復和，只有 神能解救我們脫離那永久的懲罰。*

註三：
部份學生可能問出十四8有關 神使法老的心剛硬的問題。他們可能有疑問：既是 神叫他們的心剛硬,法老如何能為他的行為負責？你可以如此幫助他們瞭解：那是因法老心裏的罪使得他對 神的回應剛硬。 神給法老機會，希望較輕的災害能使他有所反應， 神對法老顯示憐憫，但一旦災害除去,法老就拒絕順服神。

註四：
凡遇此類問題，不要強迫或等待回答，若任何人想要表達他們的想法，就由他們發表。

*與 神復和，只有 神能解救我們脫離那永久的懲罰。*

## E. 神使海水分開

主題：神是全能的神

閱讀：出十四15,16

神創造了海，祂能完全的控制它。

- 回想：

*起初，整個地球都被水遮蓋，記得 神使水退開而成旱地嗎？這位在起初使水退去的 神並沒有改變。祂命令這海退開，使祂的子民可橫過乾地而到達另一邊， 神如此作是因祂控制整個地球。*

對 神來說，使海水分開並不是困難的事,如此以色列人便能橫過而抵達另一邊。

-神是全能的。

-沒有什麼事是對祂太難的。

詩九十五5
一零四5-9

## F. 是 神帶領以色列橫過海的

主題：神是信實的，祂永遠不會改變

閱讀：出十四19-22

耶三十二17

*視覺教材：*

圖畫第二十九號
「越過紅海」

神沒有拋棄祂的子民。

- 祂應許要引領他們平安的離開埃及，進入祂所應許給亞伯拉罕的土地。
- 神爲以色列民開路，讓他們越過海洋。
- 神將一路帶領以色列人的雲柱放置在他們和埃及人的中間。在以色列人的後面，雲柱光亮似太陽。

它賜與亮光使以色列人看見他們的去處。

在埃及人之前，雲柱卻是黑的,在他們之前只有黑暗。

雖然如此，埃及人仍繼續地前進，因為 神打算毀滅他們。

閱讀：出十四23-25

## G. 神使埃及軍隊淹沒於海中

主題：神是聖潔公義的，祂命定罪的代價就是死亡

主題：神是至尊和掌權的

閱讀：出十四26-29

埃及的軍隊在海中被 神淹沒。

沒有人成功地與 神對抗。

- 祂處罰所有抵擋祂的人。
- 然而凡相信祂的話語並照祂的意思來到祂面前的人，祂是滿有慈愛的救贖者。

提前四10

主題：神滿有慈愛、憐憫和恩典

主題：神是信實的，祂永遠不會改變

閱讀：出十四30

神保護了所有的以色列人。

- 沒有一個人被淹沒，埃及人也不能捉拿任何人。
- 神拯救他們乃因祂對他們的愛，祂曾應許要救他們。

詩一零五 42,43

主題：人必須憑著信心來討 神的喜悅並得著拯救

閱讀：出十四31

當以色列人看見 神所行的大事，他們就相信祂。

- 思考：

*有些人說，如果他們能看見 神的偉大奇妙作為，他們就相信祂。但 神並未應許祂將行驚人的奇蹟來叫我們相信。神賜給我們祂的話語，祂告訴我們要相信它，且信靠 神。如果我們拒絕相信祂所寫的話語，那麼我們將失去 神而死亡，並面臨永遠的處罰。*

## H. 以色列人埋怨

主題：人滿懷罪孽，不能自拔，需要 神的拯救

閱讀：出十六1-3

雖然 神使紅海退去，也平安的帶領以色列人脫離了埃及人，他們卻仍未學習到信靠祂。
- 他們埋怨、訴苦並責罵摩西和亞倫。
- 他們理當信靠 神會供應食物，不應當埋怨什麼。
- 他們的食物無處可尋。（註五）
- 摩西無法供應食物給他們。
- 那裏不單是沒有「市場」，連任何植物都沒有。
- 那是個不毛之地。

詩七十八11

神要他們知道，只有祂才能在這情況下幫助他們。同樣的， 神要每位罪人知道，只有 神才能拯救我們脫離那因罪而來的懲罰。

註五：花些時間解釋西乃曠野區域的情況，若你有地圖，可展示給學生看。讓學生了解以色列人和摩西靠自己供應食物的不可能性，這是很重要的。強調只有 神能解救以色列人，藉這些故事，我們要教導聽眾「救恩出於耶和華。」（約二9）我們教導舊約的主要目的是顯示人的無助及 神的救恩，因此當我們論及福音時，學生們則能轉向基督。

## I. 神應許他們食物

主題：神是全能的 神

閱讀：出十六11,12

雖然以色列人和摩西不能供應食物， 神卻能夠， 神是無事不能作的。

主題：神滿有慈愛、憐憫和恩典

他們並不配由 神那裏得到任何東西，但因著祂的恩典，祂應許給他們食物。
- 沒有人配得 神的恩典和憐憫。
- 我們只配承受永遠的懲罰。

## J. 神供應他們食物

主題：神滿有慈愛、憐憫和恩典
閱讀：出十六13-15

*視覺教材*：

圖片第三十號
「曠野中的嗎哪」

神幫助無助者，祂拯救那些無處可逃的。

- 回想：

*當亞當和夏娃犯罪冒犯 神，並與 神隔離時， 神就應許要差一位救世主來拯救他們。他們想用樹葉作衣裳， 神卻供應他們動物的皮遮身。 神滿有憐憫和恩典，他也接受亞伯的供物。 神由洪水中救了挪亞及他的家人， 神吩咐亞伯拉罕離開拜偶像之地，也藉著約瑟保護雅各一家免受飢荒。後來祂又呼召摩西拯救以色列人脫離在埃及的綑綁，並為著他們的緣故使海水退去。現在，祂應允給以色列人食物。 神為他們所作的一切，他們之中沒有一人配得，因著祂的憐憫及恩典，祂卻為我們成就了一切。*

主題：神是信實的，祂永遠不會改變

閱讀：出十六35

神是信實的，祂從此時起，就是以色列人在曠野的這段時間裏，祂一直不斷地供應以色列人嗎哪。

- 祂從未失信。
- 神是信實的。
- 祂在經上所說的一切，祂都守信實行。

## K. 以色列人再次地埋怨

主題：人滿懷罪孽，不能自拔，需要 神的拯救

雖然以色列人對 神所供應的食物心存感謝，他們很快就忘記了祂的大能，又開始抱怨起來。

-（你是否熟悉這種情形呢？）

-注意這次又有什麼事發生。

閱讀：出十七1-4

- 思考：

*人沒有水能維持多久？只能熬過幾天。以色列人擔心他們將死於曠野，你能感受到摩西的負擔嗎？他絕對無法給他們水喝，只有 神能幫助他們。我們知道 神能行一切事，但在那片乾旱的不毛之地，神由那裏取得水呢？前面並無綠州。*

*神為什麼要供應這些人呢？這些人並不配得祂的幫助。*（註六）

註六：給學生時間回答你的問題，他們的答案能反應他們對 神的性格及個性的了解，部份學生可能認為人配得 神的幫助。你必須強調 神的供應是出自祂的愛、恩典及信實，不是因為人配得什麼。

## L. 神告訴摩西如何作

主題：神滿有慈愛、憐憫和恩典

神並沒有讓以色列人乾渴而死。

祂供水給他們乃因祂滿有慈愛、憐憫和恩典。

主題：神與人對話

閱讀：出十七5,6a

*視覺教材：*

圖片第三十一號
「摩西擊磐石得水」

神吩咐摩西用他的杖擊打磐石。
神應許他，水會由磐石流出來。

- 思考：

*若 神當初要他們在沙地裏挖洞或掘井，對我們來說是否較容易理解呢？那麼我們就可「解釋」祂如何地供應了水，但這是 神所行真確的神蹟。唯獨 神才能夠在沙漠中使水由磐石中流出。祂要以色列人（及我們）知道，只有 神才能使我們脫離死亡。*

主題：人只可依 神的旨意和計劃來親近祂
摩西必須跟從 神的旨意而行。
每次當他們遇見難處， 神就一一的告訴他們應當如何作。

- 比較：
- *神現今仍是一樣的。*

*祂並不由得我們自己想辦法逃脫罪及撒但的權勢並永久的懲罰。凡不信靠自己，而單單信靠 神的人， 神就作他們的救主，只有祂能爲罪人提供一個解脫的方法。*

## M. 神供應他們水

主題：神是全能的 神
閱讀：出十七6b

摩西順服 神而擊打了磐石。
大量的水立即湧出來。
這些水足以供應所有的以色列人和他們的牲畜。

- 思考：

*我們並不知那時以色列人確實的數目—在聖經的人口調查中，只記錄了二十歲以上的男子—但我們可根據這項調查，估計當時大約有兩百五十萬人口。這些水足夠供應所有的人及他們的牲畜！詩篇一零五41：「祂打開磐石湧水，水就湧出；在乾旱之處,水流成河。」只有全能的 神能在曠野中使磐石湧水—水量足以供應如此龐大的人群。請謹記， 神創造萬物，祂說話事便成就了。沒有一件事對 神是太難的。*

主題：神滿有慈愛、憐憫和恩典

以色列人雖然不配，但 神仍賜他們食物和水。
- 他們從未為這些食物和水而勞力。
- 神並未要求回報。
- 祂給他們食物和水，乃因祂滿有慈愛和憐憫。

沒有人配得 神的愛和憐憫。
- 憑著我們所作的事，我們是無法被 神接納的。
- 神寬恕罪人，純粹是祂給罪人的禮物。

主題：神是信實的，祂永遠不會改變

神是信實的，祂保護以色列人，也供給他們所有的需要。
- 神曾應許祂會祝福亞伯拉罕的後代。
- 神是言出必行的。

弗二8,9
多三5
羅六23b
詩一零五42

## N. 結論

舊約中多次談及 神對以色列人的供應，就是在新約這些事也被屢次引用。

這些是歷史事蹟。

是的，這些是奇蹟，這些是 **神的**奇蹟。
- 它們向我們顯明出祂守約的信實。
- 它們向我們顯明祂對祂子民的愛。
- 它們向我們顯明祂掌權控制一切所造之物。

神是高深莫測的—正如祂的神蹟一般。

但我們相信這些是已發生的事實，因為 神在祂的話語中是如此說的。

## 問題：

1. 神如何指示以色列人往何處去？
   *神在白日用雲彩，在黑夜則以火柱引導他們。*
2. 以色列人往那塊土地去呢？
   *去迦南地， 神所賜給亞伯拉罕、以撒和雅各之地。*
3. 神為什麼保護以色列？
   *a）因為祂滿有慈愛和憐憫。b）因為他們後代中有一位將成為罪人的偉大拯救者。c）因為祂對亞伯拉罕、以撒和雅各的應許。d）因為祂要將祂的話語傳給以色列，再傳至萬邦。*
4. 當以色列人看見法老的軍隊隨後追時，他們作了什麼？
   *他們責怪摩西，早應將他們留在埃及。*
5. 以色列人有何方法可以拯救自己嗎？ *沒有。*
6. 他們那時應作些什麼呢？
   *他們應當向 神求救，並信靠祂會拯救他們。*
7. 為什麼使海水退開，這事對 神並不困難？
   *a） 因為祂創造了海。*

*b） 因神從起初就有能力控制水和整個地球，祂從未改變。祂命令海水退開，讓祂的人民能在乾地上走過海的另一邊。 c） 因為 神是全能的，沒有一件事對祂是困難的。*

8. 當以色列人橫過海洋時，神如何保護他們不被埃及人侵犯？

   *神將雲柱放在以色列人和埃及人之間，雲柱發光引領以色列人前行的道路，但在埃及人前的卻是一片烏雲。*

9. 為什麼埃及人無法逃避 神呢？

   *因為 神比萬有都偉大。沒有人能抵擋祂而獲勝，祂是全能的。*

10. 有誰能設法逃避 神對他罪的懲罰或使 神接受他？

    *沒有*

11. 當以色列人開始他們在曠野的旅程時，他們面臨什麼新的問題？

    *他們沒有任何食物。*

12. 他們記得 神所成就的大事嗎？他們信靠祂嗎？

    *不。他們埋怨並責怪摩西和亞倫。*

13. 以色列人配得 神所供應的食物嗎？

    *不。*

14. 有誰配得領受神的愛，有誰配得由永久的懲罰中得拯救？

    *沒有，我們應受 神的懲罰。*

15. 神給以色列人什麼食物？

    *神起初給他們鵪鶉，之後每日清晨又給他們嗎哪。*

16. 為什麼以色列人無法得水？

    *因為他們在曠野中。*

17. 神吩咐摩西如何取水？

    *他必須用杖擊打磐石。*

18. 當 神拯救以色列人時，祂允許他們隨心所欲而行嗎？

    *不，事情必須照著 神的意思行。*

# 第二十四課　頒賜十誡的預備

## 參考經文

賽五十九1,2
羅六23
來十二25-29
彼後三3-12

## 課前預備

此段只供教師使用

左列的各參考經文有助於你準備這一課。但因經文帶出的眞理有些會在稍後課文中講授，故不宜於此立刻講解這些經文。
**請注意：若你沒有教授過本書課文，請詳讀書前『教師必讀』部份。**

## 經文： 出十九1-13,16-20;二十1,2

## 本課目的：

- 說明 神的聖潔、至高無上、公義，及對罪的憤怒。
- 指出人在遵守律法上的無能。
- 說明人無法因他的行爲得救。
- 說明唯有 神才能爲人預備得救的道路。

## 本課可幫助學生：

- 明白一般以爲遵守十誡才能得救的錯誤見解。
- 明白因他們不遵守 神的律法，所以理當接受死亡和永遠的懲罰。

## 教師的觀點：

耶穌基督教導祂的門徒說，「聖靈既來了，就要叫世人*爲罪、爲義、爲審判，自己責備自己。*」（約十六8）但奇怪的是，現今許多講道卻圍繞著「 神愛你，你應當喜樂」爲主題。

神的聖潔、公義和憤怒的眞理，並不是一個受歡迎的題目。但今天有許多自稱爲基督徒的人似乎並不了解，這位 神的確仍舊是我們在出埃及記中所見到的那位 神。

我們往往只是強調 神的愛，卻忽略了只有 神的恩典，我們才能接受這份愛。有時在說明 神奇異的恩典時，卻忽略了強調這點。其實這恩典，才是叫失喪的罪人得享 神無私的慈愛。

神厭惡罪惡；正因如此，凡拒絕接受祂救贖計劃的人，將會陷在火湖裏，接受永遠的懲罰。

不可假設學生們已完全明白「神聖」和「公義」的意思。他們可能在宗教儀式裏聽見這些詞彙多次，但並沒有了解到 神不單是聖潔、無罪的,也是厭惡並懲罰所有罪的 神。

當我們授課時,我們知道 神的話語是滿有能力的，可以刺透人錯誤的觀念和撒但的謊言。如同以色列人一樣，我們的學生也需知道罪人無法在聖潔、公義的 神面前站穩。

## 課文概覽

**本課是介紹十誡的序幕。它所強調的是神的公義、聖潔、憤怒及對罪的審判。**

重點：

神的約是在乎以色列人遵守與否，但以色列人不知道他們無法完全遵守這約。

在西乃山周圍爲人和動物所設的界限,是爲了強調： 神的聖潔、人的罪性、罪人不能和 神親近，以及那些還活在罪中的人，竟敢到 神的面前,他們必受 神的審判。

十誡所強調的，是 神要求每一個人都完全遵守祂的律例。律法並沒有顯出 神的恩典，律法是叫人知道，人無法靠自己的好行爲而得救。 神爲罪人預備救贖的方法便是藉著主耶穌爲我們而死。（羅三19,20；加三24）

這課同時指出，有些人以爲藉著「好行爲得救」的錯誤觀點。這觀點已被證實爲錯誤。

**視覺教材：**

- 圖片第三十二號 －「神的聖山」
- 地圖一
- 有關好行爲的視覺教材。（在課文中說明）

## 授課要點

此課程特爲非信徒安排，故授課時務要奠定聖經基礎，以爲日後傳福音的根據。若你班上有信徒參與，則授課的目的是使他們明白信仰的根基，以致日後他們亦可運用同樣教材去教導未信的人。

**課文信息要明確簡潔，切忌節外生枝！**

請注意這課程是有範圍和有主題的聖經研讀，並非徹底深入的聖經鑽研，亦非漫無邊際的小組討論。**請依照主題帶領討論，以保持課程進度。切記緊依大綱，突出教義主旨。**

課程編排形式：每一頁的中間部份是教授學生的內容，**粗體字的標題**只供教師參考，不需口誦，因爲標題內容會在接著的課文大綱提及。至於左右**兩欄**所列的經文是給教師作參考之用，不宜在課堂上詳授。

## 學生的教授內容
（中間部份）

**課文大綱：**

請複習第二十三課的問題。

### A.序言

你對十誡的看法如何？（註一）
它們是生活的規條嗎？
它們是好行爲的準則嗎？
我們將要學習到 神是如何談到十誡，但首先讓我們看看 神是如何預備以色列人領受這些律法。
對我們來說，這也是十分好的準備。

註一：
不要花太多時間討論這些問題，這些問題的目的是要學生思考。即是學生的答案和課文相反，也不要使他們爲難。但若自願回答的學生給了一個錯誤的答案時，也不要立時指正他的錯處。當你授課時，讓神的話語在他們心中作工。

### B. 神帶領以色列人往西乃山

主題：神是至尊和掌權的

閱讀：出十九1,2

以色列人並沒有決定他們何時啓程及往何處去。

- 神替他們作決定。
- 神要以色列人接受祂，成爲他們的統治者、保護者和供給者。

主題：神是信實的，祂永遠不會改變

閱讀：出十九3,4

在地圖一上，指出西奈半島的所在，並指出西乃山可能所在之處。

- 註：

*因捷別耳摩沙山符合了出埃及記裏描繪的西乃山，所以許多學者相信這山便是聖經所指的西乃山。雖然我們無法確定它的位置，但我們知道這地區就是聖經上所提及的地方。*

西乃山（又名何烈山），就是摩西看見荊棘著火的地方。
就在那時， 神應許摩西會把他和以色列人領回這山去。

出三1,2

閱讀：出三12

神是值得信賴的。
- 正如祂所應許的，祂保護了摩西,並帶領以色列人到西乃山。
- 神不作無謂的承諾，行事也不取簡單、可預測和「自然」的途徑。
- 對人而言， 神所作的每一件事都是不可能的。
- 但對 神而言，萬事都是可能的。
- 即使祂揀選摩西當領袖，也是完全與摩西的意願相違。
- 但 神賜給摩西能力，叫他戰勝法老，甚至能夠忍受眾多以色列民的抱怨。

神是全能的,是信實的，是至高無上的。
你可以完全信靠 神，因祂必行祂所應許的一切事。

## C. 神對以色列人的應許

主題：神與人對話

閱讀：出十九5,6

神把要傳給以色列人的信息告訴摩西。
神計劃與以色列人立約。

主題：人只可依 神的旨意和計劃來親近祂

這就是那約：（註二）
- 唯有當以色列人完全的順服 神時，祂才會應許賜福給他們。
- 若他們行 神所吩咐的一切事， 神便會接納他們並賜他們一切所需的。

註二：
這是第二次提及有關順服 神和被 神所接納是息息相關的事。第一次是亞當在伊甸園時，第二次是 神應許以色列人，只要他們遵守 神的律法，神就會賜福給他們。若他們順服，謹守他們那一方面的約（完全的順服），他們就成爲 神特別的珍寶，分別出來成爲祭司的國度，作 神的聖工。我們需要強調的是，律法應許了福份給那些遵守的人，但律法對那些在心裏或行爲上遠離 神聖潔要求的人而言，卻是一種咒詛。（加三10）不要混淆律法和恩典。這律法要求人作到它所要求的,卻沒有力量幫助人達成這目的。強調這目的，是慢慢的讓學生了解到，人無法完全順服律法而得到 神的接納和祝福。

## D. 以色列人對 神的承諾

主題：人滿懷罪孽，不能自拔，需要 神的拯救

閱讀：出十九7,8

以色列人答應在一切事上都聽從 神。

- 他們忘了當埃及官兵在紅海追趕他們時，他們是如何地懷疑 神。
- 他們忘了當他們沒有食物和水時是如何地抱怨 神。
- 他們自負。
- 他們以爲盡力遵守 神的誡命， 神便會供給他們一切所需的。
- 他們不明白自己心中充滿了罪，也不明白他們不能靠自己的努力來取悅 神。
- 他們如同該隱，以爲把美物奉獻給 神便能討 神喜悅。
  在這約之下，以色列人並不明白 神已無法再祝福他們，或賜他們所需要的。
- 這約就是指出如果他們完全的遵守 神的誡命， 神會接納並賜福給他們；但他們若不遵守 神的誡命，神將會咒詛並處罰他們。

羅三19,20
加三
10,23,24

*視覺教材：*

| 神的律法<br>需要<br>完全的遵守 |
|---|

- 神已知道以色列國不久必會背叛祂,並且在律例之約定下，神會因著他們有罪的緣故懲罰他們。

神若知道以色列人無法遵守所立的約,祂又爲何與他們立約呢？
神如此行，是爲了證明給以色列人看，他們是罪人，並且無法討祂的喜悅。
神要教導他們若只憑自己的努力，是無法成爲祂的朋友並獲得祂的接納與恩賜。

- 說明：

*有一個人游泳渡河，但他漸覺疲倦並被捲在急流之中。有一群人在岸邊觀看,除了一位健碩的游泳選手外，沒有一人有能力拯救這快被淹沒的人。*
*岸邊的人不斷的催促這人去幫助那在河裏遇溺的人，但他卻無動於衷，只是站在一旁觀看。那掙扎的人變得越來越疲弱，最後筋*

*疲力竭，只好放棄掙扎。這時，這游泳選手才跳進河裏把那人救出來。*
*當人們批評他爲何等了這麼久才去救那遇溺的人時，他便回答說，「當他還有力氣的時候，這快被淹死的人決不會讓我去幫他。唯有他放棄自己努力時，我才能幫助他。」*

神給以色列人的律,是爲了讓他們知道，他們是無法取悅 神和蒙神接納的。
當他們放棄自我，全心信靠 神的時候， 神才會把他們從永遠的懲罰中拯救出來。
這是 神對所有人的旨意。 神只會拯救那些向祂承認自己是在魔鬼、撒但、罪及死亡所控制之下的罪人。
這也是 神要我們學習認識自己的原因。
- 我們是無助的罪人。
- 我們是無法把自己從罪、撒但和死亡中拯救出來的。

## E. 神在山上顯現之前所作的準備

主題：神是聖潔公義的，祂命定罪的代價就是死亡

閱讀：出十九9-11

神準備在以色列人面前顯明祂偉大的榮耀、權柄和聖潔，爲要叫他們知道祂是位聖潔的 神。祂厭惡罪惡，也不接納違背祂話語的人。

閱讀：出十九12,13

神吩咐他們在山的四周劃定界限。
- 他們必不能靠近或是觸摸這山。
- 當 神降臨在山上時,如有以色列人或動物碰到這座山，他們必被治死。

罪的工價乃是死。
- 這是因爲 神是絕對聖潔的，人皆有罪。
- 神不會接受任何不是十全十美的人和事物。
- 祂使罪人遠離祂。
- 罪人無法靠近祂。
- 回想：
  *亞當和夏娃的罪使他們和 神隔離。因爲他們犯了罪，故被逐出伊甸園與 神分離。*
- 神恨惡違背祂誡命的人，祂亦不會與罪人爲伍。

## F. 神在西乃山向以色列人說話

主題：神是全能的 神

主題：神是聖潔公義的，祂命定罪的代價就是死亡

*建議視覺教材：*

來十二 18-21,29

圖畫第三十二號「神的聖山」

請注意那些在山腳下堆成作界限的石頭，它們是用來警告人不可往 神所在的山去。 神警告他們，若他們超越這界限便會死亡。

閱讀：出十九16-20

當 神和以色列人說話時，無怪乎他們都害怕。

當 神以這種方式向你顯示自己時，你的感受會如何？

雷轟、閃電、密雲和地震，都是在告訴以色列人，祂是位全能的 神，也是位厭惡和懲罰一切罪惡的 神。

- 回想：

  *神在挪亞時代毀滅了整個世界，便已經顯明給世界知道祂的全能，和祂對罪的厭惡與懲罰。祂又降火與硫磺毀滅了所多瑪和蛾摩拉這兩個邪惡之城。祂在埃及人中降了許多災禍，並把他們的軍隊淹沒在海中。這些都顯示出祂的能力、祂的憤怒和祂對罪的懲罰。*
- 神厭惡並懲罰所有的罪。

## G. 神向以色列人頒賜十誡

主題：神與人對話

當摩西返回西乃山下之後， 神便從山上向以色列人說話。

閱讀：出二十1,2

-思考：

*這座山仍在震動和冒煙；有閃電、雷轟和號角聲劃破長空，難怪人們懼怕而不敢接近這座山！ 神於是向以色列人說話，並把誡命頒賜給他們。*

主題：神是聖潔公義的，祂命定罪的代價就是死亡

太二十五41
啓二十15

人若不遵守十誡中的一條誡命，懲罰便是陷在 神爲撒但及跟隨牠對抗 神的天使們所預備的火湖裏。

雅一22-25

**閱讀：雅二10（註三）**

**主題：人滿懷罪孽，不能自拔，需要 神的拯救**

神為何頒賜祂的誡命？

神知道以色列人不能每刻都完全遵守祂的誡命。

- 但 神叫他們知道他們是無法完全聽從 神的，而且也無法靠著自己的力量叫自己被 神接納。
- 神頒賜律法不只是證明以色列人有罪和無法討祂喜悅。
- 神也把律例吩咐所有人，叫他們知道自己是有罪的，並且知道沒有一人能靠著他所行的蒙 神的悅納。
- 神也頒賜祂的律法，叫眾民相信唯獨祂的恩典，才能把他們從罪的懲罰中拯救出來。
- 比較：
- 神的誡命像一面鏡子。
- 除非我們照鏡子，否則不能看見自己的髒臉；同樣，除非律法向我們顯明，否則我們不能看見自己心裡有罪。
- 神的律例好像一部 X 光儀器。
- 它看到我們的內在，正如 神看我們一樣。

但若我們無法遵守 神所有的誡命，那又如何呢？

- 思考：

*我們常聽到人以為作了好事，便可寄望 神會把我們的罪和好事相平衡。這種想法可以安慰很多人，並且推動他們行好事。他們深信所行的好事必會「蓋過」他們所作的壞事。*

*視覺教材：*

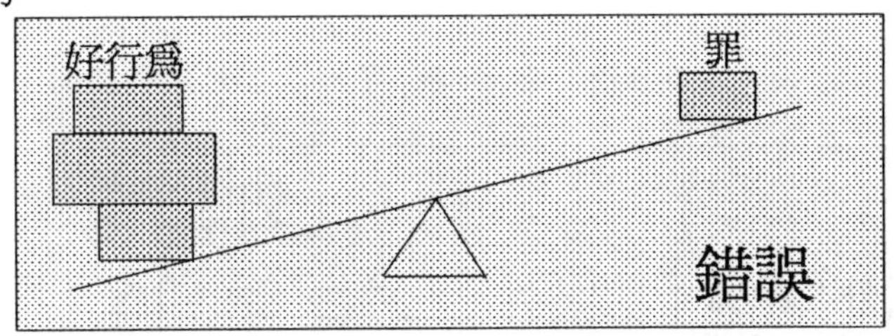


*這也許是一個令人安慰的想法，也是行好事的推動力，但這也是撒但的謊言！撒但不願意我們認識和相信眞理；它要我們相信我們能夠「憑著自己的努力得以進天國。」*

*你聽了多少次這句話：「他做了這麼多的好事，我知道他一定會上天堂的！」這句話是多麼遠離遠離眞理！ 神只有一個標準,這標準就是人要達到十全十美。*

*即使一個人許多時候行好事和遵守 神的誡命，卻有一次失敗，這人仍算是不能遵守全部的律例，並且犯了罪。*

註三：
這段雅各書的經文很適合本課文使用。但不要談及其他經節，因這樣你會走在本課所教的年代之前,也會令學生摸不著你的要點。

*視覺教材：*

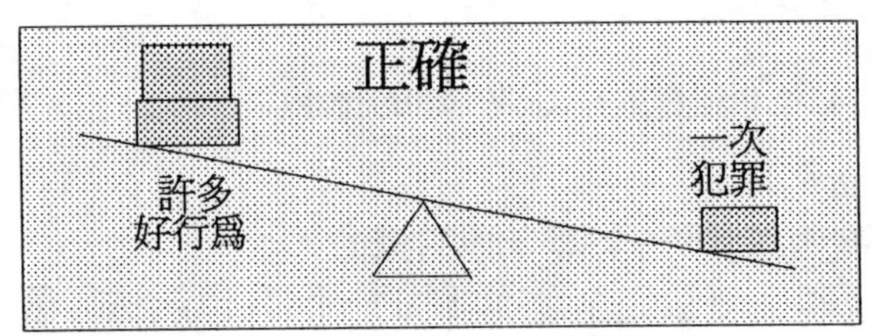


**閱讀：雅二10**

即使他們僅是一時違背了 神其中的一條誡命， 神還是會懲罰這些罪人。

- 亞當和夏娃違背了 神多少次才與 神隔離，被逐出伊甸園？
- 亞當和夏娃僅犯了一次罪就受死的刑罰。
- 神要求我們時刻都遵守祂一切的誡命。
- 若我們只有一次違背祂其中一條誡命，祂便不會接納我們。
- 比較：

  *若鍊子的其中一個接環斷了，這鍊子還會牢固嗎？*

  *一頭惡狗被一條斷了一個接環的鍊子綁住時，你仍敢走近它嗎？若我告訴你：「你爲何要害怕呢？鍊子還有九個接頭是好的，只有一個是壞的。」你知道這條鍊子九個接頭是好的，只有一個是壞的，你會靠近這隻狗嗎？當然不會，鍊子必須全無損壞才會牢固；若一個接頭斷了，整條鍊子便無用處了。*

  *這就如 神的律法，如果我們只違反了其中一條，我們就已經違反了所有的律法。 神說，若我們僅違反祂其中一條律法，我們就犯了罪並將會受到懲罰。*

神要眾人知道，他們是永遠無法作得盡善盡美，以取悅 神和逃避祂的懲罰。

*視覺教材：*

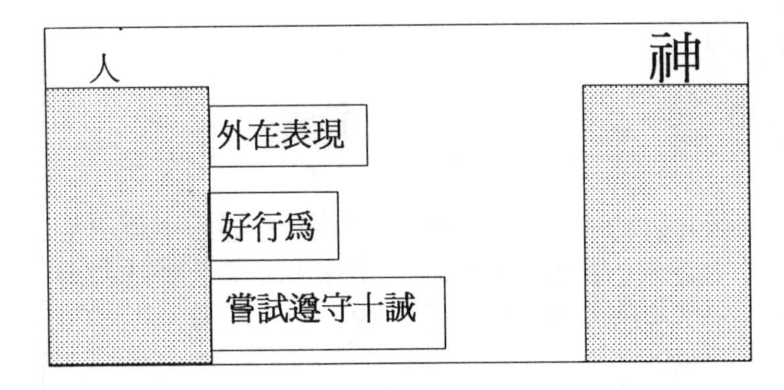


因爲我們與生俱來就是罪人，並且與 神隔離,所以無一人能完全達到 神的要求來遵行祂的誡命。

**閱讀：羅三10-12**

閱讀：羅三19,20

我們無法從認識、順服和愛 神來討祂的喜悅，蒙祂的接納。
神用律法來顯明我們的罪性。
- 解釋：
*沒有一個傳道人、老師或宣教士，可被豁免在這眞理之外。所有人都違反了 神的律，並應受永遠的懲罰。所有人都是與生俱來的罪人，無法用自己的好行爲來取悅 神。 神不會因人所行的好行爲而接納他們。*
*當我們讀到 神的誡命時，祂要我們承認自己作了 神所厭惡的事。我們無法完全遵守祂的誡命，故此我們也無法拯救自己。我們無法以我們的行爲來取悅 神,我們也無法從 神眼前抹去我們的罪。我們必須爲罪付出代價，這罪的代價就是死，就是在火湖裡與 神永遠的隔離。*

## H. 結論

你現在對十誡的看法如何？
神的話語確能改變我們的想法。
在下一課我們會思考每一條誡命。
在下一課結束後，你的想法很可能也會有所改變。

## 問題：

1. 當摩西在西乃山看見燃燒的荆棘時， 神給了他怎樣的應許？
*神應許摩西，祂會把他平安的帶回此山。*
2. 神有沒有作成祂所應許的？
*有， 神總是言出必行。*
3. 神爲什麼要把十誡頒賜給以色列人？
*神爲了給以色列人證明他們是罪人，並且他們無法靠著自己的努力來取悅 神，蒙 神悅納。*
4. 以色列人的態度如何？
*他們忘了曾經多次懷疑 神，並且犯了罪違背 神。他們驕傲並且自負。*
5. 神爲何要摩西在山的四周劃定界限？
*爲了要強調罪人是不能接近聖潔的 神，因 神厭惡罪。*
6. 人們爲什麼害怕？
*因爲山在震動，而且還有大火、煙霧和閃電。*
7. 這些事要告訴以色列人什麼？
*這是要向以色列人顯明 神是全能的。祂是聖潔的，並且厭惡罪惡。*
8. 誰被 神選作以色列人的使者？
*摩西。*
9. 現今我們如何聽到 神的話語？
*我們從聖經上得知 神的信息。*

10. 今天 神有否改變祂對罪的態度？
*沒有。*
11. 神對只違反祂一條誡命的懲罰是什麼？
*與 神永遠的隔離，並在 神爲撒但及跟隨祂的天使所預備的火湖中接受懲罰。*
12. 神以爲以色列人可以遵守祂的十誡嗎？
*不。 神知道沒有人可以遵守祂的十誡。*
13. 爲什麼沒有一個人可以完全遵守 神的律法？
*我們是與生俱來的罪人，並且和 神隔離，所以我們無法取悅神。*
14. 若我們只盡量去遵守 神的誡命， 神會接納我們嗎？
*不會。*

# 第二十五課　神頒賜十誡

參考經文

## 課前預備

此段只供教師使用

左列的各參考經文有助於你準備這一課。但因經文帶出的眞理有些會在稍後課文中講授，故不宜於此立刻講解這些經文。

**請注意：若你沒有教授過本書課文，請詳讀書前「教師必讀」部份。**

經文：出二十3-17

### 本課目的：

說明 神的主權、聖潔和公義。

說明人不能絕對成功地遵守律法。

說明人只有透過 神的恩典才可以得救。

### 本課可幫助學生：

澄清以爲藉著遵守十誡便可得救的謬誤看法。

明白他們違背了 神的律法，理應面對死亡。

明白他們不能自救。

### 教師的觀點：

社會對十誡的看法，正反映出他們漸漸偏離聖經眞理的傾向。

人排斥 神的話、否定 神是創造的主宰、否認他們對 神的責任及忽視 神對罪的後果和懲罰。他們縱容自己，直撲罪惡的深淵。我們的社會就像羅馬書一章廿一至卅二節中所描述的漸走下坡。

許多還有良知的人認爲，人仍需要些宗教規條！但他們既不認 神爲創造主，更不願相信祂是位聖潔、公義和忌邪的 神；他們只是要些宗教來使自己感覺好些罷了。

對這些人來說，十誡只是道德的標準——或是良心的慰藉。可是，不少教會卻以此爲它們教導的一部份。（毫無疑問地，這些人這樣相信，並以此教導人，是因他們缺乏對聖經全面的了解。）

聖經明示：這些被罪扭曲的見解正與十誡的本意背道而馳。十誡是由聖潔、公義、掌權和創世的 神所訂立最高的法則，它既艱辛又難以遵守，目的是要世人領悟，罪人絕對無法守住 神的律法，以此拯救自己免於將來的刑罰。

## 課文概覽

本課著重研討 神的主權。十誡中的每一條誡命都是 神所訂立，故此它們就是公義的準繩。 神的公義，與人的罪性和缺乏完全遵守 神法則的能力成爲對比。

本課逐一介紹並解釋十誡中的誡命，繼而應用於現代的生活方式，藉以說明世人都犯了 神的律法。

研讀十誡的目的乃要人知罪而悔改，就是讓學生看見自己的軟弱——他們不能依靠自己的善行得救。反之，他們需要一位救贖主。

介紹十誡：
1.朗讀每條誡命，並加以解釋，請勿急進，記著「律法本是叫人知罪」(羅3:20)。
2.強調我們要以心靈遵守 神的誡命，不只是在外表遵守。
3.每條誡命的主題都顯示 神是至尊而掌權的，我們要強調是就是、不是就不是，因爲至尊的掌權者 神所訂定的準則，是無可置疑的。

## 授課要點

此課程特爲非信徒安排，故授課時務要奠定聖經基礎，以爲日後傳福音的根據。若你班上有信徒參與，則授課的目的是使他們明白信仰的根基，**以致日後他們亦可運用同樣教材去教導未信的人。**

**課文信息要明確簡潔，切忌節外生枝!**

請注意這課程是有範圍和有主題的聖經研讀，並非徹底深入的聖經鑽研，亦非漫無邊際的小組討論。**請依照主題帶領討論，以保持課程進度。切記緊依大綱，突出教義主旨。**

**課程編排形式**：每一頁的中間部份是教授學生的內容，粗體字的標題只供教師參考，不需口誦，因爲標題內容會在接著的課文大綱提及。至於左右兩欄所列的經文是給教師作參考之用，不宜在課堂上詳授。

## 學生的教授內容
(中間部份)

### 課文大綱：
複習第廿四課問題。

### A．序言

以色列人像我們一樣天生就是罪人，不能討 神的喜悅。
奇妙的是，我們雖是罪人，卻仍然以爲自己可以順服 神。
一昔日，以色列人曾認爲他們可以遵守 神與他們所立的約。
一今天，我們也沒有兩樣——一句老掉牙的話說：「我以十誡爲我的生活標準。」
然而，我們是罪人的另一明證：就是我們不喜歡別人告訴我們該怎樣做，我們喜歡自己控制一切。

十誡是我們掌權的創造者所頒佈的，祂知道：
—我們不能遵守祂的法律，
—我們需要祂公義的準繩，
—我們憑著祂公義的準繩可以看見自己的罪性。
讓我們現在來探討 神所頒佈的十誡。

## B．第一條誡命

**主題：神是至尊和掌權的**
**主題：神是聖潔公義的，祂命定罪的代價就是死亡**

**閱讀：出廿3**

神在第一條誡命中命定，只有祂才是萬民的 神。
這就是說人應該單單敬拜祂。
—「敬拜」，是從「配得」一詞而來。
—只有 神配得敬拜和全然效忠。
祂是絕對和獨一的領袖——祂超越人生命中所有的領袖。
— 神絕不會容讓任何人事物與祂共有 神的地位。
—人除了 神以外，不能在今生和來生倚靠其他事物而活。
—人不可以敬拜其他人或事物。
—人必須讓 神居於他們心中的首位，並要因著萬事讚美和感謝祂。
以賽亞書四十五章五節說：「*我是耶和華，在我以外並沒有別 神*」

太廿二36-38

沒有任何人或事物可以在我們生命中佔據 神的地位。
—若有人將任何人取代 神的地位，那就是背逆和犯罪。
—即使我們口裡承認 神是我們的管理者，但心中卻不讓 神居首位，我們仍然犯了祂的律法。

**主題：人滿懷罪孽，不能自拔，需要 神的拯救**

—思想：
*亞當故意地不讓 神在他的生命中居首位，他遠離 神的意思，偏行己路。從此，亞當的後裔也各行己路，沒有人願意讓 神全然掌管他的生命（註一）。*
*我們的祖先違背了 神的第一條誡命，他們讓偶像和邪靈取代了 神的地位，撒但在他們心中佔據了 神的首位。*

註一：
但 神應允萬民要向祂敬拜：賽四十五23,24;腓二9-11。

*今天，很多人把自己當作 神——甚至把這些叛逆的行爲稱爲他們的宗教。這種叫做「人文主義」的宗教把人抬舉至理當神配得的獨有地位，將人誤導爲自己是命運的操控和掌權者，把所有的成就歸功於人的身上。*

*撒但是說謊之父，謊言充份地滿足人的自負。撒但抓住人這個弱點，利用此罪使人墮落，讓人也像牠一樣，永遠失去服事神的職份，將來並受火湖的煎熬。*

*你可能不會自稱爲人文主義者，你可能只想自己作決定。但只要你遷就自己的意思和慾望而不尋求 神的旨意，你已經違背了第一條誡命。*

*假如你把成就全歸功於人（包括自己和別人）而沒有想過 神在當中的作爲，你亦犯了第一條誡命（*註二*）。*

*假如你以星座來占卜或相信生肖運程，你也是犯了這條誡命。*

*假如你把體育、家庭、房屋、金錢、財富、工作、職級、地位、儀容、退休計劃或其他東西看得比 神重要，你也是犯了這條誡命。*

註二：
凡認爲人可以自己控制命運者可參閱申八17-20。

沒有人能夠持續地將 神放在萬事之首（註三）。

違背第一條誡命的懲罰就是與 神隔離。

我們都犯了這條誡命。

註三：
請加以詳解，使同學明白要確認 神是眞神，應包括在任何情況下都要單一地聽從、遵守、高舉和敬拜祂，並且不可以把祂的權能和威嚴與其他人相題並論。要切記：不要讓同學們認爲他們必須這樣做才可以得救。相反地，要告訴同學們這是沒有人可以完全做到的，因爲沒有人可以完全地遵守 神的誡命。

## C．第二條誡命

主題：神是至尊和掌權的

閱讀：出廿章4-6

神把這誡命頒佈給以色列人，爲要他們知道祂是至高且掌權的神——祂超越一切被造之物。

*一思想：*

*神是靈，祂沒有形質，是自有永有的。祂無處不在，也洞悉萬事，祂是全能的，是全然聖潔和完全的 神。祂是至尊的神——超越萬有。除了 神以外，一切被造之物和人手造成的偶像都不配得我們敬拜。*

*沒有人知曉 神的本像，因此 神不願意我們仿造任何我們認爲近似 神的塑像。我們認識 神的唯一途徑，就是讓 神藉著祂的話語一聖經一教導我們。所有不合乎聖經教訓的理論都是撒但的謊話。*

*因此，我們必須知道聖經如何描述 神！*
*雖然我們現在不能看見祂，但藉著祂的話，我們可以認識祂，神把聖經給我們，為要我們認識祂，因此我們從聖經所學習的都是眞的。聖經說 神是掌權、聖潔、公義、慈愛、有恩惠、有憐憫、不改變、全能、全知、無所不在的 神，由此我們確實地知道祂具備以上的特質。因聖經也告訴我們， 神命定罪的工價就是死，因此我們知道，這也是確切的眞理。*

主題：人滿懷罪孽，不能自拔，需要 神的拯救

*撒但在世界的每個角落誤導人，引人偏離正道，以致於人不明白眞理和這位活的 神。撒但把其他的東西取代 神的地位，使人隨從自己的意願和別人的想法塑造了他們心中的 神。*
*你可能認為這條有關偶像的誡命只針對那些拜佛〔偶像〕和拜祖先的人。倘若我們細心觀察，便會發現今天的人把人造的事物推崇至與 神同等的地位。在他們心目中，這些事物佔據了神本應得的尊榮。*（註四）

註四：
若非有同學發問，這點可不用詳解。
若有同學發問，你可告訴他有些人會崇拜幫助他們背誦禱文的念珠，和他們對之禱告的人像。
請儘量避免批評天主教的正誤，因為你的責任是要帶領同學思想而非侮慢他們。
在這種情況下，最好是你熟悉每個學生，並且課前以禱告作準備。

羅一18-23

凡崇拜人手所造的事物，以它為 神者，都犯了這誡命，必被定罪。
神在以賽亞書說：*「我是耶和華，這是我的名字，我必不將我的榮耀歸給假 神，也不將我的稱讚歸給雕刻的偶像。」*
（以賽亞書四十二章八節）

## D．第三條誡命

主題：神是至尊和掌權的

**閱讀**：出廿章7

神在第三條誡命中命令以色列人要尊敬 神，要認識祂是創造者和名正言順的統治者，也不能妄稱 神的名。
— 神是全能的創造者，也是萬民和萬物的統管者。
—萬民當敬畏 神，因祂的能力足以取回我們的性命，也可以把我們放在永遠的刑罰中。

主題：人滿懷罪孽，不能自拔，需要 神的拯救

—思想：
*咒詛或不尊敬別人是不對的，兒女應孝敬父母，夫妻應彼此尊重，年輕人應尊敬長者。*
*我們的社會已縱容不負責任和不尊敬人的言論，有些人說話甚至低貶我們的領袖。*

*尊敬領袖——就是父母、老師和政府官員——這概念已被人們所謂的言論自由所覆蓋，他們隨著己意發言，毫不尊重他人。侮慢他人固然是不對的，但不尊敬眞實和永活的 神，甚至妄稱 神的名，則更是罪加一等。*

凡不將 神應有的尊榮歸給 神者，必被定罪。

## E．第四條誡命

主題：神是至尊和掌權的

閱讀：出廿章8-11

神在第四條誡命中命令他們要把第七日守爲安息日，爲要記念祂，就是這位用六日創造萬物的 神（註五）。

—你記得 神在第七日——就是祂完成創造以後那一天——作些甚麼事嗎?

— 神就休息了，因爲祂已經作成要作的工。

—思想：

*神要以色列人第七天休息，爲要他們記念 神，是創造宇宙萬物獨一的 神。撒但和牠的黨羽想把這世界據爲牠們所有，但世界不是屬於他們的。*

*神把生命賜給一切的活物，祂賜陽光和雨水讓萬物茁壯生長，祂是萬有之上，獨一的創造、擁有和供給者。雖然撒但控制了世上不少的人，但世界仍屬於 神。*

*詩篇廿四篇一至二節說：「地和其中所充滿的，世界和住在其間的，都屬耶和華。祂把地建立在海上，安定在大水之上。」*

*詩篇卅三篇八至九節說：「願全地都敬畏耶和華，願世上的居民都懼怕祂，因爲祂說有就有，命立就立。」*

主題：人滿懷罪孽，不能自拔，需要 神的拯救

人若尋求或依靠其他人，把他們當作創造萬物的主宰，這些人必被定罪。

違抗那眞實的創造者，這可怕的罪，將由 神親自懲罰。

## F．第五條誡命

弗六1-4

主題：神是至尊和掌權的

閱讀：出廿章12

神在第五條誡命中，命令作兒女的，要孝敬和順從父母。

假如他們不孝敬父母，就是違背 神。凡不遵從 神命令的，就是犯罪。

註五：

假如學生當中有安息日會的信徒，你要解釋： 神不是命定我們要在第七日休息，正好像現在祂沒有命定我們獻上羔羊和其他牲畜作祭祀一樣。

（**教師參考**：第四條誡命是唯一沒有在新約被重複提到的誡命。再者，請注意*歌羅西書二:16,17*說，誡命只是那將要來者的影兒，所有的誡命已藉著耶穌基督完成了。）

無論如何， 神要我們知道祂是創造萬物的神，除祂以外並無別神。

切忌把安息日的論題變成爭論的焦點。請明確地向篤信安息日的學生指出，即使他們奉守安息日，卻不能在他們生命中時刻地守住其他九條誡命，他們所守的安息日在 神面前也是虛妄的（*雅二9-11*）

**主題：人滿懷罪孽，不能自拔，需要 神的拯救**

從來沒有人完全順從父母。
—例如：
*反駁*
*他們說話時充耳不聞*
*與他們爭吵*
*不順服他們*
*堅持己見*
*賭氣*
*以靜默示威*
*批評他們*
*心想但不直說：「你根本什麼也不懂！」*
我們都犯了這條誡命，正如犯其他條誡命一樣。
—記住：即使我們遵守了九條誡命，但只犯了一條，我們也算犯罪，應受 神的懲罰。
—再者， 神要求我們從出生到終老，都需遵守這些誡命。
—只要有不順從，我們便受永遠與 神隔絕的懲罰。

## G．第六條誡命

**主題： 神是至尊和掌權的**

**閱讀：出廿13**

神在第六條誡中命定，凡殺人的是犯罪。
—祂是全人類的創造者。
—祂把生命賜給每一個人。
—除了有 神的命令，沒有人可以奪取別人的生命。（註六）

**主題：人滿懷罪孽，不能自拔，需要 神的拯救**

神亦明說，凡憎恨別人的，就是在心中犯了殺人的罪。
神又說，凡心中想要殺人的，就已經犯了殺人罪，必要接受 神的審判。
馬太福音五章廿一至廿二說：*「你們聽見有吩咐古人的話說：不可殺人，又說：凡殺人的難免受審判。只是我告訴你們，凡向弟兄動怒的，難免受審判...凡罵弟兄是魔利的，難免地獄的火。」*
—凡咒罵人的，就是殺人。
— 神不是以我們作了甚麼來審判我們，而是以我們的動機審判我們。
— 神知道我們的動機，因爲祂鑒察我們的心。

註六：
神賜政府權柄取去殺人犯的生命（羅十三1-5）
切勿容讓在班中辯論這問題，假如有人問及死刑的事，告訴他這不是要深入討論的正題，但要告訴他這是一個敏感的論題，而最佳的答案正是在神的話語中。因此，最好是研讀祂的話，在當中找尋答案。再者，我們需要先明白很多聖經原則，才可領悟這點，故不宜在這課程中詳細探討。

閱讀：來四12-13

## H．第七條誡命

主題： 神是至尊和掌權的

閱讀：出廿14

神在第七條誡命中命定，人不可以在婚姻以外有任何性行為。
凡犯了任何性道德的罪，必永遠與 神隔絕。
—思想：

*神創造了亞當以後，賜夏娃給他作妻子， 神說，他們不再是兩個人，而是二人成為一體了。夫婦應彼此屬於對方，並只可與對方同住。*

*很多人會說，這已是一條不合時代的誡命，但 神永遠不改變，罪就是罪， 神沒有改變祂對姦淫的看法。*

我們的思想裏，也會犯姦淫和其他有關性道德的罪。

閱讀：太五27-28（註七）

註七：
請避免討論在這經文中與主題沒有直接關係的題目。假若你眞的要討論，請告訴學生，你只會重點討論，而暫且不討論其他細節。

主題：人滿懷罪孽，不能自拔，需要 神的拯救

神說，凡看見不是我們的配偶，而心想與這人有任何型態的性關係，就是犯了這條誡命。
—倘若我們這樣做，就是犯罪。
—祂洞悉我們每一個思想。
—雖然我們只在思想上犯罪，但每一項過犯都必受審判。

## I．第八條誡命

主題： 神是至尊和掌權的

閱讀：出廿15

神在第八條誡命中命定他們，不可奪取不是屬於自己的東西。
—只有 神才能賜給人擁有和保管自己財物的權利。
—使徒行傳十七章廿五節說， 神「*將生命、氣息、萬物賜給萬人。*」
—若有人奪取屬於他人的東西，就是犯罪。
—思想：

*盜賊即使歸還或賠償贓物，也不能滿足 神所命定對偷盜的懲罰——永遠與 神隔絕。這永死的懲罰，是 神所命定唯一的償還方式。 神不饒恕這個罪，除非死的代價完全還清。*

主題：人滿懷罪孽，不能自拔，需要 神的拯救

即使想偷盜，卻因爲害怕被捕而卻步者，在 神面前同樣是犯偷盜罪。
只有付淸代價， 神才能饒恕罪。
神必按著各人的罪孽懲罰所有的罪人，即使只在心中計謀，卻得不著機會或沒有作出來的，同樣是犯罪。

## J．第九條誡命

路十二2
林前四5
來四12-13

主題： 神是至尊和掌權的

閱讀：出廿章16

神在第九條誡命中命定他們，必須在凡事上說誠實的話。
神永不說謊，故此祂要求我們也不說謊。
—思想：

*撒但是最大的說謊者。當初，他在伊甸園向我們的始祖亞當和夏娃說謊，今天，他在世界的每個角落散佈謊言，撒但是那些不斷地撒謊者之父。*

約八44

主題：人滿懷罪孽，不能自拔，需要 神的拯救

—思想：

*凡誣告他人的，他們的動機可能是嫉妒、惱怒或憎恨，這些謊言的目的爲要傷害他人。*
*有些人喜歡散佈謠言，其他的人變本加厲地把這些謠言傳開。*
*有些人喜歡說閒話，一些本是眞確的事實，最後竟變成了歪曲和加插了不少謬誤的謠言。這些都是謊話，也是向 神所犯的罪。*
*有些人企圖用謊言遮掩他們的過犯，就是被帶到法庭，他們還是說謊。*
*有些人利用謊言逃避世上的審判，他們憑著三寸不爛之舌，叫人不能識透他們的謊言。可是，我們絕對逃不過 神，因祂看透眞相，並且洞悉每個人心靈深處一切的事。*
*你可能會問：「那麼爲幫助人而說的謊話又怎樣？」實際上沒有這種謊話，因爲謊話本身就是謊話。 神憎恨撒謊，也必懲罰所有撒謊的人。*

## K．第十條誡命

主題： 神是至尊和掌權的

閱讀：出廿17

神在第十條誡命中命定他們不可以起貪心—就是想得著別人的東西。
—這也是撒但所犯的罪。
—牠驕傲，並妒忌 神的地位。

主題：人滿懷罪孽，不能自拔，需要 神的拯救

一思想:

*有些人貪心，妒忌他人的財富。他們不喜歡那些比他們富有的人。貪戀別人的財產，心裏永遠不會知足。他們因自己不能擁有跟別人同樣的財產而心懷不平。*

*很多人在不知足之餘，以別人的財富爲奮鬥目標，拼命的追求，達成心中所望。*

*對很多人來說，這已不是犯罪。但要求「人有我亦有」，也是貪婪的心態。*

*今天，廣告的力量實在誘發我們產生貪念。它們每時每刻在驅使我們追求和購買更多的物質，叫我們幻想成爲電視或刊物中廣告人物的形象。爲甚麼有那麼多人欠信用卡的債？在我們的文化裏，貪婪已演變成社會地位的標誌。*

但 神絕不會改變祂對貪婪的看法。

祂必懲罰貪婪的罪。

## L．總結

主題：神是聖潔公義的，祂命定罪的代價就是死亡

以上就是 神向以色列人所頒佈的十條誡命。

神的誡命適用於世界上每一個角落、每一個人。

請記住：即使我們向被傷害的人賠罪或償還，或爲補償我們曾犯的姦淫罪，在教會獻上我們的奉獻，甚至我們因偷盜而去坐牢，都不能償還我們在 神面前的罪債。

罪的代價就是永遠的死亡，也就是永遠與 神隔絕，要落在 神爲撒但和牠的黨羽而設，永遠受苦的刑場中。

神必懲罰所有的罪。

神絕不改變祂對罪看法。

你讀了主的話，有沒有改變你對罪的看法?

你現在對十誡的感受如何？（註八）

## 問題:

1. 神是否介意人敬拜除祂以外的 神?

   *是。因爲這是觸犯了 神。祂絕不容讓任何人或事物與祂分享 神至尊者的地位。*

2. 我們可否敬拜人手所造的塑像或 神所創造的東西?

   *不可以，因爲這也是得罪 神。我們不知道 神的本像，所以不應仿造任何塑像來敬拜，更不應敬拜 神所創造的萬物。*

3. 神是否關注我們對祂的想法和我們對祂的評價?

   *是的。 神必懲罰凡不在思想和言語上尊敬祂的人，凡妄稱 神的名者，皆屬犯罪。*

4. 爲何 神命定以色列人要在一週的第七日休息?

註八：

切勿在此強迫同學們回答這些問題，只要啓發學同們的思想。在此刻的討論可讓你進一步了解學生在這課中的得著。

*a．因爲 神在六日創造萬物，在第七日休息。*

*b． 神要我們記念祂是造物主，我們所有的都從祂而來，我們不應把世上萬物的榮耀歸給撒但或其他人。*

5．神是否介意兒女不順服或不孝敬父母?

*是的。 神必懲罰所有不順服或不孝敬父母的兒女。*

6.爲何 神要懲罰所有殺人犯?

*因爲 神賜生命給各人，所以只有 神才有權利取回人的生命。*

7．神如何看待憎恨別人的人?

*這些人與殺人犯同等。*

8．神如何看待姦淫?

*神必懲罰所有在婚姻以外的性行爲。*

9.爲何 神要懲罰所有盜賊?

*因爲 神賜人可擁有他自己東西的權利。*

10.假如一個人想要偷盜，但因爲害怕而卻步，他仍算是盜賊嗎?

*是的。他已犯了偷盜的罪，因爲 神知道他有犯罪的計謀。*

11．神如何命定說謊的罪?

*凡向人說謊的就是犯罪，因爲 神只說眞理，祂恨惡謊言。*

12．神是否介意我們對別人財富的嫉妒?

*是的，因爲這也是得罪 神。這是撒但所犯的罪，因他妒忌 神的地位。*

13.有沒有人可以完全遵守十誡?

（*這可給學生討論你在課前向他們所提出的問題，亦可使教師知道他們當中，是否還有人相信他可獨力遵守 神的誡命。*）

# 第二十六課　　會　幕

**參考經文**

利十六
來八；九；十1-25

**課前預備**

此段只供教師使用

左列的各參考經文有助於你準備這一課。但因經文帶出的眞理有些會在稍後課文中講授，故不宜於此立刻講解這些經文。

請注意：若你沒有教授過本書課文，請詳讀書前『教師必讀』部份。

經文：出廿四12-18;廿五1-11,17-22;廿六31-33;
廿七1-2;廿八1;卅九42-43;四十17,34,35;
利一1-5;十六2-3

## 本課目的。

解釋會幕的目的及基本構造（註一）。

清楚地描述會幕的樣式，好在以後的課文中帶出會幕是基督的寫照。

說明神爲罪人預備了到祂面前尋求憐恤的途徑。

## 本課可幫助學生：

明白神爲罪人預備了到祂面前的途徑。

明白神所定的預表和樣式的重要；並明白人的方法是不可接納的。

## 教師的觀點：

會幕是慈悲的　神與人同住所構成的美麗圖畫，叫人可以到祂面前尋求憐恤和恩典。會幕就像我們的主，外表並無佳形美容，內裡卻充滿了　神的榮耀!

我們很高興可以把一個大好的訊息告訴同學們，因耶穌親自臨到我們當中與我們同住，爲我們獻上了自己的性命，給所有人開了一條新路徑到　神的面前。在基督裡，我們不再靠祭司周而復始的獻祭，而是一次代贖，罪永得赦，就是藉我們的大祭司，公義的耶穌基督獻上永遠的祭。

會幕是有目共睹。凡憑信心前來的人，都可得著鄰恤。耶穌基督爲眾人死，我們可以藉著祂「*坦然無懼的來到施恩的寶座前爲要得憐恤、蒙恩惠作隨時的幫助。*」（來四16）

最大的喜訊就是　神住在凡相信他的人當中，有何關乎憐恤和恩惠的訊息，是比這個更大的嗎?

當我們教導會幕的故事時，　神的靈會預備人心，接納耶穌基督已作成大工的信息。

視聽教材。

**課文概覽**

本課介紹會幕的基本設計，當中只包括日後課題中要令同學們明白福音的要點。

「憐恤」在本課中的定義，是　神爲罪人所設的出路，讓他們免受罪所帶來的刑罰，同時也指出人只可以按　神的旨意和計劃來到祂面前。

註一：
對基督徒來說，會幕是一個非常有趣和有意義的課題，此課題亦有不少作者專門詳細探討。但本課目的是要帶領未得救恩的人認識基督，故此，應以深入淺出爲前題，集中討論用以帶出福音的環節。洗濯盆、陳設餅桌子、燈臺及祭壇等都是信徒有興趣的，這些在 "Building on Firm Foundations," Volume 4, by Trevor Mcllwain, p.187-195, New Tribes Mission, Sanford, FL 中有詳細討論。班中有興趣的同學日後可以此爲參考。

教授這課時，一個會幕的模型將大有幫助。紙製的會幕模型可在基督教書局購買，然後你可自行摺製。你只須要預備課程中所需要的會幕擺設，就是會幕的外圍、包金祭壇、聖所、至聖所、幔子、約櫃及施恩座。倘若沒有立體的模型，可以用圖畫及會幕的平面圖代替，每當提及會幕某一擺設時，可在圖中指出其安放位置。在可能範圍內，請同時使用立體模型及平面圖。

圖畫第卅四號「會幕」
圖畫第卅五號「會幕的組成部份」
圖畫第卅六號「贖罪祭」
圖表
小掛圖「恩慈」（在課文中敘述）

## 授課要點

此課程特爲非信徒安排，故授課時務要奠定聖經基礎，以爲日後傳福音的根據。若你班上有信徒參予，則授課的目的是使他們明白信仰的根基，以致日後他們亦可運用同樣教材去教導未信的人。

課文信息要明確簡潔，切忌節外生枝！

請注意這課程是有範圍和有主題的聖經研讀，並非徹底深入的聖經鑽研，亦非漫無邊際的小組討論。請依照主題帶領討論，以保持課程進度。切記緊依大綱，突出教義主旨。

課程編排形式：每一頁的中間部份是教授學生的內容，粗體字的標題只供教師參考，不需口誦，因爲標題內容會在接著的課文大綱提及。至於左右兩欄所列的經文是給教師作參考之用，不宜在課堂上詳授。

## 教授學生的內容
（中間部份）

### 課文大綱：
複習第廿五課的問題。

A.序言
何謂恩慈?
甚麼人需要恩慈?
以色列人可否保持他們對　神的承諾?
你可以保持你的承諾嗎?
今天的課題是　神的聖潔和祂的恩慈。

B.神再一次吩咐摩西上到山上

主題：神與人對話

神在西乃山向以色列人說話，頒佈祂十誡。
神不願意以色列人忘記祂的律例，故此，祂吩咐摩西再一次上到山上。
——主計劃親自把祂的誡命寫在兩塊石板上，讓摩西可以把律例教導以色列人。
——他們雖然已親耳聽過　神的誡命，但　神要把祂聖潔的標準寫下來，成為永不磨滅的記錄，賜給他們。

閱讀:出廿四12

C.約書亞和摩西一同上到山上

摩西順服　神的吩咐上到山上。

閱讀:出廿四13-18

一位名叫約書亞的年輕人隨同摩西上山。
約書亞是摩西的助手。

在圖表中指出約書亞。

D.神吩咐摩西建造會幕

主題: 神與人對話

當摩西在山上的時候，主把十誡寫在兩塊石板上賜給他。
主同時向摩西說明，祂要以色列人遵守的其他律例及典章。
——神是他們的王。
——祂告訴百姓他們應做的事情。
神要摩西和百姓做一些非常重要的事。
——解釋
*主賜十誡予以色列人。　神與以色列人立約說，倘若他們遵守祂的誡命，祂必與他們同在，並賜他們所需要的一切。倘若他們違背祂的誡命，他們的刑罰就是死亡。主知道以色列人是罪人，他們無法遵守祂的誡命。他們既然無法遵守誡命，便需要另有出路，以免　神的刑罰臨到他們身上。（註二）*

主題: 神滿有慈愛、憐恤和恩惠

*但是，因著　神愛他們，祂不願意毀滅他們，因此，祂吩咐他們建造一個特別地方，讓祂可以住在他們當中。百姓因而可以學習如何親近　神而不致被消滅。*

閱讀:出廿五1-8

註二:
本課不包括金牛犢的故事（出卅二），但你可以略題，聖經中記載：當　神把建築會幕的指示賜給摩西時，以色列人已違犯了　神的誡命。

—注意:

*這裡並不是暗示　神失去了無所不在的特性，就是神住在會幕中，祂仍是無所不在的。*

*建立會幕的目的，爲要叫人知道如何親近　神。*

E.會幕必須完全依照　神吩咐摩西的樣式建造

主題：人只有依照　神的旨意和計劃才可以親近　神

閱讀:出廿五9

希伯來文「會幕」一詞的意義是帳幕、住處或家。
在會幕裡的所有東西，必須完全依照　神在山上向摩西所吩咐的。
—所有建設必須按照　神的方法造成。
—該隱因爲不按照　神所喜悅的方法親近神，而被　神拒絕。
—挪亞因爲相信　神，並完全按照　神所吩咐的方式建造方舟，最後神悅納他，並拯救了他的一家。
—我們不可按我們的偏好來親近　神。
—我們必須依照　神在聖經中教導我們的方式來親近祂。

因爲以色列人要走回他們始祖的發源地，因此會幕必須要輕便及易於攜帶。
—故此，會幕的大部份是以獸皮及羊毛建造的。這是神所吩咐的。
—他們的帳幕也是用這些材料建造。

F.至聖所

主題：神是聖潔公義的，祂命定罪的代價就是死

*建議視覺教材:*

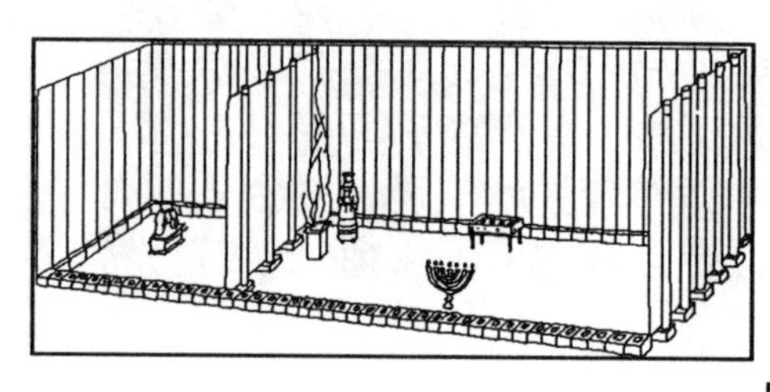

圖畫第卅五號
「會幕的各部份」

註三:
請在可能範內，同時使用第卅二圖及會幕模型教學，好讓同學領會聖所及至聖所的設計，以及當中的每一部份。

神吩咐摩西會幕要分爲兩進房間（註三）。
—第一個可直接由外面進入的房間稱爲聖所或分隔地。
神是聖潔、完全、公義的——罪人要與祂隔離。

這是　神分別出來的房間，只為　神而使用。
這房間只供　神所揀選的祭司使用，目的為要事奉祂。
我們將在稍後討論有關祭司的事情。

—第二進房間，或內房，則更為重要。
這地方稱為至聖之地或至聖所，就是在　神的院中最為分隔之地。
這所房間只為　神而設，大祭司只可每年一次進內。
我們亦將稍後討論大祭司。
神的同在就在這至聖所內。
這會幕中的聖所內，就是　神所應許要居住在以色列人營中的地方。

G.約櫃和施恩座

閱讀:出廿五10-11

神吩咐摩西製造一個箱子放在第二進房間內，就是　神所居住的至聖所。

—神吩咐摩西要用　神所挑選的木材造一個箱子，名為約櫃。

—當約櫃完成後，要替它包上金子。

閱讀出廿五17

神吩咐摩西以精金造成約櫃的上蓋，並要把它放在至聖所的約櫃之上。

—這約櫃的上蓋稱為施恩座。

—施恩座是整個會幕最重要的部份。
這是　神應許要在罪惡滔天的以色列民中居住的地方，以彰顯祂的恩慈。
恩慈就是　神為罪人所預備的出路，讓他們可以脫離罪有應得的刑罰。

*建議視覺教材:*

| 恩慈<br>神為罪人所預備的出路，<br>讓人可以脫離罪有應得的刑罰。 |
|---|

神吩咐摩西要以精金造成兩個基路伯，分別放在施恩座的兩側。

閱讀出廿五18

—複習:
*還記得我們在甚麼地方聽過基路伯嗎? 神吩咐基路伯把守伊甸園的大門，不許亞當和夏娃重回園中尋找生命樹。在伊甸園外的基路伯是眞實的，但這裡的基路伯乃摩西以精金所造成。*

閱讀:出廿五19-20

一兩基路伯要面對面地分別放在施恩座的兩旁。
一基路伯要翅膀高張，彼此連接，放在約櫃的蓋上，就是施恩座。
一他們的臉要朝下注目施恩座。

閱讀:出廿五21-22

約櫃要放在至聖所，就是在幔子的後面。
一神吩咐摩西把法板放進約櫃，就是在施恩座下面。這就是神親自寫上十誡的兩塊石板。
神應許當一切都按照祂所吩咐的方法完成後，祂必進入至聖所。
兩基路伯之間所發出的光顯示著祂的存在。
這光被稱爲撒嘉諾的榮耀—就是光輝、榮耀或　神的同在，祂住在祂的百姓以色列人當中。

H.幔子

主題: 人是罪人，不能自救，須要　神的拯救

主題: 神是聖潔公義的，祂命定罪的代價就是死亡

閱讀:出廿六31-33

神吩咐摩西在兩房間中掛上一美麗質厚的幔子分隔房間。
這幔子要提醒以色列人他們因罪的緣故與　神隔絕。

I.會幕的外層及包金的祭壇

主題: 人是罪人，不能自救，須要　神的拯救

主題: 神是聖潔公義的，祂命定罪的代價就是死亡

神亦吩咐摩西包布幔掛在環繞會幕的柱子上，使之成爲帷子，圍繞會幕。

*建議視覺教材:*

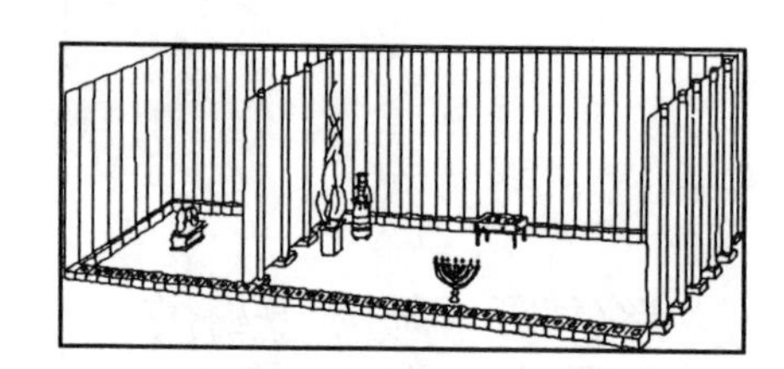

圖畫第卅五號
「會幕的組成部份

*建議視覺教材：*

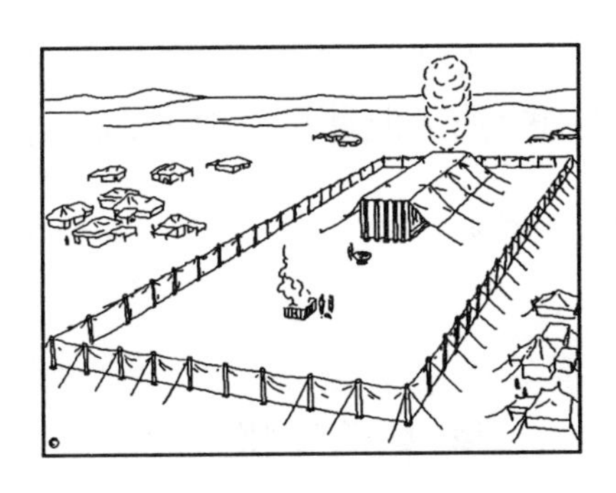

圖畫第卅四號「會幕」

出廿六14

這兩進房間以染了色的獸皮遮蓋，最後在其上再鋪上皮革作爲會幕的上蓋。（註四）
會幕帷子進口處內則放置了一座祭壇，　神吩咐這祭壇要用木製成，外面包銅。

註四：
在第卅號圖畫中指出兩進房間及幔子，然後在第卅四號圖畫中指出房間的位置。

閱讀：出廿七1-2

*建議視覺教材：*

圖畫第卅六號「贖罪祭」

人若要朝見　神，第一步便要帶贖罪祭獻給　神。
他要將祭物獻在會幕的銅壇上。
「銅壇」是指黃銅包裹著的木壇。
這人要按手在燔祭牲的頭上，然後宰殺牠。
—他如此行，是要向　神承認自己是罪人，是該死的。
—他把手按在燔祭牲上，用意是藉此動物代他死亡。
—而他求　神接納燔祭牲的死，以代替他的死。

閱讀：利一1-5
—神讓他們獻綿羊、山羊、牛或鳥作爲供物。
—但一定是無殘疾雄性的牲畜。
—祭物必須流血。
—還記得我們以前所讀的嗎？

閱讀：利十七:11

希伯來書九22說：「…若不流血，罪就不得赦免了。」
但動物的血可以贖罪嗎？

來十4

不可以！動物的血只是一個提醒、一個例證或一個表樣，讓人知道罪的刑罰是甚麼。
罪唯一合理的刑罰就是人與 神永遠隔絕。
明顯地，神今天不用我們獻祭物給祂，但那是 神給以色列人的一條出路。
神要用更完美的方式解決罪的問題。

來九23-24

J.亞倫和他的子孫被按立爲祭司

主題：人滿懷罪孽，不能自拔，需要 神的拯救。

神命定亞倫爲大祭司。
亞倫的子孫亦必成爲祭司。

閱讀出廿八1

只有大祭司亞倫才有資格進入至聖所，就是 神所在最聖潔之地。（註五）
一其他人若越過幔子進到至聖所，他必被擊殺。
一亞倫只可以每年一次在贖罪日進入至聖所，贖罪日就是覆庇之日。
一他必須帶著獻祭的動物之血，才可以踏入至聖所。

註五：
請同時留意民三38：只有祭司才有資格進入聖所，而至聖所則唯有大祭司在每年的贖罪日方可進入。

閱讀利十六2-3

主題：神是公義的，祂命定罪的代價就是死亡

在進入至聖所以前，亞倫必須宰殺一隻動物，把牠的血盛在盆子裡。
當他越過沉重的幔子進入至聖所後，他必須把血灑在施恩座上，就是那用精金造成的約櫃蓋子。

主題：人只可按照神的旨意和計劃來親近神

利十六34
來十1-4
啓廿10,15

若一切都依照神吩咐摩西的方式而行，神應允必要赦免以色列人在過往一年所犯的罪。
動物的罪可以抵償他們的罪嗎?
不可以！動物的血不可能抵償他們的罪。
一罪的代價就是死亡，其中並包括了罪人必永遠與 神隔絕。
一所有罪必須全數還淸。
可是，倘若他們依照神指示的方式親近祂， 神應許赦免他們過往一年所犯的罪，並且不會把罪的刑罰加在他們身上。
他們必須要以相信 神的心，並帶同流血的祭去到 神面前贖罪。
神只接納凡依照祂在聖經中吩咐的方式來親近祂的人。（註六）

K.會幕建成後，　神進入會幕並住在其中

主題：人只可依照　神的旨意和計劃來親近祂

神吩咐摩西要以色列人建造會幕，讓神可以在其中居住。
以色列人完全依照神曉諭摩西的樣式爲　神建造了會幕。

*建議視覺教材:*

圖畫第卅四號「會幕」

閱讀:出卅九42-43；四十17

倘若他們沒有完全依照　神所吩咐的樣式建造會幕，神絕不會住在他們當中。
但因著摩西和以色列人完全地依照　神所吩咐的去行，神就來到會幕的至聖所當中，與他們同住。

閱讀:出四十34-35
以色列人現在可以依照　神吩咐他們的方式來親近　神。
大祭司亞倫可以每年一次進入至聖所，把血灑在那由基路伯遮蓋的施恩座上。
爲何大祭司需要每年重做一次?
因爲動物的血不能贖罪。
希伯來書十章四節說：「…公牛和山羊的血斷不能除罪。」
因著　神的恩憐，祂把以色刑人應受的刑罰再延遲一年。

L.結論

以色列人與我們一樣是罪人。
他們需要　神的恩慈。
神爲他們預備了到祂面前得赦免的途徑。
我們不能妄自決定如何來到　神面前，因爲　神是完全的，祂只會接納完全依照祂指示的方式去到祂面前的人。

註六:
某些同學可能認爲這裡產生了不一致的說法，因爲我們說　神命定所有的罪必須全數清還，但另一方面又說　神應許赦免凡相信祂，願意依照祂的指示來到祂面前的以色列人。
我們要在此講授贖罪的眞理。在舊約時代，若罪人依照　神所吩咐的方式來親近　神，他的罪必被完全赦免，而罪所帶來的刑罰亦不會臨到他身上。　神這樣做是因爲已經預備耶穌基督至終爲世人所有的罪在十字架上犧牲，完全地成就了　神的公義。當主耶穌基督受死之時，　神把歷代以來祂未曾懲治的罪都歸到耶穌身上（羅三25；來九15）
切勿急進地藉著這些表面上有衝突的說法帶出十字架的救恩，但要隨時預備與那些覺得自己是罪人和不能解救自己的同學分享福音。

問題：

1.神把十誡寫在甚麼地方?
*兩塊石板上。*
2.神吩咐摩西和以色列人建造甚麼?
*會幕，就是　神住在他們當中的地方。*
3.爲何　神吩咐以色列人建造這地方?
*神知道以色列人必定違反祂所頒賜的十誡，他們若沒有來到　神面前懇求饒恕和憐恤的地方，那麼他們必要承受他們的罪所帶來的刑罰。*
4.他們要如何建造會幕?
他們要完全依照　神在山上指示摩西的樣式建造。
5.在那一所房間內有榮光，就是撒嘉諾的榮耀，顯明　神的同在?
*在內房，就是那稱爲至聖所的房間。*
6.誰人可以每年一次超越那沉重和巨大的幔子進入至聖所?
*大祭司。*
7.他要帶些甚麼?
*一隻被宰殺的動物的血。*
8.大祭司要把血如何處理?
*他要把血灑在施恩座上。*
9.若大祭司這樣做，　神應許甚麼?
*神應許以色列人要把本應降在他們身上的刑罰延後一年。*
10.動物的血可以滿足　神對罪的贖價要求嗎?
*不，動物的血永遠不能贖罪。*
11.罪的唯一贖價是甚麼?
*罪人必定要死，他們必要永遠與　神隔絕，並接受　神的刑罰。*
12・若他們沒有完全依照　神指示摩西的樣式建造聖殿，神會不會住在他們當中?
*不會。*
13・罪人可以按照自己的意願去到　神面前求赦嗎?
*不可以。我們若不依照　神的方式到他面前，　神必不悅納我們。*
14・我們怎樣知道　神的途徑?
*只有透過聖經，就是　神的話語。*

# 第二十七課　以色列的不信；神的審判及拯救

**參考經文**

約三14；
六40；
八28；
十二32

來十一6

**課前預備**

此段只供教師使用

左列的各參考經文有助於你準備這一課。但因經文帶出的眞理有些會在稍後課文中講授，故不宜於此立刻講解這些經文。

**請注意：若你沒有教授過本書課文，請詳讀書前『教師必讀』部份。**

經文：民十三1-3,25-33；十四1-4,26-32；廿1,2,7-12；廿一4-9

## 本課目的：

說明不信的後果。

說明　神的憐憫和恩惠。

爲日後說明基督在十架上代替罪人受死的眞理立下根基。

## 本課可幫助學生：

明白全人類都是罪人。

明白聽 神話語和順服　神的重要性。

## 教師的觀點：

現今社會中充滿令人灰心喪志的消息，我們的學生亦可能把無法解決的疑難帶到我們面前，就如家庭、健康、參與異教、毒品、道德敗壞、無所適從、沮喪及其他不勝枚舉的問題。

作爲教師的，應當以約書亞及迦勒爲榜樣，說明 神是無所不能的。我們應以積極的人生爲信仰的見證，讓學生知道我們凡事都信靠 神，祂必解決我們的難題和滿足我們的需要。如約書亞時代，在這佈滿「巨人」的世界上，我們亦可以因著信靠 神而獲勝利，讓祂得著榮耀。

我們千萬別誤導同學，以爲可以凡事順利，也配得神佑。我們應在生活中榮耀 神，使同學們渴慕這位奇妙的　神，在這悲傷痛苦的世界中得到更新和希望。

我們要靠著聖靈的能力而非單以自己的信心去說服同學們；乃是要讓大能的　神去震撼他們的心！

## 視覺教材：

圖畫第卅七號「杆子上的銅蛇」

圖畫第卅八號「約書亞和迦勒」

地圖第一號

圖表

**課文概覽**

本課透過以色列歷史中窺探應許之地一事，及他們持續的不順服　神，來說明　神的審判、恩典、慈愛及信實。本課亦講及銅蛇以象徵基督的史實，以便在日後講解福音時引出基督。

本課針對人是罪人的眞理，強調人不能拯救自己，他需要憑著信心來到　神的面前得著祂的拯救。

本課與其他課文一樣，以　神爲焦點——特別是祂的位格和行動。

## 授課要點

此課程特為非信徒安排，故授課時務要奠定聖經基礎，以為日後傳福音的根據。若你班上有信徒參予，則授課的目的是使他們明白信仰的根基，以致日後他們亦可運用同樣教材去教導未信的人。

**課文信息要明確簡潔，切忌節外生枝！**

請注意這課程是有範圍和有主題的聖經研讀，並非徹底深入的聖經鑽研，亦非漫無邊際的小組討論。請依照主題帶領討論，以保持課程進度。切記緊依大綱，突出教義主旨。

課程編排形式：每一頁的中間部份是教授學生的內容，粗體字的標題只供教師參考，不需口誦，因為標題內容會在接著的課文大綱提及。至於左右兩欄所列的經文是給教師作參考之用，不宜在課堂上詳授。

## 教授學生的內容
（中間部份）

### 課文大綱：

複習第廿六課問題

A.序言

當日　神在西乃山親自曉喻以色人，他們無不恐懼戰兢。

現在　神以恩慈住在他們當中，向他們大施憐憫，不斷地在沙漠中賜予嗎哪和水。

B.窺探應許之地

神在西乃山向以色列人頒佈了十誡和建造會幕之規則後，便使雲柱上升。
以色列人追隨　神的雲柱，到了　神應許之地的邊境。
神因著迦南的土著本性兇狠和敬拜偶像，因而命定要毀滅他們，並將他們的地賜予以色列人。

一複習：
*神眷念萬民。彼得後書三章九節說明　神「不願有一人沉淪，乃願人人都悔改。」*
*當我們思想　神的審判時，我們應以　神的本性為念，祂是聖潔和公義的，必要懲治一切的罪，但祂也是富有慈愛、憐憫和恩典的　神。*

神要對迦南人所施行的審判乃乎合祂的本性，正如祂懲治所多瑪、蛾摩拉，和在洪水時代審判全世界。

加低斯巴尼亞
:
民十三26
利一19-25

在一號地圖上指出加低斯巴尼亞

主題: 神與人對話

當以色列人走到　神應許要賜給亞伯拉罕和他子孫爲業之地的邊境時，　神吩咐摩西在以色列的十二支派中，每一支派選出一個人。
—這十二個人要在以色列人進入迦南地以前窺探當地情況。

閱讀:民十三1-2
—摩西服從　神的吩咐，差遣了十二個探子窺探迦南地和那裡的居民。

閱讀:民十三3

C.其中十個探子不相信　神

主題: 人滿懷罪孽，不能自拔，需要　神的拯救

那十二個探子回來後向摩西報告。
以下是他們對以色列人所說的話

閱讀:民十三25-33

—他們說的都是實話。
—當地的土著體格強健，更有些身形高大威猛。
他們當中有十個人忘記了神爲他們成就了大而奇妙的事。
—他們忘記了　神是無所不能的。
—他們忘記了　神在埃及爲他們所行的神蹟，和祂如何把他們從奴役中釋放出來。
—他們不相信　神比迦南的土著強大，可以把那地賜給他們。

D.迦勒和約書亞

主題: 人必須憑藉信心來討　神的喜悅並得著　神的拯救
迦勒和約書亞相信　神。
—他們也曾與其他探子一同窺探迦南堅不可破的城牆。
—他們也一同看見當地土著的強健體格。
—但他們沒有忘記　神是全能的，祂可以成就萬事。

—他們牢記　神已成就的大事，他們相信　神要趕出迦南地的土著，並把迦南地賜給他們。

閱讀:民十三30

E.以色列人不相信　神

主題: 人滿懷罪孽，不能自拔，需要　神的拯救
你認爲以色列人聽從誰人的話?

主題: 神無所不在，祂洞悉萬事
閱讀:民十四1-4

*建議視覺教材:*

圖畫第卅八號
「約書亞和迦勒」

神聽見以色列人所說的一切。
祂知道他們不相信祂。
他們把　神當作說謊的。
—神應許把地賜給他們，他們卻不願意相信　神。
—比較:
*倘若有人把一件事告訴你，你卻不相信他的話，是否等於把那人當作騙子? 答案當然是肯定的。倘若我們聽了　神的話，卻不相信祂，那麼我們就是把　神當作騙子了。*

F.神宣告他們必然死在曠野之地

主題: 神是聖潔公義的，祂命定罪的代價就是死亡
神對以色列人十分忿怒。

閱讀:民十四26-32
神命定他們當中，凡二十歲或以上不相信　神者，必要死在曠野。
但約書亞和迦勒因著他們相信　神而不致於死在曠野。
神明說在四十年後，就是當不信的人死光了，　神要帶領祂的後裔，並約書亞和迦勒進入祂應許要賜給他們的地土。

主題: 人必須憑藉信心來討　神的喜悅並得著　神的拯救
不相信　神是極其邪惡之事。

—複習:

*撒但誘惑夏娃吃分辨善惡知識樹的果子時，他說夏娃吃了後不會死。撒但把　神當作騙子，夏娃卻信以爲眞。該隱也是不信　神的另一例子，他用自己的方法親近　神，　神拒絕了他和他的祭物。當挪亞向百姓宣告　神要以洪水毀滅世界之時，他們竟不相信他，並且不願意進入方舟逃難，最後終被洪水淹沒。埃及人不相信以色列的　神是全能和獨一的　神，他們投靠他們的偶像，盼望偶像可以拯救他們，最後，　神毀滅了他們的土地、擊殺了他們的長子，並把他們全軍覆沒於海中。*

神必懲罰凡不相信祂的人。

—神盼望把以色列人直接帶入祂所應許的迦南地。

—但以色列人因著不相信　神以至在曠野流離了四十年。

—按照　神所判定，那些不信的成年人全要死在曠野。

G.以色列人因爲沒有水而埋怨摩西和亞倫

當百姓流離之際，他們還是在埋怨。

**主題：人滿懷罪孽，不能自拔，需要　神的拯救**

**閱讀:**民廿1-2

以色列人因爲沒有水而埋怨摩西和他的哥哥亞倫。

爲何以色列人不向　神求水?

—以前他們沒有水的時候，　神在磐石中賜他們水。

—他們不求問　神，是因爲他們雖然體驗過不少　神對他們的作爲，心裡卻仍然不相信祂。

—比較:

*今天不少人正像昔日的以色列人一般，雖然　神時刻透過祂的創造如日月星晨、雨露清風、萬物茁長等向我們顯示祂是全能的　神，也掌管萬物。祂賞賜我們生命，也賜下聖經給我們使我們認識眞理。但大多數人都像以色列人一般，無論如何也不肯相信　神。*

—思想:

*很多不相信　神的理由，是他們或他們心愛的人曾遭逢災劫打擊，但我們到目前研經的結果正顯示人的苦難絕非　神的「過失」，而是因著人的過犯。我們受苦是因著自己的過犯，也是因著歷代的人所犯的罪，以至萬物也要因著人類的罪而受苦。一切痛苦疾病、惡劣天氣、勞碌工作等都是人向　神犯罪的後果。*

*我們從聖經所學習的功課可幫助我們重新思想我們對神的觀念，你相信　神嗎? 你相信祂的話語嗎? (註一)*

註一:
這只是一個反問式的問題，不要在此等待答案，請繼續授課。
請不要在小組討論中提出這問題，因爲在這環境下，某些人可能會感覺被迫回答。

H.神要摩西吩咐磐石出水

主題：神與人對話

主題：人只可按照　神的旨意和計劃來親近祂

閱讀:民廿7-8

神要摩西吩咐磐石出水。
—以往他們缺水之時，　神要摩西擊打磐石出水。
—但這次　神只要他吩咐磐石出水。
—神每一次都告訴他們正確的做法。

出十七5-6

I.摩西不順從　神的吩咐

主題：人滿懷罪孽，不能自拔，需要　神的拯救

請聽當時的進展:

閱讀:民廿9-11

摩西和亞倫怒火攻心。
—他們在這情況下竟沒有一如以往地信靠　神，完全依
照祂的吩咐來解決難題。
—摩西不順服　神，竟擊打磐石出水。

J.神懲罰摩西和亞倫

主題：神是至尊且掌權的

摩西和亞倫在盛怒之下竟不依靠　神和不順從　神。
他們的言語和行動羞辱　神，因為他們沒有展示　神對以色列民的忍耐、恩慈和憐憫。
神要百姓知道他的信實，祂必定按應許賜水給他們。
神是完全和聖潔的，祂言出必行。
摩西和亞倫並沒有按照　神的信實和聖潔對待百姓，反之，他們把怒氣遷到百姓身上。

為這原因，神不允許摩西和亞倫進入迦南地。

閱讀廿12

K.以色列人再次埋怨

主題：人滿懷罪孽，不能自拔，需要　神的拯救

神已賜水給以色列人，但他們仍不相信和依靠祂。
他們很快便忘記了　神為他們所做的事，竟再次發出怨言。

閱讀民廿一4-5

L.神差使火蛇

主題：神是聖潔公義的，祂命定罪的代價就是死亡

神懲罰以色列人，使他們當中死了不少人。

閱讀民廿一6

以色列人被蛇咬死。
—這是神對他們犯罪的懲罰。
—比較：
*以色列人被蛇咬死。同樣地，全人類也被撒但和罪孽所「咬」死。這不是說撒但是一條蛇，他當然不是。當我說撒但和罪孽要咬我們時，我是用象徵手法。亞當和夏娃因著撒但和罪孽的緣故死在神面前，與神隔離。我們也因著撒但和罪孽的緣故生出來就是罪人，向神死了，與神隔絕。*
以色列人逃不了神所差使的毒蛇。

主題：神是至尊且掌權的

來二14-15

—複習：
*當神要懲罰罪人的時候，他們必無路可逃。在挪亞的時代，當神把方舟的門關上後，在外面的人可有逃生之處嗎？當神向所多瑪和蛾摩拉傾倒烈火和硫磺的時候，他們可以逃出神的審判嗎？當羅得的妻子不服從神的話要轉身往後看的時候，她可以逃避神的懲罰嗎？當神定意要施行刑罰的時候，沒有一人可以逃出神的法網。*

啓六15-17

主題：人必須憑藉信心來討　神的喜悅並得著　神的拯救

當　神差使毒蛇到以色列人那裡去的時候，他們立時扭轉他們對　神的態度，並承認他們的罪。

閱讀：民廿一7

他們現在明白只有　神才可以拯救他們，因此他們請求摩西尋求　神的幫助。

主題：人滿懷罪孽，不能自拔，需要　神的拯救

他們不能救拔自己，摩西也無能爲力，只有　神可以拯救他們。

M.銅蛇

主題：神滿有慈愛、憐憫和恩典

神因著祂的慈愛決意饒恕他們。雖然他們本來不配接受神的拯救，但　神定意要拯救凡信靠祂的人。

主題：神與人對話

神告訴摩西他和以色列人免死的方法。

閱讀：民廿一8

主題：人只可按照　神的旨意和計劃來親近　神

詩一四五18，19
羅十13

神沒有吩咐他們來尋求自我醫治的方法。
—神告訴摩西使百姓痊癒的方法。
—摩西必須完全依照　神的吩咐來做，而百姓亦必須仰望銅蛇才得以痊癒。
—一切必須依照　神的定規。

閱讀：民廿一9

*建議視覺教材：*

圖畫第卅七號
「杆子上的銅蛇」

主題：人必須憑藉信心來討　神的喜悅和得著　神的拯救

—重點：
神說他們該怎樣做才得以痊癒？（註二）他們只需要仰望銅蛇。
在杆子上的銅蛇有能力醫治他們嗎？沒有！那是　神醫治的能力，要救一切仰望銅蛇以表示對　神信靠的人。
神醫治他們是因為他們相信　神。

註二：
請著重地說明神拯救凡願意在心裡信靠祂並在行動上仰望銅蛇的人，這故事要帶出耶穌基督被掛在十架上受死的福音（約三１４－１５）。請認眞地清楚講解這段歷史，以備日後帶出福音。

—思想：
*你認為倘若百姓當日只會禱告求　神的醫治，而沒有仰望銅蛇的話，他們可不可以得著醫治？不可以。又設若他們沒有仰望銅蛇，但向　神獻上禮物的話又如何？他們可以因此得著醫治嗎？不可以。他們必須完全依照　神的吩咐，舉目仰望銅蛇才可得醫治。*

主題：神是信實的，祂永不會改變

*你認為有沒有人仰望銅蛇後　神仍不醫治他們？沒有。神必遵守祂的諾言，凡仰望銅蛇的人必立時得著醫治。神必履行祂的承諾。*

一考古學助證：

*在以色列添拿的一個地穴中發現了一條銅蛇，這條銅蛇相當於摩西的時代（註三）。在以色列及其鄰近地方亦有發現銅蛇的報告。雖然我們不曉得這條銅蛇的確實背景，但亦是聖經歷史的一項助證。至於摩西所造的銅蛇，因為以色列人向它敬拜而被希西家王所毀滅。*

王下十八4

註三：National Geographic 雜誌一九七六年一月號第三十頁刊登了一幅銅蛇的照片。

N.結論

雖然我們在這課所讀的聖經歷史約在三千四百年前發生，但在今天對我們卻有嶄新的意義。

神把這些史實記錄下來給我們。

雖然我們可能從未嘗過在沙漠飄流缺水的苦況，但我們可以認同以色列人當時的態度，因為人性是自古不變的。

但　神亦永不改變。

我們也要像以色列人一樣地聽從和相信　神。

## 問題：

1.為何那十個探子認為以色列人無法攻克迦南地？
*a.因為他們看見當地的巨人和城牆。*
*b.因為他們不相信　神應許要賜那地給他們。*

2.為何約書亞和迦勒相信以色列人可以攻克迦南地？
*因為他們相信　神要賜那地給他們，祂的應許必然實現。*

3.倘若我們不相信　神的話語和不信靠祂，那麼我們就是把　神當作甚麼？
*我們就是把　神當作騙子。*

4.神會容納不相信祂話的人嗎？
*不會。凡不相信　神的人必要受著永遠的刑罰。*

5.以色列人不相信　神的應許，神怎樣懲罰他們？
*神命定凡不相信祂的人都要死在曠野，不能進入迦南地。*

6.神說甚麼人才可以進入迦南？
*a.迦勒和約書亞，因為他們相信　神。*
*b.以色列的下一代。*

7.當以色列人缺水的時候，他們本該怎樣行？
*他們本該信靠　神。*

8.為何　神命定摩西和亞倫不能進入應許之地?

*a.因為他們沒有信靠和順服　神，因沒有在百姓面前尊敬祂是聖潔和完全的　神。*

*b.因為摩西沒有依照　神的指示去吩咐磐石出水，反而用自己的意思擊打磐石出水。*

9.神如何懲罰不信的以色列人?

*神差遣毒蛇去咬傷和咬死以色列人。*

10.誰像蛇一般「咬」世人及把死亡帶進世界?

*撒但。*

11.撒但如何把死亡帶給萬民?

*撒但引誘始祖亞當和夏娃犯罪，因此他們和世人都必滅亡。*

12.神告訴摩西如何才可拯救以色列人脫離死亡?

*神吩咐摩西製造銅蛇掛在杆子上。*

13.那被蛇咬的人如何才得痊癒?

*他們要仰望銅蛇。*

14.在杆子上的銅蛇有沒有醫治的異能?

*沒有。*

15.誰醫治了那些仰望銅蛇的人?

*神自己。*

16.他們配得醫治嗎?

*他們不配，因他們本是罪人，罪的代價就是死亡。*

17.為何　神要醫治凡仰望的人?

*a.因為　神滿有慈愛、憐憫和恩典。*

*b.因為他們依照　神的吩咐，並因著相信　神的承諾而仰望銅蛇。*

18.那仰望銅蛇的人中有得不著醫治而致死的嗎?

*沒有，因為　神必實踐祂的承諾。*

# 第二十八課　以色列在應許之地的士師和列王時期

參考經文

詩一百十六34-35

## 課前預備

此段只供教師使用

左列的各參考經文有助於你準備這一課。但因經文帶出的眞理有些會在稍後課文中講授，故不宜於此立刻講解這些經文。

請注意：若你沒有教授過本書課文，請詳讀書前『教師必讀』部份。

經文：書一1-2;十一23;士二7-19;撒下五4;七1-3,12-17;代上廿二5-6;廿九26-28;代下二1;五1

### 本課目的：

說明以色列人可怕的罪，和他們無　神的鄰國。
說明神對那些無恩情、不順服的百姓仍然信實。
介紹大衛在救主家系中的地位。
說明　神要萬民得救的心意。

### 本課可幫助學生：

明白舊約歷史的發展。
明白　神要他們得救的美意。

### 教師的觀點：

本課將不會提及很多記載在舊約中的史實，反之，我們將集中於建立福音的根基。有人說聖經中有一條「朱紅的線索」，這線索就是　神和救主要為墮落的人類開設一條生路，得以脫離罪、撒但和永遠的刑罰。

本課目的在於引導同學明白耶穌基督的救恩。當他重生得救後，聖靈必賜他渴慕研讀　神話語的心。我們盼望他可以進而研習「眞理進階」，讓他親自體會整本聖經的豐富。

有同學可能在現階段要求詳細討論本課未有提及的經文，這是很好的表現，但本課的目的仍以帶出耶穌基督降臨世上的眞理為主。

我們要為同學們禱告，好當我們講述福音時，他們能夠接受。

### 視覺教材：

圖畫第四十號「拜偶像」
圖畫第四十二號「詩篇的作者」
圖畫第四十三號「所羅門的聖殿」
圖表

## 課文概覽

**本課概述以色列人由約書亞至士師和列王時代的歷史，除了素描大衛和他建造聖殿的心意，並所羅門完成聖殿工程外，其他細節將不作討論。**

請用圖表說明本課所述事實在歷史上所佔的時間。

再者，本課重點在於神的審判、憐憫、恩典、祂對子民以色列的信實及祂應許要差派一位拯救者來到世上。

地圖一號和二號

請同時預備一些耶路撒冷、它的城牆及列王時代遺跡（例如希西家王的水道）的照片。

## 授課要點

此課程特爲非信徒安排，故授課時務要奠定聖經基礎，以爲日後傳福音的根據。若你班上有信徒參予，則授課的目的是使他們明白信仰的根基，以致日後他們亦可運用同樣教材去教導未信的人 。

**課文信息要明確簡潔，切忌節外生枝!**

請注意這課程是有範圍和有主題的聖經研讀，並非徹底深入的聖經鑽研，亦非漫無邊際的小組討論。請依照主題帶領討論，以保持課程進度。切記緊依大綱，突出教義主旨。

課程編排形式：每一頁的中間部份是教授學生的內容，粗體字的標題只供教師參考，不需口誦，因爲標題內容會在接著的課文大綱提及。至於左右兩欄所列的經文是給教師作參考之用，不宜在課堂上詳授。

## 教授學生的內容
（中間部份）

**課文大綱:**

複習第廿七課問題

A.序言

以色列在曠野流離了四十年，直至那拒絕相信　神要賜應許之地的人都死光了。

這是　神懲罰他們不信的方法。

來三17-四2

一比較:

*昔日　神藉摩西頒賜祂的話，今天　神亦透過聖經向我們說話。我們各人都可以打開聖經，隨意研讀。你認爲　神會否因著我們所知道關於祂的事而叫我們交賬?　神賜祂的話語給我們，爲要叫我們認識祂，倘若我們不相信　神，那麼我們亦會像昔日以色列人一樣的死在罪惡當中。*

B.約書亞帶領以色列人進入了迦南地

摩西和亞倫按著　神所命定的，他們在以色列人進入應許之地以前死去。（註一）

因此　神揀選了約書亞成爲新的領袖。

閱讀:書一1-2

註一:
我們將從這兒起講授幾個重點，本書的課文並不是以仔細研究聖經爲宗旨。我們要幫助同學建立穩固的眞理基礎，好讓他們因著對神的正確認識而發現自己需要神的拯救。請就不同班別的需要而酌量加添課文未有提及的舊約史實，課文所選之史實對於教導未信者已屬足夠。

在曠野不信　神之人的後代已是成年人。
現在　神的時間已到，祂要帶領他們進入迦南地。

在一號地圖上指出迦南。

主題：神是信實的，祂永不會改變
約書亞帶領以色列人進入迦南，就是　神應允要賜給亞伯拉罕和他後裔的地方。

一複習：
*雖然撒但和埃及王企圖阻止以色人出埃及，而以色人也屢次懷疑　神，但　神仍然履行祂的諾言。神爲他們在紅海開出道路，　神在他們流離曠野的四十年中帶領他們，保護他們，賜他們飲食。　神從不食言。*

閱讀:書十一23
約書亞臨終時對以色人說：「耶和華你們　神所應許賜福與你們的話沒有一句落空，都應驗在你們身上了。」〔書廿三14〕

C.以色列人在約書亞死後轉而拜偶像

主題：人滿懷罪孽，不能自拔，需要　神的拯救
主題：撒但與　神意願相違，他是騙子，是說謊者，他恨惡人類

書廿三16

當約書亞還活著的時候，以色列人記念　神。
當約書亞和那些曾親身在曠野經歷　神奇蹟的人死去後，以色列人便忘記了　神。
一他們行事隨從那些不認識又眞又活的　神，且沒有　神話語的外邦人。
一他們敬拜自己手所造的偶像，不敬拜　神。
神的原意是要把拜偶像的迦南土著逐出迦南，並把那地賜給以色列人。
一但以色列人沒有相信及順服　神。
一因此　神存留了一些迦南土著。
一以色列人在那些拜偶像的人中定居下來。
一他們不信靠　神，反而沾染了迦南人拜偶像的惡行。

閱讀:士二7-13

*建議視覺教材:*

圖畫第四十號「拜偶像」

迦南人所敬拜的假神稱爲巴力和亞斯他祿。
—撒但欺騙這些人，使他們以爲自己敬拜眞　神。
—他們不知道原來他們在敬拜撒但和他的黨羽。
—思想:
*當人不敬拜聖經中說及的那位又眞又活的　神的時候，他就是敬拜撒但。撒但懂得掩飾自己，他藏在偶像和其他人所崇拜的事物背後，正如昔日他以蛇的形像引誘夏娃一樣。撒但恨惡　神，他不願意人敬拜　神，他亦恨惡人，他不願意任何人信靠　神，和得著免死的釋放。*

主題：神是聖潔公義的，祂命定罪的代價就是死亡

主題：神是信實的，祂永不會改變

神懲罰以色列人，因他們忘記祂而敬拜偶像。
—神容讓以色列的鄰國強大起來，把以色列制服，使他們成爲奴僕。

閱讀:士二14-15

民卅三51-53,55-56
申四25-26;八19;三十15-20
書廿三9-13;廿四19-20

—神警誡以色列人，倘若他們不專心信靠和敬拜　神，這些都要臨到他們身上。
—神沒有改變。
—雖然時間消逝，　神仍舊牢記祂的諾言，其中包括祂必懲罰所有不相信的人。

D.士師時代

主題：神滿有慈愛、憐憫和恩典

當以色列人悔改，就是當他們向　神承認自己的罪和懇求　神的幫助時，　神就興起一位領袖，帶領他們脫離仇敵的轄制。在圖表中指出「士師」一詞及其中的一些姓名。
那些被　神揀選帶領以色列的領袖們被稱爲士師。

主題：人滿懷罪孽，不能自拔，需要　神的拯救

以色列人一而再、再而三地忘記　神。因此　神容讓他們的敵人征服他們。

閱讀:士二16-19

主題：神是信實的，祂永不會改變

賽四十一8-10;四十四1-8

雖然　神要按著以色列人的不順服而懲罰他們，但祂對他們的慈愛和眷念卻永不改變。

一複習:

神在伊甸園中曾應允，祂必賜下一位救主來消滅撒但和救拔世人脫離撒但的魔掌。神又把拯救者的應許賜予亞伯拉罕、以撒和雅各。　神保護以色列，就是亞伯拉罕、以撒、雅各的後裔，因爲　神的計劃是要藉著以色列，應驗所有關乎這位拯救者的應許。

神盼望世人認識祂。
我們藉著聖經可以認識　神。
神藉著以色列將聖經賜予我們。
羅三1,2
一神揀選以色列民來記錄聖經的話語。
一思想：

*神保存以色列國，以致祂的話語，和拯救者的故事可以存留給我們。你還記得，本課程開始時我們談及聖經的作者，除了一人是外邦人外，都是猶太人嗎？我們從猶太人，或以色列人中獲得這本聖經。*
*神按著祂的應許成就一切。祂要從以色列民中差遣救主來，讓世人可以得救。　神盼望我們聽從祂的話而得著拯救。*

E.列王時代

以色列是全世界最幸運的國家，因他們的王和統治者是神本身。
撒上八4-7
但以色列人拒絕　神，他們要立一位君王，正如鄰近列邦一樣。
神允許他們的請求。
從此，許多位君王曾統治以色列國。

註二：
請勿個別介紹諸王，只要帶出列王時代在歷史中所佔的時間即已足夠。

圖表：在圖表上指出「列王」這字，及一些以色列君王的名字（註二）。
一有些王信靠　神，但大部份都不相信祂。
一那不信的君王敬拜偶像，並帶領以色列人叛逆　神的誡命。
一考古學助證:

考古學家不斷地發現支持列王時代詳細史實的證據，例如聖經中記載的市鎮名稱已獲證實。在當代的異教物品、偶像、祭壇及各類物件已被發掘出來。數位君王的名字被發現雕刻在墳墓和紀念碑上。貿易記錄上記載著當時帝王和城鎮的名字。戰爭的記錄中亦發現聖經所提及的戰役。
所有出土文物盡都證實聖經的記載，其中並無任何一件是與聖經所載的相違。聖經是一本眞實的歷史書，我們相信裡面的每一個字，因爲它是　神的話。
以下是一些考古學發現的實例:
西拿基立的三稜鏡，其上提及希西家王（約主前700年）。
希西家王的水道（約主前700年）。
刻有「耶羅波安之臣僕示瑪」的寶石印鑑（約主前750年）。

刻有哈薛王名字的象牙（約主前800年）。
摩押石刻中提及暗利王（約主前800年）。（註三）

註三：
倘若同學們對這些例子有疑問，請在下列經文中找尋答案：
希西家王和西拿基立——王下十八、十九；賽卅六、卅七
希西家王的水道——王下二十20
耶羅波安（二世）的僕人示瑪——王下十四23-29
（這裡只提及耶羅波安二世而沒有提及示瑪，但示瑪這名字亦在聖經的其他地方出現）
哈薛王——王下八8-15;十二17-18
暗利王——王上十六21-30
這裡提供的資料十分有限，請鼓勵有興趣研究的同學使用聖經手冊及聖經百科全書等作進一步的考究。

F.以色列偉大的君王大衛

大衛是以色列最偉大和最著名的君王。

主題：人必須憑藉信心來討　神的喜悅和得著　神的拯救。

閱讀:撒下五4

大衛不像以色列其他的王，他眞心地相信　神，並願意凡事順從祂的旨意。

一思想：

*大衛也像我們一樣生來就是罪人，本應與　神隔絕。*
*大衛曉得自己是罪人，而罪的代價就是死亡，他知道神是他唯一的盼望。他依照　神的吩咐向　神獻上流血的贖罪祭。大衛因著對　神的信靠，就像昔日亞伯、以諾、挪亞、亞伯拉罕、以撒、雅各、摩西、約書亞和其他信靠　神的人一樣罪得赦免。*
*大衛亦是　神的一位先知。*

一神使用大衛完成了聖經中不少的作品。

一大衛寫了不少詩篇，就是頌讚　神慈愛和憐憫的詩詞。（註四）

註四：
請同學們翻開詩篇，並向他們指出大衛所作的數篇詩。

*建議視覺教材：*

撒上十六11；十七15,34,35
詩廿三、六十五

圖畫第四十二號
「詩篇的作者」

一注意：

*大衛在成爲君王以前是一位牧童。大衛寫的一些詩篇中常用他對牧羊人與羊的認識作比喻。神藉牧人與羊的關係向我們說明，我們罪人都如羊一般走迷方向。我們需要一位有才智、強壯與和藹的牧人保守我們免受災難及引導我們走正確的道路。只有神才是我們的好牧人。*

G.大衛起意建造聖殿

一背景：

*一大衛作以色列的君王而積聚很多財富。他爲自己用木材、磐石，金銀建造宮殿。一天，大衛覺得自己住在華麗的皇宮，但神的居所仍是以色列人在西乃山爲神建造的同一個，就是他們在曠野飄流時用獸皮和布料蓋成的會幕。*

*—因此，大衛起意要爲　神用木材、磐石、金銀建造一所恆久的聖殿，讓　神住在其中。*
大衛盼望爲神建造一所固定的聖殿，讓人可以到祂面前敬拜和獻祭。

主題：神與人對話

神十分喜悅大衛要建造聖殿的心意。
神差遣祂的先知拿單向大衛說話。

閱讀:撒下七1-3

H.神對大衛的承諾
神告訴大衛不是要他建造聖殿，而是要他的兒子建造這所新殿宇，好讓百姓可向神獻祭和敬拜祂。

閱讀:撒下七12-17

主題：神是信實的，祂永不會改變

神向大衛賜下祂當日向亞伯拉罕、以撒和雅各所許下的諾言。
—祂向大衛保證，那位人類的拯救者和撒但的征服者，必從他的後裔中出來。
—這位大衛之苗必永遠作王。
—神從未忘記祂要賜下拯救者的應許。

I.所羅門建造聖殿
大衛預備好了建造神聖殿的材料，這聖殿要建在耶路撒冷。
—注意：
*在今天的新聞報導中，耶路撒冷仍是時常被提及的城市，（註五）這城與其他古老城市一樣，是用石城牆來保障居民的安全。考古學家在該城中發現很多古老的城市遺跡，和數次的城牆重建痕跡，耶路撒冷的遊客們今天仍可看見很多出土的城市重點，其中有遠及列王時代的遺跡。*

在第二號地圖中指出耶路撒冷的位置。

大衛臨終時，他把建造聖殿的重任交給他的兒子所羅門。

閱讀:代上廿二5-6

當大衛駕崩後，他的兒子所羅門登基。
閱讀代上廿九26-28
所羅門在耶路撒冷建造　神的殿。

閱讀:代下二1;五1

註五：
請在可能範圍內展示耶路撒冷城和它的石城牆的照片。

*建議視覺教材:*

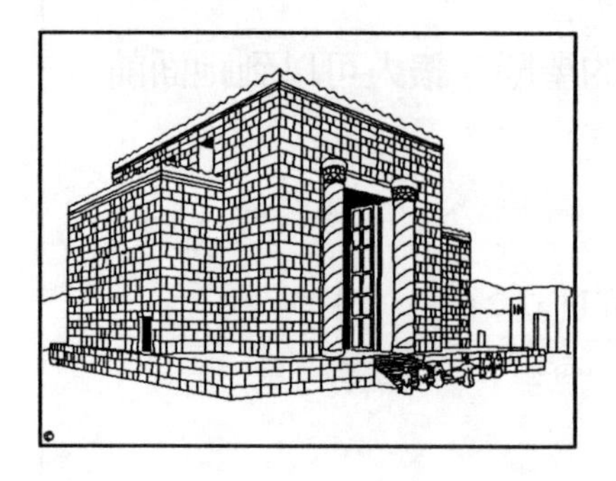

圖畫第四十三號
「所羅門的聖殿」

現在以色列人不再需要在曠野用獸皮和布料造成的會幕。

這所　神的院宇稱爲聖殿。

聖殿與會幕同樣有兩進房間和同樣的擺設:

—那沉重的幔子仍掛在至聖所(就是　神居住的地方)的入口(註六)

—這幔子就是一個「嚴禁入內」的標誌，只有大祭司才可進入至聖所。

—這是聖潔的　神與污穢的罪人分隔的標誌。

當聖殿工程完竣並他們獻上祭物後，　神就像祂昔日駕臨會幕一般降臨在聖殿的至聖所之內。

當　神駕臨聖殿之時，百姓得瞻祂耀目的榮光，他們無不敬拜　神。

代下七1-3

主題: 人滿懷罪孽，不能自拔，需要　神的拯救

主題: 人只可按照　神的旨意和計劃來親近　神

主題: 神是聖潔公義的，祂命定罪的代價就是死亡

—複習:

利十六2,3,34

*大祭司只可每年一次爲百姓的緣故進入至聖所。以色列人不可親身到神面前，他們只可以透過大祭司和祭物的血才得悅納。*

*大祭司每年帶著祭物的血進入至聖所，他要把血灑在施恩座上，施恩座就是用精金造成的約櫃蓋子。*

*以色列人不可忘記自己是罪人，但神是完全的。罪的代價就是死亡。動物的血不能除去他們的罪，因此他們必須每年把動物的血獻在神面前以求饒恕。*

來十4

*神每年也暫且擱置祂本要因著他們的罪而施行的刑罰，要等候這千古的罪債在適當的時刻徹底地清還。*

J.所羅門駕崩後，列王相繼登位

主題: 人滿懷罪孽，不能自拔，需要　神的拯救

註六:
請務必講授這點，因爲日後講述基督的死時將提及這幔子。

王上十一9-13,31-37

所羅門駕崩後，以色列人因王位的繼承而引起爭端，他們最後分裂為兩個國家。
在北面由十個支派所組成的稱為以色列國，在南面由兩個支派所組成的稱為猶大國。
在第二號地圖上指出以色列國和猶大國。

K.結論

本課剛交代了以色列歷史中的一段重要時期。

在圖表上指出約書亞至列王的時代。

我盼望各位能自行閱讀全本聖經，因當中的每段故事和每位人物對我們今天的生活都有著意義深遠的啓示。
我們目前只可概覽舊約，為要掌握　神給我們的重要的訊息。
我們接著要研讀一些　神的先知，他們把神的話語傳給以色列人和他們的鄰國。
我們將要思想以色列人對神嚴厲警告的回應。
當我們繼續研讀的時候，請注目在我們對　神話語的個別回應。
神寫下祂的話語給我們，為要讓我們認識祂。

問題:

1.誰繼摩西成為領袖?
*約書亞。*
2.神有沒有把應許之地賜給亞伯拉罕的後裔?
*有，　神履行了祂的諾言，把地賜給他們。*
3.約書亞去世後，以色列人作了何事?
*他們離棄　神去拜偶像，與那些不認識又真又活的　神，和沒有神話語的鄰國沒有分別。*
4.誰哄騙世人去拜偶像，或他們用自己手所造成的事物?
*撒但。*
5.當我們不敬拜又真又活的　神時，我們實際上向誰敬拜?
*我們就是敬拜撒但和他的黨羽。*
6.為何撒但要哄騙人去拜偶像和其他事物?
*a.因為撒但妒忌　神，他不願意人敬拜　神。*
*b.因為撒但厭惡人類，他不願意人類萊敬拜　神並得著拯救。*
*c.因為撒用不同手法掩飾自己和欺哄他人。*
7.神如何懲罰以色列人拜偶像的罪?
*神容讓他們的仇敵把他們征服。*
8.當以色列人承認過錯和乞求　神的拯救時，　神有何回應?
*神在以色列人中興起一些稱為士師的領袖們，帶領他們還擊和制服仇敵。*

9.大衛和其他以色列的君王有何不同?

*a.大衛相信和順從　神。*

*b.大衛向　神承認自己是罪人，他向　神獻上流血的祭，並相信　神必赦免他的罪。*

10·神向大衛許下甚麼重要諾言?

*神應許大衛，那位拯救者將要從他的後裔中出來。*

11·當大衛完成他自己的宮殿後，他計劃做甚麼?

*他起意要為　神在耶路撒冷建造聖殿。*

12·大衛最後有沒有完成聖殿?

*沒有，他的兒子所羅門建造聖殿。*

13·這用石造成的聖殿，與曠野中的會幕有何相同之處?

*a.聖殿仍分作兩房，並放有同樣的擺設。*

*b.至聖所入口仍掛著那沉重的幔子，要對百姓作為一個「嚴禁入內」標誌，只有大祭司才可以進入至聖所。*

14·大祭司在何時才被允許進入至聖所?

*每年一次。*

15·大祭司在至聖所內作甚麼?

*大祭司把祭物的血灑在施恩座上，施恩座就是用精金造成的約櫃蓋子。*

16·祭物的血可以贖還以色列人的罪嗎?

*a.不可以，犯罪者必要以死代罪。*

*b.祭物的血只是暫時的贖價，　神要暫且擱置祂對罪的刑罰，等候那千古罪債徹底還清的一日。*

17·當大祭司把祭物的血灑在施恩座時，　神有何回應?

*a.神饒恕以色列人在過往一年所犯的罪。*

*b.神暫且擱置祂對罪的刑罰，等候那千古罪債徹底還清的一日。*

18·所羅門王駕崩後發生何事?

*北面的十支派與南面的兩支派分裂。*

# 第二十九課　以色列人拒絕神所差來的使者—先知—的警告

參考經文

## 課前預備

此段只供教師使用

左列的各參考經文有助於你準備這一課。但因經文帶出的眞理有些會在稍後課文中講授，故不宜於此立刻講解這些經文。

**請注意：若你沒有教授過本書課文，請詳讀書前『教師必讀』部份。**

經文：賽十5-6;耶六13-14,廿5;王下十七1-8,廿五1-12

### 本課目的：

- 說明 神差遣先知，來告知人類 神的眞理；人必須悔改歸向神才能得救。
- 說明 神的信實能持守祂的應許，並實現祂的計劃。
- 介紹在基督將要降生以前的歷史背景及宗教習俗。

### 本課可幫助學生：

- 明白 神把祂的話語賜給我們是因著祂愛我們，要讓我們得著拯救。
- 明白不聽從 神的話語、繼續犯罪及違背 神的可怕後果。
- 預備他們聆聽基督降生的故事。

### 教師的觀點：

我們講述先知的歷史時，總不能避免提到 神對罪的忿怒、憎惡和懲罰，但先知們並不只是傳達審判的訊息。審判的訊息是要叫人相信 神並從他們的惡行中悔改。 神在*以西結書卅三章十一節說：「我斷不喜悅惡人死亡，惟喜悅惡人轉離所行的道而活。以色列家啊，你們轉回，轉回吧！離開惡道，何必死亡呢？」*

當我們環顧社會的道德與屬靈景況時，先知們的信息實在令我們不寒而慄！我們已對 神有相當的認識，也有 神的話語，可是我們卻逐漸變成無 神的社會，人們以自我、金錢、物質、享受、甚至撒但作爲他們生活的中心。我們曉得， 神絕不會容許這景況延續下去。時候滿足了，祂的審判必然轉瞬間臨到，就如祂昔日審判以色列和他們的鄰國一樣。那已經認識 神卻仍棄絕祂，以及教導別人也棄絕 神的人，他們必要遭受悲慘的結局！

提後三
彼後三

以下的課文正適切我們文化中那燃眉之急，因爲教會將要從地上被除去，那日子已經近了。雖然我們不知道 神的時間，但我們知道主要我們作的工作。使徒行傳一章七至八節耶穌告知最早的門徒，今天，亦是寫給我們的吩咐：*「耶穌對他們說：父憑著自己的權柄，所定的時候日期，不是你們可以知道的，但聖靈降臨在你們*

課文概覽

**本課講解舊約如何預備救主降臨。課文主要講到， 神藉著先知向以色列國和猶大國所發出的預言：警告他們若仍不悔改，他們必成爲他們鄰國亞述和巴比倫的俘虜。歷史證明了這些預言的應驗，以色列國和猶大國最後因著不願悔改而成爲別國的階下囚。本課並闡述一些被擄者的歸回，爲耶穌基督的降生作引述。**

希臘的文字、羅馬的道路網及猶太人流散各地建立會堂，都是神匠心獨運的安排，顯明了祂的全權、慈愛以及祂與人類的交往。這也是祂預備使福音遍傳世界所用的工具之一。

*身上，你們就必得著能力，並要在耶路撒冷、猶太全地、撒瑪利亞、直到地極，作我的見證。」*我們若屬於 神，我們就有聖靈在我們心中；我們亦已得著那美好的福音，可以與別人分享，直到萬民得聞此喜訊。

這是講論舊約的最後一課，請爲各同學禱告，好叫他們預備好接受 神親臨世間、道成肉身的事實。我們不要把這事當作一個獨立的事件講授，因爲這是永恆、尊貴和全能的創造主所訂立的偉大計劃，爲要拯救祂自己的子民。

*「看哪， 神的羔羊，除去世人罪孽的。」（約一29）*

**視覺教材:**

圖畫第四十六號「摒棄先知」
圖畫第四十七號「耶路撒冷被毀」
圖畫第四十八號「重建聖殿」
圖畫第四十九號「羅馬的統治」
地圖第二號
圖表

## 授課要點

此課程特爲非信徒安排，故授課時務要奠定聖經基礎，以爲日後傳福音的根據。若你班上有信徒參予，則授課的目的是使他們明白信仰的根基，以致日後他們亦可運用同樣教材去教導未信的人。

**課文信息要明確簡潔，切忌節外生枝!**

請注意這課程是有範圍和有主題的聖經研讀，並非徹底深入的聖經鑽研，亦非漫無邊際的小組討論。請依照主題帶領討論，以保持課程進度。切記緊依大綱，突出教義主旨。

課程編排形式: 每一頁的中間部份是教授學生的內容，粗體字的標題只供教師參考，不需口誦，因爲標題內容會在接著的課文大綱提及。至於左右兩欄所列的經文是給教師作參考之用，不宜在課堂上詳授。

## 教授學生的內容（中間部份）

**課文大綱:**

複習第廿八課問題

**A.序言**

你曾否嘗試告訴別人他不喜歡聽的話?

那絕非易事，對嗎?
尤其，你要警告你所愛的人，告訴他們若不聽你的話，可能會導致悲慘的收場，那就難上加難了，是嗎? （註一）

註一:
請勿在此作詳細討論，但給學生一些時間思考和發言。最重要的，是讓他們注意你將要教導他們的信息。

## B. 神從起初就對人說話

主題: 神滿有慈愛、憐憫和恩典

主題：神與人對話

賽四十五 12,18,21,22
約三16
彼後三9

神創造了全人類，並愛所有的人，祂要世上每一個角落的人都脫離撒但、罪惡及死亡的轄制。
因此， 神在創造天地的時候就開始對人說話，好讓人明白祂的旨意。
—*複習:*
*神向亞當、夏娃、該隱和亞伯說話。 神指示挪亞，勸告當日的百姓，必須悔改及單單相信祂。 神亦對亞伯拉罕、以撒和雅各說話。祂又透過摩西把祂的訓諭傳給法老王和以色列人，並且在帶領以色列人進入祂所應許之地的旅程中，祂也經常向以色列人說話，其中包括祂在西乃山上向他們頒賜十誡。*

神透過祂的傳話者把祂的道指示以色列國和猶大國，並警告他們因罪的緣故所帶來的審判。

神也差遣一些傳話者到以色列的鄰國。

## C.先知的訊息

主題：神與人對話

神的傳話者稱為先知。
讓我們在圖表上一覽先知的名字。

*在圖表上指出各先知來。*

以賽亞、耶利米、以西結及但以理等是著名的先知。
他們和其他一些先知的名字被採用為聖經舊約書卷的名稱。這些書卷是 神藉他們所寫的。（註二）

註二:
請同學們翻開聖經目錄，把這些名字和先知們所寫的書卷指給他們看。

你也可告訴他們大先知書與小先知書只是以書卷的篇幅作識別。篇幅較長的稱為大先知書，而篇幅較短的則稱為小先知書。

主題: 神是至尊且掌權的

主題：人必須憑著信心來討 神的喜悅並得著拯救

神的先知勸諭百姓要悔改、除去偶像，信靠獨一的 神。
—「悔改」就是回心轉意。
—悔改就是向 神承認我們自己的罪。

王上十八21

很多以色列人一方面在聖殿敬拜 神，另一方面又拜偶像。

—神告訴他們，祂絕不會容忍這樣的行爲。
—他們必須選擇事奉的對象。
—敬拜 神的人必須內心誠實並按照 神所命定的方式敬拜祂。
—祂是獨一的眞 神。

約四24

那些敬拜 神又同時敬拜除祂以外其他人事物的人，祂絕不會悅納他們的敬拜。

主題：神是信實的，祂永遠不會改變

主題：神是聖潔公義的，祂命定罪的代價就是死亡

神的先知亦提醒以色列人要重申 神藉摩西所傳給他們的律法。
—以色列人違反了這些律法。（註三）

註三：
請在耶利米書第五章中，找出百姓當時在屬靈和道德上的景況，及他們應得的刑罰。

—先知警告百姓， 神要他們悔改，否則 神必定懲罰他們。
祂要叫他們的敵人攻擊他們。
他們的敵人要戰勝他們，並要把他們擄到外邦之地。
以色列人要成爲敵人的奴隸，他們的語言以色列人聽不懂。
—以賽亞先知警告以色列國（就是北方的十支派），若他們不悔改， 神要差遣亞述人來攻擊和擄掠他們。

在二號地圖上指出亞述國和以色列國。

閱讀：賽十5-6

—耶利米先知警告在耶路撒冷和猶大國的百姓，他們若不悔改，神要差遣巴比倫人來毀滅他們。

在二號地圖上指出巴比倫國和猶大國。

閱讀：耶利米書廿5

神不改變。
—祂是唯一又眞又活的 神。
—祂是我們的創造主，凡事奉或敬拜除祂以外其他人事物的人，祂都要懲罰。

## D.祂沒有忘記祂要差遣拯救者的應許

主題：神是信實的，祂永遠不會改變

神在伊甸園首次應許賜下拯救者一事，直至當時，數千年已過，但 神並沒有忘記祂的應許。這位拯救者能粉碎撒但，救贖人類，使 神和人再次爲友。
—複習：

*神向亞伯拉罕、以撒和雅各重申同樣的應許，祂應許那位拯救者必從他們的後裔中出來。 神在歷史中亦不斷地向以色列*

*重申這位拯救者的應許。 神更應許大衛，那位拯救者將出於他的家族。*

主題：神無所不在，祂洞悉萬有

主題：神與人對話

在拯救者將要來的數百年前， 神將更多有關祂的事曉喻世人。
—祂告訴先知們（就是祂所揀選的傳話者）有關拯救者的遭遇。
—他們把這些事都寫下來，就是今日的聖經。
—我們將在往後的數課中讀到這些預言，並探討 神如何應驗這些預言。

神在萬事發生以前，已知道事情的發展。

主題：神滿有慈愛、憐憫和恩典

雖然大部份的人對 神所預備的救贖和應許不感興趣，但 神仍沒有放棄要差遣拯救者的應許。
神愛世人，祂不願意任何人走向永遠的刑罰。

以西結書十八32
約三16
彼後三9

## E. 以色列人對 神、對 神的先知和對他們所傳信息的態度

主題：人滿懷罪孽，不能自拔，需要 神的拯救

以色列人中亦有人相信 神和 神的先知們所傳的信息。
但大部份的以色列人拒絕順從 神的話語。
他們竟逼迫和殺害先知。

*建議視覺教材：*

圖畫第四十六號「摒棄先知」

—他們繼續拜偶像。
—他們隨從鄰國的惡行。
—不少人還是到聖殿敬拜 神，進行其中的儀式和獻祭，但他們在個人的生活中卻不順從 神。

—他們對 神說好聽的話，但是 神並不接納他們，因爲祂知道百姓口是心非。
—以賽亞書廿九章十三節說：「…這百姓親近我，用嘴脣尊敬我，心卻遠離我…」
—**思想：**
*你可能因著某人的行徑而對 神或教會產生反感，你可能對自己說：「我永遠不會像他，倘若這就是所謂宗教的話，算了罷。」*
*神亦憎惡那種所謂的宗教。請不要讓虛僞的敬拜者成爲你的絆腳石，阻礙了你對 神眞正的認識。*
*神不說謊，祂自始至終是信實眞確的。祂不改變，祂滿有愛、仁慈和憐憫。*
*祂也是聖潔公義的，祂必要懲治一切的罪。*
*神要親自處理那些虛假敬拜者的罪。讓 神懲治那些使你對基督教感到不安和阻礙你認識 神的人。*

主題：神無所不在，祂洞悉萬有

撒上十六7
賽六十四6
羅三23
弗二8-9
多三5

我們不可能欺騙 神。
—人只能看見我們的外表和聽見我們口所說的話。
— 神鑑察我們的心思意念。
祂知道我們裡面的一切。
—祂說我們都是罪人。
—我們所作的都不能討 神喜悅。
大部份的祭司和領袖們是惡人。
—他們不信靠 神。
—他們不遵從祂的命令。

主題：撒但對抗 神和祂的旨意，牠是撒謊者，是騙子，牠憎厭人

除了 神所差派的先知外，當時還有假先知向以色列吐謊言。
—他們自稱是 神的使者，但他們實在是撒但的差役。
—他們向百姓吐謊言。
—他們虛報萬事昇平以及 神不降罰的假消息。

閱讀耶六13-14

—**比較：**
*撒但至今也是同樣，藉著某些人的口散佈 神的話是不眞實的，或 神不會施行審判的謊言。有些人傳道，說 神永遠不會*

*施行審判，亦不會將任何人放進地獄。他們說萬事盡必亨通，人人可以和平共處，四海一家。*
*又有些人認為，　神存在的目的是要供給人物質上的好處。他們說倘若你捐大量金錢給教會，　神會以更多的財富作為回報。有些人鼓勵信徒向　神求索，他們認為　神欠人的債，故此有責任供應人所要求的一切。*

—思想：

賽五十七 20-21

*神絕不是欠人的債，祂是萬有的　神。祂也是聖潔、公義和尊貴的　神，祂絕不會容忍在祂面前的罪，祂必要施行審判。那不願意相信祂和不按照　神的方法尋求祂的人，必落在硫磺火湖永遠的刑罰中。　神說那作惡的不能得著平安。所有誤傳聖經眞理已改變，和聖經並非眞實的人都是假先知。故此，切勿聽信任何不合乎聖經教訓的道理。每一個人都必須選擇聽從人的話語還是聽從　神的話語。*

## F.神對以色列國和猶大國的審判

主題：　神滿有慈愛、憐憫和恩典

彼後三9

神有恆久的忍耐。
祂沒有立時懲罰罪人。

—比較：

*在挪亞的時代，　神向當時的人發出歷時一百二十年的警告，最後才降洪水於地。*
*神差遣先知警告以色列人達數百年之久，說明倘若他們不悔改，祂的忿怒和審判必定臨到他們身上。*

主題：　神是信實的，祂永不改變

以色列人不相信　神會容許敵人來佔領他們的土地，使他們成為階下囚。
以色列人不願意悔改相信　神，　神便容許敵人侵佔和俘擄他們。
亞述人佔領了北國的十支派，並將他們俘擄。

在第二號地圖上指出亞述和北國以色列

閱讀王下十七1-8

亞述人繼而安置別國的一些人民至以色列的北部。
—這些人拜偶像。
—他們不認識以色列又眞又活的　神。
在以色列的十支派中沒有被擄到亞述的一些人，與遷到他們當中的異族人通婚。
—這些與異族通婚而生下來的後代稱為撒瑪利亞人。

約四20-22

—撒瑪利亞人仍是敬拜 神，但他們用自己的方法來敬拜而沒有依照 神告訴摩西的法則。
—再者，他們不願意到耶路撒冷 神的聖殿中。
—爲這些緣故， 神不悅納他們的敬拜。

猶大國（就是以色列在南方的兩個支派和耶路撒冷的居民）也不願意悔改，故此 神容讓巴比倫人把他們擄去。

代下三十六15-21
耶五十二1-30

*在第二號地圖上指出巴比倫、猶大和耶路撒冷*

—巴比倫人折毀了耶路撒冷的城牆。
—他們更搗毀並焚燒所羅門王所建的聖殿。

閱讀：王下廿五1-12

*建議視覺教材:*

圖畫第四十七號「傾覆耶路撒冷」

神終於施行了祂曾向以色列人所發出的警告：倘若他們不悔改，神必施行刑罰。
—百姓不相信 神的話，故此 神懲罰他們。
—凡不信 神的人必遭受永遠的刑罰。

## G.被擄到巴比倫者的歸回

主題： 神滿有慈愛、憐憫和恩典
主題： 神是信實的，祂永不改變

若干年後，那些被擄到巴比倫的猶大國人民悔改，並乞求 神帶領他們歸回自己的地方。

神聽了他們的懇求，把他們當中不少的人帶回耶路撒冷。
—他們重建耶路撒冷和城牆。（註四）
—他們亦重建聖殿。

註四：
請參閱以斯拉記和尼希米記中有關重建的史實，作爲你個人的參考資料。

*建議視覺教材:*

圖畫第四十八號「重建聖殿」

回歸的以色列人得著了一個新的名字。
—他們被稱爲猶太人，這名字沿用至今到他們的後代。
—猶太人這名稱可能源於猶大國的名字。
猶太人繼續敬拜 神，雖然其中大部份並非出自眞心實意。
—他們把祭物帶到聖殿去。
—但他們不承認自己實在是罪人，不需要 神的憐憫。

## H.希臘人和羅馬人

神再次藉著別國的統治來懲罰他們。
希臘人統治了猶太國，並教他們講希臘語。（註五）

註五：
希臘人約於公元前四百年強盛，巴勒斯丁（即以色列人的所在地）約於主前三百三十年被亞歷山大大帝所統治。

在第二號地圖上指出希臘

主題：神是至尊且掌權的

主題：神與人對話

掌管萬有的 神，使用希臘文把祂的話語傳遍當時已開發之地。

—詳論：
*聖經在當時尚未完成，只有我們現今的舊約部份，其中的一些書卷已由原著的希伯來文被翻譯爲希臘文。故此，在遠方的人已可以透過閱讀 神的話語，得以預備心迎接拯救者。*
*神在第一世紀要人用當時流行世界各地的希臘文來記載新約。*

此後，羅馬人取代了希臘人，他們統治了耶路撒冷和以色列地。（註六）

註六：
巴勒斯丁（以色列）約於主前六十三年被羅馬人統治，直至羅馬帝國於主後四百七十六年滅亡爲止。

在二號地圖上指出羅馬

*建議視覺教材：*

圖畫第四十九號「羅馬的統治」

羅馬人統治猶太人，並強迫他們繳稅。
—凡逃稅者必受嚴刑處罰。
—羅馬人用劍和矛鎗殺了不少猶太人，更有些猶太人被釘死在十字架上。

羅馬帝國的君主該撒指派人替他統治羅馬版圖中不同的地方。
一羅馬敬拜很多假 神，其中包括該撒大帝。
一但他們仍允許以色列人到聖殿敬拜 神。
在萬有的 神計劃下，羅馬的統治帶來不少利益。
一 神容許羅馬人建築道路網貫通全國。
一 神計劃要將祂的話傳到遠方。

主題： 神滿有慈愛、憐憫和恩典

神愛世上萬國萬邦的人，祂盼望世人都認識祂。

賽四十五22
約三16
彼後三9

## I.建造會堂教導律法

猶太人當時建造稱爲會堂的聚會中心，他們可以在會堂中誦讀和教導舊約聖經。
一猶太人因著迫害和被擄，散佈在各不同的國家。
一因而會堂非止於建在以色列的城鄉，它們亦散佈在小亞細亞、希臘、波斯和北非等地。

在二號地圖上指出上列的地方

一猶太人在一週的最後一天聚集在會堂中，宗教教師和領袖們誦讀並教導摩西與眾先知的書卷。
一可是，他們很多時候並不依照 神所說的和寫在聖經上的話來講解聖經。
一大部份的猶太人也到會堂去，但他們並非誠心實意地信靠和順從 神。
一他們把這些當作文化活動和習俗的一部份，並不是眞心誠意地敬拜 神。

## J.敬虔的猶太信徒

主題：人必須憑著信心來討 神的喜悅並得著拯救

主題：人只可依神的旨意和計劃來親近祂

他們當中還是有少數人相信， 神藉祂的使者傳揚祂的話語。
一他們信靠 神並遵行祂的命令。
一神因他們的信而悅納他們。
一比較：
*他們就像亞伯、挪亞、亞伯拉罕和其他願意承認自己是罪人的，信靠 神的憐憫和赦免。*
一他們等待 神所應許的拯救者，這位拯救者要救他們脫離撒但和罪的刑罰。（註七）

註七：
正如撒迦利亞先知所說，當時在舊約的聖徒們已經明白，這位將要來的拯救者要救贖全人類的目的（路一76-79）.

—神要差遣拯救者的應許已有數千年之久，但他們知道拯救者必按 神所定的時間來。

—思想：

*我們像那一批人？我們像那些不願意相信 神的以色列人，還是像那一小撮聰明地選擇了相信 神的話，和信靠 神的人？*

## K.結論

以色列人的不信和否認 神的應許令 神相當難過。

神在詩八十一篇十三、十四及十六節說：*「甚願我的民肯聽從我，以色列肯行我的道；我便速速治服他們的仇敵，反手攻擊他們的敵人…必拿上好的麥子給他們吃，又拿從磐石出的蜂蜜叫他們飽足。」*

神確實因以色列而痛心，但祂沒有改變祂的計劃，也沒有忘記祂的應許。

今天，祂要把恩典和憐憫廣施全世。

祂已建立一個普世的語言、通達的道路網和世界各國的都會中心。

祂作了一個管道，使全人類可以聽聞那承諾已久拯救者的喜訊。

**問題：**

1.爲何 神要差遣使者？

*因爲 神愛世人，祂盼望他們明白眞理，脫離撒但的權勢、罪和死亡的威脅。*

2.當時 神的先知向以色列說甚麼？

*先知們勸諭以色列人要悔改、除去偶像，單要信靠 神。*

3.若他們不悔改， 神說祂要如何懲治他們？

*神說祂要讓亞述人擄掠以色列國，讓巴比倫人摧毀耶路撒冷。*

4.神有沒有改變？

*沒有。 神仍是不變，祂要懲罰凡敬拜或事奉除祂以外其他人事物的人，因爲只有祂才是永活的眞 神。*

5.雖然事距數千年， 神有沒有忘記祂要賜下拯救者的應許？

*沒有， 神沒有忘記。*

6.神給誰更多有關拯救者的資料？

*神的先知們。*

7.這些事記載在何處？

*它們記載在聖經當中。*

8.大部份的以色列人對 神和祂的先知採取甚麼態度？

*a.他們逼迫和害死 神的先知。*

*b.他們繼續敬拜偶像。*

*c.他們隨從鄰國的惡行。*

9.以色列人有沒有繼續上聖殿去獻祭和敬拜 神？

*有。*

10. 神喜悅他們嗎？祂有沒有接納他們的獻祭和敬拜？

*沒有。*

11.爲何 神不悅納大多數以色列人的敬拜和獻祭?

*因爲他們只在嘴唇上敬拜 神，他們的心根本不願意悔改和信靠神。*

12.誰可參透我們的心思意念?

*神。*

13.神說我們是怎樣的人?

*神說我們都是罪人，不能討祂喜悅。*

14.神有沒有悅納任何以色列人?

*有， 神悅納了凡願意向祂承認自己是罪人，和信靠 神賜憐憫和恩典的人。*

15.這些相信的以色列人在等候誰?

*他們在等候 神所應許的拯救者，這位拯救者要救他們脫離撒但和罪所帶來的刑罰。*

16.神容許何事發生在北國的十個支派身上?

*神容許亞述人擄掠他們。*

17.神容許何事發生在耶路撒冷和南國的兩個支派身上?

*神容許巴比倫人摧毀耶路撒冷和擄掠那兩個支派。*

18.以色列人有沒有回歸他們的本土?

*有，當他們悔改的時候， 神就把他們中間的一些人領回耶路撒冷。*

19.他們回歸耶路撒冷後作了何事?

*他們重建耶路撒冷、城牆和 神的聖殿。*

20.從此，以色列人的新名稱是什麼?

*他們現在被稱爲猶太人。*

21.猶太人也曾被甚麼人統治?

*希臘人和羅馬人。*

22.羅馬人敬拜誰?

*他們敬拜很多假 神和他們的該撒大帝。*

23.會堂是甚麼?

*那是猶太人在他們所居住的城鎮中建立的會堂，他們在其中教導舊約聖經，猶太人每週的最後一天在該處聚首。*

24.在猶太人中有沒有像亞伯拉罕、以撒、雅各、摩西和大衛一樣眞心相信 神的人?

*有。他們當中承認自己是罪人、願意信靠 神。他們依照 神吩咐摩西的方式，帶動物和流血的祭來親近 神，他們等候 神差遣拯救者。*

# 第三十課　神預言施洗約翰和耶穌的誕生

參考經文

## 課前預備

此段只供教師使用

左列的各參考經文有助於你準備這一課。但因經文帶出的眞理有些會在稍後課文中講授，故不宜於此立刻講解這些經文。

**請注意：若你沒有教授過本書課文，請詳讀書前『教師必讀』部份。**

經文：路一5-17,24-38

### 本課目的：

說明耶穌是 神位格中的子神，說明耶穌是 神的兒子。

說明耶穌就是 神應許的拯救者。

### 本課可幫助學生：

明白 神實踐了祂的應許賜下拯救者。

明白 神親自成爲了那位拯救者。

明白在 神沒有難成的事。

### 教師的觀點：

近年來很多所謂「學者」否認耶穌是由童女懷孕而生的事實。這也難怪！在明白童女懷孕生子以前，必須要接受 神是聖潔和全能的。

我們身處一個高舉人和肉體情慾的世界，很多人不願思想聖潔的問題，因爲這正好揭露他們的罪。人更因著抬舉自己而否認這位創造人類、全能的 神。

我們現在有權利教導 神的眞理。而基督爲童女所生，正是這眞理之中的一個要點。 神從創世記至啓示錄宣告自己的神聖，因此我們的救主萬不可能出自罪人亞當的後裔，只有從聖潔的 神而來聖潔的子，才可以成爲沒有瑕疵的羔羊，代替我們死。

我們很榮幸，可以在舊約聖經上豎立眞理的根基。現在我們更榮幸可以介紹這位奇妙的拯救者耶穌基督，祂是 神，亦是 神的兒子！

### 視覺教材：

圖畫第五十號「在聖殿中的撒迦利亞」

圖畫第五十一號「天使加百列向馬利亞顯現」

圖表：「亞當——罪人」（這圖表曾於第十一課被採用）及「神——聖潔」

這些圖畫可於課前製成海報，因你在日後仍會用上。它們的內容也很簡單，故此你亦可在授課時寫在黑板上。

## 課文概覽

**本課宣告約翰和耶穌的誕生，證實了祂對先知的預言，也顯明了祂是信實和不改變的神。祂賜下約翰，照祂曾應許的差遣拯救者耶穌來。如此可以證明 神的尊貴、聖潔和全能。**

**耶穌基督是子神，又是 神的兒子。祂不是從人所生，乃是神聖潔無罪的兒子，亦是從大衛後裔中出來的王。**

馬利亞只是一個普通的女信徒，她像其他人一樣是一個需要救主的罪人。她被 神揀選爲耶穌肉身的母親。

## 授課要點

此課程特爲非信徒安排，故授課時務要奠定聖經基礎，以爲日後傳福音的根據。若你班上有信徒參予，則授課的目的是使他們明白信仰的根基，以致日後他們亦可運用同樣教材去教導未信的人。

**課文信息要明確簡潔，切忌節外生枝！**

請注意這課程是有範圍和有主題的聖經研讀，並非徹底深入的聖經鑽研，亦非漫無邊際的小組討論。**請依照主題帶領討論，以保持課程進度。切記緊依大綱，突出教義主旨。**

課程編排形式：每一頁的中間部份是教授學生的內容，粗體字的標題只供教師參考，不需口誦，因爲標題內容會在接著的課文大綱提及。至於左右兩欄所列的經文是給教師作參考之用，不宜在課堂上詳授。

## 教授學生的內容（中間部份）

### 課文大綱：

複習第廿九課問題

### A.序言

最後一位 神的傳話者是瑪拉基。

*在圖表上指出瑪拉基。*

讓我們翻開瑪拉基書，這是舊約最後一卷書。我們將在本課中經常參考這卷書，請保持瑪拉基書的標示位置。

一瑪拉基提醒猶太人， 神所應許的拯救者將要來拯救他們。

一他亦告訴他們，在拯救者來臨以前， 神要差派另一位先知。

一這位先知的工作，就是要教導百姓，預備迎接救主。

瑪三1；四5-6

在瑪拉基以後， 神有四百年之久沒有藉任何先知傳話。

正如我們在前課所述， 神在這「緘默年代」仍不斷進行祂的工作。

在圖表上指出「緘默年代」

在不爲人所知的寂靜年間， 神積極地預備差遣救主到世上來，完成祂偉大的應許。（註一）

註一：
祂使希臘語成爲世界各地的通用語言。

祂藉羅馬的道路網貫通遙遠的城鎮。

祂散佈祂的子民到不同的地方建立會堂，在那裡教導祂的話語。

那日子終於臨到。

創三15

神要開始履行，祂最先在伊甸園所許下的承諾。

現在，讓我們以一對年老的猶太夫婦的故事作爲我們研讀新約的開頭，他們相信 神並等候著 神應許的實現。

## B.神應許撒迦利亞和以利沙伯要生一個兒子。

主題：人必須憑著信心來討 神的喜悅並得著拯救

主題：人只可依 神的旨意和計劃來親近祂

閱讀：路一5，6

撒迦利亞和他的妻子以利沙伯都是相信 神話語的猶太人。
一他們依照 神給摩西的命令在聖殿獻祭。
一他們信靠 神，並按照 神的吩咐親近祂，因此 神悅納他們，正如昔日悅納亞伯和所有從創世以來信靠祂的人。

閱讀：路一7

撒迦利亞和以利沙伯年紀已經老邁，但他們還沒有兒女。

閱讀：路一8-10

撒迦利亞是耶路撒冷聖殿中的一位先知。

主題：神與人對話

在圖表上指出「約翰」

請注意當撒迦利亞在聖殿中履行他祭司職務時所發生的事。

閱讀：路一11-14

*建議視覺教材：*

圖畫第五十號
「撒迦利亞在聖殿中」

天使應許撒迦利亞要生一名兒子，他要給兒子起名叫約翰。

## C.約翰的工作是要爲拯救者預備道路

主題：神無所不在，祂洞悉萬有

主題：神是信實的，祂永遠不會改變

閱讀：路一15-17

神在以利沙伯懷孕以前已完全認識撒迦利亞的兒子。
—在萬事發生以前，神已經洞悉一切。
—同樣地，在父母還沒生下我們以前， 神已經對我們有透徹的認識。

詩一三九 13-16

神早已藉著瑪拉基先知預言撒迦利亞的兒子約翰。
神不但透過先知預言很多事情，祂並要實現一切的應許。

閱讀：瑪三1

在約翰出生前四百年， 神已經吩咐瑪拉基先知預言祂的使者—約翰的來臨！

主題：耶穌基督是 神

撒迦利亞的兒子將成爲先知，預備百姓的心迎接將要來的拯救者。
天使說撒迦利亞的兒子要在拯救者降臨以前爲祂預備道路。
天使稱呼將要來的拯救者爲「主」。
那位拯救者，人類的救主，正是 神自己！

閱讀：路一24，25

以利沙伯知道是 神使她可以懷孕。
—她充滿感謝和喜悅。
—當時，猶太人看不起沒有兒女的夫婦。
—現在撒迦利亞和以利沙伯要在年老時得著一個兒子！

## D.神應許賜馬利亞一個兒子

主題：神是信實的，祂永遠不會改變

現在正是時候了， 神要實現祂賜拯救者的諾言。
請聽 神怎麼說。

主題：神與人對話

閱讀：路一26-31

*建議視覺教材:*

圖畫第五十一
「天使迦百列向馬利亞顯現」

神差遣一名天使告訴童女馬利亞， 神揀選她成爲拯救者的母親。
馬利亞只是一位普通的女子，雖然她也是罪人，但她信靠 神。（註二）

註二：
在你班上可能已有學生被其他人教導，認爲馬利亞是無罪的人。請勿正面討論同學們已有的觀念，只須簡單的告訴他們，馬利亞稱 神爲救主（路一47），說明她亦需要 神從罪裏拯救她，聖經上說：「世人都犯了罪」（羅三23）。

詩一一五3；一三五5-6

主題：神是至尊且掌權的

賽四十五21,22

神揀選馬利亞作爲拯救者的母親是因爲 神可以按祂的旨意成就萬事。
神是掌權的 神。
祂不需要徵求別人的意見或向任何人交代。

主題：神是信實的，祂永遠不會改變

約三16

主題：神滿有慈愛、憐憫和恩典

馬利亞的兒子就是那位應許的拯救者。
祂的名字稱爲耶穌，就是救主或拯救者的意思。
神從來沒有忘記祂要差派一位拯救者的應許。
神愛世上所有的人，祂要罪人免去他們應得的刑罰。

在圖表上指出「耶穌」的名字。

## E.馬利亞的兒子是 神的兒子取了人的樣式

主題：耶穌基督是 神
主題：耶穌基督是人

天使迦百列亦對馬利亞說及她兒子的奇事。

閱讀：路一32
馬利亞的兒子不但是藉著她所生的孩子，更是至高 神的兒子。
神在六百年前已將這些事曉喻祂的先知以賽亞。

閱讀：賽九6-7
神的兒子耶穌有不同的名字。
耶穌是祂成爲人樣式的名字，是人的名字。

—解釋:

*當我們開始一同研讀聖經的時候，我們曾經討論過三位一體的觀念（註三）。我們知道神只有一位，祂是一位揉合三重位份的 神。 神的三重位份就是聖父、聖子和聖靈，這三個位份是同等的。*

*聖父、聖子和聖靈沒有像人類般的軀體，因爲 神是靈，不需要人的身體。然而救主卻需要成爲我們的樣式，但祂是無罪的。*

*神要賜拯救者的應許終於實現，祂爲了拯救人的緣故成爲了人的樣式。*

*神藉著馬利亞把拯救者生在世上，拯救者就是子神的位份，祂從天上來，成爲馬利亞的兒子樣式降臨到世上。馬利亞的兒子匯合了神和人在一身。*

這兒子耶穌是完全的人，也是完全的 神!

主題：神是信實的，祂永遠不會改變

天使更告訴馬利亞，拯救者必從大衛王後裔而出，祂要成爲以色列的王。

—祂永遠爲王。

閱讀：路一32下,33

—神要實現祂對大衛王的應許。

神遵守了祂的諾言。

## F.拯救者耶穌沒有肉身的父親

閱讀：路一34

馬利亞不明白，爲何她的嬰兒不須肉身的父親就可成形。

閱讀：路一35

天使說明聖靈要施行這項奇蹟。

主題: 耶穌基督是聖潔公義的

主題: 耶穌基督是神

正因耶穌沒有肉身的父親，祂生下來就沒有罪。

亞當的後裔中沒有一人是聖潔公義的。

—世人都繼承了從亞當而來的罪。

—因爲亞當的罪世代相傳，因此我們生下來就是罪人。

*建議視覺教材:*

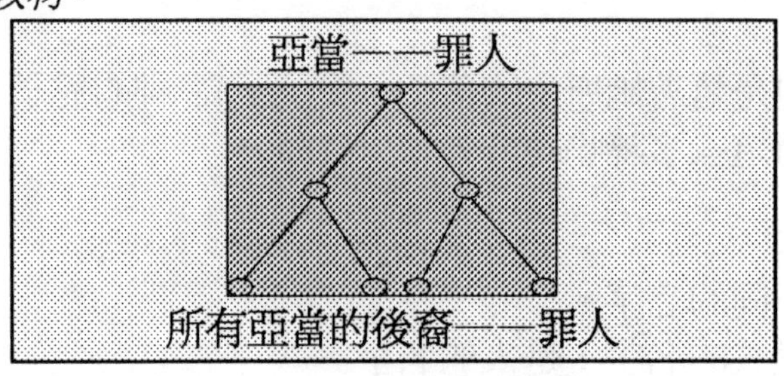


註三:
學生當中可能有不相信三位一體者，在此情況下，切勿與他們爭辯，或硬要解釋三位一體。請簡單地告訴他們這是聖經的話，因三位一體的觀念貫通於整本聖經。

倘若他們有興趣查考聖經在這方面的說法，請與他們另約課堂以外的時間詳談。在詳談以前，請作充份預備，盡可能搜集資料及找尋援助，爲要清晰地說明聖經中有關三位一體的說法。

請爲他們禱告，切忌與他們辯論。倘若他們堅持要在課堂辯論，那就只好請他們離開。

但 神是耶穌的父親
—神是完全、聖潔、無罪的。
—耶穌不繼承從亞當而來的罪。
—耶穌是 神的兒子，祂是完全、聖潔和無罪的!

*建議視覺教材:*

| 神 —聖潔<br>神的兒子耶穌—聖潔，無罪 |
|---|

主題: 神是全能的 神

閱讀：路一36，37

—思想:

*童女懷孕生子是不可能的事，正如以利沙伯在年老時還能有孩子約翰也是不可能之事。但在 神凡事都可能，因爲 神可以成就萬事。*
*神用地上的塵土造出第一個人-亞當， 神也給每一個人生命。神給馬利亞懷這個嬰孩，這孩子不需肉身的父親，對 神而言，那不是件難事。正如祂也給年老的以利沙伯生子一樣。神能行各樣的事！*

主題：人必須憑著信心來討 神的喜悅並得著拯救

閱讀：路一38

馬利亞信靠 神，並接受了 神的旨意要她作救主肉身的母親。

## G.結論

這位救主是誰?
耶穌
—就是在伊甸園宣告出來的那一位。
—大衛的後裔。
—救主。
—神聖潔的兒子。
—子神。
—道成肉身的 神: 具有 神聖潔、無罪的本性。

我們將在下一課討論， 神不斷地進行祂所預言的一切事。

問題:

1.撒迦利亞爲兒子取名叫什麼?
*約翰。*

2.約翰的工作是什麼?
*約翰要預備猶太人的心來接受和信靠拯救者。*

3.馬利亞的兒子將出自誰的後裔?
*大衛王。*

4.爲何拯救者該是大衛王的後裔?
*因爲 神曾經應許大衛，拯救者要出於他的家族。*

5.爲何拯救者要由童女所生?
*這樣祂不會像我們一樣繼承了亞當的罪。*

6.馬利亞的兒子叫做甚麼?
*耶穌。*

7.耶穌這名字的意義爲何?
*耶穌就是救主或拯救者的意思。*

8.耶穌不只是人，對嗎?
*對，耶穌是子神，祂要按照 神的計劃從天而降，以人的樣式生在世上。*

9.耶穌何以不用藉著肉身的父親而生?
*神是全能的，祂萬事都能作。*

10.耶穌是不是應許中的救主?
*是的，耶穌就是 神從起初在伊甸園所應許的救主。*

11.誰是新約的作者?
*神。*

# 第三十一課　神履行有關施洗約翰和耶穌的諾言

參考經文

## 課前預備

此段只供教師使用

左列的各參考經文有助於你準備這一課。但因經文帶出的眞理有些會在稍後課文中講授，故不宜於此立刻講解這些經文。
請注意：若你沒有教授過本書課文，請詳讀書前『教師必讀』部份。

經文：太一1-2;路一57,67-80

### 本課目的：

說明 神實踐了祂的諾言。
說明耶穌基督是唯一的救主。

### 本課可幫助學生：

明白世上只有一位救主。

### 教師的觀點：

在這個時代，新聞傳播媒體替不少假先知作報導，於是人們喜歡談論這些騙子，並揣測他們的預言會不會眞的實現。倘若預言沒有實現，那些人便會取笑他們。

人們很容易把他們眼所觀察的事物套入 神和祂的話語中，他們雖然親耳聽聞 神的話語，但他們心中不一定明白和相信。因此，我們授課時必須著重說明 神的話語**必然**應驗的眞理，並 神的話語中每一點一滴都是眞確的。

請為同學們禱告，好讓聖靈在他們心中動工，叫他們聽了神的話語以後可以明白而相信。

### 視覺教材：

・*預言圖表*

請在課前預備一幅圖表列出舊約中有關基督的預言，此圖表將於本課起常被採用。為方便預備，此表已印於本課後面，倘若班上不是太多學生，則可直接採用已印好的圖表（或剪下來貼在紙板上），倘若班上人數多的話，可先將圖表不同部份放大，然後貼在海報上，或是自行設計圖表，以迎合班上的需要。無論如何，應以各學生能清晰地看見圖表為標準。

授課前請先覆蓋圖表，待講授時才把個別預言展示，若預先展示整幅圖表，某些同學可能會要求討論一些尚未涉及的預言。

## 課文概覽

**本課說明 神履行祂的應許，並賜下約翰。我們可以從撒迦利亞的預言中得知：他兒子來是為拯救者預備道路。我們並從先知那裏知道更多有關拯救者耶穌基督的事情：**

一神要藉著耶穌應驗祂對亞伯拉罕的應許。
一祂就是 神。
一祂要解釋人可以獲得拯救的方法。
一只有祂才是全世界的救主；換句話說，全人類只有一位救主。

本課將採用預言圖表。

耶穌是神的受膏者——祂是先知、祭司和君王。

當論及某預言應驗之時，請將參考經節寫在適當的空位上，好讓同學們看見，神如何循序漸進地在耶穌基督身上履行祂在舊約所應許的諾言。請在可能範圍內將圖表留在牆上，藉以提醒同學神的信實。

・有關耶穌基督的視覺教材（將在課文中詳述）。

## 授課要點

此課程特為非信徒安排，故授課時務要奠定聖經基礎，以為日後傳福音的根據。若你班上有信徒參予，則授課的目的是使他們明白信仰的根基，以致日後他們亦可運用同樣教材去教導未信的人。

**課文信息要明確簡潔，切忌節外生枝！**

請注意這課程是有範圍和有主題的聖經研讀，並非徹底深入的聖經鑽研，亦非漫無邊際的小組討論。請依照主題帶領討論，以保持課程進度。切記緊依大綱，突出教義主旨。

課程編排形式：每一頁的中間部份是教授學生的內容，粗體字的標題只供教師參考，不需口誦，因為標題內容會在接著的課文大綱提及。至於左右兩欄所列的經文是給教師作參考之用，不宜在課堂上詳授。

## 教授學生的內容（中間部份）

### 課文大綱：

複習第三十課問題

### A.序言

神必定履行祂所許下的諾言。
—即或諾言看來如何艱難又不可能實現。
—即或諾言要經過千百年的等待。
—神要徹底地履行祂的諾言。

### B.約翰出生

主題：神是信實的，祂永遠不會改變。

閱讀：路一57

神履行祂對撒迦利亞的應許。
撒迦利亞和他的妻子以利沙伯得了一個兒子，他們按照天使的吩咐給他起名叫約翰。
你可否想出 神履行諾言的其他例子？（註一）

註一：
請給同學們足夠的時間回答這些問題，看看他們可否記起一些神履行諾言的例子：
—祂向亞當和夏娃所發出的警告。
—祂向挪亞時代的百姓所發出的警告。
—祂應許亞伯拉罕要賜給他後裔。
—祂在夢中應許約瑟有一天他要成為領袖。
—祂應許摩西要帶領以色列人出埃及並且帶領他們回到西乃山。
—倘若以色列人按神的吩咐過逾越節，祂應許保全他們免於遭受埃及的第十個災害。
—祂答允以色列人要把他們領進應許之地。
—祂警告以色列國和猶大國，倘若他們不悔改祂必使他們成為敵人的階下囚。

## C.撒迦利亞相信 神要賜下拯救者的應許即將實現

主題：人必須憑著信心來討 神的喜悅並得著拯救

閱讀：路一67-79

撒迦利亞知道 神所應許的救主快要臨到世上拯救人類脫離撒但、罪惡及死亡。
—撒迦利亞相信這是神賜給眾先知的訊息。
—聖靈使用撒迦利亞對舊約的認識來確認這應許快要應驗。
—思想:
*我們每一位都需要得拯救脫離撒但、和控制我們的罪惡、以及永遠與 神隔絕的死亡。 神正是爲這緣故差遣救主到世上來。*

主題: 神是信實的，祂永遠不會改變

再閱讀：路一72-75

亞伯拉罕是以色列民族之父。
你還記得嗎？在亞伯拉罕遷居迦南以前， 神就應允他救主必從他的後裔中出來?

閱讀：創十二3:
「*爲你祝福的，我必賜福與他; 那咒詛你的，我必咒詛他，地上的萬族都要因你得福。*」（註二）

註二:
請限於討論有底線部份，請勿偏離主題去討論本節的其他部份。

雖然 神向亞伯拉罕立下這應許後已歷經數千年之久，但祂始終沒有忘記祂的應許。
神必完全依照祂自己所說的去行。

## D.約翰要預備以色列人的心來相信拯救者

主題：人必須憑著信心來討 神的喜悅並得著拯救

主題：神與人對話

再閱讀：路一76

聖靈向撒迦利亞說話，撒迦利亞相信祂。
—撒迦利亞受聖靈的感動預言有關他兒子約翰的事。
—約翰要成爲預備救主道路的先知。
—他要向以色列宣告救主快要降臨的消息。

主題: 耶穌基督是 神

這位拯救者和救主，約翰爲祂預備道路的，就是 神自己。
—普通人不能拯救我們脫離撒但、罪惡和死亡。
—神拯救一切相信祂的人，祂是偉大的救主。
—回想：（註三）

*是誰拯救了挪亞一家免受洪水的淹沒？是誰解救以撒，用一隻公羊替代他而死？是誰拯救羅得脫離所多瑪和蛾摩拉的毀滅？是誰把約瑟從埃及的牢獄中拯救出來？是誰在紅海的邊緣救拔了以色列人脫離法老軍兵的追殺？是誰在沙漠中賜飲食給以色列人，使他們得以存活？只有 神，才是偉大的拯救者。*

除了神，再也沒有任何救主。

賽四十五22
徒四12

閱讀：賽四十三11

—思想：

*今天，人們喜歡自以爲是能幹而重要的人物，他們喜歡誇耀自己是最受歡迎、最聰明、最有才幹、最偉大、最富有或是最有能力的人。*

*撒但要我們注意這些東西，那麼我們便無暇聽 神的話和信靠祂了。*

耶九23-24

*即或有人舉世知名、聰明伶俐、才華出眾、節節獲勝、家財萬貫，甚至作總統或君王，他仍然不能拯救自己脫離罪惡所帶來的刑罰！只有 神才可以做得到，因爲他是人類唯一的拯救者和救主！*

主題：神滿有慈愛、憐憫和恩典

主題：神是聖潔公義的，祂命定罪的代價就是死亡

再閱讀：路一77

撒迦利亞說，當救主降臨以後，祂要指示祂的百姓，他們的罪如何得著赦免。

在罪的代價尚未清還以前， 神不肯，也不能赦免罪。
—罪的刑罰就是永遠與 神隔絕。
—那麼罪的代價如何清還？（註四）
—罪人如何得赦免並脫離永遠的刑罰？

撒迦利亞說救主將會完滿及明確地解答這些問題。

再閱讀：路一78-79

拯救者來到將如同旭陽朝升。

註三：
這樣的複習是十分重要的。這可提醒同學們聖經的主題是貫通一脈的，並且 神是永不改變的 神，祂至今仍是舊約時代的 神，祂並且不變直到永遠。

盼望有一天同學們都能成爲基督徒，信靠永恆不變的 神，且在面對壓力和生命中的考驗時，可以藉著聖靈的帶領回想起這些經文，作爲他們的幫助。

註四：
請勿急著講述福音，但要敏銳地觀察他們，隨時預備在適當的時候向有興趣的同學分享福音。

一比較:

*假若你在樹林中迷路，你的感覺如何? 當日落以後，你不但迷了路，甚至不知道自己身處何方，這時，你可能迫切地盼望太陽快點升起，以便找到逃生之路。*

*同樣地，亞當和夏娃因著犯罪的緣故把我們帶入黑暗當中，他們本來在伊甸園中依靠神的供應，享受安逸。可是，當他們犯罪以後，罪使他們與 神隔絕。他們被 神逐出樂園後，進入了黑暗，活在撒但不斷地攻擊的危險裏。*

*從此，他們的兒女與所有的後裔，包括你我，也生在黑暗中。*

但 神預備了一條出暗入明的道路。

一撒迦利亞說拯救者來到世上要成爲全人類的光。
一拯救者的降臨有如黑夜後初升的旭日，照亮世上所有的人。

主題: 耶穌是唯一的救主

一比較:

*這地球有多少個太陽? 只有一個。單單一個太陽足以照遍整個世界。*
*神應許賜幾位拯救者來到世上?*
*只有一個。*

賽四十三 10,11; 四十四6; 四十五 5,6,21,22
約三16
徒四12
羅三 22,23,29,30
提前二5
啓五9

神沒有賜下好幾位拯救者，以其中一位拯救我們，另一位拯救世上其他地方的人。
一神只應許賜下一位拯救者，使我們可以藉著祂到神的面前。（註五）
一祂要像初昇的旭日「照亮」這個世界。

註五:
這是一個重點：很多人認爲，不應該以耶穌基督是唯一可以到神面前的道路，他們認爲只要「信個宗教」便可。

請勿在此深入討論。只要告訴同學們，聖經中說到 神只應許賜一位拯救者給全人類，並告訴他們這題目將於日後的課堂中再作探討。

閱讀：路一80

約翰住在曠野，直等到 神給他適當的時候，便出來向以色列人傳講 神的信息，預備他們的心迎接拯救者。

主題：人必須憑著信心來討 神的喜悅並得著拯救

主題：人只可依 神的旨意和計劃來親近祂

約翰相信 神。

他承認自己是罪人，但他卻帶牲畜和所流的血獻爲祭來到 神面前。
一他信靠 神可以拯救他脫離永遠的審判。
一約翰信靠那位將要臨到的拯救者。
一約翰成爲最後一位向以色列人宣佈耶穌基督降臨的先知。

## E.神履行了有關拯救者耶穌的諾言

主題：神是信實的，祂永遠不會改變

閱讀：太一1,2

那位將要降臨的拯救者耶穌出於亞伯拉罕、以撒、雅各及大衛的後裔。
神應允他們拯救者必要從他們的族系中出來。
神在過往數百年中已向先知們曉喻有關救主降臨的訊息。

指向預言表，只需要顯示題目。

我們將使用這表來記錄 神應驗了要發生在拯救者身上的事情。
神在救主來到世上以前已經一切策劃周詳。
—解釋：

*當我們研讀舊約的預言時，我們發現大部份有關拯救者的預言都是放在其他的事件當中。這些預言常常指出一件不久就要發生的事情，又指出一件在未來數百年後才要發生的事情。那不久就要發生的事情一般在發預言的先知離世以前便已應驗，爲要讓當世的人知道那位先知是 神所差派的，因他所預言的事情，盡都應驗。*

彼前一10-12

*這些先知不完全知道預言要如何應驗。他們只是傳揚並記下神給他們的話語。*

*今天，當我們回顧這些預言的時候，我們發覺當中連最細微的部份都應驗在耶穌基督身上。*

閱讀：賽九7

**指向預言表**，顯出第一則預言「成爲大衛的後裔」。在賽九7相對的空格上填上太一1。閱讀預言及它如何應驗。
這是 神履行祂對大衛所許下的諾言及應驗祂對以賽亞先知所說的話。

主題：耶穌是唯一的救主

耶穌亦被稱爲基督。
—希臘文「基督」就是「受膏者」——就是被 神分別出來要完成特別使命的人。
—希臘文的「基督」是從希伯來文的「彌賽亞」翻譯而來。
—祂是 神所膏立用來執行三個特別的與最高的任務。
—祂是神所立的**先知、祭司和君王**。

*視覺教材:*

| 耶穌基督 |
|---|
| 神所膏立者 |
| 先知 |
| 祭司 |
| 君王 |
| 罪人的拯救者 |

耶穌以 神**先知**的身份來到世上，要告訴萬民 神爲他們預備那條脫離撒但、罪和永遠刑罰的道路。
神亦差派耶穌作那位最後的且最崇高的**大祭司**。
正如我們以前所說，大祭司的職責就是每年一次帶著祭物的血進入至聖所，求 神赦免百姓在過往一年所犯的罪。
再者，耶穌要承續大衛王成爲統治的**君王**

只有耶穌才是 神所應許的基督，是 神所膏立者。
—沒有人可以名正言順地宣稱這個位份。
—耶穌基督是 神所應許的，是罪人唯一的救主。
—神只差派一位救主到全世界。

**F.結論**

神履行了祂的諾言。
只有祂才是 神。
只有祂才可以拯救人類脫離罪惡。

**問題:**

1.神要約翰作甚麼?
*神要約翰走在拯救者蒞臨以前，預備百姓的心來迎接和信靠祂。*

2.撒迦利亞預言拯救者將要作何事?
*撒迦利亞預言拯救者將要:*
*a.應驗 神向亞伯拉罕、以撒、雅各和藉眾先知的口所傳揚的應許。*
*b.向祂的百姓顯示那條脫離撒但、罪和永遠刑罰的唯一生路。*
*c.好像初昇的旭日，要光照凡在黑暗中的人，就是要指引百姓如何脫離對死亡的恐懼。*

3.撒迦利亞如何獲悉神的計劃?
*撒迦利亞閱讀和相信 神藉先知傳揚的話。*

4.在世上不同的角落是否有不同的救主存在？
*不是， 神只差遣一位救主到整個世界。*

5.耶穌的名字「基督」該作何解?
*這名字的意義是「受膏者」。*

6.神要把耶穌分別出來作那三件要事?
*神要差派耶穌作祂最偉大的先知、最後和最偉大的祭司及永遠的君王。*

7.猶太人中那一位偉大君王是耶穌的前人?
*大衛。*

8.「彌賽亞」一詞應作何解?
*這詞相等於「基督」。「彌賽亞」是希伯來文，而「基督」則是希臘文。*

# 神說明將要發生在拯救者身上的事情

| | | |
|---|---|---|
| 賽九7 | 成爲大衛的後裔 | |
| 賽七14 | 藉童女所生 | |
| 彌五2 | 生於伯利恆 | |
| 何十一1 | 逃往埃及 | |
| 賽十一2 | 祂的性格 | |
| 賽五十三4-5 | 爲他人受苦 | |
| 詩四十一9 | 被朋友出賣 | |
| 亞十一12-13 | 以三十兩銀子被賣 | |
| 詩廿七12 | 被假見證人誣告 | |
| 賽五十6 | 被擊打苦待 | |
| 賽五十三7 | 被控訴時保持緘默 | |
| 賽五十三3 | 被猶太人拒絕 | |
| 詩六十九4 | 被人無理地憎惡 | |
| 詩廿二16 | 祂的手腳被刺傷 | |
| 詩廿二18 | 祂的衣裳被人拈鬮 | |
| 賽五十三12 | 與罪犯同死 | |
| 詩廿二6-8 | 被嘲笑和侮辱 | |
| 賽五十三9 | 與財主同葬 | |
| 詩十六10 | 復活 | |
| 詩六十八18 | 升回天上 | |

# 第三十二課　藉著拯救者耶穌，神履行了祂的諾言

參考經文

課前預備

此段只供教師使用

左列的各參考經文有助於你準備這一課。但因經文帶出的真理有些會在稍後課文中講授，故不宜於此立刻講解這些經文。

請注意：若你沒有教授過本書課文，請詳讀書前『教師必讀』部份。

經文：太一18-25;二1-15,19-23；路二40,52

## 本課目的：

說明神實踐了祂的諾言。

說明耶穌基督是唯一的救主。

說明耶穌基督是 神的兒子。

說明耶穌基督是 神。

說明耶穌基督是聖潔公義的。

說明耶穌基督是人。

## 本課可幫助學生：

明白 神如何奇妙地履行祂的諾言。

認識耶穌是誰。

## 教師的觀點：

耶穌基督降生的故事（或被稱爲「聖誕的故事」）在西方的社會中是耳熟能詳的，大部份人可能最熟知嬰孩耶穌躺臥在馬槽裡可愛的景像。

本課將要講述嬰孩睡在馬槽裏之外更多的故事；我們要講述神親臨人間，這位大能的 神、所應許的拯救者和罪人的救主!

嬰孩耶穌的故事可以感動男女老幼。但這個作爲世人救主嬰孩耶穌的完整故事，是一個有關 神賜下赦免和永生給所有相信者的故事。

當我們作爲教師的去研讀 神的話語時，願我們的心再一次被救主的眞理挑旺更新。當我們心中充滿驚訝和讚嘆時，願我們能靠著聖靈，以愛心和能力來敘述祂的故事。

## 視覺教材：

圖畫第五十三號「天使對約瑟說話」

圖畫第五十四號「耶穌降生」

圖畫第五十七號「東方博士」

圖畫第五十八號「逃往埃及」

第三十課的圖表「亞當——罪人」及「神——聖潔」

地圖第二及第三號

預言圖表

課文概覽

本課講述耶穌基督的降生，著重說明預言的應驗及基督的神聖——祂是 神的兒子，也是子神。

馬太福音第一及第二章以呼應舊約預言的形式記載了耶穌降生的事蹟，而路加福音第二章則記載了耶穌童年及祂長大成人的事蹟。

請加強說明各預言的應驗，並強調耶穌是神的兒子，是唯一沒有罪的人。世上的人都是亞當的後裔，故此都是罪人，唯有耶穌是聖潔無罪的。

## 授課要點

此課程特爲非信徒安排，故授課時務要奠定聖經基礎，以爲日後傳福音的根據。若你班上有信徒參予，則授課的目的是使他們明白信仰的根基，以致日後他們亦可運用同樣教材去教導未信的人。

**課文信息要明確簡潔，切忌節外生枝!**

請注意這課程是有範圍和有主題的聖經研讀，並非徹底深入的聖經鑽研，亦非漫無邊際的小組討論。請依照主題帶領討論，以保持課程進度。切記緊依大綱，突出教義主旨。

課程編排形式：每一頁的中間部份是教授學生的內容，粗體字的標題只供教師參考，不需口誦，因爲標題內容會在接著的課文大綱提及。至於左右兩欄所列的經文是給教師作參考之用，不宜在課堂上詳授。

## 教授學生的內容（中間部份）

### 課文大綱：

複習第三十一課問題

### A.序言

拯救者—
救主—
耶穌基督—
有人說"歷史"就是「 神的故事」。
你有沒有發覺每當我們寫西曆日期的時候，我們都記念耶穌基督的誕生?
—例如主後【本年】就是從我們的主降生後【至本年】。
—我們把歷史劃分爲主前（B.C.）和主後（A.D.）。
耶穌基督是歷史的中心。

申廿二20,21

### B.約瑟的疑難

耶穌肉身的母親馬利亞本已許配了約瑟。
現在約瑟發現馬利亞竟然懷了孕，而自己卻不是孩子的父親。
—根據猶太人的傳統，約瑟可以公然休妻，而馬利亞則因爲懷有不是從約瑟而來的胎兒可被處死。
—但約瑟愛馬利亞，他計劃要暗暗的休了她。

閱讀：太一18,19

## C.神的使者向約瑟解釋

馬利亞有沒有親近其他的男仕? 沒有。
那麼她何以懷孕?
—她所懷的胎是 神所賜的。
—孩子就是神的兒子，從 神那裏降卑爲人，爲要成爲罪人的拯救者。

主題：神與人對話

神不要約瑟與馬利亞分離。
—約瑟是一位信靠 神的義人。
—他也是罪人，但祂按照 神所命定的方法得以親近 神。
—神要約瑟娶馬利亞爲妻，讓耶穌在地上有一位好父親。
—因此， 神差遣天使把馬利亞懷孕的眞相告訴約瑟。

*視覺教材*:

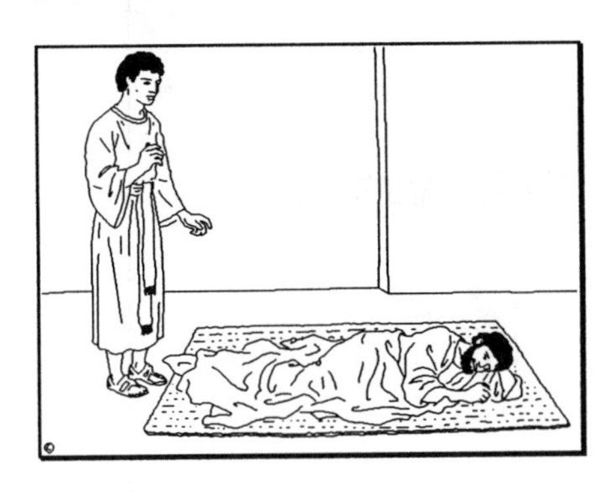

圖畫第五十三號
「天使向約瑟說話」

主題: 神滿有慈愛、憐憫和恩典
主題：人滿懷罪孽，不能自拔，需要 神的拯救

閱讀：太一20,21

耶穌降生到世上，是要拯救所有的罪人，解決因他們的過犯所帶來的刑罰。
祂來拯救一切向 神承認自己是個罪人，並且需要救主的人。

閱讀：太一22,23

主題: 神是信實的，祂永遠不會改變

先知曾預言救主必藉童女所生。

閱讀：賽七14

使用預言表:
指出「藉童女所生」這格，在賽七14相對的空格上塡上太一18-25。
讀這項預言及 神如何使它應驗。

—神沒有忘記他的應許。
—耶穌要藉童女而生。

**主題: 耶穌基督是 神**

耶穌既是 神，又是人，祂有很多不同的名稱。
—其中一個名稱是以馬內利，就是「 神與我們同在」的意思。
—也就是說明祂是 神，降尊爲卑，要住在世人當中。
耶穌是唯一的救主! 祂也是 神。（註一）
我們曾學到神是三位一體的 神。
—耶穌就是子神。
—何等奇妙！ 神親自成爲嬰孩的樣式來到世上。

註一:
很多異端都不相信耶穌是 神。切勿就此論點與同學們辯論，只要簡單地說明這是聖經的教訓。若有同學堅持要發表己見，請建議他與你另約時間討論，因爲課堂上只可討論 神寫在聖經上的話。

## D.約瑟的回應

主題：人必須憑著信心來討 神的喜悅並得著拯救

閱讀：太一24,25

約瑟相信神，接馬利亞到家裏作他的妻子。
—我們讀了這些話，卻很難領會到這對夫婦所面對的困難。
—但是他們信靠 神。

閱讀：太二1,2

在三號地圖上指出伯利恆。

正如先知在多年前所預言，耶穌生在伯利恆。

*建議視覺教材:*

圖畫第五十四號「耶穌降生」

耶穌生在世上，要作爲罪人的救主，要把他們從撒但、罪惡和死亡中拯救出來。

閱讀：彌五2

使用預言表:
指出「生於伯利恆」這格，在彌五2相對的空格上填上太二1。
讀這項預言及神如何使它應驗。

聖父、聖子及聖靈三位而一的 神是永遠長存的。
這位生在伯利恆的救主是聖子，祂是眞實的 神。
無限的神取了人有限的身體，住在人的當中。

## F.希律王的畏懼

主題：人滿懷罪孽，不能自拔，需要 神的拯救

閱讀：太二3,4

希律王像昔日埃及的法老王一樣，他不願意被他人統治。
希律擔憂這嬰孩長大後，他可能王位不保。

閱讀：太二5,6

正如我們剛才所讀的，祭司長和文士在彌迦書中獲悉拯救者將要降生的地點。

主題：耶穌基督是 神

閱讀：太二7-11

*建議視覺教材:*

圖畫第五十七號「東方博士」

出廿3
申五7

—思想:

*博士們敬拜耶穌是對的嗎?* （註二） *神在寫給摩西的律法中命定只有 神才配得人的敬拜。你認爲 神會不會因著這些博士敬拜耶穌而動怒? 不會，因爲耶穌是 神，他們應當敬拜祂。耶穌是 神，又同時是人。*

註二:
可能有人會問爲何圖中沒有馬槽。聖經告訴我們博士們進到『屋子』裡，並說明當時耶穌已是孩童而非初生嬰兒。

## G.神對博士和約瑟的警告

主題：神是信實的，祂永遠不會改變
主題：神與人對話
閱讀：太二12-15

神引導約瑟帶耶穌到埃及去，爲要逃避希律王想要殺害耶穌的計謀。
希律王和天上地下的其他勢力都不能左右 神要拯救祂百姓的計劃。

*建議視覺教材：*

圖畫第五十八號「逃往埃及」

在三號地圖上指出伯利恆，在二號地圖上指出埃及的位置。

耶穌被帶到埃及，應驗了先知在許多年前的預言。

閱讀：何十一*1*
使用預言表：
指出「逃往埃及」，在太二14相對的空格上塡上何十一1。
閱讀預言及 神如何使之應驗。

主題：神無所不在，祂洞悉萬有
祂洞悉希律的計謀。

## H.約瑟、馬利亞和耶穌回到拿撒勒

主題：神是信實的，祂永遠不會改變

主題：神與人對話

閱讀：太二19-22
希律王死後， 神派遣天使請約瑟和馬利亞帶耶穌從埃及返回以色列地。

閱讀：太二23
神應驗了祂藉先知的口所說的預言。
拯救者要住在拿撒勒城。（註三）

在三號地圖上指出拿撒勒的位置。

## I.耶穌在拿撒勒的童年

主題：耶穌基督是聖潔公義的

主題：人滿懷罪孽，不能自拔，需要 神的拯救
閱讀：路二40
耶穌由嬰孩長大成爲孩童。
祂的父 神在言行舉止上保守並帶領祂。
祂遵守了 神一切的命令。

註三：
雖然舊約先知中沒有直接提及拿撒勒城的預言，但這城因爲有一隊羅馬兵在那裡駐守而常被猶太人引爲笑柄。約翰福音一章四十六節說：「…拿撒勒還能出甚麼好的嗎？…」舊約的先知曾預言拯救者要被嘲笑、被藐視和被棄絕（詩廿二6及賽五十三3）。因此舊約的預言藉著當世人明白的方式應驗了。（參考：The Bible Knowledge Commentary: new Testament, by John F. Walvoord, and Roy B. Zuck. SP Publications, Wheaton, IL, 1985, p.23 及 Believers Bible Commentary, by William MacDonald. A&O Press, Wichita, KS, 1989, p.24）

—祂從來不犯罪，因爲祂不是從罪人生的。
—祂沒有與亞當所有的後裔一樣與 神隔絕。
所有的世人都違背了 神的命令，但耶穌完全遵行了 神的命令。

*建議視覺教材:*

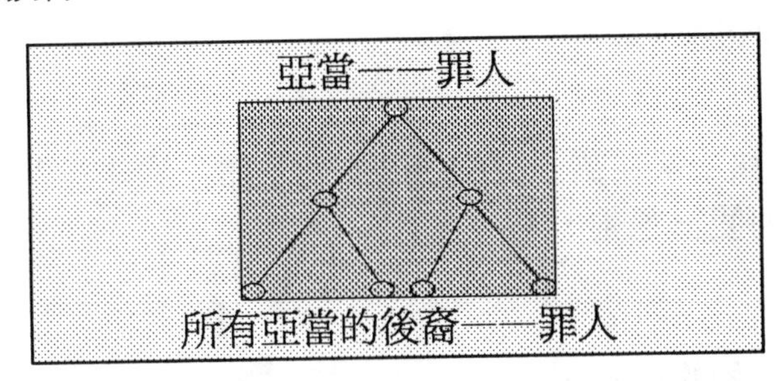


神 —聖潔
神的兒子耶穌—聖潔，無罪

只有 神才是完全聖潔公義的，而耶穌基督本身就是 神!

## J.耶穌長大成人

主題: 耶穌基督是人

閱讀：路二52

耶穌是 神，祂也是實實在在的人。
—祂以人的肉身生長成人的樣式。
我們在不久以前學到拯救者必須是 神人合一。
—神是耶穌的父親。
—耶穌亦實在是 神。
—耶穌以人的樣式生在世上，爲要成爲人類的拯救者和救主!
耶穌成爲一個有智慧的人。
神和人一同喜悅祂。
祂的神聖反映在祂肉身的性格上:
—祂是無罪而聖潔的。
—祂必履行諾言。
—祂在凡事上忠心。
—祂純然公義。
—祂無所不知。
—祂滿有憐憫、恩典、慈愛和良善。
無怪乎耶穌得著 神和人的喜悅。

主題: 神是信實的，祂永遠不會改變

閱讀：賽十一2

神的先知以賽亞預言拯救者是大有智慧通曉萬事的，因祂與聖父和聖靈是同一位神。這從 神而來的預言已在耶穌基督身上應驗了。

一神從不失信。

一萬事必按祂所說的成就。

使用預言表:

標出「祂的一些性格」，在路二52相對的空格上塡上賽十一2。閱讀預言及 神如何使它應驗。

## K.結論

馬槽中的嬰孩正是 神的兒子。

祂取了人的樣式，爲要成爲人類的拯救者和救主。

神親自降卑爲人，來到世上。

那位應許的拯救者，人類的救主，終於降臨。

## 問題:

1.以馬內利這名字該如何解釋?

*這名字的意義是「 神與我們同在」。耶穌是 神，祂來到世上，住在我們當中。*

2.耶穌生在那一個國家?

*生在以色列地。*

3.先知預言耶穌要生在那一個城?

*伯利恆。*

4.博士朝拜聖嬰的行爲是對的嗎?

*是對的，因爲耶穌是 神的兒子。*

5.神吩咐約瑟要把耶穌帶到甚麼地方去逃避希律王的屠殺?

*埃及。*

6.當約翰和馬利亞從埃及回國後，他們住在那一座城?

*拿撒勒。*

7.爲何耶穌要生在世上?

*祂要成爲罪人的拯救者一要拯救人類脫離撒但、罪惡和死亡的轄制。*

8.雖然耶穌在外表上與別的小朋友無異，但祂內裡有何不同?

*耶穌是 神也是人。*

9.耶穌有沒有犯罪?

*沒有。耶穌生下來就是無罪的，祂所有的言行舉動也沒有觸怒父神。*

10.世上還有沒有像耶穌一樣的義人?

*沒有，世人都繼承了亞當的罪，觸犯了 神的律法。*

# 第三十三課　神差派約翰作教導和施洗的工作；約翰替耶穌施洗

參考經文

## 課前預備

此段只供教師使用

左列的各參考經文有助於你準備這一課。但因經文帶出的眞理有些會在稍後課文中講授，故不宜於此立刻講解這些經文。
請注意：若你沒有教授過本書課文，請詳讀書前『教師必讀』部份。

經文：太三1-9,13-17；約一24-27;29-37

### 本課目的：

說明悔改的必要。
說明不悔改的危險。
說明耶穌基督是 神。
說明耶穌基督是 神的羔羊及應許的拯救者。

### 本課可幫助學生：

明白悔改的必要。
明白他們無法自救。
明白耶穌是應許的救主。

### 教師的觀點：

我們的社會正是需要悔改的社會。本課定義悔改就是轉變我們對神、對自己及對罪惡的態度，但是我們社會的心態的導向是自我中心、背棄 神與祂對罪的看法。

謙卑的反面是驕傲，但現今這美德已鮮聞。今日很少能聽見有人說：「 神說得對，我是罪人！」但這句稀有的話，正是人類最需要說且最重要的話。

請爲同學們禱告，求聖靈賜他們悔改的心。本課將聯繫以前在舊約中講授有關獻祭和拯救者降臨的眞理。

只有 神才是全能、全權及至尊的主，而同時又是謙卑而順服神的羔羊，爲要除去世人所有的罪孽。

### 視覺教材：

圖畫第六十號「施洗約翰向百姓傳揚耶穌就是 神的羔羊」
地圖第三號
顯示 神人隔絕的視覺教材（將在課文中指示）

## 課文概覽

本課講述耶穌基督是神的羔羊。

我們將透過施洗約翰的工作，學習到必須有悔改的態度，而當時驕傲、不肯悔改的猶太領袖們與這個教導正好相反。

重點：

—解釋悔改就是扭轉以往對 神以及對罪錯誤的態度。
—解釋約翰的施洗是悔改的洗。
—強調約翰的生活方式：雖然他信從神，但物質生活仍十分困乏（這要反駁現今認爲 神要在物質上賜福給一切相信者的錯誤說法）。
—神從天上說話，證實耶穌是 神。

## 授課要點

此課程特爲非信徒安排，故授課時務要奠定聖經基礎，以爲日後傳福音的根據。若你班上有信徒參予，則授課的目的是使他們明白信仰的根基，以致日後他們亦可運用同樣教材去教導未信的人。

**課文信息要明確簡潔，切忌節外生枝!**

請注意這課程是有範圍和有主題的聖經研讀，並非徹底深入的聖經鑽研，亦非漫無邊際的小組討論。請依照主題帶領討論，以保持課程進度。切記緊依大綱，突出教義主旨。

課程編排形式: 每一頁的中間部份是教授學生的內容，粗體字的標題只供教師參考，不需口誦，因爲標題內容會在接著的課文大綱提及。至於左右兩欄所列的經文是給教師作參考之用，不宜在課堂上詳授。

## 教授學生的內容（中間部份）

### 課文大綱:

複習第三十二課問題

### A.序言

你如何引起別人的注意?
其中一個方法就是提起一些與他們有切身關係的事情。
這正是聖靈藉施洗約翰所行的事。
祂打發約翰宣告救主將臨。
祂要約翰發出能引人注意的訊息。

### B.神藉約翰向以色列傳達訊息

主題：神與人對話

神所揀選要來預備猶太人迎接救主的約翰已長大成人。
這是約翰開始教導百姓的時候。

主題：人滿懷罪孽，不能自拔，需要 神的拯救

閱讀：太三1,2

在三號地圖上指出猶大地。

約翰勸告百姓必須**悔改**。
一約翰要扭轉百姓從前對 神、對自己和對罪的態度。

—約翰勸導他們要改變以前的觀念，好迎接應許中的救主。
以下是他們需要明白和同意的事項:
—神是唯一的眞 神，他們必須盡心盡力地事奉和敬拜祂。
—他們違反 神的律法而得罪了 神，因此得不到 神的悅納。
—所有的罪都是違背 神的行爲。 神憎惡罪惡，罪人將在永火之中，永遠與祂隔絕，這就是罪的刑罰。
這是 神今天要我們每一個人認識自己和同意的重點。

—回想:

*還記得十誡嗎? 我們當中有多少人可以遵守所有誡命?*
*沒有!*
*神如何界定違反誡命的行爲?*
*神稱之爲罪。*
*我們要犯多少次罪才算作違反誡命?*

閱讀：雅二10

設若你只說了一次謊話，那是罪嗎? 當然是。罪把我們與 神隔絕。
神是聖潔公義的，祂厭惡我們的罪。罪的刑罰就是死亡和永遠與 神隔絕。

主題: 神是信實的，祂永遠不會改變

約翰是以賽亞所預言的先鋒，爲拯救者開路。

閱讀：賽四十3

閱讀：太三3

## C.約翰生活窮乏

約翰是 神的先知，這不是說約翰必然富有。
—約翰甚爲窮乏。
—他在曠野中找尋食物充饑，身穿窮人的衣服。

閱讀：太三4

—思想:

*有人認爲只要他們對 神有信心，祂就必定要賜他們所要的一切財富，因爲他們覺得財富是 神賜福的象徵。他們甚至進一步說，倘若他們不能得著心中所求的一切，那就是缺乏信心的表現。*

*可是， 神從沒有答應凡相信和順從祂的人都可致富。很多偉大的先知和相信 神的人還是生活窮乏。我們將要探討到耶穌在世的時候，祂也是一個十分窮乏的人。*

## D.很多人因著約翰的信息而信了 神

主題：人必須憑著信心來討 神的喜悅並得著拯救

閱讀：太三5,6

在三號地圖上指出約但河。

很多猶太人因著約翰的傳道而相信了 神的話，並到約翰面前受洗。

一領受洗禮的時候，就是一個人在眾人面前公開承認他是罪人，按照 神的定命，他要因著自己的罪而面對死亡的刑罰；但是，他現在已回心轉意，信靠 神要差派拯救者來拯救他。

一注意：

*洗禮包括了認同的意義。「洗禮」在希臘原文中有染布的意義。當一疋布被放進染水中後，它便吸收了染水的顏色。*

*猶太人認同約翰所傳有關悔改的信息，就如布料認同染水的顏色一樣。他們受洗的行爲正反映了他們內心的悔改和接納了約翰的信息，他們認同了 神藉約翰傳給他們的眞理。*

*洗禮本身不能叫 神悅納我們。（註一） 在 神的眼中，外表的洗禮不能洗淨我們內裡的罪，洗禮不能還清我們的罪債，因爲罪的代價是死亡。洗禮只是一個人在眾人面前，公開地承認自己要認同 神的話，並相信只有 神才可以拯救他。*

註一：
對信徒來說，洗禮象徵與基督一同受死、埋葬及復活的意思（羅六3,4）

很多人誤信洗禮有拯救的能力或洗禮是救恩中必要的一環。請勿在課程的現階段討論這題目，只要強調課文中的重點，就是約翰的施洗只是悔改的外在憑證，並不能因此拯救受洗者脫離罪惡。

## E.約翰對驕傲和不願悔改者的責備

主題：人滿懷罪孽，不能自拔，需要 神的拯救

閱讀：太三7

大部份在聖殿中的領袖是驕傲自恃的。
讓我們察看這些領袖及思想聖經如何記載他們的態度。

一文士

*摩西和先知們的著作在當時已寫在羊皮卷上，而文士就是負責抄寫 神話語的人。他們亦被稱爲「律法師」或「律法的教師」，因他們是當時最熟識及可以正解 神話語的人。一些文士就仗著自己的學識而沾沾自喜，他們以爲 神必定欣賞他們能夠背誦、解釋聖經的某些部份，可是他們不明白， 神看重我們相信、且遵行祂的話語，多於我們在頭腦上的認知。*

—法利賽人

*法利賽人是猶太人當中的一些領袖，他們企圖以虔守自己定下的規條來討 神的喜歡和悅納。他們枉自加添 神的話語。自以爲不是罪人而產生鶴立雞群的錯覺，因此，他們拒絕與非法利賽人爲友。他們以好行爲而自恃，以爲 神必因此而悅納他們。*

—撒都該人

*撒都該人是另一批猶太領袖，他們也上聖殿號稱敬拜 神，可是，他們心裡不大相信 神的話語，不相信天使的存在，更不相信死人復活的事。他們目空一切，只接受聖經最前面的五卷書，就是由創世記到申命記。*

*他們致力保持與羅馬政府的良好關係，以確保自己作爲猶太領袖的地位，他們並非眞心地信靠 神。*

在這些宗教領袖中，有很多人不承認自己是罪人。

—他們以爲可以憑好行爲而獲得 神的悅納。

—約翰對這些驕傲的法利賽人和撒都該人發出嚴厲的話。

—解釋：

*自高自大就是一種唯我獨尊，無視於 神話語的態度。*

*驕傲就是自私、自我中心及自吹自擂。很多人認爲自己是對的，就是當他們知道自己錯了，也不願意承認，要別人覺得他們完美無瑕。*

*倘若我們發現自己抗拒 神在聖經中給我們的話語，或以爲 神的教訓「與我無干」，這些可能就是我們自以爲是的表現。*

神嚴厲地教訓那些驕傲、拒絕祂和不願意聽祂話語的人。

雅四6說：「…神阻擋驕傲的人…」

神定意要擊打驕傲和抗拒祂的人。

箴三34

祂卻要幫助和拯救那些承認自己是罪人及只有 神是他們唯一救主的人。

閱讀：太三8

約翰告訴法利賽人和撒都該人，倘若他們接納 神對他們的看法，便需用行動表示。

閱讀：太三9

很多猶太人也以亞伯拉罕爲他們的先祖而感到自豪。
他們以爲神會因爲他們是亞伯拉罕的子孫而悅納他們。
一比較:
*一有些人認爲他們可以因著父母的信心而自然地蒙 神悅納。*
*一亦有些人認爲他們可以因著在教會長大及曾參予種種教會聚會而蒙 神悅納。*

*建議視覺教材:*

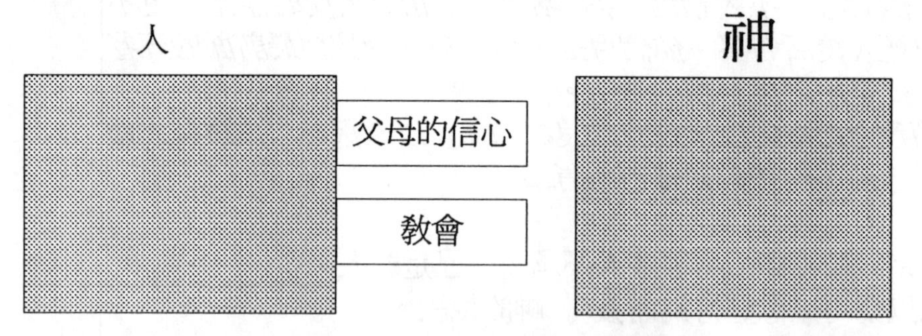


*沒有人可以因著父母或教會背景而蒙 神悅納， 神要個別地衡量每一個人，並不察看他的家庭背景、他的工作表現或他所參與的教會。*

約翰提醒法利賽人和撒都該人不要自滿，亦不要自恃爲亞伯拉罕的後裔。
一神無所不能。
一若祂願意，祂可以從石頭中給亞伯拉罕興起後裔。
一他直接地告訴他們：他們實在是一無可恃的。

## F.約翰所述的拯救者

主題: 耶穌基督是 神

閱讀：約一24-27

約翰是 神所差派的先知，他要預備百姓的心來迎接及信靠拯救者。
一約翰只是一個普通人。
一但要來的拯救者是 神的兒子。
一解釋:

*在約翰的時代，有地位的人都有佣人差使。那些身居要位的人穿鞋子和脫鞋子都不需要自己操勞，因那是佣人的工作。約翰說他自己就是作這個侍奉主人穿鞋子和脫鞋子的佣人也不配，因拯救者是 神的兒子，祂是創世的主，祂正是把生命賜予約翰的主。*

西一16

## G.約翰爲耶穌施洗

路三23說明當時耶穌大概已三十歲。

閱讀：太三13-16

雖然耶穌前去領洗，但這並不表示祂和其他領洗的罪人一樣需要一位救主。
—耶穌生下來就是完美。
—他完全照主的旨意生活。
耶穌領洗的目的，是要遵行 神的命令，叫所有接受約翰爲先知的猶太人如此行。
—倘若耶穌沒有領洗，別人會以爲祂不順從 神的命令。
—或者，人們會以爲耶穌不相信約翰是 神所差遣來爲人施洗的先知。
聖靈降臨與耶穌同工，好讓祂完成父 神所交付的事工。
耶穌就是全能的 神，但祂取了人的樣式後，選擇依靠聖靈的能力來完成祂作爲拯救者的工作。

## H.神所說的耶穌

主題：耶穌基督是 神

閱讀：太三17

父神稱耶穌爲兒子。
—耶穌成了人的樣式。
—祂也是子神，從天上降臨。

主題：耶穌基督是聖潔公義的

父 神全然因耶穌而感到滿足。
—耶穌是唯一能夠在凡事上討 神喜悅的人。
—神深知耶穌是完全無罪的。
—耶穌是完全聖潔公義的，在 神面前毫無瑕玼。

## I.神的羔羊耶穌

主題：耶穌是唯一的救主

閱讀：約一29

當約翰看見耶穌的時候，他說明耶穌是 神所賜差派的羔羊。

*建議視覺教材：*

圖畫第六十號
「約翰告訴百姓耶穌是 神的羔羊」

我們將於稍後探討爲何約翰稱耶穌爲 神的羔羊。

## J.約翰明白耶穌就是那位應許的拯救者

閱讀：約一30-37

約翰本不知道誰是拯救者，但當他目擊 神行這些異象時，他就肯定耶穌就是 神的兒子，是世人的救主。

主題：人必須憑著信心來討 神的喜悅並得著拯救

## K.結論

我們又如何呢?
我們是否還需要 神當日賜給約翰的異象，以證實耶穌就是 神的兒子，是那位應許的拯救者?
一不需要，我們今天不需要這一類的異象。
一我們今天有 神的話語，就是聖經。
我們是不是好像當日的宗教領袖一般，自以爲可以藉著善行及宗教背景而足以蒙 神悅納?
一我們當中每一位都需要個人的救主。
一神只賜下一位救主： 神的羔羊耶穌基督。
一祂是全人類唯一的救主，就是你我唯一的救主。

### 問題：

1.約翰告訴百姓甚麼?
*約翰敦促百姓要悔改及受洗。*
2.悔改何解?
*悔改就是扭轉對自己、對我們的罪和對 神的謬誤觀念，也就是說，我們向 神承認自己是罪人，我們違反了祂的律例，我們沒有能力讓自己成爲蒙 神悅納的人。*
3.約翰要預備百姓的心來迎接誰?
*那位應許中的拯救者，人類的救主。*

4.文士實爲何許人仕?

*a.他們是負責抄寫聖經的猶太宗教領袖。*

*b.他們以自己的學識爲傲。*

*c.他們不曉得不但要在頭腦上認識 神的話，更應該要相信和順從 神的話。*

5.法利賽人實爲何許人仕?

*a.他們是其中一些猶太領袖。*

*b.他們虔守自己所訂定的律例，以爲可以藉此而蒙 神悅納。*

*c.法利賽人甚爲驕傲，他們認爲 神會因著他們的善行而悅納他們。*

6.撒都該人實爲何許人仕?

*a.他們好像法利賽人一般，也是猶太的宗教領袖。*

*b.他們不接受整本舊約聖經都是出自 神的話語。*

*c.撒都該人致力討好羅馬領袖及鞏固自己作爲猶太人領袖的地位，甚於積極地討 神喜悅。*

7.爲何祭司及其他宗教領袖拒絕約翰的教訓?

*a.他們認爲他們可以藉著善行而蒙 神悅納。*

*b.他們認爲 神會因著他們是亞伯拉罕的後裔而悅納他們。*

8.我們是否必定藉著洗禮才可以脫離罪的控制和刑罰?

*不是。洗禮本身不能使我們脫離罪的控制或蒙 神的悅納，洗禮是人公開地承認他們眞心地認同 神。*

9.誰全力地協助耶穌在地上的事工?

*聖靈在凡事上引領及協助耶穌。*

10.當耶穌受洗時， 神說了些甚麼?

*a.父 神明說他全然喜悅耶穌。*

*b.父 神吩咐門徒要聽從耶穌。*

*c.祂稱耶穌爲兒子。*

11.有沒有人可以像耶穌一樣地討 神喜悅?

*從來沒有人可以像耶穌一樣在凡事上都蒙 神的喜悅。*

# 第三十四課　耶穌拒絕並勝過了撒但的試探

**參考經文**

**課前預備**

此段只供教師使用

左列的各參考經文有助於你準備這一課。但因經文帶出的眞理有些會在稍後課文中講授，故不宜於此立刻講解這些經文。
**請注意：若你沒有教授過本書課文，請詳讀書前『教師必讀』部份。**

經文：太四1-11

## 本課目的：

說明耶穌在地上成爲人，凡事都順從 神。
說明撒但是撒謊者、欺騙者。
說明耶穌基督是 神，因此祂強於撒但。

## 本課可幫助學生：

明白耶穌成爲人的樣式後，祂雖然面對撒但的誘惑，但祂凡事順從 神而不致陷入罪惡中。
明白認識 神話語的重要性。

## 教師的觀點：

在我們的社會中，很多不明白因信稱義的人認爲宗教是一根「枴杖」，爲要支撐那些不能自立的人，他們不明白世人都不能靠自己站立起來，我們都需要一位救主。

耶穌在曠野與撒但爭戰的事蹟，充份表明了耶穌是我們的主和救主，只有祂可以十全十美地順從父 神而抵擋魔鬼。

記載這段事蹟的經文對信徒有十分的啓迪性，但對未信者而言，我們的目的是著重於 神對撒但有絕對的主權。我們要他們明白耶穌道成肉身以後，同樣會受到撒但的試探，但不像我們，祂總是勝過試探的！我們的救主不是一根枴杖，祂是勝利者——唯一的公義者及那位拯救不義和無助罪人的救主。

耶穌性情柔和謙虛，但祂是全知、全能和聖潔的創造主，祂終有一天要把撒但和他的跟隨者扔入硫磺火湖之中。

太廿五41
啓一18
　廿10

請讓同學們知道撒但是男女老幼的敵人，他要擒拿我們成爲他的階下囚，他是口吐謊話的大騙子，善於曲解 神的話語。我們更要同學們知道：只有耶穌才可以拯救他們脫離撒但的權勢，我們要同學們明白耶穌如何正確地使用 神的話去戰勝仇敵！

請以禱告的心預備本課，並求 神使我們可以藉著聖靈的能力來講授。我們實在有一位奇妙的救主！

**課文概覽**

**本課透過耶穌在曠野受試探的事蹟說明耶穌是 神的兒子，祂毫無罪污，祂向 神完全順服，並抵擋撒但。本課亦說明耶穌是子神，祂終有一天要把撒但和他的黨羽扔入火湖之中。**

**本課著重 神的權能和耶穌基督的 神性。**

**視覺教材：**

圖畫第六十一號「耶穌身處曠野」

再用第卅及卅二課使用的「亞當一罪人」及「 神一聖潔」的視覺教材

顯示所謂正邪對峙及 神的能力遠勝撒但能力的視覺教材（將在課文中指示）

## 授課要點

此課程特為非信徒安排，故授課時務要奠定聖經基礎，以為日後傳福音的根據。若你班上有信徒參予，則授課的目的是使他們明白信仰的根基，以致日後他們亦可運用同樣教材去教導未信的人。

**課文信息要明確簡潔，切忌節外生枝!**

請注意這課程是有範圍和有主題的聖經研讀，並非徹底深入的聖經鑽研，亦非漫無邊際的小組討論。請依照主題帶領討論，以保持課程進度。切記緊依大綱，突出教義主旨。

課程編排形式：每一頁的中間部份是教授學生的內容，粗體字的標題只供教師參考，不需口誦，因為標題內容會在接著的課文大綱提及。至於左右兩欄所列的經文是給教師作參考之用，不宜在課堂上詳授。

## 教授學生的內容（中間部份）

**課文大綱：**

複習第三十三課問題

**A.序言**

你最近有沒有不能抗拒引誘的經歷？（註一）

有些引誘是較為明顯的。

有些引誘卻較為隱約的。

我們有時候有足夠的能力去抵抗試探。

但當我們疲累的時候又如何?

你可知道取了人樣式的耶穌亦同樣受到試探?

註一：
這問題不是要引起討論，而是要掀起同學們的思潮。

**B.撒但試探耶穌**

主題：撒但與 神的意願相違，牠是騙子，是說謊者，
也恨惡人類

閱讀：太四1

神創造路西弗的時候，他本是完美無瑕的。
一可是路西弗（即今日的撒但）在起初便陰謀背叛 神。
一從此，撒但（亦名魔鬼）便無惡不作。
撒但引誘亞當背叛 神。
他現在竟要引誘耶穌背叛 神。

結廿八15，17
賽十四13，14
約八44

*建議視覺教材：*

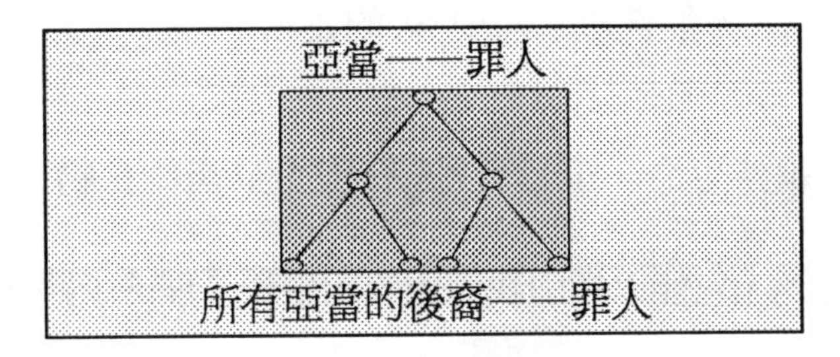


神 一聖潔
神的兒子耶穌一聖潔，無罪

撒但意圖控制耶穌，使祂不能作爲我們的拯救者。

## C.第一個試探

主題：耶穌基督是人

閱讀：太四2

雖然耶穌是 神，但祂取了人的樣式。
祂也像我們一樣會感到飢餓。

*建議視覺教材：*

圖畫第六十一號「身處曠野的耶穌」

主題：撒但與 神的意願相違，牠是騙子，是說謊者，
也恨惡人類

主題：耶穌基督是 神。

主題：耶穌基督是聖潔公義的。

閱讀：太四3

撒但陰謀想讓耶穌證實自己是 神的兒子。
—撒但要求耶穌去做一些父 神沒有吩咐祂做的事。
—耶穌從天上降卑爲人，單要履行父 神所吩咐的工作。

路廿二42
約八28,29
來十7

耶穌是 神的兒子。
—祂有足夠的能力使石頭變成食物，但祂絕不會聽命於撒但。
—祂絕不會照撒但所說的去作。

主題：人滿懷罪孽，不能自拔，需要 神的拯救

閱讀：太四4

我們需要食物來維持生命，但 神說還有別的東西比食物更重要。
我們需要 神的話語，它能以指引我們通向永生和眞理的道路。
—解釋：
*我們的身體很明顯地需要食物，若不然我們都要死亡。可是，即或我們有強健的體魄，離世時得不著 神，且要面臨永遠的刑罰，那有何益處呢？我們不但需要不斷進食以維持生命，我們更要相信和聽從 神的話，使我們得以永遠地與 神同在一起。*

## D.第二個試探

主題：撒但與 神的意願相違，牠是騙子，是說謊者，
　　　也恨惡人類

閱讀：太四5,6

撒但斷章取義地引用了詩九十一11,12的一部份。
—撒但也熟識聖經中 神的話語，但他並非正確地使用。
—撒但扭曲了 神的話語來迷惑人。
—回想：
*還記得他如何誘騙夏娃嗎？撒但問她說：「 神豈是眞的說，不許你們吃園中樹上的果子嗎？」*

創三1

撒但實在明白 神對亞當所說的話，但他卻故意曲解 神的話語。
撒但是撒謊的大騙子。

約八44

—思想：
*當心：撒但今天仍沿用這手法。他要人去向 神尋求 神蹟以證明祂是 神，撒但要他們注目在怪異的事蹟上而轉目不顧 神話語的正確教訓。*

主題：神是信實的，祂永遠不會改變

撒但要求耶穌從殿頂跳下去，爲要試探 神是否會履行祂的應許而保護祂的兒子。
—耶穌根本不需要試探 父 神是否眞的要保護祂。

閱讀：太四7

—父 神應許要保護祂自己的兒子，因此，耶穌只需要簡單地相信祂的應許。

主題：人必須憑著信心來討 神的喜悅並得著拯救

—思想：

*神在歷代中不斷地證實自己是完全信實的，因此，我們可以全然地信靠祂，我們相信 神就要一字不漏地履行祂寫在聖經上的話語。*

## E.第三個試探

主題：撒但與 神的意願相違，牠是騙子，是說謊者，也恨惡人類

閱讀：太四8,9

撒但提出他可以把控制人類的權力轉交給耶穌，因爲自從亞當背叛 神而跟從撒但以後，撒但成了這世界的王。

撒但控制了許多人的思想意志，叫他們去實行牠的陰謀。

約翰十二31
林後四4
弗二2

閱讀：太四10

撒但想要耶穌敬拜他。

—回想：

*在創世之初，撒但已想篡奪 神的權位，要成爲整個宇宙的獨裁者。然而他始終都失敗，但是有很多天使成爲他的黨羽。撒但繼而要操控全人類，要他們敬拜和事奉他。撒但明明的知道耶穌就是 神的兒子，但他仍嘗試來取代父 神的身份，要求耶穌敬拜他。*

賽十四13,14

凡沒有被 神從撒但權勢中拯救出來者，都是事奉撒但而非事奉神的人。

耶穌向撒但表明 神在聖經中的原意，藉以擊倒撒但。

耶穌並沒有像撒但一般曲解聖經。

太十二30上
弗二1-3

主題：耶穌基督是聖潔公義的

耶穌沒有像亞當在伊甸園一樣聽從撒但的陰謀。

耶穌熟識、敬愛和順服祂的父 神。

## F.耶穌是 神

約翰八29

主題：耶穌基督是 神

主題： 神是至尊而掌權的

再者，耶穌遠勝撒但：耶穌是 神。

—祂在起初創造了天使路西弗，路西弗本是完美的天使，並在天使當中身居要職，理應盡忠事奉 神，但他以後變成了魔鬼。

—耶穌終有一天要將撒但扔進火湖中，這火湖就是爲他和他的黨羽所設的刑罰。

路十二4,5
西一16
啓一18
啓廿10

—思想：

*也許你曾欣賞過以正邪對立爲主題的電影或錄像帶。*

*他們描寫這些善惡爭峙的局面是勢均力敵的，就好像一場「平面」上的爭戰。*

*建議視覺教材：*

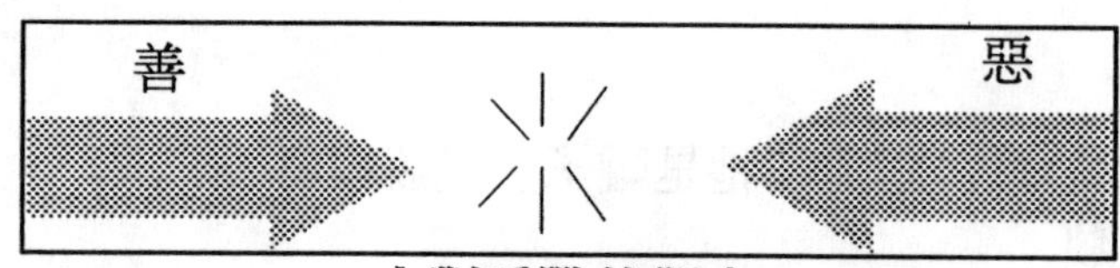


人對爭戰的觀念

*但 神的話告訴我們， 神是至尊的 神，祂是全權的創造者。耶穌是 神的兒子——就是萬有的主宰及創造者。祂取了人的形像以後，與我們一樣受肉體的種種苦楚，但祂從不犯罪。即使撒但，那受造背叛的靈，也絕不能使耶穌犯罪；撒但是強大的敵人，但他與全能的 神相比，實在是望塵莫及，微不足道。他與 神的對峙並非一般人所想像的方式， 神不是一個武力，祂是靈，當耶穌成爲人來到世上的時候祂是 神，故在凡事上都遠勝撒但。*

*建議視覺教材：*

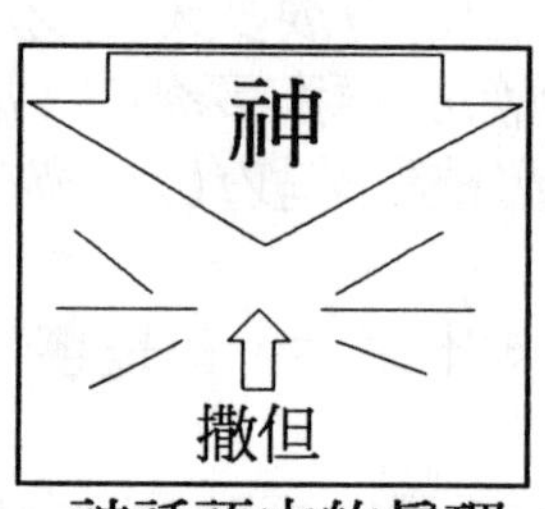


神話語中的眞理

## G.撒但暫時離耶穌而去

主題：撒但與 神的意願相違，牠是騙子，是說謊者，
也恨惡人類

主題：耶穌基督是聖潔公義的

閱讀：太四11

撒但知道自己被打敗，乃暫時離開耶穌。

—可是，撒但後來仍不斷多方地試探耶穌，企圖使祂不順從神。

來四15

—他以人可以想像的各種方法來試探耶穌。

約八29

耶穌絕不會照撒但的話去作。
耶穌所行的都討祂父 神的喜悅。
撒但離去後， 神差遣天使事奉耶穌。

## H.結論

只有耶穌可以全然地順從 神和抵擋撒但。
耶穌是完全的人，祂也是 神。
只有祂才可以拯救我們脫離罪惡、撒但和死亡。

### 問題:

1.撒但爲何試探耶穌?
*a.撒但企圖使耶穌犯罪，叫祂不能拯救我們。*
*b.撒但要控制耶穌。*
*c.撒但陰謀篡奪 神的權位。*
2.爲何耶穌在極度飢餓之下仍沒有吩咐石頭變成食物?
*因爲祂的父 神沒有指示祂這樣行，耶穌只會履行 神所吩咐的一切事。*
3.甚麼東西比食物更重要?
*認識 神和相信 神在聖經所說的話。*
4.撒但是否認識 神的話及加以應用?
*撒但認識 神的話，可是他加以曲解以達成他的目的。*
5.爲何撒但可以提出建議，把控制整個世界的權力移交耶穌?
*因爲自從亞當服從撒但以後，撒但操控了亞當和全人類。*
6.耶穌如何迎戰撒但?
*耶穌使用 神寫在舊約的話反擊撒但。*
7.耶穌或是撒但，誰的力量大?
*耶穌。祂創造了路西弗，後來才變成了撒但。 神終有一天要把撒但棄置在燒不盡的火湖中。*

# 第三十五課　耶穌開始了祂的工作

**參考經文**

賽四十二
1-9；
六十一1

**課前預備**

此段只供教師使用

左列的各參考經文有助於你準備這一課。但因經文帶出的眞理有些會在稍後課文中講授，故不宜於此立刻講解這些經文。
請注意：若你沒有教授過本書課文，請詳讀書前『教師必讀』部份。

經文：可一14-28,34-42

## 本課目的：

說明我們唯一可以得著拯救的方法就是信靠 神，祂藉著拯救者耶穌基督拯救我們。
說明耶穌基督是 神。

## 本課可幫助學生：

明白他們只有藉著耶穌基督才可以得著拯救。
從耶穌所作的事和聖經的話語來明白耶穌基督是 神。

## 教師的觀點：

今天的社會常常要求嶄新或更好的事物、並創新的方法。廣告日以繼夜地宣傳他們所推銷的商品是「全新和經過改良」的，是「突破性的意念」等。可是，這些事物不能日久常新，必有一天成爲陳舊、發霉和腐爛。人本性是永不滿足的。

現在我們要學習「*…昨日、今日、一直到永遠，都是一樣*」的耶穌基督。（來十三8）

你能想像祂所帶給以色列人的改進和新鮮感嗎？他們的祖宗被敵人搶掠、殺害及俘擄，之後得以回歸「應許之地」，卻又遭受強硬的羅馬統治。他們又苦於遵守猶太人律法的重擔，這些律法就是他們自己所加上數以百計的規條，並非 神的律例，以致他們甚少憐憫之心。撒但蒙蔽了這些領袖們的眼睛，他們當中只有少數人盼望 神來拯救他們。

繼而，約翰宣佈彌賽亞的來臨，這是何其震撼的事。當然，不少人是等候一位可以解救他們脫離羅馬暴政的地上君王，而耶穌正好降臨！

祂是百姓心目中的王嗎？祂外表根本就不像，祂只是個窮人，一個木匠的兒子。

可是，祂的言語滿有權柄，祂正確地講解 神的律法。他們的宗教領袖中沒有一人能與祂相比，這位年輕人言詞帶著權能和慈愛，連魔鬼也從祂面前逃跑！耶穌使病者痊癒，祂也撫摸那些別人不敢靠近的病患。從這位彌賽亞身上流露出眞理、醫治及憐憫，祂不只是普通的君王，而是萬王之王！

**課文概覽**

本課著重耶穌基督以神的身份降世，祂帶著權威講述和解釋神的話語，以能力救拯人脫離撒但、罪和死亡，並以愛和慈憐施行醫治。

耶穌從古至今全是全新的、清新的，比什麼都更好。我們的社會正像昔日以色列的社會一樣，病得相當嚴重並且極其困乏。我們也像他們一樣，經過一段漫長的時日才接受這已賜下的眞理。

以色列人既摒棄基督， 神便將福音賜給外邦人。今天，在世界上的每一個角落都有成千上萬從未聽聞福音的人渴慕要接受福音，可是，我們當中卻有不少人把聖經擱置不理。

耶穌的信息，就是凡相信的就可以得著新生命，耶穌說：「*人若喝我所賜的水，就永遠不渴；我所賜的水，要在他裡頭成為泉源，直湧到永生。*」（約四14）有甚麼比這更清新？但願我們把信息的本質帶出來：就是那最偉大、最奇妙及最清新的喜訊。

但願我們不把耶穌的事蹟當作「老生常談，耳熟能詳」的舊故事般地講述，而把信息的眞義傳揚出去：就是 神的話語，「*…是活潑的、是有功效的，比一切兩刃的劍更快，甚至魂與靈…都能刺入剖開，連心中的思念和主意，都能辨明。*」（來四12）

視覺教材：

圖畫第六十二號「耶穌在會堂中傳道」

地圖第三號

## 授課要點

此課程特為非信徒安排，故授課時務要奠定聖經基礎，以為日後傳福音的根據。若你班上有信徒參予，則授課的目的是使他們明白信仰的根基，以致日後他們亦可運用同樣教材去教導未信的人。

**課文信息要明確簡潔，切忌節外生枝！**

請注意這課程是有範圍和有主題的聖經研讀，並非徹底深入的聖經鑽研，亦非漫無邊際的小組討論。**請依照主題帶領討論，以保持課程進度。切記緊依大綱，突出教義主旨。**

**課程編排形式**：每一頁的中間部份是教授學生的內容，粗體字的標題只供教師參考，不需口誦，因為標題內容會在接著的課文大綱提及。至於左右兩欄所列的經文是給教師作參考之用，不宜在課堂上詳授。

## 教授學生的內容（中間部份）

**課文大綱：**

複習第三十四課問題

### A.序言

倘若約翰今天來到我們當中傳揚悔改的信息，你認為會有人聆聽嗎？

—你我會不會聆聽?
—甚麼人需要悔改? （註一）

註一:
在此再次說明這些問題並非要引起討論，而是要掀起同學們的思潮。

請勿在小組中使用這些問題，他們可能有被迫回答的感覺。

## B.施洗約翰

約翰忠心地教導 神的話語，為要預備百姓的心來信靠拯救者耶穌。
有些人改變了他們對自己和罪的觀點。
—他們明白需要一位拯救者來拯救他們脫離因罪所帶來的刑罰。
—他們正等候拯救者開始祂的工作。
但其他人就像法利賽人一樣信靠自己，認為自己的善行可以得到神的悅納。
—比較:
*今天一些自稱宗教份子及經常出席教會的人，可與昔日的法利賽人作一比較，他們滿以為可以靠他們的善行而免於永遠的刑罰，其實他們不相信 神所說的。我們不能靠任何善行去蒙 神的悅納。*
浸淫在罪惡當中的希律王不滿約翰所說的話。
希律王因而囚禁約翰在牢獄中，以後又將他處死。

太十四1-12
可六14-29

## C. 耶穌的信息

主題：神與人對話

主題：人必須憑著信心來討 神的喜悅並得著拯救

閱讀：可一14,15

約翰在被處決以前完成了他預備道路的工作。
那時正好耶穌要開始工作。
正如我們在前面所說，耶穌當時約三十歲。
祂教導群眾時，命令他們要
—改變他們的態度。
—向 神承認自己是無助的罪人。
—相信祂所傳揚的好消息。
我們若不相信 神，我們便無法討祂的喜悅，我們更不可能被祂接納。
來十一6說: 「*人非有信，就不能得 神的喜悅。*」

—回想:
*為何亞伯蒙 神的喜悅? 是因為亞伯並非罪人嗎? 不是，因為亞伯相信 神的話和信靠祂。*
*當 神預備以洪水淹沒世界時，祂吩咐挪亞造方舟，挪亞因著相信 神而全家獲救。*

*神吩咐亞伯拉罕離開他的家鄉，遷到 神要指示他的地方去，亞伯拉罕相信 神 ，神把他帶領到迦南地。*
*摩西信靠 神，他告訴以色列人把血塗在門框上， 神就保守他們避過了死亡的使者。*
*約書亞和迦勒雖然知道迦南土著身材高大，但他們相信 神已賜迦南地給他們，於是在他們那一代之中，只有他們兩人得以進入迦南地。*

我們必須信靠 神和相信祂的應許才可以蒙 神的悅納。

主題：神滿有慈愛、憐憫和恩典

「福音」就是「好消息」的意思。
耶穌告訴百姓，他們要認同 神和相信那好消息，因爲 神將要開始在世上施行祂的管理。

約十二31
林後四4
弗二2

—亞當違背 神而跟隨撒但以後，撒但成了世界的王。
—神差遣耶穌到世，擊敗撒但，拯救人類脫離撒但的權勢，彰顯了祂對罪人的慈愛、憐憫及恩典。
—我們每一個人出生在世間，都是生在撒但的權勢下（或活在撒但的國度中）。
—耶穌說明要脫離撒但魔掌的唯一生路，就是認同 神和相信祂的好消息。

神給我們的好消息就是：只要我們相信 神和信靠救主，我們必定可以脫離撒但的控制，成爲 神的朋友，並可與 神合而爲一。

## D.耶穌呼召人協助祂完成工作

閱讀：可一16-20

耶穌開始呼召百姓來跟從祂。
—祂要教導他們。
—祂要差派他們到各地去傳揚 神將要在地上，施行祂管理的消息。
—祂要使他們成爲得人的漁夫，就是要教導他們如何藉著傳揚好消息來帶領人歸主。

## E.耶穌的教導帶著權柄

閱讀：可一21

*建議視覺教材：*

圖畫第六十二號
「耶穌在會堂中傳道」

在三號地圖上指出迦百農。

我們以前曾提及猶太人聚集的地方稱爲會堂，這些會堂遍佈以色列及其鄰近的地方。
—他們在會堂中宣讀並教導摩西及先知的寫作。
—在耶路撒冷以外的猶太人按照 神藉摩西所吩咐他們的，只到聖殿去參加一些重要的節期。

主題：耶穌基督是 神

主題：神與人對話

閱讀：可一22

耶穌滿有權威地闡釋 神的話語，使凡聽見祂的人都十分震驚。
耶穌的教導與文士們的教導截然不同。
—文士就是抄寫舊約的人。
—他們也是 神話語的教師。
—可是他們當中大部份的人對 神沒有信心也不相信 神的話。
—他們相信靠自己的善行和對 神話語的所謂認識便可以得救。
—他們十分熟識 神的話語，可是心裡並不眞正地認識 神。
—正因爲他們自滿於對 神話語的知識卻不認識 神，他們於是無從理解 神話語的眞諦，所以他們只有用自己的意思向百姓解釋 神的話語。

反之，耶穌是 神。
—祂認識父 神，並透徹地理解 神話語的眞諦。
—當祂教導百姓時，祂將 神藉摩西和先知記下來的話語，按著父 神的本意闡釋。

## F.耶穌驅逐邪靈

主題：撒但與 神的意願相違，牠是騙子，是說謊者，
　　　也恨惡人類

閱讀：可一23,24

邪靈本是天使，可是他們在遠古的時候背叛 神，跟隨了撒但。
一他們歡喜附身而控制撒但的兒女。

主題: 耶穌基督是 神

主題：神是聖潔公義的，祂命定罪的代價就是死亡

一撒但和他的邪靈黨羽深知耶穌是 神，就是他們的創造者。
一他們亦深知祂是聖潔的 神。
一他們知道 神是完全的，祂厭惡罪惡。
一這些邪靈知道他們終有一天會被棄置在硫磺的火湖當中，他們亦明白耶穌在當時就可以將他們正法。

閱讀：可一25,26

耶穌吩咐邪靈安靜。
一耶穌禁止他們講論有關祂的事。
一撒但是騙子，耶穌來是要傳揚眞理。
一耶穌要親自將神的眞理告知百姓，並要藉著祂所行的神蹟顯明祂的能力。

閱讀：可一27,28

百姓再一次親眼看見耶穌莫大的能力和權能。

## G.耶穌醫治許多人並且趕鬼

主題: 耶穌基督是 神

主題：神是至尊而掌權的

主題: 神是全能的 神

閱讀：可一34-39

因爲耶穌是 神，所以萬物皆服於他的權柄之下。
神就是天上地下最偉大的能力。

主題: 神滿有慈愛、憐憫和恩典

耶穌憐憫那些患病和被鬼附的人。
祂明白世上這些禍患都是從人的罪和撒但的控制而來。

一思想:

*神同樣地關心你我，祂千古不變，至今依舊。祂知道我們是否還在死亡的權勢裏。 神要拯救每一個人脫離撒但的控制。*

## H.耶穌醫治一名痲瘋病人

主題：人必須憑著信心來討 神的喜悅並得著拯救

閱讀：可一40

一解釋：

*在聖經中所提及的痲瘋病包括多種皮膚疾病，其中一些皮膚病可導致手指及腳趾尖端的神經細胞死亡，繼而發炎及引起肌肉的腐爛，最後令病患失去身體的一些部份，就如手指、手、甚至臉面的一部份。痲瘋病在當時並沒有藥物可治療。*

這痲瘋病人明白：他不能自己得到醫治，別人也不能幫助他。
可是，耶穌卻截然不同。
一耶穌成了人的樣式，但祂有 神的能力，因為祂就是 神！
一那名痲瘋病人曉得除了耶穌以外，沒有一人可以幫助他。
於是他走上那唯一的生路：
他來到耶穌面前乞求祂的憐憫和幫助。

主題：人滿懷罪孽，不能自拔，需要 神的拯救

一比較：

*痲瘋病正像我們裡面的罪，我們無法自己洗淨罪孽，然而 神厭惡罪惡；只有救主耶穌才能幫助我們，這正是祂到世上的目的。這也是我們研讀 神話語的目的：好讓我們每一位都透徹地明白耶穌如何拯救我們脫離撒但、罪惡和死亡。*

主題：耶穌基督是 神

主題：神是全能的 神

閱讀：可一41,42

主題：神滿有慈愛、憐憫和恩典

在聖經的時代，痲瘋病人是被社會所遺棄的一群人，沒有人願意靠近他們。
耶穌卻因著對他們的憐愛而去撫摸他們。
一耶穌伸手觸摸那人和說話後，那人便得以痊癒。
一耶穌可以單說一句話，那人就必痊癒。
一根本沒有人敢觸摸那個痲瘋病人。
一耶穌卻這樣行，為要向那人顯明 神對他的大愛。

## I.結論

我們都可以與那名痲瘋病人認同：

—我們因著自己的罪，在 神面成爲「不潔淨」的人。
—我們沒有能力洗除自己的罪咎和逃避罪所帶來的刑罰。
—沒有一人可以幫助我們。
—可悲的是，就是那些知道我們有罪的人也不願意幫助我們，他們甚至好像排斥痲瘋病人般地排斥我們。
—我們可能覺得，倘若我們被人知道我們眞正的內心世界，他們更不願意與我們交往。
—我們甚至以爲， 神也用同樣的眼光來看我們。
神雖然看透我們內心的軟弱，但祂仍樂意成爲我們的救主。
祂不僅**關懷**和**樂意**接近我們，且只有祂才**有能力拯救我們**。

**問題:**

1.爲何法利賽人和其他猶太領袖不願意接納約翰的教訓?
*因爲他們驕傲，並以爲他們可以憑善行而蒙 神悅納。*

2.耶穌要求他們作甚麼?
*耶穌說，他們要轉變他們的態度，向 神承認自己是無助的罪人，並要相信耶穌所傳講的好消息。*

3.什麼是人討 神喜悅的唯一途徑?
*相信祂的話語。*

4.耶穌所呼召的門徒中，其中一些人的本業是什麼?
*他們當中有些是漁夫。*

5.耶穌的教導和文士的教導有何不同?
*耶穌教導 神話語的眞諦，但文士們只是發表自己及別人對 神話語的見解。*

6.邪靈本是何物?
*他們本是 神的天使，後來背逆 神，隨從了撒但。*

7.爲何邪靈害怕耶穌?
*他們深知耶穌是他們的創造者和審判官，終有一天會被祂棄置在永遠的火湖中。*

8.痲瘋病如何使人聯想起罪孽?
*沒有人能夠醫治痲瘋病，正如除了 神以外，沒有人可以拯救我們脫離罪的權勢。*

# 第三十六課　你必須重生

參考經文

## 課前預備

此段只供教師使用

左列的各參考經文有助於你準備這一課。但因經文帶出的眞理有些會在稍後課文中講授，故不宜於此立刻講解這些經文。
請注意：若你沒有教授過本書課文，請詳讀書前『教師必讀』部份。

經文：約三1-7,14-20

## 本課目的：

說明人必須重生才能得救。

## 本課可幫助學生：

明白他們不可能救自己，只有重生才可獲得拯救，正如耶穌所告訴他們的。

## 教師的觀點：

我們可以從尼哥底母身上看見自己；尼哥底母是虔誠的人，但從他時代社會背景的認知裏，他無法明白耶穌；今天，不管我們多麼的虔誠，也無法用自己的思想架構去明白耶穌基督。

切勿硬要詳解約翰福音第三章中的信息，只要簡單地好像主在這裡教訓我們的方式講述。大有可能在祂的話語裏， 神最常用這段精采的信息，來感動並改變無助的罪人成爲祂貴重的兒女。

切勿急於看見成果，只要等候 神自己的話語動工！尼哥底母到我們奇妙的救主面前，也是聖靈親自的帶領。今天聖靈仍不斷地工作，若有學生問及如何才可以得著拯救，請常以淸晰及溫和的答案講解。

## 視覺教材：

圖畫第三十七號「杆子上的銅蛇」
圖畫第六十三號「尼哥底母夜訪耶穌」
「兩類人」圖像（將在課中詳述）。這圖像可製成小型海報或在授課時畫在黑板上。

**課文概覽**

**本課講述耶穌與尼哥底母論重生的事，並著重說明聖靈藉著神話語所施行的工作。**

**耶穌是人類獲得拯救的唯一途徑，祂要拯救世上各角落的人。**

## 授課要點

此課程特爲非信徒安排，故授課時務要奠定聖經基礎，以爲日後傳福音的根據。若你班上有信徒參予，則授課的目的是使他們明白信仰的根基，以致日後他們亦可運用同樣教材去教導未信的人。

**課文信息要明確簡潔，切忌節外生枝!**

請注意這課程是有範圍和有主題的聖經研讀，並非徹底深入的聖經鑽研，亦非漫無邊際的小組討論。請依照主題帶領討論，以保持課程進度。切記緊依大綱，突出教義主旨。

課程編排形式：每一頁的中間部份是教授學生的內容，粗體字的標題只供教師參考，不需口誦，因爲標題內容會在接著的課文大綱提及。至於左右兩欄所列的經文是給教師作參考之用，不宜在課堂上詳授。

## 教授學生的內容（中間部份）

### 課文大綱:

複習第三十五課問題

### A.序言

你曾經有多少次立下新春宏願，最後卻事與願違?
你曾經有多少次要洗心革面，倒頭來卻重蹈複轍?
你是否仍在致力改進及功虧一簣的循環中?
你知道 神並不期望你用自己的方法改變生命嗎?

提後三16

事實上，祂已說明你是無法達成所願的。（註一）

註一：
最初的幾條問題不適合在小組裏討論，這會令他們有作答的壓力。

我們將研讀聖經中最爲人樂道、最熟知的一段經文。
這段經文和其他的經文一樣，也是 神所要教導我們的話語。
這是一段寫給你，寫給我，也是寫給所有世人的經文。
請留心聆聽。

### B.尼哥底母拜訪耶穌

閱讀：約三1,2

*建議視覺教材：*

**圖畫第六十三號**
**「尼哥底母夜訪耶穌」**

尼哥底母明白耶穌是由 神所差來的。
他明白耶穌一切的神蹟都是藉著 神的能力所作。
—別的法利賽人憎恨耶穌，說祂行神蹟的能力是撒但的所為。
—尼哥底母夜訪耶穌的原因，可能是要避開其他猶太宗教領袖的眼目。

## C.重生

**主題：人滿懷罪孽，不能自拔，需要 神的拯救**

**閱讀：約三3**

猶太人，尤其他們當中的法利賽人，常自恃為亞伯拉罕的後裔。
—他們滿以為因著亞伯拉罕後裔的身份便自然成為 神家裡的人。
—法利賽人不曉得世人都生在撒但的權勢（或撒但的國度）當中，本為撒但的後裔。

—回想：

*神按照自己的形像創造了亞當和夏娃，並賜他們思想意志，讓他們可以認識並且了解 神。 神創造他們好讓他們來愛 神，並賜他們遵行 神話語的能力來履行 神的吩咐。可是，在亞當和夏娃犯罪以後，他們向 神其實是死了，也就是說他們與 神隔離，不再與 神合一（或契合）了。*

*雖然他們仍有思想意志，卻被自己的罪蒙敝了，再也不能認識神及明白祂的話語，更不能愛祂和順從祂，以致不能討 神的喜悅。他們的思想、感情和意志已落入撒但的控制之中。*

*該隱、亞伯和在他們以後出生的人都不能認識 神、了解 神、愛 神和順從 神。世上沒有一人可以討 神的喜悅，世上的每一個人，不論國籍、膚色或語言，都生於撒但的權勢以下。*

耶穌向尼哥底母說明，人要脫離撒但的勢力和統治，並要認識神、愛 神和順從 神的唯一方法就是重生。

—耶穌告訴尼哥底母要接受一個新的心志，好讓他擁有亞當和夏娃起初被造時的心志來認識及了解 神。
—我們也要心意更新才可以愛 神和順從 神。
—注意：
*有些人使用「重生」一詞時，並不是指耶穌向尼哥底母所解釋的意思。（註二）*
*但是，當我們提到「重生」的時候，我們是沿用聖經的本意。*
*人怎麼重生?*

約一13
彼前一23
約壹二29；三9；四7；五1,4,18

人如何被改變過來，以致不再受撒但的控制，而歸入 神的名下?
我們可以憑自己的力量來改變自己嗎?
不可以。

註二：例如：有人會說「我今天早上去跑步後感覺有如再造（重生）」。

主題：神是全能的 神

我們是不是因為犯了錯才生在撒但的魔掌之下?
不是，當然不是！是因為亞當犯了罪，凡從亞當生的，都繼承了罪。
—我們並不是因為犯了任何過錯才生在撒但的管制中。
—可是，我們沒有能力脫離撒但，或改變自己的生命，好叫我們討 神喜悅。
—善行不能把我們從撒但的魔掌中解脫出來，帶我們進入 神的國度。
—我們一生下來就是與 神隔絕，是向 神死了。
—我們沒有能力使自己再度與 神合一。
只有 神才有這個能力。
—祂是全能的 神。
—祂凡事都能作。
—祂的能力可以使人重獲新生——就是重新在 神的家中出生。

閱讀：約三4

當耶穌向尼哥底母說，人要重生才可以進入 神的國度時，尼哥底母非常詫異。
尼哥底母在拜訪耶穌以前，相信他第一次的出生足以使他與 神建立正確的關係。
—他是亞伯拉罕的後裔。
—他是法利賽人。
—他是猶太人的領袖。
尼哥底母誤以為耶穌說人要在肉體上再次像嬰孩般生出來。

主題：神與人對話

主題：人必須憑著信心來討 神的喜悅並得著拯救

閱讀：約三5

耶穌在這裡所說的水並不是指水禮。（註三）
—洗禮本身不能使我們成爲 神的兒女，亦不能洗淨我們的罪。

閱讀：彼前一23

—耶穌說凡進入 神國的都必先藉著水而生的意義，就是人要獲得心意更新、要懂得愛 神和順從 神，並獲得新生命的唯一途徑，就是聆聽、明白及相信 神的話語。
—他們要被聖靈改變，好讓他們：
認識 神
明白祂的話語
懂得愛祂
懂得如何生活在祂的主權以下
及進入 神的國度

弗五26
約十五3
詩一一九9

主題：人只可依 神的旨意和計劃來親近祂

閱讀：約三6,7

耶穌勸告尼哥底母，不應因著需要重生而感到震驚， 神說明在祂面前只有兩類人：
—不是富人與窮人。
—不是好人與壞人。
—不是少壯與老人。
那兩類人就是：

*建議視覺教材：*

| 兩類人： | |
|---|---|
| 只生一次<br>那些只生一次，<br>仍在撒但魔掌以下的人。 | 再生一次<br>那些經過重生，<br>已在神國度中的人。 |

—那只生一次的，仍在撒但的家中。
—那經過重生的，已在 神的家中。

## D.耶穌必須被舉起

主題：耶穌是唯一的救主

尼哥底母仍不明白自己如何重生進入 神的家中。

閱讀：約三14,15

耶穌提醒尼哥底母，他的祖先（猶太人）在曠野的遭遇，藉此向他闡述重生的意義。

註三：
有些同學可能誤解或有先入爲主的思想，以爲洗禮本身或信心加上洗禮才可以使人得救。聖經中某些章節若被斷章取義的曲解後，可能會導致以上的結論。

請鼓勵同學們細心地閱讀 神的話，尤其本課所引用或列爲「參考經文」的部份。請記住，未信者不能憑自己的力量來明白 神的話語，但聖靈要藉著 神的話語來改變並拯救人。

請勿與他們爭辯，只要讓 神的話語發揮力量。同學們可能不會立時同意課堂中所閱讀或聽聞的真理，但請繼續授課，讓聖靈親自在人心中動工。

*建議視聽教材:*

圖畫第卅七號「杆子上的銅蛇」

民廿一8,9

一回想:

*以色列人曾一度向 神犯罪，以致 神派毒蛇去咬噬他們，使他們當中死了不少人。當他們願意悔改，就是願意回心轉意及承認自己的罪時， 神吩咐摩西造了一條銅蛇，掛在杆子上， 神應許凡被蛇咬而願意舉目仰望銅蛇者，必然得生。*

啓十二9;
廿2
羅五12;
六23
約十四6
約十二32,
33

一比較:

*尼哥底母曾致力虔守 神的律法，可是，他自己根本無法察覺到他這樣做並不可能蒙 神悅納。他需要學習以色列人的榜樣，單要信靠 神。*

一比較:

*我們的現況正像昔日以色列人在曠野一樣，那被稱爲古蛇的撒但引誘亞當犯罪。亞當因向 神犯罪而死了，以致亞當所有的後裔都因著罪的緣故而死，與 神隔絕了，因爲罪的代價就是死亡。昔日以色列人不能救自己脫離毒蛇，今天我們也不能救自己脫離死亡，只有 神才可以拯救以色列人。同樣地，只有神才能拯救我們。*

耶穌說明，我們只有一條路可以脫離撒但、罪和死亡，並可引導我們重生進入 神家裡。

一耶穌預言祂要像昔日在曠野的銅蛇般被舉起，叫凡信靠祂的，都得以重生進入 神的家中，再次屬於祂的權下。

一凡信靠耶穌的， 神要賜他們永遠的生命。

**主題: 神滿有慈愛、憐憫和恩典**

**閱讀：約三16**

耶穌說: 「 神愛世人，甚至將祂的獨生子賜給他們…」

因爲神不忍看見任何人同撒但走上永遠滅亡的路，所以祂差遣救主耶穌到世上來。

**主題：耶穌基督是 神**

神差遣誰作爲救主?

一「祂的獨生（愛）子」。

—耶穌是 神的獨生兒子。
—沒有一人像祂。

主題：人必須憑著信心來討 神的喜悅並得著拯救

耶穌說明罪人如何脫離撒但的權勢?
「凡信祂的」
—無論男女老幼，凡相信 神的話語和信靠耶穌爲個人救主的，
 神就賜那人新的生命。
—那人從此不再是撒但的階下囚。
—那人已是 神的兒女。
—這正是耶穌教導百姓要回心轉意及相信 神的好消息的原因。

## E.生死的道路

主題: 神滿有慈愛、憐憫和恩典

耶穌明說凡信祂的都「不致滅亡」。
凡信靠 神所差派的救主的，必不承受因自己的罪所帶來永遠的刑罰。

主題: 神是信實的，祂永遠不會改變

凡信靠耶穌爲自己救主的人將要承受甚麼?
他們要*「得永生」*。

閱讀：約三17

這是 神的應許。
—神可信嗎?
—當然可信! 我們已研讀不少 神完全履行祂應許的例子。
—我們也曾閱讀 神歷世以來美好的應許，其中沒有一個落空。

約壹五10-13

主題: 耶穌是唯一的救主

閱讀：約三18

徒四12

我們不須等待離世之日才知曉自己是否蒙 神悅納。
凡背棄救主的，必在眼前立時遭受 神的棄絕和定罪。

閱讀：約五24

—凡向 神認罪及信靠救主耶穌的，必不被定罪。
—神只賜罪人一位救主，這位救主就是耶穌。

主題：人滿懷罪孽，不能自拔，需要 神的拯救

閱讀：約三19,20

人們不願意接受 神的話語和不願意信靠祂的主要原因，就是他們沉醉於自己的罪孽中。
—他們否認自己的過犯。
—他們不願意被 神改變。
—他們逃避 神的眞理，以免被揭開他們罪的瘡疤。
— 神洞悉萬事，因此，以爲可以遮掩罪過的想法乃屬愚昧。

閱讀：約八12

撒迦利亞預言拯救者「*要照亮坐在黑暗中，死蔭裡的人…*」（路一79）
耶穌要將亮光和生命賜給凡願意相信祂的人。

彼後三9

## F.結論

使用「兩類人」圖畫

我們每一位都要思想自己是屬那一類的人？（註四）
聖經告訴我們 神願意萬民都成爲祂家中的成員。
這正是祂差遣自己的兒子耶穌基督到世上來的原因。

註四：
請勿藉此機會迫使同學們決志，只要等候聖靈在他們心中的工作。

請預留時間在下課後與同學們詳談，藉此向心中已經預備好的同學們詳述福音。

## 問題：

1.爲何尼哥底母相信耶穌是從 神那兒來的?
*是因著耶穌所行的神蹟。*
2.法利賽人和其他的人以爲他們可以憑藉甚麼進入天國?
*a.他們的善行。*
*b.他們是亞伯拉罕的後裔。*
3.耶穌說我們要從水而生應作何解?
*耶穌的意思是要我們藉著聆聽、明白及相信 神的話而得以重生。*
4.誰使用 神的話語來引導我們重生進入 神的家中?
*聖靈。*
5.摩西放在杆子上的銅蛇如何預表拯救者耶穌?
*a.耶穌要像那銅蛇般被舉起來。*
*b.凡仰望銅蛇者，蛇咬之傷得以痊癒。同樣地，凡信靠拯救者耶穌的人可被拯救脫離撒但、罪惡和死亡的權勢。*
6.爲何 神要差遣耶穌到世上來?
*爲要拯救世人脫離因罪所帶來永遠的刑罰。*
7.爲何世人不願意聆聽 神的話語?
*因爲他們沉醉於罪中之樂，他們要滿足自己。*

# 第三十七課　耶穌顯明祂的神性卻遭猶太領袖所拒；耶穌揀選十二門徒

**參考經文**

**課前預備**

此段只供教師使用

左列的各參考經文有助於你準備這一課。但因經文帶出的眞理有些會在稍後課文中講授，故不宜於此立刻講解這些經文。
請注意：若你沒有教授過本書課文，請詳讀書前『教師必讀』部份。

經文：可二1-17;三1-19

## 本課目的：

說明耶穌基督是主。
說明人不能自救。
說明只有耶穌可以施行拯救。
界定宗教上的假冒僞善。

## 本課可幫助學生：

明白聖經中有明顯的憑據證明耶穌是 神。
了解靠自己的努力是愚昧的。
明白耶穌來爲要拯救罪人。

## 教師的觀點：

在耶穌的時代，很多宗教領袖不顧神的事，他們利用 神的名和神的話去招收信徒。他們好像十分虔誠，心裡卻不順服 神也不相信祂，他們排除了唯一可以從罪中拯救他們的那一位。

今天我們當中也有類似的人，就是爲自己建立廣大的從者，內心卻違背 神。雖然他們能說娓娓動聽和富有宗教意味的信息，但非發自眞心，只是謊言而已。那些人好像法利賽人，誤導百姓需靠善行才可以進入天國。有些人認爲，任何人不管他們曾作何事，皆可以進入天國，或認爲 神是愛，所以我們只要愛人便可。

數年前，一份基督教雜誌以類似食物標簽的辦法，作爲那期簡明而有力的封面。那標簽寫著：「百分之百純正恩典、絕對不含雜質，並無人造成份」。 神已爲我們開了唯一的生路，我們不應擅自加增，或左顧右盼尋求其他得救的途徑。

我們可以從研讀聖經明白 神的話。有趣的是，那些誤導別人者常因著曲解、錯用、忽視、拒絕或加增 神的話語而露出馬腳。撒但昔日在伊甸園引誘夏娃，在曠野試探耶穌，今天他也要以同樣的方法對待我們。耶穌以 神正確的話語擊倒了撒但，我們今天也要學習耶穌的榜樣。

作爲教師，我們有責任先去研讀 神的話語。當然沒有人可以無所不知，但住在每位信徒裡面的聖靈可以幫助我們去鑽研。（註一）

**課文概覽**

本課講述耶穌行醫治的神蹟，表徵了祂是神。

本課也說到很多猶太領袖排斥耶穌。

我們在祂揀選門徒的事上，看出祂選用普通的人。

要點：
一耶穌有赦罪的權柄。
一耶穌來爲要拯救罪人。
一人無法自救。
一神識透並指正虛假。
一邪靈知道耶穌是誰，但耶穌要他住口，因爲祂要親自告訴人眞正的信息。
一祂洞悉人心，知道猶大將要出賣祂。

註一：
你可以坦白地告訴同學你所不能解答的問題，但會致力鑽研及找尋答案，若需要協助，可請教牧師或靈命成熟的長老。寧可請同學們等待聖經中的答案勝於立刻給他們錯誤的答案。同樣地，作爲教師的，在提供錯誤答案或教導錯誤資料時，應有責任向同學們坦白地承認錯誤並加以更正。

## 視覺教材：

圖畫第六十五號「耶穌醫治癱子」
圖畫第六十六號「耶穌與十二門徒」
地圖第三號

## 淺論神蹟：

授課時，請注意耶穌施行神蹟的用意。對等候彌賽亞者而言，耶穌的神蹟是要顯明祂是 神（參約十38-42;十四11;廿30,31）。若有同學問：「耶穌今天還會不會治病？」答案是「會，祂必定會治病」。並請說明祂明白甚麼是最美好的，因此，祂雖然有治病的能力，但有些時候祂不一定那麼作。我們要能信靠祂，讓祂成就最完美的旨意。

有些人認爲當他們求 神的時候， 神就要醫治他們；但神蹟是神的特權，不是我們的特權。我們應求問全能全知的神，大於求自己所想要的。林後十二1-10是值得參考的經文，祂的能力永不消滅，耶穌昔日今日都沒有改變（來十三8）。有些時候， 神在我們身上的旨意遠超過我們肉體疾病的痊癒，祂應允把最好的賜給我們，只有祂才知道我們眞正的需要。當我們衡量 神的應許時，我們要著眼於祂的全部話語及穩靠於祂無限的智慧中。

讓我們緊記，肉體上的痊癒是要提醒我們：耶穌在十字架上所帶來更大的痊癒，就是醫治被罪所創傷的靈魂。不論我們身患頑疾或康健強壯，我們的身體終有一天要因爲罪的緣故而死去，但藉著信靠基督，我們永恆的生命將要得著一個與主一樣的身體。「*我們卻是天上的國民，並且等候救主，就是主耶穌基督，從天上降臨。祂要按著那能叫萬有歸服自己的大能，將我們這卑賤的身體改變形狀，和祂自己榮耀的身體相似。*」（腓三20-21）

## 授課要點

此課程特爲非信徒安排，故授課時務要奠定聖經基礎，以爲日後傳福音的根據。若你班上有信徒參予，則授課的目的是使他們明白信仰的根基，以致日後他們亦可運用同樣教材去教導未信的人。

**課文信息要明確簡潔，切忌節外生枝！**

請注意這課程是有範圍和有主題的聖經研讀，並非徹底深入的聖經鑽研，亦非漫無邊際的小組討論。請依照主題帶領討論，以保持課程進度。切記緊依大綱，突出教義主旨。

課程編排形式：每一頁的中間部份是教授學生的內容，粗體字的標題只供教師參考，不需口誦，因爲標題內容會在接著的課文大綱提及。至於左右兩欄所列的經文是給教師作參考之用，不宜在課堂上詳授。

## 教授學生的內容（中間部份）

**課文大綱:**

複習第三十六課問題

### A.序言

設若我們生在耶穌的時代，我們會不會像當時的群眾蜂擁耶穌?
我想大家也渴望這樣。現在我們要來學習有關祂的事情。
人們到耶穌面前來有各種不同的理由：
—有些人為了好奇。
—有些人為了得醫治。
—有些人以為祂要作王，拯救他們脫離羅馬的統治。
—有些人因著祂闡述 神的話帶著權柄而前往聆聽。
—但有些人是來找祂的錯處。
—他們要定祂莫須有的罪，並非因為祂眞的犯罪，而是他們妒忌祂在百姓當中的工作。
—他們漠視眞理，只求保存自己在別人眼中德高望重的地位。
假若我們也在當時的群眾中，會有何感想?

### B.耶穌教導 神的話

主題：神與人對話

閱讀：可二1,2

在第三號地圖上指出迦百農

很多人要聆聽耶穌的教訓。
—祂將 神的話教導他們。
—我們今天所學習的就是耶穌當時對人的教導。

### C.有一個病人被帶到耶穌跟前

主題：人滿懷罪孽，不能自拔，需要 神的拯救

閱讀：可二3

這人是癱瘓的，他無法使自己痊癒。
—醫生也束手無策。
—他的朋友們亦有心無力。

—比較:

*這事提醒我們人的無助，沒有人可以拯救自己脫離撒但的魔掌，脫離罪孽對他生命的纏累，以及罪所帶來的刑罰。善行不能救我們，我們無法救自己，甚至牧師、研經班導師及基督徒的朋友都不能救我們，宗教也不能拯救我們，教會不能拯救我們，洗禮不能拯救我們。那麼，誰可以拯救我們?*

主題：人必須憑著信心來討 神的喜悅並得著拯救

閱讀：可二4

病人的朋友們把他帶到唯一能幫助他的人面前。

—注意:

*猶太人的房頂是平坦的，屋頂由橫樑支撐，橫樑上一般舖設一層蘆葦或荊棘，再以一層厚泥土加於其上蓋成，屋外更有階梯通往屋頂。*

—這些朋友們將那病人抬到屋頂上，把屋頂拆了一個洞。

—然後將他連人帶褥子縋到耶穌面前。

*建議視覺教材:*

圖畫第六十五號「耶穌醫治癱子」

## D.耶穌赦免病人的罪

主題: 耶穌基督是 神

閱讀：可二5

耶穌看出他們眞心地相信祂，因而赦免了那人的罪。

閱讀：可二6,7

提前二5
約壹一9;
二1,2

這些人說只有 神才有赦罪的權柄，他們說的不錯，但他們認爲耶穌犯了罪，那就不對了。

—因爲耶穌是 神，所以祂有赦罪的權柄。

—文士們不相信耶穌是 神的兒子，不相信祂從天降世，要作人類的拯救者。

—他們以爲耶穌只是普通人。

—思想:

*牧師、神父或其他人有沒有 神的權柄來聆聽而赦免我們的罪? 沒有，只有 神自己才有赦罪的權柄。*（註二）

註二:
同學至今應當明白我們不是指著其他宗教而言，我們只是依照聖經講授。

E.耶穌使那病人痊癒

主題：耶穌基督是 神

主題：神無所不在，祂洞悉萬有

閱讀：可二8

雖然那些人一言不發，但耶穌知道他們心中的意念。

主題：耶穌基督是 神

主題：神是全能的 神

閱讀：可二9-12

耶穌使那人徹底地痊癒，彰顯自己是 神。
—人們都感到詫異並讚美 神。
—他們未嘗目睹這樣的事。

F.耶穌呼召利未

主題：人滿懷罪孽，不能自拔，需要 神的拯救

閱讀：可二13,14

耶穌呼召利未成為祂其中一位門徒或學生。
這利未亦名馬太。
當耶穌呼召馬太的時候，馬太是一位稅吏，專替羅馬人向他自己的百姓猶太人徵稅。
—正因稅吏是為羅馬人工作，猶太人十分憎惡和藐視他們。
—此外，稅吏以多收稅款、以飽私囊而惡名遠播。

主題：人必須憑著信心去討神的喜悅和得著拯救

馬太從罪中悔改過來。
—他扭轉了對自己、對罪和對 神的態度。
—他認同 神。
—他信靠耶穌作為 神差到世上來的救主。
若干年後， 神使用馬太寫成了聖經中的一卷書。
—聖靈感動馬太著筆。
—馬太福音是新約的第一卷書，當中多處引用猶太人十分熟識的舊約。

## G.耶穌來為要呼召罪人

主題：人滿懷罪孽，不能自拔，需要 神的拯救

閱讀：可二15,16

文士和法利賽人的驕傲。
—他們以為自己因著禁食、禱告和致力行善就可以討 神喜悅並高人一等。
—文士和法利賽人絕不會與公認的罪人- 如稅吏-同席用膳。

閱讀：可二17

耶穌對文士和法利賽人說明，健康的人用不著醫生，只有患病的人才要看醫生。

主題: 耶穌是唯一的救主
主題：人滿懷罪孽，不能自拔，需要 神的拯救

耶穌來到世上，不是要幫助那些自以為無罪和想靠善行蒙 神悅納的人。
反之，祂來為要拯救那些願意承認自己是無助的罪人，並需要神的恩典得蒙拯救的人。

## H.法利賽人的陰謀

主題：人滿懷罪孽，不能自拔，需要 神的拯救

閱讀：可三1,2

法利賽人和其他猶太人領袖排斥 神藉約翰所傳揚的話，現在，他們又排斥救主耶穌的教訓。
他們日以繼夜地監視耶穌，要從祂身上找出違反他們律例之憑據，逮捕祂將祂置諸死地。
耶穌完全遵守 神的律法，但宗教領袖們在其上增添自己的規條，以為可以藉此討 神的喜悅和蒙 神的接納。
—宗教領袖們所加增的其中一條規條就是限制安息日不得治病。
—他們認為在安息日治病就是在當天工作。
—耶穌拒絕遵守這些猶太領袖們在 神話語上擅加的規條。

猶太人領袖因著耶穌聲稱自己是 神的兒子、是那位拯救者而恨惡祂。
此外，他們也因著耶穌指出他們是罪人而憎惡祂。耶穌知道那些領袖們並非真心地尋求、敬拜 神。

—他們外表虔誠，內心卻充滿自私和罪惡。
—聖經稱這等人爲假冒僞善的人。
若有人外表虔誠，但內心不顧 神，這些人可稱爲假冒僞善的人。
耶穌查看人的內心，祂向猶太人說，他們的領袖是假冒僞善的。
百姓蜂湧地跟隨耶穌。
—這樣使猶太領袖們對耶穌恨之愈切。
—他們妒忌耶穌。

太六 2,5,16;廿三1-39

—**思想:**

*今天很多人好似耶穌時代的猶太人領袖，他們的外表十分虔誠，內心卻毫不關注 神的事情。這些人自稱爲基督徒，但他們實在不相信 神，他們仍活在撒但的魔掌中.*

*正如前述，這些人使未信者背棄耶穌。有些人道出他們不願意成爲基督徒的原因，正是看見一些自稱爲基督徒但實在是虛有其表、假冒僞善的人。但願我們不要讓這些人成爲我們學習、認識神的絆腳石。我們要在聖經中找尋眞理，不要因這些虛僞的人困惑我們。 神洞悉人的心思意念，祂會親自處治這些僞善的人，我們每一個人也要親自來認識耶穌基督並相信祂是唯一可以拯救我們脫離撒但、罪惡及死亡的救主。*

## I.耶穌醫治手枯乾的人

閱讀：可三3-4

耶穌不滿猶太人的領袖，因爲他們故意背棄 神的教訓。

—**回想:**

*當 神差遣摩西到埃及的法老王面前，要求他釋放以色列人出埃及時，法老就是一意孤行違背 神。 神終於毀滅了他，並傾覆了他的國家。*

—人若背棄 神和祂的話語，這實在是個危險的嘗試。
— 神最終要殲滅所有不願意順從祂的人。
—凡與 神爲敵者，終必敗亡。

閱讀：可三5

主題: 耶穌基督是 神

主題: 神是全能的

耶穌使那人的手徹底地痊癒。
—除了 神以外，沒有一人可作這事。
—耶穌是 神， 神是無所不能的。

耶穌如何治好那人?
—祂作了何事?
—祂一說話，那人的手就痊癒了。
—**回想:**
*起初 神創造天地時，祂一說話，事就這樣作成了，祂一吩咐，萬物就都被創造了。同樣地，祂吩咐那人的手痊癒，他的手就完全地康復了。*

西一16

## J.法利賽人和希律黨人密謀致耶穌於死地

主題：人滿懷罪孽，不能自拔，需要 的拯救

閱讀：可三6

希律黨人就是希律的從眾。
一他們不要其他的王。
一（這希律王就是要殺嬰孩耶穌那位希律王的兒子）。

## K.耶穌教導群眾並治病

閱讀：可三7,8

附近的人也聞風而至，要聆聽耶穌的教訓和讓祂治病。

在第三號地圖上指出耶路撒冷、以土買、約但河、推羅和西頓，並加利利海。

主題: 耶穌基督是 神

主題: 神是至尊而掌權的

主題: 神是全能的

閱讀：可三9,10

耶穌在名叫加利利海的岸邊教訓群眾。
因著很多人都要親近耶穌，所以耶穌吩咐門徒預備船，好在群眾擠擁之時使用。
從來沒有一人像耶穌。
一祂超越萬有。
一那曾經觸摸祂，並相信祂醫治能力的人，不論他們所患何病，都可立時痊癒。

可五25-29

## L.邪靈也認識耶穌

主題: 耶穌基督是 神

閱讀：可三11

猶太領袖不相信耶穌是 神的兒子，邪靈卻知道祂就是 神的兒子。
他們在墮落以前曾在天上事奉祂。

主題：人必須憑著信心來討 神的喜悅並得著拯救

閱讀：可三12

耶穌吩咐邪靈住口。
—祂不願意百姓因為邪靈的話而相信祂。
—耶穌盼望百姓可以因著祂的教訓而知道自己是罪人，並感到需要耶穌作為他們的救主。
—思想：
*神並不需要藉著施行神蹟使我們相信祂，祂盼望我們可以因著記載在聖經中的話而相信祂。*

## M.耶穌揀選十二門徒

主題：人必須憑著信心去討神的喜悅和得著拯救

在圖表上指出「十二門徒」

閱讀：可三13-19

*建議視覺教材：*

圖畫第六十六號
「耶穌與十二門徒」

耶穌有很多門徒（或學生）跟隨祂和學習 神的信息。
耶穌在眾多學生中特別挑選十二名入室弟子去協助祂教導、醫治及趕鬼的工作。
—耶穌要訓練他們成為使徒或特別代表。
—（聖經有些時候稱他們為「十二門徒」、「門徒」或「使徒」）。
—大約你還記得耶穌在稅關中呼召利未（馬太），利未就跟從了祂。
—耶穌所揀選的十二門徒中，大部份不是飽學之士。
—他們亦非富翁。
—他們當中有些人的本業是漁夫。

一但他們看重相信 神所差來的救主耶穌並跟祂學習。
除了加略人猶大以外，他們全都相信耶穌。
一猶大說，他同意耶穌的教訓，並眞心地相信祂，可是，這些只是信口開河的話。
一他是假冒僞善的人，他的心思意念並不同意 神的話。
一他沒有眞心信靠耶穌可以拯救他脫離撒但、罪惡及死亡的控制。

主題：神無所不在，祂洞悉萬有

其他十一位門徒並不曉得猶大並非眞心的相信者，但耶穌看透他的心思意念。
耶穌深知，終有一天猶大要出賣祂，叫祂落在仇敵手中。

## N.結論

耶穌看透人心。
祂治癒人的肉體。
祂的能力遠勝魔鬼。
耶穌是眞神。
但宗教領袖們排斥祂。
耶穌揀選凡夫俗子作爲祂的學生及門徒。
祂要世人知道祂將要拯救男女老幼脫離撒但的魔掌及他們的罪所帶來的刑罰。
祂知道其中的一位門徒有一天要出賣祂，致祂於死。

## 問題:

1.爲何耶穌有赦免那癱子的權柄?
*因爲耶穌是 神。*
2.爲何耶穌要醫治患病的人?
*因爲耶穌是 神。*
3.利未的別名爲何?
*馬太。*
4.當耶穌呼召馬太時，馬太從事何業?
*他爲羅馬人向猶太百姓徵稅。*
5.耶穌來爲要救甚麼人?
*那些同意 神的話，承認自己是罪人及認識只有 神的恩典可以拯救他們的人。*
6.靠善行者可以進入天國嗎?
*不可以， 神絕不會因著人的善行而接納他。*
7.爲何文士和法利賽人日以繼夜地監視耶穌?
*因爲他們憎惡耶穌，要找一些罪名加在祂身上，好除掉他們的眼中釘。*

8.爲何他們對耶穌恨之入骨。

*a.因爲耶穌說，祂是 神的兒子和所應許的拯救者。*

*b.因爲耶穌指出他們的惡，並在眾人面前揭露他們的僞善。*

*c.因爲他們妒忌百姓跟隨了耶穌。*

9.耶穌爲何吩咐邪靈住口，不得告訴眾人祂的身份?

*因爲祂不願意撒但和他的黨羽替祂開口證明祂是誰。*

10.耶穌在眾多的跟隨者中挑選了多少位入室弟子?

*十二位。*

11.這十二人是不是飽學之士或富翁?

*不是，他們當中大部份不是飽學之士或富翁。*

12.人有些時候可以互相欺騙，但爲何沒有人可以欺騙 神?

*神無所不知，祂看透我們的心思意念。*

# 第三十八課　耶穌平靜風浪及在格拉森趕鬼

**參考經文**

**課前預備**

此段只供教師使用

左列的各參考經文有助於你準備這一課。但因經文帶出的眞理有些會在稍後課文中講授，故不宜於此立刻講解這些經文。
請注意：若你沒有教授過本書課文，請詳讀書前『教師必讀』部份。

經文：可四35-41;五1-20

## 本課目的：

說明耶穌基督是 神。
說明人不能拯救自己脫離罪惡、撒但和死亡。
說明耶穌基督的能力遠勝撒但，祂可以拯救人脫離撒但。

## 本課可幫助學生：

明白耶穌是 神，所以祂超越萬有。
明白耶穌關心在絕望中的人。
明白只有耶穌可以拯救他們。

## 教師的觀點：

今天很多人好像昔日在格拉森的那個人，全然被撒但控制。我們的監獄和懲教中心住滿了那些不願過正常生活的人。社會工作人員花上億萬的金錢經年累月地處理同一個人，卻發覺情況毫無改善。無數的統計報告指出，自殺個案不斷地劇增。

耶穌是昨日、今日直到永遠都不改變的 神！今天，祂仍然在扭轉那些絕望、無用、破壞性、反對社會及傾向自殺的人們來成爲祂寶貝的兒女。這些人不是要受新的思想教育，他們是重生在基督活潑的盼望中，他們變成了有用、有貢獻、關懷別人的人。他們對聖經有穩固的認識，他們知道自己永恆的歸宿，更有熱切的心去與別人分享這位拯救了他們的奇妙救主。

講述一位「住在山洞中的野人」會有什麼價值？同學當中可能有深陷毒品或傾向自殺的家人，社會不能對這些人提供根治的方法或解決途徑。人只可「修補」一個破舊的生命和受了創傷的人，但耶穌賜予人新的生命，並爲榮耀祂而活出來的生命力。

祂遠勝仇敵，祂可以將一個被撒但摧殘的人從撒但的掌握中搶救出來。我們的主樂意拯救人，使他們在基督裡成爲新造和完全的人。我們所事奉的主何其大哉！

**課文概覽**

本課說明耶穌是全能的 神，祂一言既出就能平靜風浪，並使被鬼附著絕望的人重新做人。

本課並強調，人絕不能靠自己的能力擺脫撒但和罪的綑綁。

**視覺教材：**

圖畫第六十八號「耶穌平靜風浪」
圖畫第六十九號「耶穌醫治被鬼附的人」
地圖第三號

## 授課要點

此課程特爲非信徒安排，故授課時務要奠定聖經基礎，以爲日後傳福音的根據。若你班上有信徒參予，則授課的目的是使他們明白信仰的根基，以致日後他們亦可運用同樣教材去教導未信的人。

**課文信息要明確簡潔，切忌節外生枝！**

請注意這課程是有範圍和有主題的聖經研讀，並非徹底深入的聖經鑽研，亦非漫無邊際的小組討論。**請依照主題帶領討論，以保持課程進度。切記緊依大綱，突出教義主旨。**

**課程編排形式：**每一頁的中間部份是教授學生的內容，**粗體字的標題**只供教師參考，不需口誦，因爲標題內容會在接著的課文大綱提及。至於左右**兩欄**所列的經文是給教師作參考之用，不宜在課堂上詳授。

## 教授學生的內容（中間部份）

**課文大綱：**

複習第三十七課問題

**A.序言**

記得上一次令你手足無措的事件嗎？（註一）
當你手足無措時，你向誰求助？
你有否想到過我們的主？
我們的主有多大的能力？
在祂裡頭有難成的事嗎？

耶卅二27

註一：
再次提醒：這一類的問題是要引發同學們的思潮，請輕描淡寫地帶出，然後繼續授課。

在小組的情況下，切勿使用這類問題，因同學們可能會有作答的壓力。

**B.大風浪**

接近黃昏的時候，耶穌打發群眾散去，祂和十二門徒登上了船，要駛往湖（加利利海）的對岸去。

在三號地圖上指出加利利海

請聽當時發生了什麼事。

閱讀：可四35-37

那是一場可怕的風暴。
狂風怒嘯，驚濤駭浪。

—思想：

*你有沒有出海時遇著風暴的經驗？倘若有的話，你必定可以感受到門徒當時的心情。*

## C.門徒搖醒了耶穌

主題：耶穌基督是人

閱讀：可四38

耶穌在船尾睡著了。
—耶穌是 神，也同時是人。
—祂與我們一樣會感覺疲倦，需要睡眠。
門徒不明白爲何耶穌可以繼續睡覺而毫無懼意，他們因而吵醒了祂。
—他們不該問耶穌，爲何他們要喪命了祂還不顧？
—他們應當知道耶穌實在關心他們的安危。

## D.耶穌平靜風浪

主題：耶穌基督是 神
主題：神是至尊而掌權的
主題：神是全能的

—思想：

*你認爲耶穌怎樣處理他們的困境？祂曾使人痊癒並趕鬼，但祂要如何對付狂風駭浪？*

閱讀：可四39

*建議視覺教材：*

圖畫第六十八號「耶穌平靜風浪」

耶穌是 神。
—祂創造了海和風。

詩廿四1,2
西一16

—回想：

*在創世之初，是誰吩咐天下的水聚在一處，使旱地露出來？是誰命令紅海分開，讓以色列人逃離埃及人的追捕？就是 神。*

*萬物——就是包括天下的海洋——都由 神所掌管，因祂是萬有之主。*

*耶穌基督是子神。*

—西一16說明「萬物都是靠祂造的」。

—比較：

*凡你手所造之物也是屬於你的，你可任意爲之。*

*耶穌和門徒所渡的海是名正言順屬於祂的，因祂在起初創造了萬有。耶穌創造了海洋、風、閃電及雲。*

當耶穌命令風暴時，風暴就止住了，因爲祂是萬物的創造主和擁有者。

主題：神無所不在，祂洞悉萬有

閱讀：可四40

耶穌查問門徒爲何不信靠祂和祂的 父神。
門徒忘記了 神無時無刻、不管事情的好壞，都是無所不知的。

主題：耶穌基督是 神

閱讀：可四41

他們以往目擊耶穌治病及趕鬼，卻未曾看過如此的神蹟。

## E.被鬼附的人

主題：人滿懷罪孽，不能自拔，需要 神的拯救

主題：撒但與 神的意願相違，牠是騙子，是說謊者，
也恨惡人類

閱讀：可五1-4

這人無法擺脫那些邪靈的控制。
別人曾嘗試制止他，但在他裡頭的邪靈竟連鐵鏈也折斷了。
那人住在用作墓穴的山洞中。
—他無助。
—也毫無指望。

—思想：

*我們可能會認爲那人甚爲可憐，並慶幸自己不像他一樣倒霉。可是，世人一生來就像那人一般落在撒但的魔掌之中，和那人一樣的無望無助。雖然撒但不一定要所有人都做那個人所做的事，但他要脅持世人，直至耶穌來釋放他們。*

撒但和他的黨羽要摧毀世人。
雖然撒但和他的黨羽在表面上善待人，事實上他們在等候機會將人毀滅。
我們看看他們如何對待那人。

閱讀：可五5

撒但和他的黨羽折磨那人，迫使他多次地試圖結束自己的生命。
—思想:

*今天很多人試圖結束自己的生命，這是撒但和他黨羽想灌輸的意念。撒但使他們以爲終結自己的生命是唯一的出路。那是大謊話，因爲撒但就是撒謊者和兇手，他憎恨 神，也憎恨人。*
*撒但使人以爲自己遭逢厄運，一生都得活在蠶食他們身體和生命的惡習中。不少人被困於毒品、酗酒和其他惡習之中，他們試圖擺脫這些惡習，卻遭受撒但的拘禁。*
*他們可能已嘗試向不同的途徑求助，卻找不著根治的藥方。很多人也像那個在格拉森的人——他們不能正常地在社會中運作，而社會亦束手無策。*
*他們眞是求助無門嗎?*
*撒但希望他們和世人都有這樣的想法。*

約八44

大騙子撒但要把人拉去，使他們永遠與 神隔絕。
他要盡施詭計，叫人不相信 神的眞理。
爲何他要這樣做? 因爲 神的眞理就是使人可以得著永遠生命的好消息。

閱讀：約三16

神要賜人新生命——就如耶穌向尼哥底母闡述那從天而來的新生命。
—思想:

*你可能在想: 「像尼哥底母那樣的人當然可以接受新生命，但在格拉森的那個人和今天身陷惡習的人又如何? 他們是否仍然毫無指望? 」*
*倘若他們仍要自救或尋求人的幫助，那麼答案就是: 「對，他們沒有指望」。*
人不能救自己脫離撒但的魔掌。
但耶穌可以。
讓我們看看祂作了何事。

## F.邪靈認識耶穌

主題: 耶穌基督是 神
主題: 神是至尊而掌權的

閱讀：可五6,7

邪靈深知耶穌是他們的創造者，是 神的兒子。
邪靈懼怕耶穌要立刻懲治他們，將他們棄置在火湖中。
神是撒但和他黨羽的最高統治者。
—祂可以用任何的方式去懲治他們。
—祂要在時候滿足之日將祂們全部棄置在火湖中。

西一16

## G.耶穌吩咐邪靈出來

閱讀：可五8,9

世上充滿邪靈。
撒但是他們的主腦。

主題：耶穌基督是 神

主題：神是至尊而掌權的

主題：神是全能的

閱讀：可五10

邪靈知道他們絕不可能與他們的創造者耶穌敵對。
—耶穌的權能遠勝撒但和他的黨羽。
—撒但和他的黨羽不可能敵擋耶穌。
—他們深知他們終有一天要服在祂的權柄以下。
—比較：

*若我們以為可以敵擋 神，不讓祂去主宰我們的生命，那是何其愚昧之想！若我們深知撒但和他的黨羽終有一天要被棄置在火湖中，卻仍不願脫離撒但的管治，是何等不智！ 神擁有世上一切的權柄。*

啓廿10

## H.鬼入豬群

閱讀：可五11-14

*建議視覺教材：*

圖畫第六十九號
「耶穌醫治被鬼附的人」

豬被淹死，但在牠們身上的邪靈卻沒有被淹沒，因為他們沒有像人或動物般在形質上的身體。

耶穌當時沒有立刻把那些邪靈送到永遠的刑罰中。
—祂允許他們附在豬群中。
—當時不是 神要懲罰他們叛逆罪行的時候。
—但 神已設定日期必要懲治撒但和他的黨羽。

## I.一個被釋放的人

主題：神滿有慈愛、憐憫和恩典
主題：神是全能的

太廿五41
啓廿10

閱讀：可五15

主耶穌以祂的能力將這人從撒但和他黨羽的魔掌下釋放出來。
—他不需要再聽從邪靈的使喚。
—他已是 神權柄以下的人。

## J.愚昧的人

主題：人必須憑著信心來討 神的喜悅並得著拯救
閱讀：可五16,17

那些人甚爲愚昧。
—神的兒子救主耶穌親自到他們當中教導他們。
—他們竟不許祂留下來。
爲何他們要耶穌離開?
—他們關心他們的豬群過於認識眞理以及何以脫離撒但、罪惡及死亡的權勢。

路十二13-34

—比較:
*今天仍有很多像那時候的人，他們爲了世上的事而拒絕聆聽神的話語。他們全不關心自己死後將要面臨的事，他們只爲眼前的今生而活，但世上的生命是短暫的，一切都要成爲過去。*

## K.一個活生生的見證

主題：神與人對話
閱讀：可五18-20

—思想:

*試想一個本來不受控制、赤身露體、自我摧殘，不能過著正常的家庭生活和工作的人；他本被社會所遺棄，神智瘋癲，甚至鎖鏈也剋制不了他。現在，同一個人穿著整齊、神智清醒，並可以回家，過著正常的生活，因他已得著了生存的眞義。*
*他就是一個活生生的奇妙故事，耶穌要他回家，將這事告知家人，他們要比其他的人更能親身體驗那人生命的改變。你能想像當家人看見他時會有什麼反應？在 神沒有難成的事，祂至今沒有一絲毫的改變。*

一比較：

*世人生來就在撒但的魔掌之下，但很少人像那人一般被邪靈如此操縱。*
*我也曾受撒但的操縱，本應走向永遠的刑罰。但我聽聞 神的話語，並同意祂所說的一切，曉得自己本是一個罪人，因爲我違背了 神的律例和典章。 神在聖經中讓我知道，我不能靠自己的力量而被祂接納，我且要面對永遠的刑罰。*
*我亦曉得 神差遣自己的兒子耶穌成爲罪人的拯救者，我信靠耶穌作爲我個人的救主。（註二）*

註二：
這個故事還未眞正進入福音裏——即耶穌的受死、埋葬和復活。因此若要講述這一類的見證，請適可而止。請繼續帶出有關耶穌的工作，就是祂在十字架上所完成的：祂粉碎了撒但、罪惡和死亡的權勢，使人得以與 神和好。

## L.結論

閱讀：約八36

在 神沒有難成的事。
祂曾釋放那位格拉森的人，祂也可以使任何人著得釋放。

## 問題：

1.爲何耶穌會感到疲倦、飢餓和一切我們所有的感覺?
*因爲耶穌除了是 神以外，祂也是人，祂也有像我們一樣的肉體。*
2.誰在暴風中看顧了門徒?
*神。*
3.爲何耶穌可以吩咐風浪平靜?
*因爲耶穌是 神，祂創造了海。*
4.那被鬼附的人可以自救或借助別人的力量來擺脫邪靈的操控嗎?
*不可以，他是無助的。*
5.你可否以自己或借助別人的力量來擺脫撒但的權勢?
*不可以，我們都是無助的。*
6.我們如何在這事蹟中得知邪靈恨惡人?
*邪靈折磨那人，要他終生哭號、用石頭割傷自己並住在埋葬死人的洞穴中。*
7.誰是世上所有邪靈的主腦?
*撒但。*
8.誰遠勝撒但和他的黨羽?
*神。*
9.邪靈有沒有被淹死在水中?
*沒有，因爲他們是靈。*
10.是誰徹底地扭轉了那人的生命?
*是拯救者耶穌。*
11.誰是唯一可以拯救全人類脫離撒但、罪惡和死亡權勢的拯救者?
*耶穌，因祂是 神。*

# 第三十九課　耶穌使五千人吃飽

參考經文

## 課前預備

此段只供教師使用

左列的各參考經文有助於你準備這一課。但因經文帶出的眞理有些會在稍後課文中講授，故不宜於此立刻講解這些經文。

請注意：若你沒有教授過本書課文，請詳讀書前『教師必讀』部份。

經文：約六1-35

### 本課目的：

說明耶穌基督是 神。
說明耶穌基督是唯一的救主。
說明人不能自救，他們要憑著信心來到 神面前。

### 本課可幫助學生：

明白耶穌所施行的都是眞實的神蹟。
明白生命的眞義遠超食物或物質的供應。
明白只有耶穌可以拯救他們。

### 教師的觀點：

在今天的社會中，只要你掛出「免費」的標誌，必能引人注目。商業上的競爭就是比看誰可以送出最多的東西而吸引顧客。有些人爲了到「大減價」的商店去節省數分錢，反而浪費了汽油和時間。

我們都像耶穌時代那群怪異的人，他們蜂湧至減價的商店，卻拒絕耶穌所賜予免費的永生。很多時候，肉體的胃口比靈命的胃口大，而靈命的胃口甚至僅只聊勝於無。

當耶穌到世上來賜予免費的禮物時，祂不像今天的商業廣告那樣的吹嘘。反之，祂單以愛傳講眞理，以憐憫的心滿足人肉體的需要，並且樂意滿足他們更大的需要，就是要得著永生。

當我們授課時，請緊記仿效耶穌教導的模式，並要免費地送出祂的信息。有些人就是主親自送給他們生命的免費禮物，他們也是不領受，但*「凡信祂的，就是信祂名的人，祂就賜他們權柄，作神的兒女。」*（約一12）

### 視覺教材：

圖畫第七十一號「耶穌使五千人吃飽」
地圖第三號

課文概覽

本課說明耶穌是生命的糧，祂要滿足我們救恩的需要，使我們脫離罪進入永生。本課說明耶穌的全能和全知藉以強調祂的神性。

本課並說明人不能自救，他們需要單單地信靠耶穌作爲他們的救主。

## 授課要點

此課程特爲非信徒安排，故授課時務要奠定聖經基礎，以爲日後傳福音的根據。若你班上有信徒參予，則授課的目的是使他們明白信仰的根基，以致日後他們亦可運用同樣教材去教導未信的人。

**課文信息要明確簡潔，切忌節外生枝!**

請注意這課程是有範圍和有主題的聖經研讀，並非徹底深入的聖經鑽研，亦非漫無邊際的小組討論。請依照主題帶領討論，以保持課程進度。切記緊依大綱，突出教義主旨。

課程編排形式：每一頁的中間部份是教授學生的內容，粗體字的標題只供教師參考，不需口誦，因爲標題內容會在接著的課文大綱提及。至於左右兩欄所列的經文是給教師作參考之用，不宜在課堂上詳授。

## 教授學生的內容（中間部份）

**課文大綱:**

複習第三十八課問題

### A.序言

你放在家中的麵包，一般可以貯存多少時間?
那些麵包在數天之內，不是給人吃掉，就是發霉了。
我們知道麵包不能存放過久，但我們還是要買，因爲我們需要食物。
我們肉體上的需要是顯而易見的。
但我們屬靈上的需要又如何?

### B.人群蜂湧地跟隨耶穌

主題：人滿懷罪孽，不能自拔，需要 神的拯救

閱讀：約六1,2

在三號地圖上指出加利利海

爲何那些人要跟隨耶穌?
一他們是不是覺得自己是罪人，需要一位救主?
一不是，他們跟隨耶穌的原因是要得著物質上的利益。
他們不管屬靈的事情。
他們要爲滿足肉體的需要。

—思想:

*若有人順從聖經的教訓只是為了得著世上的益處和財富，那人必一無所獲，因耶穌來不是要贈送地上的財富。*

*相信聖經和信靠耶穌作為救主不一定改善我們的生活環境，神從來沒有答應這樣的事情。*

提前一15
約十二27;
十八36,37

耶穌來，另有真正的原因。
神差遣耶穌作救主，拯救人類脫離撒但、罪惡和永遠的死亡。

閱讀：約六3,4

—回想:

*猶太人用逾越節紀念他們祖先在埃及地的最後一夜。還記得以色列人因把羊羔的血塗在門框上，使執行死亡的天使逾越他們的房子嗎? 神吩咐他們每年要宰殺和烹食一隻羔羊，為要紀念他們的祖先得著釋放。猶太人不惜長途跋涉，每年到耶路撒冷守逾越節。*

出十二1-28
申十六1-8

—思想:

*當時距離以色列人出埃及已差不多有一千四百年之久，為何猶太人仍然守逾越節? 他們是不是全都信 神，要等候祂所差來的拯救者降臨?*

*不是。有些人只當作習俗，有些人只在外表上順從 神的律法，內心卻全不理會 神，也不願意相信祂。*

*反之，另外一些人守逾越節的目的是要服從 神的命令，他們更相信 神必要差派拯救者。*

*神照著所應許的行—拯救者耶穌終於降臨！*

## C.五餅二魚

閱讀：約六5-7

耶穌已決定將要作的。
祂問腓力的目的是要得著腓力的回應。
—腓力曾親眼目擊耶穌所施行的其他神蹟。
—還記得耶穌曾施行的一些神蹟嗎? (註一)
—腓力理應如何回答?
—腓力理應信靠耶穌。

閱讀：約六8,9

## D.耶穌給五千人吃飽

主題: 耶穌基督是 神

註一:
請給予同學們回答的機會。
本課程至今曾講述的神蹟包括:
——一般性的神蹟:
治病
趕鬼
—特殊神蹟:
醫治痲瘋病者
醫治癱子
醫治手枯乾的人
平靜風浪
醫治在格拉森被鬼附的人

主題：神是全能的

閱讀：約六10-13

*建議視覺教材：*

圖畫第七十一號
「耶穌使五千人吃飽」

當耶穌擘開餅和魚的時候，食物竟在祂的手中不斷地倍增。

—比較：
*你可不可以用一份三文治使你全家人吃飽？*
*不可能，除了 神以外，沒有一人能作這事。*
—耶穌可以這樣做，正因爲祂就是全能的 神。

## E.百姓的想法

主題：人滿懷罪孽，不能自拔，需要 神的拯救

閱讀：約六14

百姓似乎要承認耶穌就是 神曾應許要差來的救主。
可是，他們仍不曉得自己需要耶穌，作爲拯救他們脫離撒但的魔掌、罪惡和死亡的救主。
他們只盼望耶穌作他們的王，醫治他們的疾病、賜他們飲食及釋放他們脫離羅馬人的統治。

閱讀：約六15

西一16

## F.耶穌履海

主題：耶穌基督是 神
主題：神是至尊而掌權的
主題：神是全能的

閱讀：約六16-21

人能作很多事情，卻不能赤足履海。（註二）
耶穌創造了海，因此祂可以輕易地步履其上。

註二：
可能有同學提出彼得履海的事蹟，這事是眞的，但那是因著耶穌所施行的神蹟，讓他可以行走在海上，那是耶穌的能力而非彼得本身的力量。

## G.百姓尋找耶穌

主題：耶穌基督是 神

主題：神無所不在，祂洞悉萬有

閱讀：約六22-26

耶穌看透這些人的心思意念，祂明白他們要找尋祂的眞正目的。

—思想：
*神知道我們每一個念頭，祂深知我們何時不同意和不服從祂的話。 神知道我們來聽祂話語的目的，祂亦知道我們是否接受祂的話語並承認需要祂成爲我們的救主。*

## H.耶穌是生命的糧

主題：神與人對話

閱讀：約六27

路十二15-23

—解釋：
*耶穌不是說，爲餬口奔波是不對的。祂盼望這些人不要只爲肚腹的飽足和在世維生而勞碌，他們亦應當致力尋求在離世後與神永遠同活的把握。*
*耶穌要他們來思考和找尋永遠的屬靈糧食，就是耶穌所教訓他們的眞理。*

但十二2
太廿五46
約五29

*我們的肉體離世後，我們還有延續的生命，這生命不是永遠活在天國中就是陷入永遠的刑罰裡。我們即使有絕頂的健康和財富，終要陷入地獄之中，那又有何益處呢?*

主題：人必須憑著信心來討 神的喜悅並得著拯救

閱讀：約六28,29

民廿一4-9

—回想：
*昔日在曠野被毒蛇咬傷的人要作何事才能免於一死? 他們只需要仰望摩西掛在杆子上的銅蛇。*

—比較：
*設若你是飛機的乘客，你要作何事才可抵達目的地? 你只要安坐機中，相信機師和飛機可帶你到目的地。*
*這是 神要我們對耶穌基督應有的信靠，只有祂才可以拯救我們，叫我們蒙 神悅納。我們不能作任何事來討 神喜悅或叫祂接納我們。 神只要我們回轉不去依靠其他的事物，單信靠耶穌作爲我們的救主。*

閱讀：約六30,31

百姓仍然不相信耶穌，他們要再目睹另一個神蹟。
他們只注意耶穌所施行的大能而忽略了耶穌所傳講的眞理。
—他們令耶穌想起他們先祖在曠野四十年以嗎哪維生的事蹟。
—他們將賜嗎哪的恩典歸於摩西而不是歸於 神。
—他們說倘若耶穌眞是 神的兒子，祂應當可以施行與摩西一樣的奇事。

主題：神是信實的，祂永遠不會改變

閱讀：約六32,33

耶穌向他們說明，是祂的 父神而非摩西賜嗎哪給他們的先祖。
耶穌更向他們說明，正如 父神昔日從天上賜下嗎哪養活以色列人，叫他們不致死於曠野，同樣地， 神現在從天上賜下生命的糧。
—耶穌是指著自己說的。
—耶穌就是 神所賜下生命的糧，要叫世人不致滅亡，不致永遠與 神隔絕。

閱讀：約六34

但百姓仍舊想念肉體的食物。
他們希望耶穌用魚餅給人吃飽一般，不斷地供應食物給他們。

—回想：

*還記得尼哥底母不明白耶穌所說：「你必須重生」這話嗎？尼哥底母誤會人要像嬰孩般在母腹中再次生下來。同樣地，這些人以爲耶穌在談論自然界和世俗的事情。*

主題：耶穌是唯一的救主

主題：神滿有慈愛、憐憫和恩典

閱讀：約六35

—比較：

*神昔日從天上賜下嗎哪，從磐石中流出水來，在曠野中養活了以色列人。*
*神差耶穌到世上，要將罪人從永遠的死亡中救出來。*
*人若拒絕進食，必然死亡。*
*凡不願意信靠耶穌作爲個人救主者，必定滅亡，必定永遠與神隔絕。*

—回想：

*亞當和夏娃犯罪以後，他們立刻與 神隔絕。他們雖然是按照神的形像造成，擁有認識 神、愛 神和服從 神的能力，但他們從此不能再回應 神，他們已落在撒但的魔掌之下。因著他們已是罪人，因而失卻了與 神契合的特權，我們都是亞當的後裔，生下來就是罪人，本是與 神隔絕的。*

—比較：

*一頓佳餚使你享受數小時大快朵頤，但不久你又飢餓起來。那些人吃飽了耶穌賜他們的食物，第二天又來要更多的食物。*

*但耶穌說，凡信靠祂的必得著眞正的生命——就是那使人全然滿足的生命。*

*耶穌如何賜我們眞正的生命?*

*只有祂可以使我們與 神和好，使我們得著完全的滿足。祂來爲要賜我們新生命——就是使人全然滿足的生命。*

耶穌滿足凡信靠祂的人。

記載在詩篇一百零七篇第九節的美麗詩句說：「祂使心裡渴慕的人，得以知足；使心裡飢餓的人，得飽美物。」

罪人唯有藉著耶穌基督才可以蒙 神的悅納及得著永遠的生命。

主題：人必須憑著信心來討 神的喜悅並得著拯救

凡信靠耶穌爲個人救主者，並不需要信靠自己的善行或其他的人事物。

## I.結論

我們都曉得，我們需要努力工作才得餬口。

我們都因著自己和家人需要食物維生而樂意辛勤工作。

但我們就是嘗盡山珍海味，也只能叫我們得著片時的滿足。

你的屬靈胃口又如何?

你是否渴慕 神所賜永遠的食物?

你不能以勞力換取這食物，只有信靠 神將你所需要的賜給你。

只有 神透過耶穌基督的作爲才能賜予這食物。

### 問題：

1.爲何群眾要隨從耶穌?

*因爲耶穌給他們食物的飽足。*

2.猶太人逾越節的筵席是要記念何事?

*要記念他們的祖先在埃及地時，按照 神的吩咐將血塗在門框上，讓奉命擊殺長子的天使逾越他們的家。*

3.耶穌以多少食物分給五千人吃?

*五塊餅和兩條魚。*

4.耶穌爲何可以施行這麼大的神蹟?

*因爲耶穌是 神。*

5.為何耶穌不讓群眾擁立祂為王?

*因為祂看透他們的心思意念。他們擁戴耶穌不是為了祂能拯救他們脫離撒但、罪惡和死亡；他們擁戴耶穌的真正目的，是要祂滿足他們物質上的需要，並希望祂釋放他們脫離當時羅馬人的統治。*

6.耶穌在那些方面好像昔日 神賜給以色列人的嗎哪?

*a.嗎哪是 神從天上賜下的糧食；耶穌是 神從天上賜下的救主。*

*b.若不是 神賜嗎哪為糧食，以色列人必葬身曠野；若不是 神賜耶穌為拯救者，我們必身陷永遠的刑罰。*

*c.凡喫嗎哪的，肉身得以存活；凡信靠耶穌的，必不致永遠的滅亡，不致與 神永遠隔絕，落在永遠的刑火中。*

# 第四十課　文士和法利賽人的道路並非 神的道路

參考經文

太六1-18;
廿三1-39
羅二17-29;
三1-31

## 課前預備

此段只供教師使用

左列的各參考經文有助於你準備這一課。但因經文帶出的眞理有些會在稍後課文中講授，故不宜於此立刻講解這些經文。
請注意：若你沒有教授過本書課文，請詳讀書前『教師必讀』部份。

經文：可七1-9,14-23;路十八9-14

### 本課目的：

說明人是個罪人，不能自救，需要 神的拯救。
說明人只可依照 神的旨意和計劃到祂跟前。

### 本課可幫助學生：

明白他們設法向 神隱藏他們的罪孽。
明白善行不能拯救他們。
明白只有 神才可以拯救他們。

### 教師的觀點：

耶穌來爲要使人得自由——這並非律法可以保障的自由。律法是要人察覺自己的罪性，基督成全了一切律法。祂住在信徒的心中，給他們自由和能力行走在正途中，這並不是受制於律法以下，而是出於在主裡的喜樂。

雖然律法不能使人從罪惡中釋放出來，但大多數人都想遵行律法。人的肉體傾向去作、去賺取，大於憑著信心白白得恩典。就是小孩子也很快學會隨從一套律法制度，但卻口是心非地服從。

我們要不斷地祈求 神讓我們在講授時以祂的恩典爲中心。這奇妙和不計其價的恩典，是祂白白地賞賜給本不配得的罪人。我們都被祂的恩典所拯救，亦在祂的恩典中成長。

請仔細思量，除了 神以外，我們身上還有甚麼可誇耀的呢?沒有！我們要讓同學們明白我們並不是靠著自己的善行可以討 神的喜悅，要叫他們知道，我們也是靠著恩典得救的罪人，我們的外表絕不可能使我們蒙 神的悅納，是因著祂透過耶穌基督所賜的憐憫與恩典，我們才可以成爲 神的子民。 神要洗滌我們的心，讓我們成爲合祂心意的人。我們來到 神面前，就像那名稅吏一般，相信了 神，並信靠祂所賜的赦免和新生命。

### 視覺教材：

圖畫第七十二號「法利賽人的傳統」
顯示人與 神隔絕的視覺教材（將在課文中詳述）

課文概覽

本課指出法利賽人和文士的假冒僞善，並說明僞善的宗教行動一無是處，唯有向神悔改和對 神的信心才是眞實的。人不能靠善行得救，他們必須憑信心來到 神的跟前，信靠耶穌基督作爲他們個人的救主。

本課亦將以法利賽人和那悔改的稅吏作一對比。悔改的稅吏因著承認自己是罪人和憑著信心來到 神跟前而蒙 神的悅納。

## 授課要點

此課程特為非信徒安排，故授課時務要奠定聖經基礎，以為日後傳福音的根據。若你班上有信徒參予，則授課的目的是使他們明白信仰的根基，以致日後他們亦可運用同樣教材去教導未信的人。

**課文信息要明確簡潔，切忌節外生枝!**

請注意這課程是有範圍和有主題的聖經研讀，並非徹底深入的聖經鑽研，亦非漫無邊際的小組討論。請依照主題帶領討論，以保持課程進度。切記緊依大綱，突出教義主旨。

課程編排形式：每一頁的中間部份是教授學生的內容，粗體字的標題只供教師參考，不需口誦，因為標題內容會在接著的課文大綱提及。至於左右兩欄所列的經文是給教師作參考之用，不宜在課堂上詳授。

### 教授學生的內容（中間部份）

**課文大綱：**

複習第三十九課問題

**A.序言**

你有沒有買過舊車的經驗？——就是那些表面看來光亮和清潔的車子。

你可能買車子不久便發覺，原來車子的唯一好處就是那些油漆工夫。

撒上十六7
來四13

倘若你早知車子的內在情況，你斷然不會購買。

我們不能看透事物， 神卻無所不知。

**B.法利賽人的規條**

主題：人滿懷罪孽，不能自拔，需要 神的拯救

主題：人只可依 神的旨意和計劃來親近祂

閱讀：可七1-5

*建議視覺教材：*

圖畫第七十二號
「法利賽人的傳統」

申六8
太六2,5；
二十三1-28

—注意：

*典型的法利賽人在前額帶上一個放有經文的皮革盒子，手臂上以皮革縛著另一盒子。 神曾經吩咐以色列人要將祂的律法縛在手上和放在兩眼之中，他們竟按字面意思而行，爲要別人看見他們遵守律法。當法利賽人捐錢給窮人時，他們要別人知道他們確實捐輸，所以在眾人的面前將銀錢送到庫裡去。他們喜歡在公眾場所禱告，爲要眾人看見他們的虔誠和熱心。*

*他們遵守律法、捐輸和禱告，這些事情的本身沒有違反 神，而是在他們心中的態度上犯了錯誤。他們所作的，並不是因著信靠 神拯救他們脫離罪孽。反之，他們以爲自己的善行足以蒙 神悅納，他們要別人看出他們的善行。*

法利賽人反對耶穌的門徒，因爲他們沒有做法利賽人認爲藉以討神喜悅的善行。

—文士和法利賽人在 神的話語上加添很多規條。

—他們教導人要虔守這些規條才可蒙 神悅納。

—這些猶太領袖以自己可以虔守這些規條而引以自豪（但他們也常觸犯這些規條）。

—注意：

*法利賽人在 神原來頒賜給摩西的律法上加增了數以百計的規條*（註一），*沒有人可以完全地遵守這些規條。但法利賽人以這些轄制百姓。他們自己也經常觸犯這些規條，卻指控觸犯同樣規條的人。他們毫不同情罪人，只有在他們身上加重不可承受的罪咎感和指責。*

註一：
法利賽人以爲可以釐訂一些保障人不會觸犯 神原本律法的規條，所以他們加添了無數規條，例如他們有三十九類「在安息日禁止之行爲」（The Illustrated Bible Dictionary, Vol. 3, p.1210）

他們是僞善的人。

—他們以自己外表的行爲，例如在用膳前洗手、洗食具和桌子等而感到自豪。

—他們卻不理會 神看透了他們心中的惡行。

—比較：

*今天也有像他們的人，他們顯示他們的虔誠，並批評一切不如他們的人，其實他們的心仍在撒但的魔掌之中。*

## C.耶穌責備法利賽人

**主題：人滿懷罪孽，不能自拔，需要 神的拯救**

**閱讀：可七6**

耶穌引述以賽亞對猶太人的預言。

—他們口出讚揚 神的話。
—但他們心中不愛慕 神，也不信從祂的話。

**主題：人只能依照 神的旨意和計劃來親近祂**

賽廿九13

**閱讀：可七7-9**

神絕不接納猶太人口是心非的敬拜。
—神棄絕了他們。
—他們不願意到 神的面前承認自己是罪人，並信靠祂要賜拯救者的應許。

—比較：
*現今仍有教導己見而非 神話語的人。*
*有些宗教宣揚的規條是在聖經中找不著的。*
*他們謊稱人若遵行這些規條和那些宗教要他們作的事才可討神的喜悅。*

*建議視覺教材：*

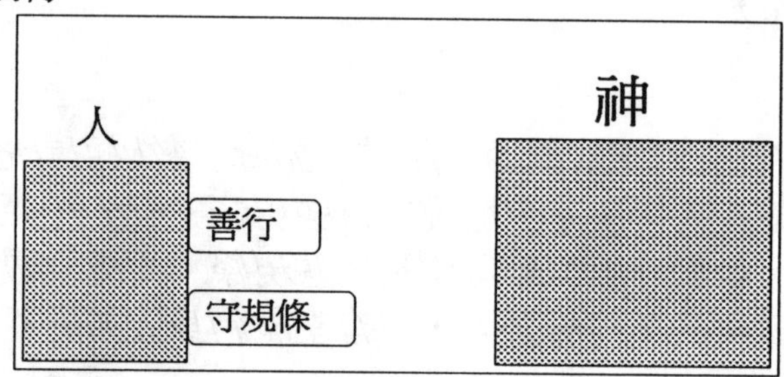


— 神說這些教導是沒有用處的。
—那些人不是眞正地敬拜 神和跟隨 神。
—凡信靠虔守律法者皆不能蒙 神悅納。
增添或刪減 神的律法也是錯誤的。

## D.不在於我們吃甚麼而在於我們是誰

**主題：人滿懷罪孽，不能自拔，需要 神的拯救**

文士和法利賽人亦十分著重禁吃某些食物。
他們以爲這樣做也是討 神喜悅。

**閱讀：可七14-19**

耶穌說，我們不是因爲我們錯吃了甚麼而得不著 神的喜悅，而是我們心中的罪性觸怒 神。

—思想：
*人怎可以憑著他所吃或他所不吃的東西來改變他的內心？*
*我們所吃或所不吃的東西不能扭轉我們充滿罪性的內心，亦不會使我們蒙 神悅納。*

主題：神無所不在，祂洞悉萬有

閱讀：可七20-23

神識透我們心底的惡念。
—就是那些令我們不能蒙 神悅納的東西。
—雖然我們沒有將這些惡念付諸實行，但 神說，祂所憎惡的東西仍然存在我們心中，所以我們就不能蒙祂的悅納。

—思想：
*請細看太七21-23所列舉的罪。*
*倘若我們坦誠地面對自己，我們必然可以從列舉的罪中找到一兩項存在我們心中的惡念。我們可能從沒有偷竊，但我們有否內心炫耀自己，而忘記將 神賜我們力量來完成的事歸功於神?*
*請思想 申八18：「你要紀念耶和華你的 神，因為得貨財是祂給你的。』」*
*我們要細嚼雅二10所說，凡犯了一條 神的誡命，就是犯了祂所有的誡命。*

## E.招搖過市的法利賽人

主題：人滿懷罪孽，不能自拔，需要 神的拯救

主題：人只可依 神的旨意和計劃來親近祂

閱讀：路十八9-12

耶穌說了一個比喻。
比喻，就是藉著世上的一些事物去說明我們與 神的關係。
法利賽人到聖殿中向 神說話。
—他是一個驕傲的人，凡事只相信自己的善行和他所做的一切。
—他以為 神會因著他的善行而悅納他。

—比較：
*這法利賽人好像該隱一樣，該隱用自己的方法，以為靠著他從地上所得的收成可以蒙 神悅納。*
神如何拒絕了該隱，也同樣地拒絕了那個法利賽人。

—比較：
*昔日那法利賽人的處境與今天那些以為可以依靠善行得救的人有分別嗎? 沒有，他們都因著罪與 神隔絕了。*
*撒但知道，直至今天，無論男女老幼，都好像那法利賽人一般，很容易被驕傲的心所操縱。那法利賽人以為自己有足夠的善行去蒙 神的接納。*

*今天又有多少人正試圖以自己的善行來拯救自己呢？倘若你隨意問一些人爲何 神要容許他們進入天國的話，不少人會回答是因著他們一切的善行（註二）。例如：*
*—他們生活端正。*
*—他們是教會的會友。*
*—他們接受了洗禮。*
*—他們致力於慈善工作。*
*—他們捐助慈善款項。*
*—他們養活了他們的家人。*
*—他們幫助了那些際遇比不上他們的人。*
*他們也可能會說，是因著他們沒有沾染惡習，例如：*
*—他們不喝酒。*
*—他們不抽煙。*
*—他們不說謊或不偷竊。*
*他們是不是比沾染了這些惡習的人好？*
*神明說世人都犯了罪。*
*世人都與祂隔絕，人不能依靠自己的力量與 神修好。*

註二：
當你提出這些事時，可以同時寫在如圖中所示的視覺教材當中。

*建議視覺教材：*

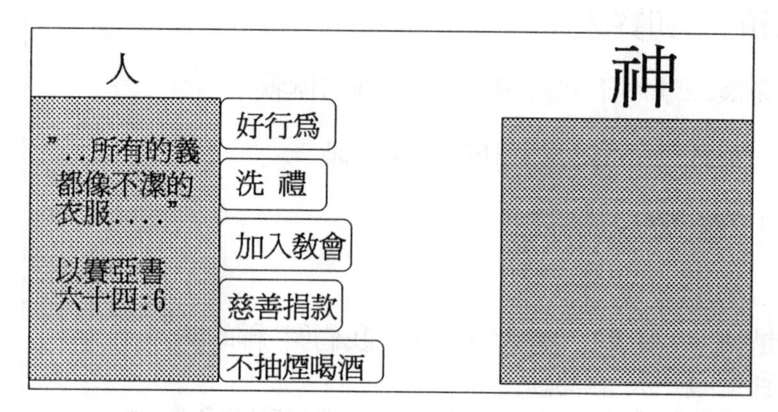


*神在賽六十四6說明：「我們都像不潔淨的人，所有的義都像污穢的衣服、、。」*

## F.悔改的稅吏

主題：人滿懷罪孽，不能自拔，需要 神的拯救

主題：人只可依 神的旨意和計劃來親近祂

閱讀：路十八13

—回想：

*你記得我們還學習過那一位稅吏的事蹟，就是那又稱爲馬太的利未嗎？當時的人如何看稅吏？他們憎恨稅吏，因爲稅吏多收他們的稅款飽其私囊，那就是等於偷竊百姓的錢財。*

這稅吏沒有向 神隱藏自己的罪。
—他以 神的看法來衡量自己。
—他承認 神所指出他的罪性。
—他曉得若 神不差遣救主，他定要永遠受著他的罪所而帶來的刑罰。
但這人信靠 神作爲他個人的救主。
—神憐憫他。
—神赦免和接納了他。

—比較：
*他和亞伯一樣承認 神所說的話，並專心信靠 神作他的拯救者。*

## G.耶穌的定斷

主題：人只可依 神的旨意和計劃來親近祂

閱讀：路十八14

那法利賽人不願意承認他是有罪和無助的人，他不承認自己需要神的幫助，因此 神沒有赦免他的罪。
神如何拒絕了不信和背叛的該隱，也同樣地拒絕了那個法利賽人。

主題：人必須憑著信心來討神 的喜悅並得著拯救

主題：神滿有慈愛、憐憫和恩典

那稅吏卻截然不同。
—他相信 神的話，並承認自己是無助的罪人，只有靠著 神的憐憫才可避免 神的審判。
—這稅吏本應永遠地與 神隔絕。
—神如何因著祂的慈愛、憐憫和恩典而接納了亞伯，也同樣地接納了這稅吏。

## H.結論

羅五8
羅三19-28

即使是一個沒有什麼可取的人，或是個無惡不作的人，假如他願意憑信心來到 神的跟前，並願意信靠耶穌爲他的救主， 神必照樣地接納他。（註三）
神要因著那人相信耶穌爲他的救主而接納他。
—這是 神接納人的唯一途徑。
—神必拒絕那些想藉著其他途徑來到祂跟前的人。
我們別無他法可以救自己。

註三：
我們不是宣傳不道德的生活或否認基督徒要遵行 神的話語。我們在這裡著重的是人得救的唯一途徑就是藉著耶穌的救贖工作而得著 神的憐憫。

問題:

1.爲何法利賽人憎惡耶穌的門徒?
*因爲他們沒有完全遵守法利賽人認爲可以討 神喜悅的規條。*

2.以賽亞先知對好似法利賽人的人有何預言?
*以賽亞說他們口中讚揚 神的美善，心中卻不真誠地相信 神的話、不愛 神和不願意順從祂。*

3.擅自在聖經的話語上加上己見和規條是可行的嗎?
*我們切不可增添或刪減 神在聖經中所說的話。*

4.我們可不可以憑著我們的衣食方式而蒙 神的悅納?
*不可以，我們所吃和所穿的都不能叫 神悅納我們。*

5.人對我們品頭論足，但 神鑒察甚麼?
*神鑒察我們的內心。*

6.神在人的內心中看出甚麼罪來?
*可七21,22。*

7.神爲何悅納了稅吏而摒棄了法利賽人?
因爲稅吏接受 神的話，並承認自己是需要 神憐憫的罪人，法利賽人卻自高自大，以爲可以憑藉自己的善行而討 神的喜悅。

# 第四十一課　耶穌是基督，是 神的兒子；耶穌改變形像

參考經文

課文概覽

本課藉著彼得的認信、耶穌變化形像及神在雲彩中說話，顯明了基督的神性。

本課並指出：基督將要應驗所預言的受死。

## 課前預備

此段只供教師使用

左列的各參考經文有助於你準備這一課。但因經文帶出的眞理有些會在稍後課文中講授，故不宜於此立刻講解這些經文。
請注意：若你沒有教授過本書課文，請詳讀書前『教師必讀』部份。

經文：可八27-31;九2-8

### 本課目的：

說明耶穌是基督，是 神的兒子。
說明 神必履行自己的諾言。
說明凡相信耶穌基督的人， 神要賜他們永遠的生命。

### 本課可幫助學生：

明白耶穌是人，也是子神。
明白 神應驗在舊約所立下的應許。

### 教師的觀點：

我們所謂的「世俗」社會中充滿了只爲眼前，不顧永恆的人，他們抱著「今朝有酒今朝醉」的態度而活，逃避永恆的問題。

就是在譏笑 神永生眞理的群眾裏，也有所謂輪迴再世或「超肉身之體驗」的說法，這是自古以來說謊言的撒但的作爲。牠繼續扭曲眞理，並包裝推出虛僞的產品，爲要人接受謊話而摒棄 神的話。

耶穌變化形像是從 神而來的眞實事蹟。摩西、以利亞與耶穌在山上的顯現，給我們瞥見美麗的永生。前兩者早已渡完世上的生命，但他們實際上沒有死亡，因爲他們相信 神所差遣的救主。

今天，撒但欺騙人，使他們以爲死後要化成其他的樣式——例如動物或另一個人。這輪迴再世的說法是撒但殘酷的謊話，要給人一個永生的假像。（註一）

據一些未得救，但曾在醫學上被證明死亡而不久復甦的人聲稱，他們曾有「超然肉身離世」的經驗，他們宣稱死後不見審判之事。這些宣稱對未信者也許是可信的，但這背後意念的來源，卻是出於人類靈魂的敵人。眞理說明，只有相信耶穌才可以避免永遠與神隔絕及硫磺火湖的永遠刑罰。

不論信與不信，永恆是眞實的。但十二2、太廿五46、約五28-29及徒廿四15都說明這事實。

註一：
若有同學提出輪迴，請說明聖經中從未涉及這理論，輪迴只是撒但的謊話。但請勿在這論題上與同學爭辯，只要說出眞理：對於不信的人，死後只有等候審判和地獄（參來九27）

我們十分榮幸可以向同學們講授 神在祂的話語中有關永恆的眞理。本課所選用的經文讓我們瞥見「榮耀」，這榮耀要叫我們心中充滿在耶穌基督裡的奇妙、盼望和喜樂。但願我們抱著這個態度講授，更請爲同學們禱告，叫他們都相信 神藉我們的主，耶穌基督賜給我們永遠的生命。

*視覺教材：*

圖畫第七十五號「變化形像」

預言表

## 授課要點

此課程特爲非信徒安排，故授課時務要奠定聖經基礎，以爲日後傳福音的根據。若你班上有信徒參予，則授課的目的是使他們明白信仰的根基，以致日後他們亦可運用同樣教材去教導未信的人。

**課文信息要明確簡潔，切忌節外生枝!**

請注意這課程是有範圍和有主題的聖經研讀，並非徹底深入的聖經鑽研，亦非漫無邊際的小組討論。請依照主題帶領討論，以保持課程進度。切記緊依大綱，突出教義主旨。

**課程編排形式：** 每一頁的中間部份是教授學生的內容，粗體字的標題只供教師參考，不需口誦，因爲標題內容會在接著的課文大綱提及。至於左右兩欄所列的經文是給教師作參考之用，不宜在課堂上詳授。

## 教授學生的內容（中間部份）

### 課文大綱：

複習第四十課問題

### A.序言

小朋友都喜歡聽虛構的故事。

成年人也喜歡聽虛構的故事。

可是，當涉及永恆的問題時，我們只要眞相，不要幻象。

世上很多人相信源於撒但的傳說、故事及觀念，這些虛構的東西要叫他們偏離 神的眞理。

但聖經是 神賜給我們的話，因爲 神是自有永有和無謊言的神，所以我們從聖經所閱讀的，都是眞理。

## B.百姓認爲耶穌是誰

主題：人必須憑著信心來討 神的喜悅並得著拯救

閱讀：可八27,28

可六14-29

希律王囚禁和殺害施洗約翰以後，百姓竟以爲耶穌是施洗約翰再世輪迴的化身。
有些人以爲耶穌是以利亞。

王下二11
瑪四5,6

—以利亞是 神的先知，約在耶穌降臨前八百五十年被 神提到天上。
—有些人以爲祂是以利亞再臨人間。

主題：耶穌基督是唯一的救主

耶穌已清楚的告訴百姓祂是誰。
—祂曾向他們說明自己是 神的兒子，是 神從起初已應允要賜下的拯救者。
—祂又曾以神蹟向他們顯明自己的能力。
可是，大部份的猶太人仍不相信祂。

—思想：
*你個人認爲耶穌是誰是一件十分重要的事情（註二），你認爲祂只是一位好心人？或者是一位會行神蹟的優良教師？或者是猶太人所說的一位先知？*
*祂是騙子嗎？還是祂所說的是眞理？*
*耶穌沒讓我們選擇只相信祂自我介紹的一部份，倘若祂說的有半點不屬實，那麼祂就不是 神的兒子了，因爲 神的本性就是聖潔和完全的。反過來說，倘若祂說的全屬眞理，那麼我們便要相信祂和祂所說的話。*

註二：
在講述這些話時，務要完全吸引同學們的注意力，因爲不少人誤信耶穌只是個良善的人或一名優秀的教師；因此，這些話對同學們極爲重要。因爲耶穌親自介紹自己，以及 神藉多人在祂話語中的明證，耶穌必然是 神。

約一1,14；
八58；
十30；
十四7,9

耶穌說，祂是 神。

## C.彼得相信耶穌是誰

主題：人必須憑著信心來討 神的喜悅並得著拯救

主題：耶穌基督是唯一的救主

閱讀：可八29

耶穌曉得，若是祂的門徒不相信祂就是 神應許要賜給世人的救主，他們也不能蒙 神悅納。
彼得深明此理，並且心裡相信：
—耶穌就是 神在伊甸園裏應允亞當和夏娃的拯救者。
—耶穌就是 神應許要出於亞伯拉罕及大衛之後的拯救者。

—耶穌就是先知們所預言， 神應許要賜給世人的拯救者。
—耶穌就是基督，就是 神的大先知， 神的大祭司和 神的君王。

基督耶穌是 神在世上的代言者或是**先知**——祂只說眞理。
基督耶穌是**大祭司**——祂從 神那裡來，爲要除去世人的罪孽。
基督耶穌是**偉大的君王**——祂是 神所差來作全世界至終的統治者。

閱讀：可八30

耶穌盼望百姓都聽從祂，並眞心實意地相信祂的話。
—祂不希望百姓因著門徒說祂是 神而跟從祂。

—比較：
*神不願意你只是因著老師、牧師或其他的人相信耶穌而相信祂。你也不要只聽我或其他人的話而相信，最重要的是，你要相信 神的話。倘若你只聽從人的話卻不相信 神，這也同樣不能蒙 神的悅納。你的信心必須建立在 神和祂的話語之上。*

## D.耶穌預言祂的受死和復活

主題：耶穌基督是 神

主題：神無所不在，祂洞悉萬有

閱讀可八31

耶穌知道祂將要受死。
—耶穌曉得撒但要驅使猶太領袖殺害祂，因爲他們不相信耶穌是神的兒子和拯救者。
—耶穌亦曉得祂雖然要受死和被埋葬，但三天後祂必要復活。

—比較：
*你可不可以肯定明天將有何事發生在你身上？你明天會不會患病還是保持康健？你明年的今日又如何？你在世有多少年日？我們不能掌握這些問題的答案。*
—我們不能預知前途，但耶穌對自己的前途卻瞭如指掌。
神無所不知。
—耶穌不像我們普通的人。
—祂亦是聖子。

主題：神是信實的，祂永遠不會改變

先知在數百年前已經預言將要發生在耶穌身上的每個細節。

展示預言表（不是展示某一預言，因這只是一般性的講述）。

—祂要受眾多的苦。
—祂要被猶太領袖排斥。
—祂要被殺害。
—但祂要從死亡中復活過來。

彼前一10,11

耶穌曉得在舊約中有關祂的預言。
—祂知道自己就是 神應許的拯救者，祂亦曉得一切有關祂的預言都必要應驗。
—神的話必定要應驗。

## E.耶穌變化形像

**主題：耶穌基督是人**
**閱讀：**可九2,3
耶穌有像我們一樣的肉身。
祂是實在的人，也是眞實的 神。
—人在外表看祂是人。
—但祂所作的顯明了祂與眾不同。

*建議視覺教材：*

**圖畫第七十五號「變化形像」**

賽五十三1,2
出卅六14-19;四十34,35

**主題：耶穌基督是 神**
這是耶穌在世的日子中，唯一顯露在祂裡頭 神的形像的事蹟。
—祂的肉身平常掩蔽了祂裡頭 神的形像。
—因此人在外表看祂是一個普通的人。

**—複習：**
*還記起 神在西乃山吩咐摩西和以色列人所建造的會幕嗎？會幕以獸皮作外圍，人在外面看起來，只是陳舊和枯乾的獸皮，裡面卻是明光照耀，證明 神就在那裏。*

**—比較：**

太十七2

*這也就是主耶穌基督，祂外表看似普通的人，在裏頭卻是偉大、掌權、創造天地全知的 神。*
*耶穌的一個門徒馬太在他所寫的福音書中記著說，耶穌在山上的時候，面貌開始發光如日頭。*

## F.摩西、以利亞與耶穌談話

**閱讀：可九4**

以利亞是猶太的先知。
—以利亞沒有經過常人肉體的死亡。
—他在耶穌降世前約八百五十年被 神提到天上。
聖經告訴我們摩西死了以後， 神親自將他埋葬。
—摩西約在耶穌降世前一千四百年死去。
王下二11
—神沒有用提去以利亞的方法將他帶走。
申卅四5,6
—摩西死後，離開了肉體，而他的肉體便被埋葬了。

—思想：

*以利亞和摩西已多年與 神在一起。當他們還在世上的時候，他們都相信 神的話、信靠 神和指望將要來臨的拯救者，因此，他們死後不致落在地獄中，不致永遠與 神分離。*
*神同樣地接納了亞伯、塞特、以諾、亞伯拉罕、撒拉、以撒、雅各、約瑟、摩西、約書亞、大衛和一切承認自己是無助的罪人，並信靠 神要差派救主的人。*

那時， 神容讓以利亞和摩西暫時回到世上與耶穌談話。
天堂是個實在的地方，但並非在這世上。

代下六30
—天堂是 神的家。

約三16;
十四1-6
—凡順從 神和信靠 神所差遣的救主耶穌者，死後皆可到天堂與 神在一起。

**主題：神是信實的，祂永遠不會改變**

路廿四27
來十一24-28;32-40
當 神的先知摩西和以利亞在世的時候，他們曉得那位應許的拯救者要生於世上並且受死。
另一位記述耶穌生平的作者路加記載這事的時候，說明摩西和以利亞與耶穌在山上，談到耶穌將要在耶路撒冷受死的事。

**閱讀：路九30,31**

雖然他們在耶穌降生多年前已離開世上，但他們知道 神要賜拯救者的應許必逐步實現。
賽四十六10
雖然歲月消逝，但 神從沒有忘記祂自己的應許。

## G.父神對耶穌的描述

主題：神與人對話

主題：耶穌基督是 神

閱讀：九5-8

這是 父神的話。
祂向門徒說，耶穌就是祂所明證的，就是 神的愛子。
—正因爲耶穌是 神的兒子， 神吩咐門徒要順服和聽從耶穌的話。
—耶穌是空前絕後，獨一的那位，因祂就是 神的兒子。

## H.結論

神今天沒有直接從天上向我們說話，因祂所要告訴我們的，都已記載在聖經上。
耶穌所說的話，凡 神要我們知道的，都已寫在聖經上，爲要我們聽從及信靠祂的話。
彼得在耶穌變化形像後的若干年寫下這樣的話:

閱讀：彼後一16-21

聖經是眞實的。
神的先知傳講 神的眞理。
耶穌傳講眞理。
祂的話是要引領我們到 神的跟前和得著永遠的生命。

## 問題:

1.相信耶穌是誰是否很重要的事呢?
*是，倘若我們不相信耶穌就是 神所差派的拯救者，那麼我們便與 神分離並落入永遠的刑罰之中。*
2.彼得相信耶穌是誰?
*彼得相信耶穌就是基督，就是 神差到世上來的拯救者。*
3.耶穌告訴門徒將有何事發生在祂身上?
*耶穌預言祂將要被猶太領袖排斥和殺害，但祂必在三天後復活。*
4.從外表觀之，耶穌像不像一個普通的人?
*像，祂在外表上與一般人沒有顯著分別。*
5.雖然耶穌看來像普通人，但祂實在有何不同?
*耶穌是 神，也是人。*
6.耶穌在山上時發生了何事?
*祂的神性從祂的肉身中顯露出來。*

7.以利亞是誰?

*以利亞是 神的先知，他好像以諾一般，在未嘗死味以前被 神提到天上。*

8.耶穌、摩西和以利亞在山上談論何事?

*他們談論耶穌將要在耶路撒冷受死的事。*

9.父神向彼得和其他門徒曉喻何事?

*神說明耶穌是祂所喜悅的兒子，並吩咐他們要聽從和相信祂。*

10.我們如何認識耶穌的話語，好讓我們也得著拯救?

*耶穌所說的話，凡 神要我們知道和信靠的，都已寫在 神的話語上—就是聖經。*

# 第四十二課　耶穌是引到永生的唯一道路

參考經文

**課前預備**

此段只供教師使用

左列的各參考經文有助於你準備這一課。但因經文帶出的眞理有些會在稍後課文中講授，故不宜於此立刻講解這些經文。

請注意：若你沒有教授過本書課文，請詳讀書前『教師必讀』部份。

經文：約十7-11，十四6

## 本課目的：

說明耶穌是引到 神面前的唯一道路。

## 本課可幫助學生：

明白除了耶穌以外，我們別無其他到 神面前的道路。

明白撒但是撒謊者和騙子。

## 教師的觀點：

你曾否聽過以下這些說法：「條條大路都可以來到 神的面前」、「人各選擇自己的方法到 神那裏」、「人人都需要偉大力量的扶助，但如何尋找和選擇偉大的力量，就各有各法了」、「我們要客觀地認識不同的文化，並要知道世界各地有不同的宗教，只要是誠心的人， 神都要接納」？不論這些說法是如何的有學識和娓娓動聽，它們都是同出一源，這些都是撒但的謊話。

神識透撒但在不同的時代所採用不同的技倆，因此祂在聖經中就這些謊話給我們明確和直接的答案。

耶穌說：「*我就是道路、眞理、生命，若不藉著我，沒有人能到父那裡去。*」（*約十四6*）還有比這更清晰的嗎？（註一）

我們的天父實在充滿恩典，祂供給我們在生活中所需的答案。我們不致於撒但的騙局之中猶疑。我們在耶穌基督裡建立了穩固的根基，叫我們不致動搖。

我們亦不用因著眞理而道歉。撒但想讓我們以為，實實在在地傳講聖經中的眞理是不禮貌的行為。無論如何，我們必會開罪一些人，因為眞理要叫不信者感到不安。但是，對於一切相信的人，神要賜他赦免、兒子的名份及永遠的生命。

我們要用愛心來教導眞理，並確認 神是不變的。祂要履行一切的應許。我們也要因著持守住所信的並教導別人也如此行而在永世裏感到喜樂。

## 視覺教材：

圖畫第七十三號「猶太人的羊圈」

預言表

**課文概覽**

本課說明耶穌是唯一的救主，是引到 神面前及得著永生的唯一門徑。

本課比喻耶穌為挪亞方舟那唯一的門，就是挪亞和他的一家，並所有的動物進入以後免於洪水淹滅之門。

本課亦討論撒但的一些謊話，並證實那些謊話全屬謬誤。

神的話是眞理的源頭。

註一：
講授這課時，請記著某些同學可能尚未相信耶穌是到 神面前的唯一道路。故此，若面對任何異議，請勿加以辯論。請客觀地分析同學的想法與 神的話語相異之處。

## 授課要點

此課程特爲非信徒安排，故授課時務要奠定聖經基礎，以爲日後傳福音的根據。若你班上有信徒參予，則授課的目的是使他們明白信仰的根基，以致日後他們亦可運用同樣教材去教導未信的人。

**課文信息要明確簡潔，切忌節外生枝!**

請注意這課程是有範圍和有主題的聖經研讀，並非徹底深入的聖經鑽研，亦非漫無邊際的小組討論。請依照主題帶領討論，以保持課程進度。切記緊依大綱，突出教義主旨。

課程編排形式：每一頁的中間部份是教授學生的內容，粗體字的標題只供教師參考，不需口誦，因爲標題內容會在接著的課文大綱提及。至於左右兩欄所列的經文是給教師作參考之用，不宜在課堂上詳授。

## 教授學生的內容（中間部份）

**課文大綱:**

複習第四十課問題

### A.序言

安全感。
安定感。
這幾個字對你有何意義?
這些東西對耶穌時代的人也同樣重要。
我們曾研習的舊約人物中，有不少是牧羊人。
在耶穌的時代，牧羊仍是在猶太中十分普遍的行業。
因此，當耶穌以牧人和羊作比喻時，那些人甚能體會耶穌所說的話。
雖然我們今天對羊可能沒有多大認識，但這故事的信息可以同樣地應用在我們身上。

### B.羊的門

*—歷史背景:*
*以色列大部份是乾涸荒蕪的地土，有些時候很難找到草原餵養羊群，因此，牧人經常要離家，帶領羊群到較遠的地方找尋草原。很多時候甚至因爲路途遙遠而需要在野外或山邊露宿，但這是十分危險的，因爲可能有賊人來偷竊羊隻，或有野獸來殺害羊隻。故此，牧人要在入夜以前找尋一個安置羊群的山洞，*

*或築一個可以安置羊群的地方，他們一般以石頭及荊棘圍成羊圈，保護羊群。*

*建議視覺教材：*

圖畫第七十三號
「猶太人的羊圈」

—解釋：

*這是一幅猶太人羊圈的圖畫，今天在以色列地仍可找到類似的羊圈。*
*牧人會在入夜時趕羊進入這庇護所，自己睡在入口處，凡要進入羊圈的，都要經過牧人，因此，牧人就充當羊圈的門了。整個羊圈只有一個出入口，而牧人正躺在其中。*

來二14,15
彼前五8

**主題：耶穌基督是唯一的救主**

**閱讀：約十7**

耶穌的意思是要說明祂就是進入安穩之處的途徑。
—撒但和他的黨羽，並罪惡和死亡盤據著外面的世界。
—他們正像那些要奪取羊群的竊賊和野獸。

**主題：撒但與 神的意願相違，牠是騙子，是說謊者，**
**也恨惡人類**

*—思想：*

*撒但要欺騙那在「羊圈以外」的，使他們以為外面才是安穩之地。但是無論如何，人必須放棄世上的許多享樂而進入羊圈嗎？*
*倘若有人相信基督而不隨波逐流，別人會對他有什麼看法？這會使那人難於渡日，並可能要忍受很多壓力，甚至失去一些朋友。*
*當一個人認眞考慮要相信耶穌時，這就是撒但放進他心中的一些思想。*
*撒但是撒謊者和大騙子。我們從 神的話語中曉得，撒但只會斷章取義，並向我們的私慾下手。*
*請仔細思想：*

*若有人享盡今世的宴樂，最後卻落在地獄中（撒但不會說後半部），那又如何呢？*

*倘若某人因著捨不得朋友而附和他們，最後他和他的朋友卻孤單地落在永遠與 神隔絕、永火的刑罰中，那又如何呢?*

*人若認眞地關心自己和朋友的生命，就必相信那唯一可以拯救他的耶穌基督，好讓朋友們亦因著他有了新生命也樂意認識耶穌（撒但絕不會說出這眞理）。*

*撒但的領域比較好嗎?*

*箴言十四12說：「有一條路人以爲正，至終成爲死亡之路」。*

*耶穌在約八44中指責撒但是騙子和兇手。*

撒但在千年的歲月中已詐騙及毀滅了不少的人。

—我們因著是亞當罪人的後裔，都生在撒但的控制以下。

—撒但的唯一目的是要毀滅我們，叫我們永遠與 神隔絕。

—請記著，撒但是騙子，他以百般詭詐叫人相信他的道路才是最好的。

—但那實在是引到死亡、分離和永遠刑罰的道路。

主題：耶穌基督是唯一的救主

那安穩、可靠和滿有生機的羊圈只有一個入口。

—耶穌是 神，祂是救主。

—耶穌是進到永生唯一的門徑。

—除祂以外，別無引到永生的道路。

主題：耶穌基督是 神

主題：神滿有慈愛、憐憫和恩典

—比較：

*牧人如何愛護照顧他的羊，主耶穌也怎樣愛護照顧世上的人。祂要拯救我們脫離撒但、罪惡和死亡，這死亡就是永遠地與神隔絕。*

## C.假冒的救主

閱讀：約十8

林後十一13-15
箴十六25

有人在耶穌降世以前，到猶太人當中，自稱爲 神所差來的拯救者。

耶穌稱這些人爲夜間要來偷竊羊隻的盜賊。

撒但施盡詭計，要我們誤信他的教導是正確的。

—撒但的道路看起來十分不錯。

—但撒但的道路只有引進死亡，就是永遠地與 神隔絕，要落在神爲撒但和他黨羽而設的永火當中。

羅十17

約十七3

我們如何知道什麼是眞實的?
認識聖經的話語就是認識眞理的唯一途徑。
*約八32，36 說：「你們必曉得眞理，眞理必叫你們得以自由…天父的兒子若叫你們自由，你們就眞自由了。」*
*耶廿九13 說：「你們尋求我，若專心尋求我，就必尋見。」*
你是否感到混淆，不能辨別眞理?
請你求問 神，讓祂藉著祂的話語向你說明眞理。
這正是我們研讀這課程的主要原因，就是要認識 神和認識祂所差遣的救主耶穌基督。

## D.耶穌是唯一的門徑

主題：耶穌基督是唯一的救主
主題：人必須憑著信心去討 神的喜悅並得著拯救

閱讀：約十9

羊圈只有一個入口。
同樣地耶穌是進入永生的唯一門徑。

—思想:

*可能有人會告訴你聖經的教訓只是爲基督徒而設的，世上還有其他帶領人到 神跟前的宗教（註二）。這是撒但的謊話，世上並沒有其他門徑可以得到 神的接納和與 神的合一中，也沒有其他途徑引到永生，卻只有一個引到 神面前和得著永生的門徑。*
*耶穌就是那入口，不論人身處何方、用什麼語言或他們的生活方式如何，祂來是爲了作全人類的救主。*

註二:
請勿在此爭辯，只要說明聖經便可。

聖靈必要透過祂的話語在人的心中說話。

—複習:

*神在懲治世界以前，吩咐挪亞建造方舟， 神吩咐他只建造一艘方舟，方舟上只有一扇門，只有從那扇門進入者才能免於神的刑罰。*

主題：人必須憑著信心去討 神的喜悅和得著拯救

*—挪亞相信 神，他從那扇門進入了方舟。*
*—挪亞因著信靠 神和祂的話，從那扇門進入了方舟，至終免於神的刑罰。*
要進入永生之門，也必須聽從 神的話，並信靠耶穌爲救主。
—耶穌是到 神面前的門徑。
—除此以外，再沒有來到 神面前的途徑了。

主題：耶穌基督是 神

主題：神滿有慈愛、憐憫和恩典

閱讀：約十10

耶穌說，祂不像撒但，撒但只是要毀滅人類。
耶穌來，爲要賜一切相信祂的人與 神同在的永生。

—思想：

*撒但的其中一個謊話，就是宣稱他的道路才是最好、最有趣味和多采多姿的。他給人一些甜頭，叫人以爲他的道路勝過耶穌基督的道路，這實在是莫大的謊話！聖經明明的告訴我們，凡拒絕耶穌所賜的生命者，必要永遠地與 神隔絕，且落在火湖的刑罰中。*

箴十四12
啓二十15

耶穌在這節經文中實實在在地告訴我們，祂已毫無保留地賜予我們生命。
—祂的應許是眞實的。
—耶穌所賜的生命是上好的，並且永遠不會落空。
—祂來爲要賜一切相信祂的人有個嶄新和永遠的生命。
—我們在以前的課文中學到，耶穌所賜的生命是令人滿足的生命。

閱讀：約六35

## E.好牧人耶穌

主題：耶穌基督是 神
主題：神滿有慈愛、憐憫和恩典

閱讀：約十11

耶穌已老早告訴門徒，猶太領袖不會相信祂是 神的兒子，亦不相信祂是 神所差來的救主。
因此，猶太領袖們要殺害祂。
耶穌說，祂好像牧人，爲著愛羊群的緣故，甘願捨棄自己的生命，保護羊群免於盜賊和要來殺害牠們的野獸。

主題： 神是信實的，祂永遠不會改變

以賽亞先知預言耶穌要爲多人受苦和受死。
神履行了祂藉以賽亞先知口中所出的應許。

閱讀：賽五十三4,5

展示預言表
在相對賽五十三4,5的空格中填上約十11
閱讀預言及 神如何使之應驗。

## F.耶穌就是道路、眞理和生命

主題：耶穌基督是唯一的救主

閱讀：約十四6

耶穌是來到 神跟前和得著永生的唯一途徑。
耶穌來向我們說明一切 神所要對我們說的話。
一耶穌所說的都是眞理。
一祂從不說謊。
耶穌是一切願意相信祂的人之救主。
只有祂才可以拯救我們脫離永遠的死亡，這死亡就是永遠地與神隔絕。祂並要賜我們永遠的生命。

## G.結論

只有一位 神。
只有一位救主。
賜給整個世界。
賜給你。
賜給我。
除祂以外，別無拯救。

## 問題:

賽四十三11
約三16
徒四12
提前二5,6

1.在耶穌時代的牧羊人如何將自己充當羊的門?
*牧羊人在入夜以後，把羊安置在羊圈中，自己臥在羊圈的入口，爲要保護羊群。*

2.耶穌何以稱自己爲羊的門?
*因爲我們只有透過祂，才可以進入永生。*

3.挪亞方舟的門如何使我們聯想起耶穌?
*a.挪亞方舟只有一扇門，同樣地，耶穌是引到永生的唯一門徑。*
*b.昔日凡透過方舟的門進入者，皆免於 神的刑罰。同樣地，今天凡相信耶穌者，皆免於永遠的刑火。*

4.那要殺害羊的竊賊和強盜預表誰?
*撒但、邪靈和那些認爲除了拯救者耶穌以外還有其他途徑蒙 神悅納的人。*

5.耶穌說祂要爲羊作何事?
*祂說祂要爲羊而捨棄自己的生命。*

6.耶穌應允要賜甚麼給祂的羊?
*永遠的生命。*

7.誰是耶穌的羊?
*凡向 神承認自己是無助的罪人，及專心信靠耶穌爲救主的人。*

8.在別國的人有沒有其他到 神跟前的途徑?
*沒有，耶穌是世上所有人唯一的救主。*

# 第四十三課　耶穌叫拉撒路從死裡復活

**參考經文**

**課前預備**

此段只供教師使用

左列的各參考經文有助於你準備這一課。但因經文帶出的眞理有些會在稍後課文中講授，故不宜於此立刻講解這些經文。

**請注意：若你沒有教授過本書課文，請詳讀書前『教師必讀』部份。**

經文：約十一1-48

## 本課目的：

說明耶穌是 神，祂擁有賜人生命的權柄。

說明世上所有的人不是在天堂，就是在火湖裏渡過永恆。

## 本課可幫助學生：

明白他們必須選擇 神。

明白他們除了藉著耶穌以外，他們再沒有其他的方法避免永遠地與 神隔絕和永遠的刑罰。

明白耶穌愛顧他們，並對罪和死亡感到難過。

## 教師的觀點：

我們透過研讀這段經文可以發現一些有趣的事。拉撒路本已死了，並且被埋葬了，但耶穌確實地叫他從死裡復活。有些人因爲這事而相信了耶穌，另一些人卻因著這事恨祂愈切，甚至要殺害祂。

當我們思想這事的時候，要記得耶穌的門徒在當時目擊了一切。除了猶大以外，門徒都相信了，並在耶穌返回天上以後，他們甘願爲傳揚福音的緣故而捨身。若門徒不相信現在我們所要研讀的這事蹟，他們絕不可能甘願爲耶穌的緣故而捨棄自己的生命。他們曉得耶穌就是祂所說，復活在祂，生命也在祂的主。他們不單單目擊耶穌叫拉撒路復活，以後他們更看見了耶穌自己死而復活。

這些事蹟已足以使人相信耶穌基督。可是，當時有些人仍硬心不信。今天，人人可讀聖經；可是，即便聖經中清楚地記載了這事蹟，還是有些人不相信。耶穌對猶太人的評語就是：「*（他們）若不聽從摩西和先知的話，就是有一個從死裡復活的，他們也是不聽勸。」（路十六31）*

即使是不尋常而明確的事實，也不能感動愚頑人的心，只有聖靈才可以光照瞎了的心眼。

請藉著聖靈的帶領熱切而堅信地清楚地講述這些奇妙的故事。請爲同學們代禱，求聖靈在他們的心靈中動工，好讓他們都相信。

**課文概覽**

本課說明耶穌就是復活和生命，也是要賜永生給一切信祂者的救主。

從耶穌叫拉撒路從死亡中復活的事蹟中，我們可以學習到：

－耶穌憐憫及認同人的悲痛。

－馬大和馬利亞相信耶穌的態度。

－恨惡耶穌的猶太領袖所持的態度。

**視覺教材：**

圖畫第七十四號「拉撒路復活」

地圖第三號

## 授課要點

此課程特為非信徒安排，故授課時務要奠定聖經基礎，以為日後傳福音的根據。若你班上有信徒參予，則授課的目的是使他們明白信仰的根基，以致日後他們亦可運用同樣教材去教導未信的人。

**課文信息要明確簡潔，切忌節外生枝!**

請注意這課程是有範圍和有主題的聖經研讀，並非徹底深入的聖經鑽研，亦非漫無邊際的小組討論。請依照主題帶領討論，以保持課程進度。切記緊依大綱，突出教義主旨。

**課程編排形式**：每一頁的中間部份是教授學生的內容，粗體字的標題只供教師參考，不需口誦，因為標題內容會在接著的課文大綱提及。至於左右兩欄所列的經文是給教師作參考之用，不宜在課堂上詳授。

## 教授學生的內容（中間部份）

**課文大綱：**

複習第四十二課問題

### A.序言

今天我們正要研討一個很多人避而不談的課題。

—這課題與我們每一個人都有關係，卻成為多人的避諱。
—我們討論我們的健康。
—我們甚至分享自己的年齡。
—很多人花盡金錢，為要獲得健康、保持健康、保持青春形像或留住青春——就是不願意衰老。
—但很少人喜歡談到死亡。

耶穌卻加以談論。

祂所說的話將要永遠地改變我們對生命和死亡的想法!

### B.耶穌等著直到拉撒路死亡

主題：耶穌基督是 神

主題：神無所不在，祂洞悉萬有

閱讀：約十一1-6

在三號地圖上指出伯大尼、耶路撒冷及約但河以東之地

耶穌當時在約但河的另一邊。
耶穌雖然在地理上與拉撒路相距甚遠，但祂知道拉撒路的所在和將要發生在他身上的事。
—耶穌是 神。
—祂無所不知。
—耶穌知道拉撒路將要死亡。
耶穌擁有一切的權能。
—祂可以不用親身到拉撒路所住的地方，仍可叫他痊癒。
—祂更可立時去見拉撒路，並叫他痊癒。
反之，耶穌等候了兩天，因祂要藉此事件，以大能彰顯自己是神的兒子。

主題：神滿有慈愛、憐憫和恩典

耶穌並不是不愛馬大、馬利亞和拉撒路。
耶穌深愛他們，但祂要藉著拉撒路的死，顯明祂的旨意。
耶穌實在愛所有的人，並盼望我們每一位都信靠祂爲救主。
耶穌要藉著拉撒路的死，顯明祂有能力賜生命給一切相信祂的人。

## C.耶穌去叫拉撒路從死裡復活

閱讀：約十一7-16

門徒不明白耶穌的用意。
—他們以爲耶穌要讓猶太領袖們把祂殺害，好叫自己能與拉撒路在一起。
—這並不是耶穌的意思。

## D.復活和生命都在耶穌

主題：人必須憑著信心來討 神的喜悅並得著拯救

閱讀：約十一17-22

馬大相信耶穌有能力醫好她的弟弟，並且父 神會成全耶穌所求的一切。

閱讀：約十一23,24

—解釋：
*—耶穌本要告訴馬大，祂要立時叫她弟弟復活，但馬大卻以爲耶穌是指所有的人在末日要復活。*

*— 神曾藉先知向猶太人說，人人都要肉身復活。人未生在世上以前， 神已賜他生命，祂還要在時候滿足之際，叫所有的人復活，並要他們站在 神的面前，接受審判。*（註一）

人只有靠著拯救者耶穌才可避免罪的審判。

主題：耶穌基督是 神

主題：神是至尊而掌權的

主題：神是全能的

但十二2
太廿五46
約五28,29
徒廿四15
啓廿12-15

閱讀：約十一廿五

*「耶穌對她說：復活在我，生命也在我…」*

—耶穌要馬大明白，拉撒路不需要從此在死亡中等候 神審判的日子。

—祂就是賜下生命的 神，因此祂可以叫人從死裡再次得著生命。

只有祂才可以叫死了的人重得生命。

—除祂以外，再沒有別人可以叫死人重得生命。

—撒但沒有起死回生的能力。

—因為 神是全能的創造者，祂將生命賜給萬民和萬物，只有祂有權柄賜予生命。

註一：
對不信者的審判（啓廿15）有異於對信徒的審判（林前三11-15）。
但請勿在此離題。

—思想：

詩廿四1
徒十七25
西一16

*有些人相信再世輪迴*（註二）*。他們相信人死後要以另一個人、一隻動物或其他的生物的形式再次活在世上。這是撒但的謊話。他要人誤以為自己不需要脫離罪惡；他要人誤信沒有地獄和審判。如果他能使人誤信還有來世重回此界的機會，他們就會以為，根本不需要耶穌基督，而且不用逃避 神公義的審判。撒但是騙子，他捏造再世輪迴的謬誤說法，為要使人與神隔絕，並且得不著永生。*

*在此忠告各位，不論再世輪迴可以如何地自圓其說，請切勿相信！聖經在希伯書九27 清楚地說明：「按著定命，人人都有一死，死後且有審判。」*

註二：
再世輪迴的理論甚為普遍，請花時間從聖經的角度加以剖析。

請勿在這論點上爭辯，只要說出眞理。若有同學堅持要爭論，請溫柔地告訴他的看法與 神的看法不同之處。

主題：人必須憑著信心來討 神的喜悅並得著拯救

閱讀：約十一25,26

約三16;
五24

耶穌說明凡信靠祂的人，肉身雖然死了，他們永遠不會向 神死亡。

—他們永遠不會受到因罪所帶來的刑罰，這刑罰就是與 神隔絕。

—他們離世後只會進入天國，與 神同住。

閱讀約十一27

馬大不像其他的人。
—別人跟隨耶穌是爲了得醫治、得飽足或得著政治上的解放。
—他們沒有興趣去認識祂，以祂作爲拯救者，救他們脫離罪惡和永遠的刑罰。
馬大眞心相信耶穌，信靠祂是從 神而來那位應許的拯救者。

## E.耶穌來到拉撒路的墓穴

**主題：耶穌基督是 神**

**主題：神滿有慈愛、憐憫和恩典**

**閱讀：約十一28-38**

耶穌知道自己將要叫拉撒路從死裡復活。祂哭，是因爲祂感受到爲拉撒路哭喪者的悲痛。

林後一3
來四15

—複習：
*還記得 神是照著自己的形像造人的嗎？因爲 神富有感情，所以祂也賜人情感。祂有悲憫之心。*
*耶穌是 神，祂會感到困苦和哀傷。祂可以體會我們的悲哀。*
*耶穌不是因爲拉撒路再不能活在世上而哭，而是同情周圍哀傷的人。同樣地，祂也爲著罪帶給人類的惡果而哀傷。這正是祂來到世上的原因，就是拯救男女老幼脫離死亡，並要賜他們永遠的生命。*

—思想：
*有些人認爲情感總是不好的，但 神卻賜我們感。祂也有悲傷、同情、愛、發義怒及爲眞理和公義而喜悅之心。*
神因著世上罪惡滿盈而爲世人悲傷。
—罪帶來了疾病和死亡。
—亞當對 神的不順從，把罪引到世上來。
羅五12
—從此，世人都犯了罪，我們都是亞當的後裔，因此我們都要面對死亡。

—思想：

約三16
彼後三9

*當你患病或有人死去的時候， 神會不會顧念？會，祂必顧念。 神愛你，祂盼望你相信祂的話，並信靠耶穌作爲你的救主，祂盼望你能永遠與祂在一起。正因著 神不願意我們落在永遠與 神隔絕和永遠的刑罰中，所以祂差派耶穌到世上來，爲要拯救我們每一位脫離罪惡、撒但和死亡。*

## F.耶穌叫拉撒路從死裡復活

主題：耶穌基督是 神
主題：神是至尊而掌權的
主題：神是全能的

閱讀：約十一39-44
*建議視覺教材：*

圖畫第七十四號「拉撒路復活」

耶穌是 神?
一從來沒有一人像祂。
一祂是全能者。
一祂在起初與聖父及聖靈一起創造了天地。
一祂們用口中的話語創造萬物。
耶穌站在墓穴前面說話。
一祂吩咐拉撒路重得生命。
一耶穌所說的一切話都必要應驗。

西一16

## G.有些人相信了，另一些人卻拒絕相信祂

主題：人滿懷罪孽，不能自拔，需要 神的拯救

閱讀：約十一45-48
很多猶太人因目擊主耶穌叫拉撒路復活所彰顯的大能，便信了祂。
祭司和法利賽人只關注於鞏固自己的地位、權勢與財富。
他們恐怕百姓要擁立耶穌為王。
一這些猶太領袖知道，那統治他們的羅馬人絕不會容許耶穌作王。
一若耶穌眞的被擁立為王，羅馬政府必降罪猶太領袖，指控他們容讓百姓擁立耶穌，因此會差派羅馬長官去取代這些猶太領袖。
文士、祭司和法利賽人因要保全他們的權勢而策劃殺害耶穌。
撒但在背後操縱他們。
一撒但不願意任何人信靠耶穌，脫離他的魔掌。

—他今天仍致力詐騙人，要使他們不相信耶穌爲他們的救主。

## H.結論

耶穌說，撒但是*「…從起初是殺人的，不守眞理，因牠心裡沒有眞理…」（約八44）*
耶穌卻說明*「…復活在我，生命也在我，信我的人，雖然死了，也必復活。」（約十一25）*
耶穌有生命之道。
*「 神愛世人，甚至將祂的獨生子，賜給他們，叫一切信他的，不至滅亡，反得永生。」（約三16）*

## 問題:

1.誰掌管生命大權的取予?
*神。*
2.是否世人至終都要從死裡復活而接受審判?
*是的，全人類，不管相信或不相信 神話語者，終有一天要復活，來接受 神的審判。*
3.爲何拉撒路不用等待末日才得以復活?
*因爲耶穌在那裡。祂是 神。萬物是祂所造的，祂當然掌有起死回生的能力。*
4.耶穌說凡相信祂的人必永遠不死，這話該作何解?
*耶穌是指凡相信祂的人必免於與 神隔絕，不致受永遠火湖的刑罰。*
5.耶穌在抵達伯大尼以前是否曉得拉撒路已經死亡?
*是的，因祂是 神，祂洞悉萬事。*
6.耶穌爲何要叫拉撒路復活?
*祂要藉此彰顯祂的能力，爲要叫人曉得 神是何等的偉大且大有權能。*
7.耶穌爲何哭泣?
*因祂看見罪和死亡所帶給人類的問題，並且同情那些哭喪的人。*
8.祭司和法利賽人爲何不滿意耶穌行這些偉大的神蹟?
*他們恐怕百姓要擁立耶穌爲王。這樣，羅馬政府必怪罪猶太領袖，並要奪去他們的地位、權勢和財富。*
9.誰是他們的幕後主腦?
*撒但。*
10.撒但爲何要人相信再世輪迴之說?
*他盼望人誤信，以爲不用面對他們的罪所帶來的審判，且不用落在永恆的火湖中，與 神隔絕。*

# 第四十四課　耶穌喜愛小孩；祂教導年輕而富有的官

參考經文

## 課前預備

此段只供教師使用

左列的各參考經文有助於你準備這一課。但因經文帶出的眞理有些會在稍後課文中講授，故不宜於此立刻講解這些經文。
請注意：若你沒有教授過本書課文，請詳讀書前『教師必讀』部份。

經文：可十13-24

### 本課目的：

說明我們要以小孩子的心來到 神的跟前。
說明我們不能靠善行去蒙 神的悅納。
說明依靠財富的愚妄。

### 本課可幫助學生：

明白耶穌愛他們。
明白他們需要拯救。

### 教師的觀點：

本課講述一位年輕的財主請教耶穌如何承受永生。這故事正反映出今天許多人求問耶穌的問題。論財富，那少年人在物質上一無所缺，但他知道自己仍不合 神的心意，因此前去請教耶穌如何才可以承受天國。耶穌識透他愛戀錢財過於愛 神，當耶穌要求他變賣一切賙濟窮人時，他便心裡作難。

在我們的社會中，很多物質富裕的人也在追尋一些宗教活動，因爲他們心中缺乏耶穌所帶來 神與人之間的和諧。他們好像那年輕人來尋找耶穌，也感受到祂的愛和關切，可是，他們卻放不下世俗的纏累。他們不信靠 神藉著基督所爲他們作成的工來到 神的跟前，反之，他們信賴自己的財富，以爲能夠解決他們此生的需要，用善行和形式上的宗教安慰自己的良心，最後卻要接受因拒絕相信而帶來的永遠刑罰。

那年輕的財主依靠財富和善行來得救，與一位誠心到主面前，單相信祂的小孩，構成何等強烈的對比。

請爲同學們代禱，但願他們心裡柔和讓聖靈工作，叫他們得以全然地相信耶穌。亦願我們作爲教師的也尊基督爲首，並讓聖靈掌管我們的生命，好讓同學們不是看見我們的好處，乃是看見基督在我們的心裡活著。

### 視覺教材：

圖畫第七十六號「耶穌和小孩」
圖畫第七十七號「年輕的財主」

課文概覽

**本課說明我們要像小孩子般來到 神的跟前，以單純的心信靠祂，因我們裏面沒有任何良善可以獻給神。**

本課亦說明物質富裕的危險——神吩咐我們要愛祂勝於一切。

注意：
倘若課程時間不足，可省略本課（第四十四課），爲要預備充裕時間去講述福音（第四十八至五十課）。

## 授課要點

此課程特爲非信徒安排，故授課時務要奠定聖經基礎，以爲日後傳福音的根據。若你班上有信徒參予，則授課的目的是使他們明白信仰的根基，以致日後他們亦可運用同樣教材去教導未信的人。

**課文信息要明確簡潔，切忌節外生枝！**

請注意這課程是有範圍和有主題的聖經研讀，並非徹底深入的聖經鑽研，亦非漫無邊際的小組討論。請依照主題帶領討論，以保持課程進度。切記緊依大綱，突出教義主旨。

課程編排形式：每一頁的中間部份是教授學生的內容，粗體字的標題只供教師參考，不需口誦，因爲標題內容會在接著的課文大綱提及。至於左右兩欄所列的經文是給教師作參考之用，不宜在課堂上詳授。

## 教授學生的內容（中間部份）

**課文大綱：**

複習第四十三課問題

### A.序言

一位衣著光鮮的年青人步入一間著名公司的接待室，他把自己的名片交給接待員後，接待員禮貌地以咖啡款待，並請他稍坐，然後徵詢董事長是否要接見他。

稍後，他終於獲得引見，到董事長的辦公室中商談業務。董事長客氣而耐心地聽那年輕人的話，不一會兒，談話被友善地中止了。

當年輕人走出董事長辦公室時，他差點被一位小朋友絆倒，那位小朋友停下來，稍作道歉後，隨即跑進他爸爸的辦公室中，爸爸立刻接待和擁抱他。

當那位年青商人失望地離去後，董事長的秘書探頭對董事長的辦公室打趣說：「我看大概這位客人沒有碰釘子吧！」董事長一面抱著孩子，一面回答說：「他是我要的人，因他是要來看我。但那位年輕人只想以他能作的事叫我留下好印象。」

### B.耶穌喜愛小孩

**閱讀：可十13**

門徒不以爲耶穌花時間肯愛顧小孩子。

主題：神滿有慈愛、憐憫和恩典
主題：人必須憑著信心來討 神的喜悅並得著拯救

閱讀：可十14

*建議視覺教材：*

圖畫第七十六號「耶穌和小孩」

耶穌喜愛小孩。
他希望他們相信祂的話，並且信靠祂。
—我們生下來就是罪人，活在撒但和死亡的權勢以下。
—不論年長或年幼，我們得蒙救贖的唯一途徑，就是信靠耶穌爲我們的救主。

閱讀：可十15,16
凡不像小孩子般到 神的跟前、不以小孩子的心來信靠祂的，都不能進入天國。

—思想：

*一個在你懷抱中的嬰兒不會害怕被掉落在地上，因他信靠你可以照顧他。*
*當你還是嬰孩的時候，你甚至不會向父母提出疑問，你只會相信他們所告訴你的一切，你不會要證實一切。*
*當你漸漸長大的時候，你開始獨立起來。當然，我們要承擔成人的責任。*
*可是，* ***神沒有叫我們獨立、離開祂****。祂按照自己的形像造人，爲要叫人認識祂、愛祂和順從祂。*
*我們在罪人的身份中，這是作不到的。我們因著罪的緣故與神隔絕了，並且我們的本性就是要獨立，以自我爲中心。*
*我們以爲只有靠自己的努力才可以改變自己的生命。*
*這並不是福音的內容。*
*耶穌來，爲要拯救罪人。*
*祂說，我們必須重生。人不可能靠自己達到肉體的重生。同樣地，我們也不可能靠自己得到靈命的重生。*

閱讀：約一12,13

只有 神才能賜我們新生命；只有 神才可以拯救我們脫離罪的刑罰。這正是祂差遣耶穌基督到世上來的原因。

閱讀：約三16

*我們正因爲太注重獨立，並要掌握一切發生在我們身上的事情，所以對簡單的福音產生懷疑。這正是耶穌說，我們要像小孩子般到祂跟前來的原因。*

很多人因爲不信靠 神和祂的話語，以致最終要下到地獄去。
反之，若有人謙卑像小孩子般來相信 神的話， 神必定拯救那人脫離撒但、罪和死亡的權勢。

## C.年輕財主的疑問

主題：人只可依 神的旨意和計劃來親近祂

閱讀：可十17

*建議視覺教材：*

圖畫第七十七號「年輕的財主」

這年輕人以爲可以靠著自己的善行，和遵守 神的律法而討 神的喜悅。
一他以爲可以憑著一切的善行來換取永遠的生命。
一所以他問耶穌如何才可以得著永遠的生命。

一複習：
*這年輕人像昔日的該隱。該隱以爲將自己耕種所得的收成獻給神，就必得著 神的悅納。可是， 神有沒有接納該隱的獻祭？沒有！*

## D.只有 神是美好的

主題：神是聖潔公義的
閱讀：可十18

這年輕人不曉得，世上沒有一人好得足以討 神悅納。
一他不明白只有 神才是良善的。
一他以爲自己十分良善，並猜想耶穌只是另一個像他一樣良善的人。
一他雖然不知道耶穌是 神，但他仍然稱耶穌爲良善的夫子。

—耶穌不否認自己是良善的，亦沒有否認自己是 神。
—耶穌是要那年輕人知道，世人當中沒有一個是良善的。
倘若那年輕人相信耶穌是良善的，他必然曉得耶穌是 神，因為只有 神才是全然良善的。

## E.律法的依歸

主題：人滿懷罪孽，不能自拔，需要 神的拯救

閱讀：可十19,20

那年輕人不曉得：
—他生下來就是罪人。
—他生在撒但的魔掌之下。
—因此，他不能完全地順從 神的律法和討 神的喜悅。
神說明世上沒有一個是義人，沒有一人可以作祂心中看為義的事。
除了耶穌以外，沒有一人可以完全地遵行 神的律法。

賽六十四6
羅三11-20

這人以為自己全然遵守律法，因為他外表上服從了一切律例。
就是他們外表上遵行 神的律法，他的順從也並非發自內心的。
耶穌已清楚地闡明律法的真義：
—凡在心中憎惡別人的，就是謀殺了那人。
—凡看見婦女就起淫念的，這人已在 神眼中犯了姦淫。

太五17-28

神並不只是憑外表來判斷人。

*希伯來書四12*告訴我們， 神識透人內心的思念、態度和情慾。

撒上十六7
來四12,13

—若有人心想要得著別人的東西，那就是偷盜了。
—若有人只在外表上順從權威，內心卻惱怒不服，那就是得罪了 神。
神向以色列人頒佈律法，不是為著他們可以遵行祂的律法。
反之， 神要向他們和我們說明，世人都犯了罪，虧缺了 神良善的標準。

羅三19-23

—例證：

*以下的故事是要說明聖經在這方面的教導：*
*在一個小鎮中，村民決定要舉行一次比賽。他們的有一條沿鎮而流的小河，他們要看看誰可以跳過小河中距離最窄的兩岸。很多人接受了數星期的訓練。小朋友們在學校練習跳遠，當中有不少跳遠的高手，一些成人也特別注重這次盛會，他們每天運動且在教練的指導下鍛鍊跳遠的肌肉。甚至一些高齡的人仕也考慮參加，他們都很高興有相聚練習和互勵互勉的機會。*
*比賽的日子到了，河的兩岸分別作了一個起跳和一個著陸的記號。*

*那訓練有素的人，不論年輕或年長的都雲集而來，甚至其他的人也臨時參加，要得著個中樂趣。*
*雖然那是小河最窄的一點，但實際上仍頗爲寬闊，參加者一個接一個地起跑、起跳、和掉到河中，因著陸點實在距離太遠。*
*最後，無論是老或幼、是受過訓練或是沒有受過訓練；是致力奪標或只圖樂趣的人，都達不到對岸的著陸點而掉到河中。*

—比較：
*神的律法也是這樣。就是那致力遵行的人也不可能完全地滿足神的要求。我們不能達到 神良善和完全的標準。*

你可能認爲自己是義人，因此不致下到地獄中。
可是，你不能達到 神的要求。
我們都不能憑自己的力量來討 神的喜悅，因我們都是亞當的後裔，本是與 神隔絕的。
—神明察我們的內心，看出我們的惡念。
—我們永遠不能靠自己的力量來討 神的喜悅。

## F.富裕的危機

主題：神滿有慈愛、憐憫和恩典

**閱讀：可十21上**

「*耶穌看著他，就愛他…*」
雖然那人自高自大，並且不向 神承認自己是個罪人，耶穌卻仍然愛他。
雖然我們都是罪人，耶穌卻愛我們。
祂不願意我們永遠與 神隔絕。

主題：人滿懷罪孽，不能自拔，需要 神的拯救

**閱讀：可十21**

耶穌要求那財主變賣他的財產去賙濟窮人。
—耶穌知道他貪愛財富多於愛顧別人。
—耶穌要向他說明，他已違反了 神的律法，就是要愛鄰舍如同自己的那一條律法。
—耶穌盼望他承認自己是罪人，並需要一位救主。
耶穌更要求他離開家園來跟隨祂，因爲耶穌就是 神。

—耶穌知道那人貪愛錢財多於愛 神。
—神的第一條誡命吩咐我們要盡心、盡性和盡意地愛 神，並且不要將其他的人或事物取代 神的地位。
耶穌要幫助那年輕人明白他已將財富取代了 神的地位。
—他已違反了 神的律法，所以他是 神眼中的罪人。
—耶穌要他明白他不能因著自己所作的一切來蒙 神的悅納，他已經向 神死亡，已被 神拒絕了。

太廿二37，38

主題：神是聖潔公義的，祂命定罪的代價就是死亡

世人都沒有將 神放在他們生命當中應有的地位。
這個後果就是死亡，就是受永遠與 神隔絕的刑罰。
—神不會以有罪的為無罪。
—我們若不還清罪債， 神必不赦免我們的罪。
那麼，有沒有可以還清罪債，叫我們免於永火刑罰的方法?
當然有！那正是耶穌降世的目的！

主題：人滿懷罪孽，不能自拔，需要 神的拯救

閱讀：可十22-24

這年輕的財主作了他的抉擇：
—他選擇了自己的財富；這財富只能供他在今世的享樂，他永遠離棄了 神的生命。
—他因著一方面要得著永生，一方面卻貪愛金錢多於愛 神和愛人而感到憂愁。
—他不願意照耶穌的要求而行。
你可能像這年輕人一樣，認為生命中最重要的是致富。
可是，當你離世時，你絕不能拿走任何的東西。
神看窮人與富人是平等的。
神認為最重要的，並不是我們的財富，而是我們是否願意聽祂的話和相信祂。

## G.結論

還記得我們從 神的話裏學習過耶穌以五餅二魚餵飽五千人的故事嗎?
此後，那些人到處尋找耶穌，為要得著肉體的飽足。
還記得耶穌對他們所說的話嗎?

閱讀：約六27-29

問題:

1.耶穌關心小孩嗎?
*耶穌喜愛一切小孩。*

2.小孩是否需要從撒但、罪惡和死亡中被拯救出來?
*是的，他們也與成人一樣，需要認識和信靠耶穌爲他們的拯救者。*

3.耶穌說我們要像小孩子才可進入天國，這話是甚麼意思?
*小孩子比成人更容易相信別人。我們要信靠拯救者耶穌，正如小朋友信靠他的父母一樣。*

4.那個到耶穌跟前的年輕人以爲如何才可以進入天國?
*靠著遵行 神的誡命。*

5.耶穌回答那年輕的財主說:「你爲甚麼稱我是良善的? 除了 神一位之外，再沒有良善的。」耶穌說這話是否意味著祂不是良善的，或祂不是 神?
*不是，正因爲耶穌就是 神，祂與聖父和聖靈是同樣地良善。*

6.耶穌要那年輕人領悟甚麼?
*耶穌要他明白世人都違反了 神的律法，並且只有 神是美好的。*

7.爲何那年輕人憂憂愁愁的離去?
*因爲他不願意遵行耶穌的吩咐，他貪愛錢財過於愛 神和愛人。*

8.耶穌有沒有說明致富是罪?
*沒有，致富不是罪，但貪愛財富過於 愛神就是罪了。*

9.我們還有比努力賺取世上的財富更重要的事情嗎?
*就是要信靠拯救者耶穌。*

# 第四十五課　依靠財富的愚昧

參考經文

## 課前預備

此段只供教師使用

左列的各參考經文有助於你準備這一課。但因經文帶出的眞理有些會在稍後課文中講授，故不宜於此立刻講解這些經文。

請注意：若你沒有教授過本書課文，請詳讀書前『教師必讀』部份。

經文：路十二15-21;十六19-31

### 本課目的：

說明依靠財富的愚昧。

說明人死後不是在天堂，便是在地獄度過永恆。

### 本課可幫助學生：

明白生命的短暫。

明白他們需要信靠 神拯救他們。

### 教師的觀點：

我們活在「此時此刻」的世界，很少人願意想到他們現在所做的事將來要承擔的後果，例如以高利率的信用卡付賬便是個短視的例子，這只會爲今生帶來破壞和憂傷。

至於如何獲取永恆的後果，乃在於我們如何回應 神所賜的救恩。

耶穌識透人心。就在二千年前，人也是爲他們的「今生」而不是爲著永恆而活。從財主的比喻和拉撒路與財主的故事，我們可以用永恆的角度來看世上的生活， 神給我們這些故事，要叫我們存著感恩的心小心和詳細地思想。凡拒絕 神藉耶穌基督所賜的救恩者，他們將要受那永恆無盡的痛苦刑罰。

求 神賜同學們永恆的眼光。因救恩不僅是現今得到解脫，而是 神使應受永遠刑罰的罪人不至滅亡，反而得著永遠的生命。

### 視覺教材：

- 圖畫第七十八號「愚昧的財主」
- 圖畫第七十九號「在地獄的富人」
- 本課中要提到的時間簡圖，可在授課中劃或於課前預備。

**課文概覽**

**本課藉愚昧的富人說明依靠財富的愚昧，並藉著財主和拉撒路的眞實故事，說明不信者要受永遠的刑罰，且要永遠與 神隔絕；但信 神的人要在祂裡面享受永遠的快樂。**

## 授課要點

此課程特爲非信徒安排，故授課時務要奠定聖經基礎，以爲日後傳福音的根據。若你班上有信徒參予，則授課的目的是使他們明白信仰的根基，以致日後他們亦可運用同樣教材去教導未信的人。

**課文信息要明確簡潔，切忌節外生枝!**

請注意這課程是有範圍和有主題的聖經研讀，並非徹底深入的聖經鑽研，亦非漫無邊際的小組討論。**請依照主題帶領討論，以保持課程進度。切記緊依大綱，突出教義主旨。**

**課程編排形式：**每一頁的中間部份是教授學生的內容，粗體字的標題只供教師參考，不需口誦，因爲標題內容會在接著的課文大綱提及。至於左右兩欄所列的經文是給教師作參考之用，不宜在課堂上詳授。

## 教授學生的內容（中間部份）

### 課文大綱:

複習第四十四課問題

### A.序言

你是否要面對很多困難?
若你有一百萬元，那又如何?
這些金錢可以解決你一切的問題嗎?
有時候我們認爲那是可能的，但是讓我們從永生的角度來看這些事吧。

### B.單爲今世的物質而活是愚昧的行爲

**主題：**人必須憑著信心來討 神的喜悅並得著拯救

**閱讀：**路十二15

有些人貪戀世上的物質過於一切。
一他們妒忌別人擁有的東西。
一他們以爲自己致富後便會得著滿足。

耶穌向眾人講了一個比喻。
一我們以前說過，比喻是以現今世界的事物爲故事，目的是要我們明白有關 神以及我們與 神之間的事。
一耶穌說這比喻的目的，是要人明白我們與 神的關係，實在遠勝世上的財富。

—人若擁有世上一切的財富，到頭來卻要下到地獄當中，那又有何益處呢?
—相信 神和得著永遠的生命，遠勝於得著現今的舒適和穩妥。

**閱讀：路十二16-19**

*建議視覺教材:*

結十八4

圖畫第七十八號「愚昧的財主」

這農夫以為他已擁有一切他所想要的。
—他以為已經富甲一方，應當可以安寢無憂。
—他以為可以不理會 神，可以按照自己的意思而生活。
他沒有想到 神是賜予生命，亦是收回生命的。

**主題： 神是至尊而掌權的**

雖然他沒有理會 神在他身上的主權，但 神沒有忘記他。
—那財主正在圖謀他所要實行的計劃時， 神就在當晚對他另有一番計劃。
—以下就是耶穌所說 神計劃的事。

**閱讀：路十二20**

當 神為一個人定下的死期到了之時，那人必要死亡。
沒有任何人可以阻礙那人離世。

**主題：人必須憑著信心來討 神的喜悅並得著拯救**

神稱那人為愚昧的人，因為他只曉得為現世的財富而活，從不曉得 神的計劃。

**閱讀：路十二21**

神要賜給信靠祂之人的，是遠勝於現今的財富。
—現今的物質只存片時，我們亦不曉得自己何時要向它們揮手而去。
—但 神要賜給凡相信祂的人永存不朽的禮物。
— 神提醒我們要有智慧，把時間和精力投資在認識祂的事上，也要信靠祂會指示我們生命裏真正的需要。

## C.財主和拉撒路

閱讀；路十六19-21
這是個眞實的故事，不像剛才所讀到的比喻。
一這是眞確的事實。
一故事中的兩位主角在耶穌引述他們這事蹟以前確實地存在。
在表面上，我們會認爲財主總比拉撒路好。
一財主似乎擁有一切。
一拉撒路卻百病纏身、不得飽足，且有狗來餂他的瘡。
請聽耶穌如何述說發生在他們兩人身上的事：

閱讀路十六22
思想：
一財主的財富可否使他免於死亡?
一他的財富在他死後對他有何意義?
一拉撒路死後往那裡去?
一他往亞伯拉罕所到的地方去。
一財主又如何?
一他是否往拉撒路所到的地方?
一耶穌說財主的身體被埋葬了。
一他離開身體以後到那裡去?
當人死後，他不是直接到 神那裡去，就是立刻到受刑罰的地方。

路廿三43
林後五8

亞伯拉罕雖在這兩人死亡以前的數百年前已被埋葬了，但他至今仍與 神一同活著。
你不是永遠地在天國與 神一同活著，就是到罪的永刑裏，受著火焰的煎熬。（註一）
讓我們來看看，耶穌說財主到了甚麼地方？

註一：
本課程從始至終沒有向未信者解釋陰間和地獄火湖的分別。雖然財主所到的陰間並不是未得救者的終點，但他們在那裡已經開始受苦。

在白色大寶座的審判後，那留在陰間的人要被丟進爲撒但和他黨羽所設的火湖之中。（啓廿10,12-15）

## D.財主哭喊著求救

主題：耶穌基督是 神
主題： 神無所不在，祂洞悉萬有

閱讀：路十六23

*建議視覺教材：*

圖畫第七十九號「在地獄中的富人」

詩一百卅九
7,8

耶穌知道拉撒路和財主死後到了那裡。
祂是 神，所以祂知道每一個人的所在，就是人死後，耶穌對他的去向也是瞭如指掌。
拉撒路到了喜樂之地，蒙 神的悅納，財主卻到了永火之地，受著永遠的刑罰。
思想:
—在二千年後的今天，那財主仍在地獄受苦，他甚至要無止境地受著那刑罰。
—拉撒路卻仍然與 神在一起，且要永遠地與祂在一起。

主題: 神是聖潔公義的，祂命定罪的代價就是死亡

閱讀；路十六24

在地獄裡要受著莫大的痛苦。
凡不相信 神話語的人都要到那裡去。
神厭惡罪惡。
— 神不只是在口頭上提出罪的刑罰。
—所有罪債必要切實地償還。

## E.亞伯拉罕的回答

主題: 人必須憑著信心來討 神喜悅並得著拯救

閱讀：路十六25

—思想:

*拉撒路是不是因為在世貧乏，以致死後得以進入樂園? 財主是不是因為在世富裕，以致死後要接受刑罰? 神是不是拒絕富人，接納窮人? 不是，這並不是他們有不同後果的原因。*
*財主是因為不向 神承認自己是罪人，又不信靠 神和祂的應許，要賜拯救者來拯救他脫離撒但、罪惡和死亡，以致最終落在地獄當中。財主沒有思想 神，更沒有相信祂的話，他只顧享受他在世上的財富，他只為自己而活，毫不理會 神（或其他的人）。 拉撒路卻截然不同，他向 神承認自己是罪人，並正如亞伯拉罕生前一樣。相信 神要賜下拯救者的應許。*

閱讀：路十六26

人若死後到了地獄，他就沒有機會獲得拯救。
—再也沒有求生之路。
—他必永遠留在刑場。
倘若你拒絕聆聽 神的話語，並在生前得不著他的接納，那麼你也必同樣地要落到地獄當中。
　那在死時與 神隔絕的人，必從此永遠地與 神隔絕。（註二）

註二: 若有人問及煉獄，請說明聖經沒有煉獄的記載，這是人構想出死後還有最後悔改機會的地方。指出這些謬誤教導時，請勿指責教導這觀念的宗教，只要說明聖經沒有這種教導。若有同學感到不安，請他自行研讀 神的話，好從聖經中得著亮光。

## F.財主爲他的兄弟求情

閱讀：路十六27,28

財主在極度痛苦中仍記念他的兄弟和親人。
—在地獄的人仍可回想這世界。
—他們可以回想他們在世上所作的事，並可記念他們的親人和朋友。
思想：
—財主爲何要向亞伯拉罕求情，請他差遣拉撒路回到他的五個兄弟當中？
—他要拉撒路向他們說甚麼？
財主希望亞伯拉罕應許拉撒路回到他的親人當中，警告他們不要像他一樣落在那恐怖的刑場。（註三）

註三：若有同學提出他有親人在生前沒有接納耶穌爲救主，該當怎辦。這是感情之事，請以極大的智慧和同情去處理。這問題沒有簡單的答案，因事實叫人難以接受。只要求 神使用這極度哀傷和困難的時刻來讓死者的後人化悲哀爲尋求 神和信靠祂。你亦可考慮這樣的回答：「我十分體會你喪失親人的感受，我們也有在生前沒有接受耶穌的親人。撒但正要我們想與親人在地獄團聚而不信耶穌基督。因此，請勿受騙。地獄絕不是團聚的好地方。若你是那財主，你會希望與親人在地獄相聚嗎？我們還要記念存活的親友，他們注意我們對 神的回應。 神叫我們活著的人要藉耶穌而重生並進入 神的家，祂體恤我們的悲痛，也愛顧我們。」

## G.亞伯拉罕的回答

拉撒路可以返回世上嗎？
不可以！ 神絕不容許在地獄的人返回世上。

主題：神與人對話
亞伯拉罕如何回答財主？

閱讀：路十六29

亞伯拉罕向財主說明，他的兄弟理應知道摩西和眾先知寫在聖經上的話。
—沒有人必須到地獄去。
—倘若我們願意聆聽 神的話，祂要藉著耶穌基督指示我們獲得永生的途徑。

## H.財主的辯白和亞伯拉罕的裁決

主題：人滿懷罪孽，不能自拔，需要 神的拯救

主題：人必須憑著信心來討 神的喜悅並得著拯救

閱讀：路十六30,31

人若不相信 神所寫的話語，即或 神叫死人復活去警告他們，他們也是不信。
猶太領袖雖然目擊耶穌叫拉撒路從死裡復活，他們還是不信。

## I.結論

我們的敵人哄騙人爲現今而活。
很多人以爲金錢、物質和健康比 神還要重要。
在我們結束以前，讓我們劃一條時間線。

*建議視覺教材：*

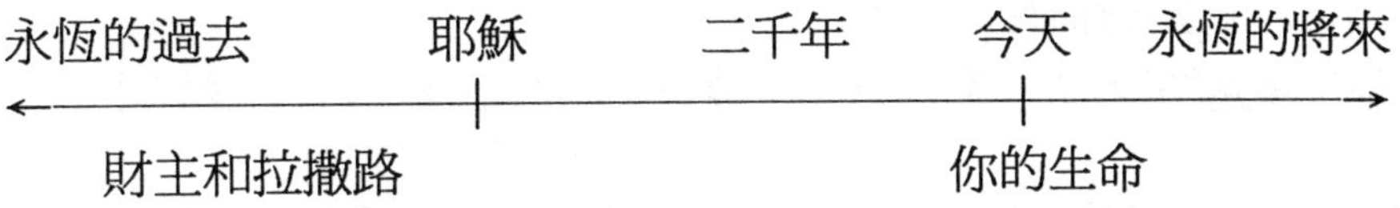

| 永恆的過去 | 耶穌 | 二千年 | 今天 | 永恆的將來 |
|---|---|---|---|---|
| 財主和拉撒路 | | | 你的生命 | |

中央的橫線代表時間。
時間線向兩端延伸至永恆。
耶穌講述財主和拉撒路的事蹟至今約有二千年。
這兩人至今仍分別在耶穌所說的地方：
—拉撒路與 神一起。
—財主在地獄。
他們將來的去向決定於他們現世的選擇，此外並無迴轉的餘地。
—拉撒路相信 神。
—財主沒有相信 神，就是最後在世的日子也沒有相信 神。
直至他受著刑罰的煎熬，他才懇求亞伯拉罕差遣拉撒路去警告他的親人不要落在同樣的刑罰裏。
—亞伯拉罕和拉撒路卻愛莫能助。
—亞伯拉罕說明，財主的親人已有摩西和先知的明證。
我們又如何?
我們試看自己在時間線上的位置。
你認為你在世的壽數為何?
—五十年、六十年、七十年還是八十年?
—你的壽數在時間線上佔了多少位置？
—若將之與永恆比較，那又如何?
請仔細思量。
永恆就是不可量度的時間。
你是否願意相信 神的話語和信靠祂為你的罪所預備的一切？這要決定你將如何長度永恆。
耶穌已將這話清楚地說明了。

閱讀：可八36

## 問題：

1.甚麼比致富更重要?
*明白和相信 神所說有關拯救者耶穌的話?*
2.誰決定我們何時去世?
*神。*
3.財主和拉撒路是一則比喻嗎?
*不是，那是真確的事實。*
4.人死後要往那裡去?
*不是上天堂，就是到受刑之地。*

5.進了受刑之地的人有被釋放的機會嗎?

*沒有，人一旦進了受刑之地，必永不能逃脫。*

6.財主懇求亞伯拉罕為他作甚麼?

*a.他懇求亞伯拉罕差遣拉撒路，就是給他蘸點水涼涼他的舌頭也是好的。*

*b.他懇求亞伯拉罕差遣拉撒路回到他的兄弟當中，去警告他們不要落在受刑之地。*

7.亞伯拉罕說財主的兄弟當作何事?

*亞伯拉罕說他的兄弟應當相信 神藉摩西和眾先知所寫的話語，就是我們的舊約聖經。*

8.我們如何才可以到 神的跟前，找到永生的途徑?

*透過 神的話，就是聖經。*

# 第四十六課　耶穌騎驢進耶路撒冷；猶大陰謀出賣耶穌；耶穌設立聖餐

參考經文

## 課前預備

此段只供教師使用

左列的各參考經文有助於你準備這一課。但因經文帶出的眞理有些會在稍後課文中講授，故不宜於此立刻講解這些經文。
請注意：若你沒有教授過本書課文，請詳讀書前『教師必讀』部份。

經文：可十一11-10;十四1,2,10-26

### 本課目的：

說明耶穌基督是拯救者，是唯一可以拯救我們的救主。
說明耶穌被出賣是要應驗預言。
介紹聖餐的設立。

### 本課可幫助學生：

思想自己的罪性。
明白猶大出賣耶穌的罪是可怕的。
目睹預言如何應驗。

### 教師的觀點：

這段經文講到各種委身的對比。

猶太人以爲，他們終於可以脫離外族的統治，他們向耶穌投身，是要祂作地上的君王。很多人歡迎祂，以祂爲幫助他們脫離羅馬政府的拯救者，但甚少人以祂爲那位拯救他們脫離撒但、罪惡和死亡的救主。

猶大爲一己的利益向耶穌投身，他貪圖財利，爲了三十兩銀子而出賣了 神的兒子。

耶穌基督向父 神獻身，以完成拯救世上一切罪人的重任，甚至甘願交出自己的生命作爲贖價。

猶大雖然與耶穌同行、交談及工作三年之久，他仍不相信神，他爲著個人和世上的財富，拒絕了得著永生的機會。

這正是今天物質社會中最重要的警惕。誰能爲赦罪和永生定標價呢？耶穌付上了終極的代價，就是爲罪人的緣故捨身流血。

### 視覺教材：

圖畫第八十一號「凱旋進城」
圖畫第八十二號「聖餐」
預言表
地圖第三號

## 課文概覽

本課說明耶穌是逾越節的羔羊，祂要爲拯救萬民而死。

在聖餐中，餅代表祂的身體，擘開爲世人而捨，杯代表祂的血，是爲世人之罪而流。

本課更說明很多人歡迎耶穌作世上的王，而不歡迎作他們的救主。

猶大賣主實爲撒但幕後的陰謀，本要破壞耶穌拯救人類的計劃。

耶穌生命中的每一個細節，都顯明了預言的應驗。

## 授課要點

此課程特爲非信徒安排，故授課時務要奠定聖經基礎，以爲日後傳福音的根據。若你班上有信徒參予，則授課的目的是使他們明白信仰的根基，以致日後他們亦可運用同樣教材去教導未信的人。

**課文信息要明確簡潔，切忌節外生枝!**

請注意這課程是有範圍和有主題的聖經研讀，並非徹底深入的聖經鑽研，亦非漫無邊際的小組討論。**請依照主題帶領討論，以保持課程進度。切記緊依大綱，突出教義主旨。**

課程編排形式：每一頁的中間部份是教授學生的內容，**粗體字的標題**只供教師參考，不需口誦，因爲標題內容會在接著的課文大綱提及。至於左右**兩欄**所列的經文是給教師作參考之用，不宜在課堂上詳授。

## 教授學生的內容（中間部份）

### 課文大綱：

複習第四十五課問題

### A.序言

耶穌無論何往，群眾必蜂湧追隨。
—有些人要得祂的醫治。
—有些人要脫離羅馬的統治。
—很少人考慮自已屬靈的需要。
—很少人願意承認他們最大的需要就是脫離撒但、罪惡和死亡。
你期望在耶穌身上找著甚麼？（註一）
請在課堂中加以思想。

註一：
這是另一個引發同學們思想的問題。請勿在此等待回答，只要繼續授課便可。

### B.耶穌差遣門徒，找一匹驢駒給祂騎在上面

耶穌和門徒上耶路撒冷的途中，經過耶路撒冷城外名叫伯大尼的小城。

在三號地圖上指出伯大尼和耶路撒冷

伯大尼是馬利亞、馬大和拉撒路的家。
耶穌曾在不久以前叫拉撒路復活。

閱讀：可十一1-6

### C.百姓歡迎耶穌爲他們的拯救者

主題：神是信實的，祂永遠不會改變

閱讀：可十一7-10

耶穌應驗了 神的話，騎著驢駒進入耶路撒冷。

閱讀：亞九9

*建議視覺教材：*

**圖畫第八十一號「凱旋進城」**

群眾歡迎 神所差派的拯救者耶穌。
—他們讚美祂，因祂是 神的眾先知曾預言，要從 神而來的，要作他們的王。
—可是，可惜大部份的人不願信靠耶穌，來拯救他們脫離撒但的魔掌、他們的罪和 神的刑罰。
—他們只希望耶穌作他們世上的王，釋放他們脫離仇敵，尤其那統轄他們國土的羅馬政府。

## D.猶太領袖的陰謀

主題：人滿懷罪孽，不能自拔，需要 神的拯救

閱讀：可十四1,2

眾猶太領袖立意要殺害耶穌，可是他們又害怕群眾的壓力。
耶穌因著祂所行的神蹟而遠近馳名。

## E.猶大計謀出賣耶穌

主題：人滿懷罪孽，不能自拔，需要 神的拯救

閱讀：可十四10

猶大是耶穌所揀選的十二名入室弟子之一，可是猶大毫不理會他在 神面前的罪。
—他不信靠耶穌作爲罪人的救主。
—猶大爲了自己的利益而跟從耶穌。
—*注意：*
*約十二6告訴我們，猶大是賊，他憑藉司庫之職飽其私囊。*

當他發現跟從耶穌不能滿足他個人的利益時，他竟將耶穌出賣給祂的敵人。

主題：神無所不在，祂洞悉萬有

神的話應驗了。
—神預言耶穌的一個朋友要出賣祂。
—猶大曾是耶穌三年來的密友。

閱讀：詩四十一9
在預言表上展示「被友人出賣」一格，在*可十四10,11*相對的空格中寫上*詩四十一9*。閱讀預言及 神如何使之應驗。

**主題：撒但與 神的意願相違，牠是騙子，是說謊者，也恨惡人類**
撒但慫恿猶大出賣耶穌。
—撒但憎恨耶穌，因耶穌是 神，祂講述眞理。
—撒但滿以爲只要他可以驅使猶太領袖們除掉耶穌，他便可以阻礙 神摧毀撒但和拯救世人的計劃。

主題： 神無所不在，祂洞悉萬有

猶大跑到耶穌的敵人面前，告訴他們，願意爲金錢的緣故出賣耶穌。
你認爲猶太領袖們有何反應?

閱讀：可十四11

馬太告訴我們，猶太領袖答應給猶大三十兩銀子，作爲他出賣耶穌的交易。

—注意：*三十兩銀子只是一個普通奴隸的價錢。*

*神在五百多年前己告知祂的先知撒迦利亞，這事必發生在拯救者身上。*

閱讀：亞十一12,13

在預言表上展示「以三十兩銀子被賣」
在*太廿六14,15*相對的空格中填上*亞十一12,13*
閱讀預言及 神如何使之應驗。

神的話語確實奇妙。 神的預言沒有一個未嘗實現。

出十二21-27

## F.預備逾越節的晚餐

閱讀：可十四12

有誰記起逾越節是猶太人爲紀念何事而設的?

主題：耶穌基督是 神

主題： 神無所不在，祂洞悉萬有

閱讀：可十四13-15

耶穌知道，門徒要遇見一個拿著水瓶的男士。
—這是罕見的現象，因為當時打水和拿水瓶的工作一般是由女士負責的。
— 神在萬事發生以前已全知曉。
—思想*：*
*在事情發生的五百年前，祂已知道耶穌將要以三十兩銀子的交易被出賣。*
*祂甚至知道一切細微的事情。聖經告訴我們， 神甚至連一隻小麻雀墜地死亡也瞭如指掌。*
*神有無限的智慧，但祂亦明察秋毫。*

閱讀：可十四16

太十29

## G.耶穌知道要出賣祂的人

主題：耶穌基督是 神
主題：神無所不在，祂洞悉萬有

閱讀：可十四17,18

*建議視覺教材：*

圖畫第八十二號「聖餐」

詩四十一9;五十五12-13

耶穌不需要任何人報告，祂知道猶大將要出賣祂。
但耶穌愛猶大，心裡還是因著他這樣做而難過。

閱讀：可十四19,20

—注意：
*當猶太人同桌用餐時，他們習慣擘開桌上的餅，然後用餅蘸在桌子中央盛著的水果醬大碗中。*
*耶穌是宴席的主人。根據中東的風俗，若接受了人的款待，爾後又用計謀陷害他，那是極端邪惡之事。*

耶穌說明與祂同席的十二門徒中，有一個人要出賣祂。
—耶穌與那要賣祂的人，將餅蘸在同一盤果醬中。

—雖然他們在共進晚餐，但在不久以後，這位耶穌的入室弟子要將祂出賣到祂敵人的手中。
當耶穌指出那十二門徒中有一人要出賣祂時，祂可能要猶大覺悟自己可怕的計謀。
耶穌給猶大一個改變心意的機會。

主題：耶穌基督是 神

主題：耶穌基督是人

閱讀：可十四21

耶穌在很多時候自稱爲「人子」，因祂雖是 神的兒子，也是實實在在的人。
耶穌知道，祂要應驗 神在舊約中的預言，要面對死。
雖然耶穌必要死，但這不是猶大犯罪的藉口。（註二）
神沒有命定他出賣耶穌。
猶大永遠受著自己的罪所帶來的刑罰：就是他的自私，有份於謀殺一個無辜的人（ 神的兒子），最甚者，他不願意信靠耶穌基督爲他的救主。
他的惡行足以證明他的不信。

彼前一10,11

註二：
一些不信的人曾在他們的著作中辯護猶大是整件事的「受害者」。他們認爲此事與猶大無關，是 神選中他去作這件惡事。

若有同學提出此點，請說明這論點所述，正違反 神的性情，並讀彼後三9及約十二4-6中對猶大性格的描繪。

請避免討論神的主權與人自由意志等論題。只要告訴同學們， 神的智慧是完全的。我們只要學習祂要我們知道的事，因爲某些事情超乎了我們的理解，只有讓 神掌管。

倘若同學們要作深入的研究，請他們以聖經爲探討的中心。

## H.餅和酒的含意

主題：耶穌基督是唯一的救主

閱讀：可十四22

耶穌擘餅後繼而解釋，祂的身體將要被惡人所害，如同擘開的餅一樣。

閱讀：可十四23,24

耶穌說明，祂倒給他們喝的酒，是象徵或意味祂的血要在祂受死時傾流。
耶穌說明祂的死，是要代替罪人而捨命。（註三）

閱讀：可十四25,26

註三：
事實上，你已藉著這些話講述福音，請以敏感的心，與心靈已經預備好的同學們分享福音。

## I.結論

我們無法想像耶穌的大愛。
祂從來沒有犯罪。
祂卻代替罪人死。
與祂同席的人都需要祂，行祂將行之事。
凡在過去、現在和未來的世人都需要祂，行祂將行之事。
所有人，包括你我，都需要祂，行祂將行之事。

問題:

1.為何耶穌不接納群眾推舉祂作王?
*因為，他們單要耶穌解救他們脫離仇敵和羅馬人的統治。他們不願意耶穌拯救他們脫離撒但、罪惡及死亡的權勢。*

2.為何祭司及猶太領袖沒有立時逮捕及殺害耶穌?
*他們知道耶穌深受歡迎，他們恐怕逮捕耶穌以後，群眾會怪罪和殺害他們。*

3.猶大可曾覺悟前非、悔改及信靠耶穌?
*沒有。他口是心非。*

4.先知曾預言拯救者將以何價被賣?
*三十兩銀子。*

5.耶穌確實以何價被出賣?
*正如先知的預言，祂以三十兩銀子被賣。*

6.耶穌何以曉得猶大的打算?
*耶穌是 神，祂參透萬事。*

7.先知預言誰要出賣拯救者?
*一位十分接近祂的友人。*

8.耶穌在那一方面好像擘開了的餅?
*祂自己的身體將被仇敵擘開。*

9.耶穌在那一方面好像傾倒出來的酒?
*祂自己的血將要在仇敵手中傾流。*

10.耶穌的血為誰而流?
*為罪人。*

# *第四十七課　耶穌被仇敵捉拿*

參考經文

賽五十三
詩廿二

## 課前預備

此段只供教師使用

*左列的各參考經文*有助於你準備這一課。但因經文帶出的眞理有些會在稍後課文中講授，故不宜於此立刻講解這些經文。
請注意：若你沒有教授過本書課文，請詳讀書前『教師必讀』部份。

經文：可十四32-65;十五1-19

### 本課目的：

說明耶穌基督是 神。
說明發生在耶穌身上的一切都是預言的應驗。
說明耶穌爲了我們，以至落在罪人的手中，遭受可怕的痛苦。

### 本課可幫助學生：

明白耶穌以人的肉身來承受痛苦。
明白耶穌遭受極不公平的對待。
明白耶穌在不公正待遇下的反應。

### 教師的觀點：

「這實在太不公平了！我不應該受這樣的對待！」我們曾經多少次聽見（或想要說）這些話?

當我們觀察，耶穌在誣告祂的人面前當時的反應，眞叫我們無言以對，並因著我們過往的埋怨而慚愧得無地自容。祂是全然公義、聖潔和慈愛的 神，竟然爲我們罪該萬死的人承擔誣告、嘲笑及慘不忍睹的殘酷刑罰。*彼前二23—24*：「*祂被罵不還口，受害不說威嚇的話，只將自己交託那按公義審判人的主。祂被掛在木頭上，親身擔當了我們的罪，使我們既然在罪上死，就得以在義上活。因祂受的鞭傷，你們便得了醫治。*」

讓我們滿懷著對救主的愛，來講述祂如何遭受殘酷的審訊。

### 視覺教材：

圖畫第八十三號「耶穌禱告」
圖畫第八十四號「耶穌被捉拿」
圖畫第八十五號「在彼拉多面前的耶穌」
圖畫第八十六號「兵丁戲弄耶穌」
預言表
地圖第三號

課文概覽

本課講述耶穌被捉拿、其中一次不公平的審訊，及祂在上十字架以前所遭受的殘酷刑罰。祂的受苦越發顯出祂是無罪的、是聖潔的。祂毫無怨言，誠然擔當了我們的刑罰。

本課將強調預言的應驗。

## 授課要點

此課程特為非信徒安排，故授課時務要奠定聖經基礎，以為日後傳福音的根據。若你班上有信徒參予，則授課的目的是使他們明白信仰的根基，以致日後他們亦可運用同樣教材去教導未信的人。

**課文信息要明確簡潔，切忌節外生枝!**

請注意這課程是有範圍和有主題的聖經研讀，並非徹底深入的聖經鑽研，亦非漫無邊際的小組討論。請依照主題帶領討論，以保持課程進度。切記緊依大綱，突出教義主旨。

課程編排形式：每一頁的中間部份是教授學生的內容，粗體字的標題只供教師參考，不需口誦，因為標題內容會在接著的課文大綱提及。至於左右兩欄所列的經文是給教師作參考之用，不宜在課堂上詳授。

## 教授學生的內容（中間部份）

### 課文大綱：

複習第四十六課問題

### A.序言

我們不時聽說有無辜的人被捕。
我們實在十分同情這些人。
你曾否被人指控一些你根本沒有觸犯的罪?
你當時的感覺如何?
假設我們現在把情況轉過來。
有沒有人曾經替你頂罪?
有沒有人曾經因你的罪而遭受處分?
讓我們藉著研讀耶穌被捉拿的事蹟來反省這事。

### B.耶穌在客西馬尼園

主題：耶穌基督是人

閱讀：可十四32-36

*建議視覺教材：*

圖畫第八十三號「耶穌禱告」

耶穌是 神，祂也是人。
—當祂要面對即將遭受的苦楚時，對祂來說這是十分困難的事。
—祂明白祂將要承受一般人所不能忍受的痛苦才可以拯救我們。
可十五34　我們將在稍後思想，甚麼事令耶穌感到極度傷痛。

閱讀：可十四37-42

## C.耶穌被出賣和被捉拿

主題：撒但與 神的意願相違，牠是騙子，是說謊者，
　　　也恨惡人類

閱讀：可十四43-46

*建議視覺教材:*

圖畫第八十四號「耶穌被捉拿」

猶大和捉拿耶穌的人都是被撒但驅使而來的，他們自己可能並不知道。
—比較：
*同樣地，今天許多人自己無法查覺，他們若反對或不理會 神話語，並拒絕信靠耶穌為 神所差來的救主，實在是受著撒但的驅使。*

閱讀：可十四47-49
耶穌曉得舊約中所有的預言，必要按照 神的話十足地應驗在祂身上。

## D.門徒四散

閱讀：可十四50-52
門徒果然不出耶穌所料的四散，只剩下耶穌獨自一人。
亞十三7　—他們感到惶恐、失望和迷茫。
可十四27　—他們相信耶穌就是 神所差來的救主，但他們不明白，為何這位救主將被仇敵所害？
—他們不明白，祂的死何以能拯救他們脫離撒但、罪惡及死亡。

## E.猶太領袖審問耶穌

閱讀：可十四53,54
彼得遠遠跟著。

他怕自己也可能被捉拿及殺害。

主題：耶穌基督是聖潔公義的
主題：人滿懷罪孽，不能自拔，需要 神的拯救

閱讀：可十四55
耶穌站在公會之前受審，這公會就是就是猶太人的高等法院。（註一）
一耶穌完全無罪。
一因此他們無法循任何法律途徑去指控祂。
一他們沒有任何理由憎恨耶穌，他們的憎恨是因著他們沉迷罪中，和拒絕服從 神藉耶穌所吩咐他們一切的話語。

註一：
這是耶穌所受六次不合法的審訊之一，該六次審訊分別有三次在宗教領袖面前提堂，及三次在羅馬官員面前提堂，這些審訊統統是非法的，因爲他們不依正當法律途徑，同時在審訊過程中也呈報假見證。

主題：神無所不在，祂洞悉萬有

閱讀：可十四56-59

神的先知們曾預言，虛謊的見證人必要作假見證誣害拯救者。

閱讀：詩廿七12

在預言表上展示「遭假見證人誣害」
在*詩廿七12*相對的空格中寫上*可十四56,57*
閱讀預言及 神如何使之應驗。

神約在一千年以前感動大衛寫下這預言。
現在，那預言就在耶穌站在公會面前受審時應驗了。

主題：耶穌基督是 神

主題：神無所不在，祂洞悉萬有

閱讀：可十四60-62

當他們呈報假見證誣害耶穌時，耶穌緘默不言。
一耶穌信靠父 神要履行祂的計劃。
一祂明白一切發生在祂身上的事情都是父 神的美意，正是要拯救我們脫離撒但、罪惡和死亡的權勢。
但當他們質問耶穌是不是基督（亦即應許的拯救者）和 神的兒子時，耶穌簡單地說祂就是。

彼前二23

一複習：
*當摩西求問 神要如何向百姓說明是誰差遣他時， 神說祂自己的名字是甚麼?*
*出三14記載， 神說：「我（就）是自有永有的…你要對以色列人這樣說：『那自有的打發我到你們這裡來…』」*

—思想:

*約翰福音十八章講到耶穌被捉拿的事蹟時說，他們要找尋拿撒勒人耶穌，約十八章六節記著說:「耶穌一說:『我就是』，他們就退後倒在地上。」*

*猶太領袖們十分熟識 神「我就是」的稱號。*

*他們清楚地知道，耶穌要告訴他們祂就是 神。*

主題: 耶穌基督是 神

主題: 耶穌基督是唯一的救主

耶穌第一次降臨世上要作人類的救主。
祂再來的時候要以全能的 神子身份降臨世上，要作人類的審判官。

—當祂再臨的時候，萬民皆可目睹祂坐在父 神的旁邊。
—那時萬民都必曉得祂就是 神，因祂要顯明祂與父 神是同等的。

閱讀：可十四63,64

按猶太人的習俗，他們以撕裂衣服來顯示極度的忿怒。
大祭司當時因著耶穌的回答而感到極度的忿怒，他以爲耶穌大言不慚，自認爲是 神的兒子。

主題: 神無所不在，祂洞悉萬有

閱讀：可十四65

這正是先知曾預言要發生在拯救者身上的事。

閱讀：賽五十6

在預言表上展示「被擊打苦待」
在相對 *賽五十6* 的空格中填上 *可十四65*
閱讀預言及 神如何使之應驗，並指出這是應驗 神的話。

以賽亞在耶穌受這些苦以前約七百年寫下了這預言。

耶穌應驗了以賽亞的預言，誠然的受苦。

## F.耶穌在彼拉多面前受審

閱讀：可十五1

當時統治以色列的羅馬政府不容許猶太人未經批准而擅自殺人。

羅馬王凱撒差派彼拉多作撒瑪利亞和猶大地的巡撫。

因此猶太領袖們將耶穌帶到彼拉多面前，希望藉著他們所預備的假見證，讓彼拉多判處耶穌死刑。

在三號地圖上指出猶大和撒瑪利亞

*建議視覺教材:*

圖畫第八十五號
「在彼拉多面前的耶穌」

閱讀：可十五2

耶穌出於大衛之後，是名符其實的猶太人之王。

主題: 神是信實的，祂永遠不會改變

閱讀：可十五3-5

先知以賽亞曾預言救主在誣害他的人手下仍是緘默無聲。
神所有的話必十足地應驗。

閱讀：賽五十三7

在預言表上展示「被誣告卻緘默無聲」
在相對*賽五十三7* 的空格中填上*可十五3-5*
閱讀預言及 神如何使之應驗，並指出這是應驗 神的話。

## G.巴拉巴或耶穌？

主題: 耶穌基督是聖潔公義的

主題：人滿懷罪孽，不能自拔，需要 神的拯救

閱讀：可十五6-11

巡撫彼拉多按習俗，要在逾越節釋放一名猶太人所要求的囚犯。
一彼拉多曉得耶穌並沒有犯任何罪。
一他知道猶太領袖是因爲妒忌耶穌的知名度而立意要殺害祂。
一彼拉多希望群眾要求釋放耶穌，而不釋放殺人犯巴拉巴。

## H.猶太領袖要耶穌釘十字架

主題：人滿懷罪孽，不能自拔，需要 神的拯救

閱讀：可十五12-14

羅馬人用釘十字架去刑罰罪大惡極的人。
就好像今天的毒氣室和電椅一般。
但十字架的刑罰比今天的刑罰加倍殘酷，因受刑者不會立時死亡，一般也要在十字架上，經歷數小時甚至數天，受盡極大的肉體痛苦才可死去。

主題: 神無所不在，祂洞悉萬有

舊約的預言一一的應驗在耶穌身上。
— 神曾藉以賽亞預言猶太人必無理地憎惡拯救者。
— 預言也說他們會拒絕耶穌。
— 神藉先知預言拯救者的事，都應驗在耶穌身上。

閱讀：賽五十三3

閱讀：可十五10

在預言表上展示「將被猶太人拒絕」
在相對*賽五十三3* 的空格中填上*可十五9-14*
再展示「無理地被人恨惡」
在相對*詩六十九4* 的空格中填上*可十五10*
閱讀預言及 神如何使之應驗，並指出這是應驗 神的話。

## I.耶穌被鞭笞和戲弄

主題：人滿懷罪孽，不能自拔，需要 神的拯救

閱讀：可十五15

我們可從那時代的記錄中得知有關鞭笞的刑罰。

—鞭子上有很多凸出的皮革。

—在皮革上縛著很多金屬和骨頭，以致鞭子鞭打犯人背部時，犯人皮開肉裂。

—犯人張開雙手被縛著，不致逃脫。

—鞭子連續的鞭打，綻開犯人的皮膚、肌肉及神經線，很多時候犯人受著尖銳的絞痛而昏迷。

—有些犯人因受鞭笞而死。

閱讀：可十五16-19

*建議視覺教材：*

圖畫第八十六號
「兵丁戲弄耶穌」

兵丁鞭打耶穌後，更對祂加以戲弄。
一他們給祂穿上紫色的袍（這是當時帝王所穿的顏色）。

主題：耶穌基督是唯一的救主

一他們用粗大而尖銳的荊棘環作冠冕給耶穌戴上。
一注意：

創三17,18

*在亞當和夏娃犯罪以後， 神咒詛全地，並命定荊棘要從地上長出來。耶穌來爲要拯救我們免於 神的咒詛。 神容讓耶穌的敵人把荊棘的冠冕戴在耶穌頭上，是要表明祂要因著世人的罪而死。*

## J.結論

我們對那些無罪而受刑的人感到極度傷痛和打抱不平。
耶穌又如何?
祂爲了你我的過犯代罪。
祂忍受言語上的攻擊和唾罵，並肉體上的痛苦，卻沒有一句怨言。
祂爲了我，代替我的罪來忍受這一切。
祂爲了你和代替你的罪忍受這一切。
請切切思想這事。（註二）

註二：
請隨時隨地將福音更詳盡的分享給那些發問的學生。

## 問題：

1.耶穌是 神，爲何祂仍無法面對所要來的苦難?
*因爲耶穌是 神也是人，在祂面前的苦楚不是常人可以忍受的。*
2.是誰操控猶大和猶太領袖來捉拿耶穌?
*撒但。*
3.在今天，甚麼人仍受著撒但的控制?
*所有拒絕相信 神話語、接受 神及相信救主耶穌的人。*
4.耶穌有沒有犯任何錯事?
*沒有。耶穌是完全的，祂不應受死。*
5.先知如何預言那些誣害拯救者的人?
*先知預言他們要提供假見證來誣害祂。*

6.當他們誣害耶穌的時候，耶穌有何反應?

*祂保持緘默。*

7.當耶穌被問及是不是 神的兒子，以及是否 神所差來的時候，祂如何回答?

*祂回答祂就是，並說明猶太領袖必有一天要看見祂再次降臨，祂要坐在父 神的右邊，要向普世顯明祂是 與神同等的。*

8.祭司長和猶太領袖以何理由要殺害耶穌?

*他們指控耶穌褻瀆 神，就是說耶穌得罪了 神的名，因爲他們以爲耶穌只是人，卻自稱爲 神。*

9.他們向耶穌作了何事以應驗先知早己寫下的預言?

*他們擊打和吐唾沫在祂臉上。*

10.他們釘耶穌在十字架以前還要如何待祂?

*a.他們爲祂披上紫色的袍。*

*b.他們爲祂戴上荆棘的冠冕。*

*c.他們棒打祂的頭。*

*d.他們假意敬拜祂，爲要戲弄祂。*

11.荆棘的冠冕叫我們想起甚麼?

*它叫我們想起 神在亞當犯罪後對全地的咒詛。*

# 第四十八課　耶穌被釘十字架和埋葬

參考經文

來九，十

## 課前預備

此段只供教師使用

左列的各參考經文有助於你準備這一課。但因經文帶出的眞理有些會在稍後課文中講授，故不宜於此立刻講解這些經文。
請注意：若你沒有教授過本書課文，請詳讀書前『教師必讀』部份。

經文：可十五20-46

### 本課目的：

說明耶穌基督的死是罪的唯一贖價。

### 本課可幫助學生：

明白耶穌爲他們的罪而死，他們唯有相信祂才可得著拯救。

### 教師的觀點：

世界歷史中最偉大的事蹟，就是耶穌代替罪人死、被埋葬，並且復活。整本聖經和這本課程都是環繞這些事蹟而寫成的。

在二千年後的今天，我們很榮幸地可以向男女老幼說明，耶穌已經在十字架上還清他們所有的罪債。

這是唯一叫罪人可以得著拯救的信息，沒有人能添加或減去這個眞理。

請爲同學們禱告，叫他們聽後可以相信。

### 視覺教材：

圖畫第十八號「亞伯拉罕獻以撒」
圖畫第三十七號「杆子上的銅蛇」
圖畫第六十號「施洗約翰告訴百姓耶穌是 神的羔羊」
圖畫第八十七號「釘十字架」
預言表
地圖第三號
圖畫顯示人與 神之間的隔絕，耶穌基督付清了人類的罪債，叫人得以再次回到 神面前。（將在課文中詳述）

課文概覽

本課說明耶穌基督的死是罪的唯一贖價，並強調舊約預言的應驗。

本課就以下數點帶出耶穌以死贖罪的事實：
- 罪的代價必然要清付。
- 耶穌毫無罪孽。
- 耶穌因著我們的罪而被迫與 神隔離。
- 耶穌成就了一切當作的，來拯救我們脫離撒但、罪惡和死亡。

## 授課要點

此課程特爲非信徒安排，故授課時務要奠定聖經基礎，以爲日後傳福音的根據。若你班上有信徒參予，則授課的目的是使他們明白信仰的根基，以致日後他們亦可運用同樣教材去教導未信的人。

**課文信息要明確簡潔，切忌節外生枝!**

請注意這課程是有範圍和有主題的聖經研讀，並非徹底深入的聖經鑽研，亦非漫無邊際的小組討論。**請依照主題帶領討論，以保持課程進度。切記緊依大綱，突出教義主旨。**

**課程編排形式**: 每一頁的中間部份是教授學生的內容，**粗體字的標題**只供教師參考，不需口誦，因爲標題內容會在接著的課文大綱提及。至於左右**兩欄**所列的經文是給教師作參考之用，不宜在課堂上詳授。

## 教授學生的內容（中間部份）

### 課文大綱:

複習第四十七課問題

### A.序言

我們將要學習舉世歷史中最偉大的事蹟。
世上再也沒有比這更能影響全人類的事蹟。
只有 神知道你在這時刻的心思意念。
本課是爲你而設。
本課是爲我而設。
本課亦是爲全人類而設。
請格外留心地聽。
我們現在就要學習耶穌爲我們所作的事，從此我們得以蒙 神悅納，不致落在永遠的刑罰中。

### B.耶穌被釘十字架

**主題：人滿懷罪孽，不能自拔，需要 神的拯救**

來十三11，12

**閱讀：**可十五20-22
各各他正位於耶路撒冷城牆外。

在第三號地圖上指出耶穌撒冷的位置。

**閱讀：**可十五23

那是由一些婦人所調製的酒，可麻醉被釘十字架者的痛楚，他們這樣做是要向被釘十架者表示憐憫。

—注意：

*沒藥是從一些矮叢中所提煉出來的汁液。*

**閱讀**：可十五24

耶穌的手和腳被釘子穿透，釘在木製的十字架上。
然後十架被舉起來。

—複習：

*耶穌曾告訴尼哥底母，摩西昔日如何舉起銅蛇，祂自己，就是那位拯救者，也要同樣地被舉起，為要拯救罪人脫離永遠的刑罰。耶穌果然正如祂所說的被釘在十字架上和被舉起來。*

民廿一4-9
約三14

*建議視覺教材：*

圖畫第三十七號「杆子上的銅蛇」

圖畫第八十七號「釘十字架」

在課堂中時常指出圖畫第八十七號「釘十字架」中的細節。

**主題**：　神無所不在，祂洞悉萬有

約在耶穌被釘十架前的一千年前，神已感動大衛寫出拯救者的手腳將要被刺透。

—注意：

*據我們所知，大衛的時代尚未有釘十字架的刑罰，因此這預言更形奇妙。*

大衛更預言人要為拯救者的衣服而拈鬮。

**閱讀**：詩廿二16

在預言表上指出「祂的手腳被刺透」
在相對詩*廿二16*的空格中填上*可十五24*
再指出「人為祂的衣服拈鬮」
在相對*詩廿二18*的空格中填上*可十五24*
閱讀預言及 神如何使之應驗，並指出這是應驗 神的話。

—考古學引證:

*早期的文獻常有提及釘十架的刑罰，但直至1968年才正式發現有被釘受刑者的殘骸。同年更發現一個第一世紀的墓穴。在當中埋葬了一名被釘十架者的屍骨。以下引述希伯來大學，Hadassah醫學院Haas博士的話:* （註一）

*「兩個踝子骨也被粗大的鐵釘穿透，脛骨有被刻意敲斷的痕跡，死因顯然是釘十架的刑罰。」*

創三15

註一:
錄自Josh McDowell. *He Walked Among Us.* Here's Life Publishers, San Bernadino, CA, 1989, p.223.

閱讀：可十五25,26

西二14

犯人的頭上一般會有一個罪狀牌寫明那人所犯何罪。
但耶穌沒有犯上任何罪。
彼拉多也找不著要定祂死罪的理由。
但他指明要將這名牌放在十字架上。
—彼拉多絕不相信耶穌是猶太人的王。
—彼拉多的用意可能是要恥笑猶太人，以及他們想脫離羅馬統治和擁有自己帝王的奢望。
猶太人不願意彼拉多將牌子放在眾人都看得見的地方。

太廿七24
路廿三4,13-15
約十九6

—思想:

*十字架上的牌子本是寫上被釘者的罪狀，但耶穌並沒有犯罪，祂的牌子上寫著「猶太人之王」。*
*但請仔細思想。耶穌為眾人的罪而死：就是包括了我的罪、你的罪和世人的罪，我們理應受十字架的刑罰，但耶穌誠然代替我們死。*
*請在 神面前安靜地思想一下，在你十字架上的罪狀牌本應寫上甚麼罪，就是你所知將你與 神隔絕的罪？（註二）*
*耶穌自己擔當了所有人的罪並罪所帶來的羞愧和刑罰，其中甚至有些是我們自己也記不起的罪。祂為我也為你還清了罪的刑罰：就是死亡。*

註二:
請勿叫同學們向你認罪。你可建議他們在神面前省察自己所犯的罪，並相信耶穌基督的死正是要贖清他們那些罪。
請給同學們一些安靜的時間去省察自己。
請勿勉強同學思想，只要給予他們安靜的時間，讓聖靈按祂自己的旨意工作。

閱讀：可十五27,28

神藉以賽亞先知預言拯救者必要與惡人同死。

閱讀：賽五十三12

在預言表上指出「與惡人同死」
在相對*賽五十三12* 的空格中填上*可十五27*
閱讀預言及 神如何使之應驗，並指出這是應驗 神的話。

## C.耶穌在十字架上仍受到戲弄

主題：人滿懷罪孽，不能自拔，需要 神的拯救

主題：神無所不在，祂洞悉萬有

閱讀：可十五29-32

閱讀：約二18-21

雖然他們把耶穌釘死，但三天後祂要復活。
一猶太人不明白耶穌是指著自己的身體說的。
一他們以爲耶穌是指耶路撒冷的聖殿。
大衛曾預言說拯救者的仇敵在祂受苦之時還要譏笑祂。
神在祂兒子降世以前早已知道一切將要發生在祂身上的事。

閱讀：詩廿二6-8

在預言表上指出「被譏笑和辱罵」
在相對*詩廿二6-8*的空格中填上*可十五29-32*
閱讀預言及 神如何使之應驗，並指出這是應驗 神的話。

## D.耶穌以死亡清還一切罪債

主題：耶穌基督是唯一的救主

本課開宗明義地說明，我們將要學習歷史上最偉大的事蹟。
這是 神的先知曾預言的事蹟。
耶穌就是他們所預言的拯救者，祂的名字正是「神的救贖」。
本課程亦開宗明義地說明聖經是 神寫給我們的信。
一這事蹟正是信的中心。
一這是 神給我們每一位的信息。
一這亦是聖子降世的目的。
以下就是 神爲了拯救我們永遠脫離撒但、罪惡和死亡所行的事：

### 1.罪債必要償還

主題：神是聖潔、公義的，祂命定罪的代價就是死亡

羅六23上

除了我們付上罪的代價， 神絕不會赦免我們。
一罪的代價爲何？死亡。
一這不單是肉體的死亡，而是永遠地在地獄與 神隔絕。
因此耶穌拯救我們唯一的方法，就是代替我們接受罪的刑罰。

### 2.耶穌毫無罪孽

主題：耶穌基督是聖潔公義的

太三17

林後五21

創廿二13

出十二5

耶穌自己絕無犯罪，因此祂本不該接受罪的刑罰。
—耶穌是完全的。
—當耶穌領受約翰的施洗時，父 神從天上證明耶穌是祂的愛子，是祂所喜悅的。

*建議視覺教材:*

圖畫第六十號
「施洗約翰告訴百姓耶穌是 神的羔羊」

因著耶穌毫無罪孽，祂可以將自己當作祭物獻給 神，藉以償還我們的罪。

—複習:
*在人類犯罪以後， 神命定凡獻給 神的羔羊，和其他動物都必須是完全、沒有殘疾的。*

*建議視覺教材:*

圖畫第十八號「亞伯拉罕獻以撒」

*當以撒臥在祭壇上，亞伯拉罕正要將他宰殺時， 神制止了亞伯拉罕。亞伯拉罕繼而舉目觀看，看見一隻公羊被困在樹叢中。還記得公羊因著那一部份被困嗎? 是牠的角。 神預備了公羊代替以撒受死，但為何 神要公羊因著牠的角而被困? 因為，倘若公羊受了傷，牠就不是代替以撒的最佳祭物，亦不能蒙 神的接納。*
*神是完全的，因此一切獻給祂的祭物都必須是完美的。*

因耶穌在 神面前絕無罪孽，所以祂可以代替我們將自己獻給神。
正如那頭公羊代替以撒受死，耶穌來到世上同樣是代替我們每一位而死。

3.耶穌為著我們的罪被迫與 神隔絕

主題: 神是聖潔、公義的，祂命定罪的代價就是死亡

請思想耶穌的受苦:

—祂被自己的門徒出賣、無故被捉拿、被人譭謗、被誣害，被那些本應接納祂作主作王的人所拒絕。
—祂被殘暴地擊打、鞭笞及釘上十字架。
—祂在十字架上筋疲力盡、流血，承受著痛苦。
但這一切都比不上祂爲著我們的罪所要忍受最大的慘痛。

閱讀：可十五33

爲何日頭不發光?
爲何三小時之久全地變黑?
是因爲 神離開了耶穌。
神轉身獨自留下祂的愛子耶穌。

閱讀：可十五34

爲何 神要這樣對待耶穌?
—耶穌經常服從 神。
—耶穌從未犯錯。
—祂遵守了 神所有的律法。
爲何 神要轉臉不看祂?
因爲 神正因著我的罪、你的罪和世人的罪而懲罰耶穌。
耶穌在十字架上，因著我們的罪，受著與祂父 神隔絕的刑罰。
耶穌（不需要我們付上任何代價地）承受了我們的罪所帶來一切的刑罰，好讓父 神得以自由地赦免一切願意順從 神和專心信靠耶穌的人，並接納他們成爲祂的兒女。

—複習:

*神在起初指示亞當，說明他若吃了分別善惡知識樹的果子，他必定要死。亞當要與賜他生命的 神隔絕。就是說除了亞當的肉體要死亡外，他必在死後要與 神隔絕，落在 神爲撒但和他黨羽所預備恐怖的刑罰中。罪的代價就是與 神隔絕。*

*建議視覺教材:*

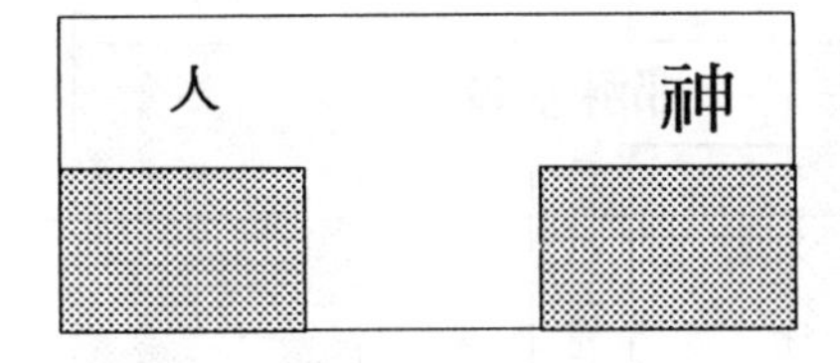


—比較:

*這正是耶穌爲何必須與 神隔絕的原因，這是祂清償我們罪債的唯一途徑。*

再閱讀*可十五34*，繼而閱讀*可十五35,36*
環繞十字架的群眾不明白耶穌曾說的話。

閱讀：可十五37

耶穌的死是要將祂的生命賜給我們。

4.耶穌所作的一切，都是爲了拯救我們脫離撒但、罪惡和死亡

主題：耶穌基督是唯一的救主

馬可告訴我們，耶穌大聲呼叫以後，就將靈魂交給 神，但他沒有告訴我們耶穌說了甚麼。
但耶穌的另一位門徒約翰寫下了耶穌所說的話。

閱讀：約十九30
「*…成了…*」

—思想：
—耶穌的意思爲何?
　祂是說自己完了嗎?
　不是，因爲祂曾說自己要在三天後復活。
—那麼是何事完成了呢?
就是祂到世上要作的事已經成全了。
—耶穌來到世上是要拯救罪人脫離撒但、罪惡和死亡。
—祂藉著與 神的分離及付上自己的血和生命來完成這事。

主題：人必須憑著信心來討 神喜悅並得著拯救

耶穌爲我們的罪向 神償還了贖價。
凡聽從 神的話、信靠耶穌爲世人的救贖者， 神必赦免他們一切的罪。
神要賜他們永遠的生命爲禮物。
人不再與 神隔絕。
耶穌基督已經成就了我們所不能成就的事，把我們帶到 神的面前。

*建議視覺教材:*

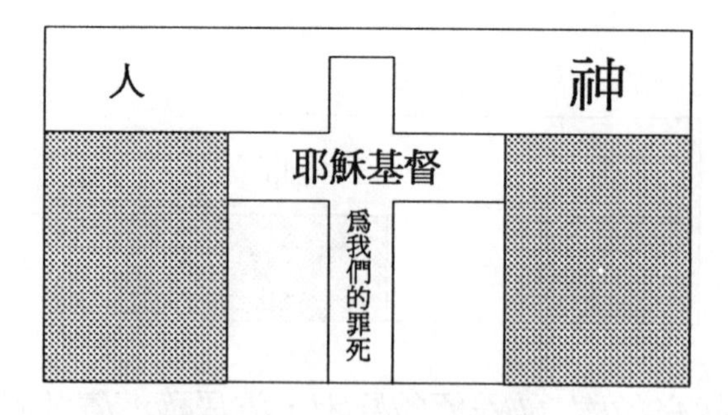


神只接納耶穌基督爲我們在十字架上所作的犧牲，爲罪的唯一贖價。
耶穌爲著我們的緣故與 神分離，好叫我們藉著祂得以與 神和好，與 神重新交往。

**若我們信靠耶穌爲我們在十字架上所作的事，我們便得以藉著耶穌基督與 神復合。**

一複習：

*神在伊甸中應允要賜下拯救者，祂果然實行了祂的應許。耶穌完成了父 神的吩咐，爲我們完成了工作。*
*亞當的罪使世人都與 神隔絕。*
*但耶穌在十架上的死，使一切相信基督的人得以永遠與 神復合。*

創三15

羅五12-21

## E.聖殿的幔子裂開了

主題： 神是信實的，祂永遠不會改變

閱讀：可十五38

一複習：

*自從以色列人在曠野以來，這沉重的幔子是掛在會幕的至聖所以外，爲要分隔 神的住處。*
*建造聖殿時，這幔子也是掛在至聖所的門外。*
*神吩咐猶太人將幔子掛在至聖所門外，爲要提醒他們：因爲罪的緣故，人不能到 神的跟前。*
*在幔子的後面是「撒嘉諾」（Shekinah glory）的榮光，表明神住在他們當中。*
*大祭司每年一次進入聖所灑上動物的血。*

利十六12-16

你認爲幔子爲何會從上至下裂開?
神親自將它撕裂!
爲何 神要這樣做?
—神要顯明祂完全地接納了耶穌爲一切罪人所還的罪債。
一從此不再需要獻上牲祭。

來九1-28；10:1-18

*一比較:*
*大祭司本要每年一次進入至聖所灑上牲祭的血。*
*但牲祭的血永遠不能滿足 神的要求。*
*牲祭的血不能贖罪。*
*但 神仍赦免在耶穌受死以前信靠祂的人的罪，因祂知道祂的兒子要降臨世上，用自己的血還清世人的罪債。*

當耶穌死時， 神將幔子撕裂，爲要向世人表明祂悅納了耶穌爲祭，從此不再需要獻上祭牲贖罪。
因著耶穌用自己的血還清了世人的罪債，世人從此得以有機會與神和好。
神應允凡聽從祂和專心信靠耶穌的人， 神要完全悅納耶穌爲他們所清還的罪債，他們必不致落在地獄之中。

閱讀：約三16

## F.百夫長和十架下的婦人

閱讀：可十五39

百夫長就是統治一百個軍人的長官。

閱讀：可十五40,41

這些就是信靠神 的話，與接受耶穌爲所應許的救主的婦女。

## G.耶穌被埋葬

主題: 神是信實的，祂永遠不會改變

閱讀：可十五42-46

雖然耶穌被埋葬，但預言仍相繼應驗。
—亞利馬太的約瑟是個財主。
—耶穌就是葬在本屬約瑟的墓穴中。

閱讀：賽五十三9

在預言表上指出「與財主同葬」
在相對*賽五十三9*的空格中塡上*可十五43-46*
閱讀預言及 神如何使之應驗，並指出這是應驗 神的話。

## H.結論

思想耶穌基督:
—祂居於世上之時，從沒有犯罪。
—祂完全地滿足了 神公義的律法。
—祂誠然擔當了你和我應得的刑罰。
—祂被迫在十字架上與 神分離，因爲我們本應與 神隔絕。
成了——祂代替了我們受死。
—罪債完全清還。
—從此不再需要其他的祭去贖還我們的罪。
—幔子裂開了。
—耶穌開了人回到 神跟前的道路。（註三）

## 問題:

1.耶穌在那兒被釘十字架?
*在耶路撒冷外的一個山坡上。*

2.耶穌爲何被釘十字架?
*爲我們和世人的罪孽受死。*

註三:
請隨時預備與那些要求詳解、渴望得救或希望分享耶穌在他們身上作爲的同學作個別分享。

請勿勉強他們分享見證，只要解答他們的問題及詢問他們相信甚麼便可。

3.大衛如何預言拯救者的手和腳?

*它們要被刺透。祂的手和腳被釘子所刺透。*

4.為何在耶穌被釘的三小時中，天色一片漆黑?

*神要表明耶穌為世人的罪的緣故，被迫與 神分離。*

5.耶穌說「成了」有何意義?

*耶穌要說明祂已完成了 神所託付祂的工作，就是代替罪人一切的刑罰，為要拯救他們脫離撒但、罪惡和死亡的權勢。*

6.若耶穌沒有任何的罪，為何祂要接受釘在十字架上的刑罰?

*祂為我們的過犯受死。*

7.為何 神要將聖殿中的幔子由上至下撕開?

*a.表明祂悅納了耶穌作為贖罪的祭物。*

*b.表明大祭司不需要再將祭牲的血帶進至聖所。*

# 第四十九課　從舊約看基督受死的意義

參考經文

## 課前預備

此段只供教師使用

左列的各參考經文有助於你準備這一課。但因經文帶出的眞理有些會在稍後課文中講授，故不宜於此立刻講解這些經文。
請注意：若你沒有教授過本書課文，請詳讀書前『教師必讀』部份。

經文：創三7,21;四1-5;六5,7-9,13,16;出十二5-7,27

## 本課目的：

從舊約經文的角度來闡述耶穌的死。
說明人不能自救。
說明救恩是要以信心獲得。

## 本課可幫助學生：

更明白基督之死的眞義。
明白他們需要個別地信靠耶穌的死，這是還淸他們罪債的唯一途徑。

## 教師的觀點：

世人都在焦急地找尋生命的意義和目的。一般而言，這追尋的過程也是源於己而終於己：找尋自我、滿足自我、表達自我；財富、地位及享受等。這些東西雖然可以供應暫時的快慰，但不能維持長久。人沒有眞正地明白生命最基本的事，卻窮其一生尋找生命的意義。

這要叫我們的主何其痛心！祂的話語從始至終淸楚地向我們闡明祂是誰、我們是誰，並且我們本是沉溺於罪海當中，與祂隔絕，迫切地需要一位拯救者——就是耶穌基督——祂爲我們還淸了一切罪債，使我們得以與　神和好。

很多曾經聽過福音的人，從來沒有機會從整本聖經的角度來看基督。他們的需要得著了解答，卻沒有眞正地明瞭自己的需要，因他們未認淸　神的聖潔和公義。他們知道永生是免費的禮物，多以受惠者的角度去接受，而少想到施予者。

很多人初學眞理，經常如此而停滯不前。好像一個本來可用各樣色彩去進行創作的畫家，到頭來只用單色繪畫一樣，亦好像一個音樂家只奏一個單音，而不奏和弦。這就是錯失了認識全面的意義。

本課以　神在舊約所奠定的基礎顯示主耶穌基督的死。我們的神十分樂意教導人認識祂。請在講授這課時不住爲同學禱告，因聖靈要將莫大的眞理及悟性賜給他們。「*認識你獨一的眞　神，並且認識你所差來的耶穌基督；這就是永生。*」（約十七3）

## 課文概覽

本課從舊約五段經文的觀點看基督之死的意義，並說明人無法自救。然而耶穌基督就是唯一的救主，祂是凡願意承認自己的罪和信靠耶穌爲他們而死之人的救主。

## 視覺教材：

圖畫第六號「以無花果葉蔽體」
圖畫第七號「亞當和夏娃被逐出樂園」
圖畫第八號「該隱和亞伯向 神獻祭」
圖畫第十號「挪亞方舟」
圖畫第廿七號「逾越之夜塗在門框上的血」
圖畫第卅四號「會幕」
圖畫第卅五號「會幕的結構」
本課（將在課文詳述）要展示的「蒙 神悅納」和「耶穌——全然的贖罪祭」，這些教材可在授課時繪畫或於課前預備。

## 授課要點

此課程特爲非信徒安排，故授課時務要奠定聖經基礎，以爲日後傳福音的根據。若你班上有信徒參予，則授課的目的是使他們明白信仰的根基，以致日後他們亦可運用同樣教材去教導未信的人。

**課文信息要明確簡潔，切忌節外生枝!**

請注意這課程是有範圍和有主題的聖經研讀，並非徹底深入的聖經鑽研，亦非漫無邊際的小組討論。**請依照主題帶領討論，以保持課程進度。切記緊依大綱，突出教義主旨。**

課程編排形式：每一頁的中間部份是教授學生的內容，**粗體字的標題**只供教師參考，不需口誦，因爲標題內容會在接著的課文大綱提及。至於左右**兩欄**所列的經文是給教師作參考之用，不宜在課堂上詳授。

## 教授學生的內容（中間部份）

## 課文大綱：

複習第四十八課問題

## A.序言

你有沒有想像過舊約是一個路標?
神曉得世人都走迷了路。
但祂已明確地標誌著回到祂跟前的路。
舊約好像是 神的路標，因爲許多舊約中的歷史事蹟已指出主耶穌的降生、受死和復活。
我們將要在本課研讀一些這樣的史實，爲要了解它們如何指出耶穌爲我們在十字架上受死。

## B.神宰殺了動物，爲亞當和夏娃編造衣服

主題：人滿懷罪孽，不能自拔，需要 神的拯救

主題: 神是聖潔公義的，祂命定罪的代價就是死亡

當亞當和夏娃犯了罪，曉得自己赤身露體的羞愧後，他們作了何事?
他們以樹葉蔽體。

*建議視覺教材:*

圖畫第六號「以無花果葉蔽體」

閱讀：創三7

神有沒有接納他們所造的衣服?
沒有， 神沒有接納他們所造的，因祂要他們知道，不能憑著自己的努力討 神的悅納。

一比較*:*
*這也是 神要我們學會的功課。*
*我們絕不能憑自己所作的得蒙 神的悅納。*
*我們當然要到教會去、供養家庭、樂善好施、賙濟窮人及保護環境等。*
*但這些事情都不能叫 神悅納我們。*

你是否試圖做一些事情要在 神面前稱義?
倘若是這樣，那麼你所做的事情就好像亞當和夏娃爲自己編造的衣服一樣，都不能蒙 神接納。
我們不論如何努力也不能爲自己賺取天堂的名份。

主題: 神滿有慈愛、憐憫和恩典

主題: 耶穌基督是唯一的救主

閱讀：創三21

神不悅納亞當和夏娃所編造的衣服。

*建議視覺教材：*

圖畫第七號
「亞當和夏娃被逐出樂園」

神親自宰殺動物，爲他們製造衣服。

一比較：

*同樣地，　神拒絕一切我們以爲可以討祂喜悅的事情。*
*但是，　神因爲愛我們，所以差遣祂的兒子主耶穌來爲我們死，使我們重新得蒙祂的喜悅。*

主題：人必須憑著信心來討 神的喜悅並得著拯救

人如何向 神回應才可得蒙祂的悅納?

*建議視覺教材：*（註一）

註一：
請儘量簡單地製作此教材——只要文字便可，我們已不斷地藉著對耶穌基督的信心教導他們救恩，故請勿以多重的「步驟」和「備忘事項」，令事情複雜。

賽六十一10

> 人要蒙 神悅納，就必須：
>
> 承認自己是罪人，從此不再靠自己的作爲。
>
> 相信主耶穌基督爲個人的救主，並相信耶穌在十字架上流血受死，是要還清我們的罪債。

你若將信心放在祂身上，就像 神將衣服放在亞當和夏娃的身上，祂必要赦免你的罪，並接納你成爲在祂面前完全正直的人。
神不是因爲你沒有罪而接納你，而是因爲無罪的主耶穌承擔了你的罪而使你得蒙悅納。
凡信靠祂的，必因著披上主耶穌的公義，得以永遠地蒙 神的悅納。

## C.神悅納了亞伯的祭，卻拒絕了該隱的祭

主題：　神是聖潔公義的，祂命定罪的代價就是死亡

我們接著要看該隱和亞伯的事蹟。他們是亞當和夏娃的兩個兒子，他們分別獻不同的祭給 神。

*建議視覺教材：*

圖畫第八號
「該隱和亞伯向 神獻祭」

神悅納了誰的祭物？
亞伯的祭物。

閱讀：創四1-5

神爲何拒絕該隱和他所作的事？

主題：人必須憑著信心來討 神的喜悅並得著拯救

主題：耶穌基督是唯一的救主

該隱不按照 神的吩咐，憑自己的意思到 神的跟前，結果遭受神的拒絕。
神在起初已經命定，凡到祂面前敬拜的人，都必須準備牲畜，並把牲畜宰了，獻上流血的祭。
神這樣的命定，是因祂曉得祂的兒子有一天要以自己的血爲世人贖罪。
亞伯也是罪人，但他因著信靠 神的拯救，和依照 神的吩咐獻上流血的祭，而得蒙 神的悅納。
亞伯所宰殺的羊羔，叫我們聯想起主耶穌。
當施洗約翰看見耶穌在約但河邊向他迎面而來時，他說了甚麼？

閱讀：約一29

亞伯因著信靠 神，並獻上合宜的祭而蒙 神的悅納。
同樣地，神要悅納凡相信主耶穌，和祂爲世人的罪所流之血的人。

## D.神拯救了挪亞和所有在方舟裡的生命

主題：神是聖潔和公義的，祂命定罪的代價就是死亡

主題：人必須憑著信心來討 神的喜悅並得著拯救

聖經怎樣記載挪亞時代，洪水之前人類的生活？

閱讀：創六5

人因爲不相信 神藉著挪亞向他們發出的警告，最後決定用洪水來毀滅世界。

閱讀：創六7
挪亞跟亞伯一樣承認自己是罪人且相信 神要差遣一位拯救者，因此， 神有沒有毀滅他?

閱讀：創六8,9,13,14
神吩咐挪亞爲方舟造了多少扇門?

閱讀：創六16

*建議視聽教材:*

圖畫第十號「挪亞方舟」

他們只有一個方法可以進入方舟而避免 神的刑罰。
—挪亞和他的家人，並所揀選的動物都在洪水以前從那唯一的門進入了方舟， 神親自把門關上。
—他們得以在方舟裡避過了 神對罪惡世界的刑罰。

主題: 耶穌基督是唯一的救主

凡拒絕相信 神，和不願意透過那唯一的門進入方舟的，都在外面被洪水淹沒了。
—那唯一的門提醒我們，主耶穌是引導到永生的唯一途徑。
—凡相信耶穌爲他的罪而死和願意信靠祂的人， 神要赦免他們的罪，並賜他們永遠的生命。
請勿像挪亞時代的人一般，拒絕進入方舟而蒙拯救。

閱讀：約十四6

## E.神因著以色列人塗在門框上的血而越過他們

舊約中記載著了另一件說明主耶穌，和祂爲罪人犧牲的史實，就是 神用擊殺長子這事去懲罰埃及人。

主題: 神滿有慈愛、憐憫和恩典

神爲以色列人設計了逃生之路，使他們的長子不致被殺。

## 1.毫無殘疾的羔羊

主題：神與人對話
— 神吩咐以色列人要揀選毫無殘疾的羔羊。

閱讀：出十二5

主題：耶穌基督是聖潔公義的
以色列人用的那些毫無殘疾的羊羔，使我們聯想起主耶穌：
祂生下來是沒有罪的。
祂生活亦無罪惡。
—正因爲耶穌毫無罪污，所以 神才可以接納祂作爲抵償我們罪的贖價。
—注意：
*兵丁一般會打斷被釘十架者的腳骨，使他們無法以雙足支持身體來呼吸，他們這樣做是爲要使被釘十架者儘快死亡。*
*但約十九32,33告訴我們，當兵丁要打斷耶穌的腳骨與同釘兩人的腳骨時，他們發現耶穌已經死了，因此沒有打斷祂的腳骨。*
*還記得嗎？這就是其中一個對逾越節羔羊的要求。 神命定以色列人不可以折斷羔羊的骨。由此觀之，耶穌滿足了一個完全祭物的要求。*

## 2.羔羊必須要犧牲

主題：神是聖潔公義的，祂命定罪的代價就是死亡
主題：耶穌基督是唯一的救主

—以色列人要保存羔羊，直至 神吩咐的時刻才可將羔羊宰殺。

閱讀：出十二6

比較：
*以色列人必須宰殺羔羊，流出羔羊的血，他們的長子才可以免於一死。*
*同樣地，耶穌需要捨身流血，才可以贖還我們的罪債。*
*除此以外，我們再沒有其他的辦法可以避免 神審判我們的罪。*

## 3.羔羊的血必須塗在門框上

主題：人必須憑著信心來討 神的喜悅並得著拯救

—以色列人按照 神的吩咐把羔羊殺了，並將血盛放於盆子中，還要將血塗在門框上，他們的長子才可以免於一死。若他們自作聰明地作其他的事，他們的長子亦難免一死。

閱讀：出十二7

*建議視覺教材：*

圖畫第廿七號

「逾越之夜塗在門框上的血」

—這典故要我們曉得，我們只在頭腦上知道自己是罪人，及主耶穌爲我們死，這並不能使我們避過 神的審判。

—比較：

*以色列人要把羊血塗在門框上，爲要向 神證明，他們信靠這些血可以叫滅命的天使越門而過。*
*同樣地，我們也要個別地信靠主耶穌和祂爲我們還清罪債所作的犧牲。*

—我們必須個別地相信耶穌，祂爲我們每一位在十字架上犧牲。
耶穌爲我而死。
耶穌爲你而死。
—我們只有在耶穌裡才可得著罪的赦免。

## 4.以色列人的長子沒有一個死去

主題： 神是信實的，祂永遠不會改變
—滅命的天使有沒有殺害那些在門框塗有羊血者家中的長子？

閱讀：出十二27
—神必履行祂所說的一切。
—比較：
*祂應許要越過所有塗了血的家庭，祂就這樣行了。*
*同樣地，倘若你願意信靠主耶穌和祂爲你所作的犧牲，你也不會受到罪的審判。*
—因耶穌的血已經替你還清了罪債，你可以肯定地知道，神 不會再向你追討罪債。
—凡專心信靠基督的，都必得著永遠的生命。

閱讀：約三16-18,36

## F.神因著灑在施恩座的血，而遮蓋了以色列人的罪

主題：神是聖潔和公義的，祂命定罪的代價就是死亡

主題：神滿有慈愛、憐憫和恩典

一複習：

*神釋放以色列人脫離埃及人的奴役後，帶領他們走過紅海，進入曠野，並來到西乃山。*

*神在山上頒賜誡命，要叫他們知道自己的無助，他們不能拯救自己脫離罪所帶來的咒詛。*

*神因著自己的慈愛、憐憫和恩典，吩咐摩西爲祂建造會幕，好讓祂可以接近百姓並赦免他們的罪。*

*建議視覺教材：*

圖畫第三十四號「會幕」

圖畫第三十五號「會幕的結構」

來九7；十2-4

指出至聖所的所在

請在授課的過程中，在圖畫上指出會幕的詳細構造

*大祭司每年一次進入至聖所，將血灑在由兩個撒拉弗遮蓋的施恩座上。*

*他們要周而復始地每年將動物的血灑在施恩座上，就是以後在耶路撒冷建造了聖殿，也是如此。*

來十1-10

*牲祭的血絕不能用來贖罪。*

*這些獻祭只是指出主耶穌將要獻上自己完全的生命，作爲完全的贖罪祭。*

一還記起當耶穌死亡之際， 神在聖殿中行了何事？

閱讀：可十五37,38

一這幔子本是掛在至聖所前，祭司要每年進入幔子後的至聖所，灑上祭牲的血，好讓以色列人的罪得蒙赦免。

一爲何 神要將幔子撕裂？（註二）

註二：
你若認爲同學可以回答此問題的話，請給予他們回答的機會。

—神要所有人知道，耶穌已經付清了一切罪債。
從此不需要獻上牲祭的血。
耶穌一次還清了所有的罪債。

主題：人必須憑著信心來討 神的喜悅並得著拯救

—愚昧的猶太人拒絕接受耶穌是 神所差派來的拯救者。
—只有像他們一般愚頑的人，才不相信祂的血已替他們還清了罪債。
他們就好像要縫補聖殿的幔子，然後再去獻祭一樣。
耶穌既已替萬民一次還清了罪債，他們這樣作只有顯出他們的愚昧。
—比較：
*今天，很多人正試圖以自己的善行來救自己，不願意簡單地信靠耶穌為他們所成就的，這也是同等的愚昧。*
—你又如何？
—你要靠自己的善行，還是靠耶穌在十字架上為你成就的一切？

*建議視覺教材：*

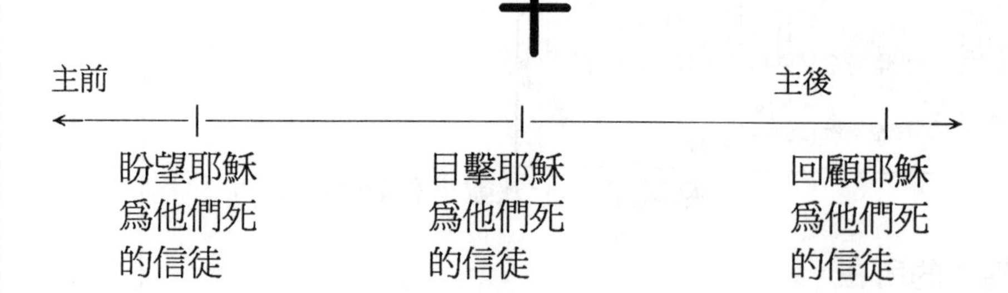


*—耶穌基督為全人類還清了罪債。*
*在舊約時代那些相信將要來的拯救者，就如亞伯拉罕、摩西和大衛，耶穌為他們的罪死，使他們得蒙赦免。*
*在耶穌時代信靠祂的人，就如馬太、馬可、路加和約翰，他們也因著耶穌稱義而得蒙 神的悅納。*
*在耶穌以後，世界不同角落的人都回顧耶穌為他們所成就的一切，並因此信靠了祂作為個人的救主。*

## G.結論

—見證：（註三）

*我向 神承認自己是個罪人，我信靠耶穌並祂為我受死。因著耶穌為我還清了罪債，我知道我已得著永遠的生命。耶穌不單為我也是為你死，倘若你願意專心信靠祂，並接受祂的死是為了還清你的罪債，祂必照樣赦免你，並要賜你永遠的生命。*

註三：
這只是一則簡單的見證例子，請務必在此分享你自己的見證。絕不要生硬地閱讀文章，要讓他們知道你自己也相信你所講授的一切。
有些同學可能表示要信靠耶穌，接受祂為他們死。請利用這機會引出耶穌不單為他們死，也為他們復活了。

**問題:**

1.爲何舊約好像一座路標?

*因爲舊約所記載的許多史實已指出主耶穌的降生、受死、埋葬和復活。*

2.亞當和夏娃在犯了罪以後，竟看出自己赤身露體的羞恥，他們因而作了何事?

*他們以樹葉蔽體。閱讀創三7*

3.神看見亞當和夏娃爲自己製造的衣服後，作了何事?

*祂不接納他們所作的衣服，並親自宰殺動物，以獸皮製造衣服，給亞當和夏娃穿上。*

4.這史實提醒我們 神所作的何事?

*神怎樣爲亞當和夏娃預備衣服，祂也照樣爲我們差遣了祂的兒子主耶穌爲我們死，好叫我們藉著耶穌稱義，得蒙 神的悅納。*

5.你如何才可以蒙 神接納?

*a.承認我是罪人，並從此不再依靠自己所認爲的善行來討 神的悅納。*

*b.相信主耶穌，並且相信祂的寶血替我們向 神償付了罪債。*

6. 神爲何拒絕該隱和他所獻的祭?

*因爲他沒有按照 神所命定的方法來到 神的跟前，反而用了自己的方法和自己的推斷。*

7.當施洗約翰看見耶穌在約但河畔向他迎面而來的時候，他怎樣形容耶穌?

*閱讀約一29*

8. 神吩咐挪亞在方舟上造多少扇門?

*閱讀創六16*

9.方舟上唯一的入口如何指出主耶穌?

*方舟上的門是脫離死亡的唯一門徑，耶穌是引到永生的唯一出路。*

10. 神吩咐以色列人揀選怎樣的羔羊讓他們的長子得以存活?

*沒有殘疾的羔羊。*

11.沒有殘疾的羔羊使我們如何聯想起主耶穌?

*祂生下來就是無罪的，而且過著不犯罪的生活，因此 神可以接納祂作爲贖清我們罪債的祭。*

12.倘若以色列人沒有宰殺羔羊，他們的長子可否存活?

*不可以。*

13.倘若耶穌沒有替我們受死，我們可否避免 神的刑罰?

*不可以，只有耶穌的血才可以作爲我們罪的贖價。*

14.當以色列人宰殺了羊羔和取了牠的血以後，他們是否還需要有進一步行動，好讓他們的長子得以免於一死?

*需要。他們還要將血塗在他們的門框上。*

15.這提醒我們還要作甚麼，才可免受刑罰，因我們是罪有應得的？

*耶穌在十字架爲我們每一個人的緣故而犧牲，我們要相信這事，單信靠祂，我們的罪才可以得蒙赦免。*

16.至於門框塗有羊血的屋子，滅命的天使有沒有入內殺戮長子?

*沒有。*

17.爲何我們現在無需獻上贖罪祭?

*因爲耶穌已付清了一切罪債。*

# 第五十課　耶穌從死裡復活、向門徒顯現、升天及應許再來

參考經文

## 課前預備

此段只供教師使用

左列的各參考經文有助於你準備這一課。但因經文帶出的眞理有些會在稍後課文中講授，故不宜於此立刻講解這些經文。
請注意：若你沒有教授過本書課文，請詳讀書前『教師必讀』部份。

經文：可十四61,62;路廿四1-32,35-48;徒一9-11

### 本課目的：

說明耶穌的復活、升天和祂應許再來。

### 本課可幫助學生：

明白耶穌基督爲他們死，只有信祂才可以得蒙赦免。

### 教師的觀點：

祂復活了！耶穌基督戰勝了罪惡、撒但和死亡！世上還有比這更歡欣的信息嗎?

這羔羊不像在祂以前所有被宰的羔羊，祂被殺、埋葬、復活—這就是唯一和完全的贖罪代價。

耶穌雖然承擔了人類所有的罪所帶來的刑罰，但死亡卻不可阻留祂，因祂已替一切信靠祂的人付上代價，讓他們得著永生。因此，死亡也同樣地不能阻留一切相信祂的人。

這是一個尋覓自我的時代，人們致力找尋享樂、名譽、自我滿足、財富等類的東西，他們所尋找的東西都要成爲過去，那些東西只可暫時撫慰他們因罪而必死亡的軀體。

有什麼比尋求耶穌基督—永遠的財富，還要寶貴？祂流寶血將我們買贖回來。我們這若以這必死而短暫的生命，來與男女老少分享這位奇妙和永恆的救主耶穌基督，那就更好得無比了！

我們是耶穌基督故事中的一部份；我們是祂的新婦、祂的教會；祂已經把福音的職份交予我們，我們要盡上責任與人分享耶穌基督的眞理，讓一切認識祂的人，他日可在主面前同享永生。我們十分榮幸有這權利可以與人分享這位奇妙的耶穌，祂爲了我們的緣故，受苦、流血、死亡、埋葬和復活，並且有一天必要再來！

讓我們確認福音的眞理比世上萬事更爲重要，然後以此心志授課。主復活了，祂更要再來！

### 視覺教材：

圖畫第八十八號「耶穌復活」

## 課文概覽

本課文談及耶穌的空墳墓、祂向門徒顯現、祂對跟隨者的指示、升天、與祂應許的再臨。

重點應放在一個人必須信靠耶穌基督爲他的救主。

祂的再來，不是爲拯救，乃是要來審判不信的人。

圖畫第九十號「耶穌升天」
預言表
在可能範圍內預備一幅第一世紀墓穴的照片，照片中的墓穴門外最好放置封穴的圓形大石（這照片可在聖經手冊或聖經百科全書中尋找）

## 授課要點

此課程特爲非信徒安排，故授課時務要奠定聖經基礎，以爲日後傳福音的根據。若你班上有信徒參予，則授課的目的是使他們明白信仰的根基，以致日後他們亦可運用同樣教材去教導未信的人。

**課文信息要明確簡潔，切忌節外生枝！**

請注意這課程是有範圍和有主題的聖經研讀，並非徹底深入的聖經鑽研，亦非漫無邊際的小組討論。**請依照主題帶領討論，以保持課程進度。切記緊依大綱，突出教義主旨。**

**課程編排形式：**每一頁的中間部份是教授學生的內容，**粗體字的標題**只供教師參考，不需口誦，因爲標題內容會在接著的課文大綱提及。至於左右**兩欄**所列的經文是給教師作參考之用，不宜在課堂上詳授。

## 教授學生的內容（中間部份）

### 課文大綱：

複習第四十九課問題

### A.序言

當我們開始研讀聖經的時候，我們曾開宗明義地說明聖經所記載的事蹟都是眞實的。
耶穌是歷史的中心。
祂的事蹟都是眞實的。
我們並不是學習一位宗教領袖的事蹟，而是研讀 神兒子的眞實故事，這 神的兒子就是降世作我們救主的全能 神。

### B.婦女們到墓穴前面

耶穌已被埋葬在墓穴中有三日三夜之久。（註一）
在三日以後，正是七日的頭一日，一些相信耶穌，和目擊耶穌被埋葬的婦女到了耶穌的墓穴。

註一：
有同學可能會追問所謂三日三夜是如何計算。請告訴他，你不會花時間詳細討論這點。若從猶太人描述時日的方式來看這話，將可領會其中意義。此外，亦可請他翻閱質素優良的聖經註釋，鼓勵他自行研究。

閱讀：路廿四1

按猶太人的習俗，他們要用香膏塗抹死者，然後才將死者埋葬。
耶穌卻被草草地埋葬。
—因猶太人正在守逾越節。
—他們沒有時間用香膏塗抹耶穌。
—第二天是安息日，他們不可在安息日作任何的工。
—因此，他們等待一週的第一天來膏抹耶穌的身體。
這些婦女在七日的第一日清晨來膏抹耶穌的身體。
他們以為可在墓穴中找著祂的遺體。

主題： 神是全能的 神

然而，他們是何等的震驚！

太廿八1-4

閱讀：路廿四2

婦人不曉得 神已差遣天使移開了封住耶穌墓穴的大石。

—考古學引證：
*今天在耶路撒冷仍可發現遠至耶穌時代的墓穴。有些墓穴是鑿山洞而成，正如聖經的描述，墓穴外設有坑口，可供封穴的圓形大石滾進，封閉墓穴。*

若有預備第一世紀墓穴的圖片，可在此時展示給同學看，並說明聖經的描述，連在細節上也吻合考古學家的發現。

## C.天使的信息

閱讀：路廿四3,4

*建議視覺教材：*

圖畫第八十八號「耶穌復活」

耶穌的身體已不在墓穴裡！
他們在驚魂未定之際，還有兩位天使向她們招呼！
請聽天使所說的話：

主題：耶穌基督是 神

主題：神是信實的，祂永遠不會改變

閱讀：路廿四5-7

正如耶穌自己所說的，祂已經從死裏復活了！

耶穌是 神。

—祂到世上來，成爲人的樣式，爲要拯救我們脫離撒但、罪惡和死亡的權勢。

—耶穌在降世以前已經曉得，祂爲解救我們必須捨棄自己的生命。

—祂也知道自己必要復活，並且從此不再死亡。

閱讀：詩十六10

在預言表上指出「必要復活」

在相對*詩十六10* 的空格中塡上*路廿四6*

閱讀預言及 神如何使之應驗，並指出這是應驗 神的話。

閱讀：路廿四8-12

凡跟從他的人理當等候並期待耶穌的復活，因祂在受死以前曾多次告知他們，祂要在死後三天復活。

—但他們似乎不明白或忘記了耶穌的話，甚至不相信祂可以活著離開墓穴。

—無論事情在表面上是如何的不可能， 神必履行祂一切的應許。

## D.耶穌是 神的兒子

主題：耶穌基督是 神

羅一4;十9

神親自叫耶穌從死裡復活，叫我們可以確定耶穌就是 神的兒子，祂也是那位應許要來的拯救者。

—猶太人把耶穌釘死，因祂自稱爲 神的兒子和那拯救者。

—神卻親自叫耶穌從死裡復活，好讓萬民都知道耶穌就是祂自稱爲誰的那一位。

## E.神悅納了耶穌的贖價

主題：神是聖潔公義的，祂命定罪的代價就是死亡

主題：神是信實的，祂永遠不會改變

我們曉得 神全然地悅納耶穌爲我們的罪而付上的贖價。

—複習：

*還記得耶穌在死亡以前呼叫「成了」嗎?*

*神繼而從上至下撕裂了聖殿裡的幔子。*

*神這樣做是要說明，因著耶穌付清了罪的贖價，祂已打開了到祂跟前的道路。*

除此以外， 神還要給我們別的憑據，來證實祂已全然地悅納耶穌用自己的血所付上罪的贖價。

—神叫耶穌從死裡復活。

—若 神沒有完全地悅納耶穌的贖價，祂絕不會叫祂從死裡復活。

—比較：

*一個被判處監禁的人必須被收押在監房，直至他獲釋之日才可離去。*

*若他越獄而去，警方必然將他逮捕，重入監房。若他安份坐牢，至刑滿出獄後，他就不需要懼怕被人重置獄中。即或警方在他獲釋後看見他，也不會將他逮捕，他已因著完滿地服刑而得著釋放。*

羅四25

*雖然耶穌自己沒有罪，但祂甘願爲我們還清罪債，讓我們得蒙神的悅納。耶穌承擔了我們的罪，接受 神的審判， 神就因著罪的緣故，將本要加在我們身上的刑罰轉到耶穌身上去。*

我們如何知道耶穌已經替我們還清罪債，又滿足了 神作審判官的要求?

—神藉著叫耶穌從死釋放出來，證明耶穌已爲我們還清罪債。

—倘若沒有滿足 神、這位審判官的要求，祂斷不會將耶穌從死亡中釋放出來。

主題：人必須憑著信心去討 神的喜悅和得著拯救

那麼，你如何從撒但、罪惡和永遠與 神隔絕的刑罰中被釋放出來?

你必須全然地信靠主耶穌，相信祂以自己的血還清了你一切的罪，並且從死裡復活，帶給你永遠的生命。

## F.耶穌向一些跟從祂的人顯現

主題：人必須憑著信心來討 神的喜悅並得著拯救

閱讀：路廿四13-24

雖然耶穌與他們在一起，他們竟認不出祂來。

聖經沒有告訴我們，爲何他們認不出耶穌，我們僅能推測。

## G.耶穌引用舊約中先知的話語說明自己

耶穌引用舊約中先知所預言祂的話來教導他們，就像我們在上課一樣。

閱讀：路廿四25-27

雖然如此，他們還是認不出耶穌。

## H.耶穌的跟從者認出了復活的耶穌

閱讀：路廿四28-32

他們曾多次與他們的老師一同坐席，並看祂擘餅!
當耶穌開始擘餅時，他們才認出了耶穌。
這事以後，耶穌又在門徒聚集的時候向他們顯現。

閱讀：路廿四35-44

## I.耶穌對門徒的臨別贈言

主題：神滿有慈愛、憐憫和恩典

主題：耶穌基督是唯一的救主

閱讀：路廿四45-48

這不單是耶穌對祂門徒的吩咐，也是對一切相信祂和接受祂贖價者的命令。

彼後三9

—耶穌為萬民而死，因此 神要世人都曉得他們也可以脫離撒但、罪惡和死亡的權勢。
—神不願意任何人遭受永遠的刑罰。

閱讀：約三16

這正是我們一同研經的原因，就是要聆聽、明白和相信這奇妙的信息，並要與人分享。
—這是 神給你我的信息。
—他盼望我們相信祂藉著耶穌基督為我們成就的事，好讓我們蒙祂的悅納，並要永遠與祂在一起。

## J.我們必須相信 神的話

主題：人必須憑著信心來討 神的喜悅並得著拯救

—見證：

*雖然我沒有親眼見過耶穌，但我相信耶穌曾到世上來，為我們的罪死，並且在第三天復活。我確信這都是真的，因這些事都已明明的記載在聖經之中。我曾向 神承認自己是無助的罪人，並樂意信靠耶穌。祂藉著替我受死而還清我的罪債，這是我唯一可以信靠，並蒙 神悅納的途徑。*

相信 神寫在祂話語中的信息是極為重要的。

—複習：

*還記得耶穌在受死以前曾經講述財主和拉撒路的故事嗎？耶穌說這兩人都死了，*

*神接納了拉撒路，卻將財主送到永遠的刑罰中。*

*耶穌說財主深受痛苦，他哀求亞伯拉罕打發拉撒路回到他兄弟那裡，警告他們不要像他一樣落在永遠的刑罰中。但亞伯拉罕回答他，他的兄弟已有 神藉先知寫下的話語，他們可以相信那些話。*

—比較：

*這也是 神要我們作的事。*

*雖然我們沒有親眼見過耶穌，但我們有聖經的信息。*

神要我們相信耶穌就是拯救者，祂為了承擔我們的罪而死、被埋葬，並從死裡復活。

—我們可以透過信心曉得 神已赦免了我們的罪，並且悅納了我們。

—倘若你願意相信 神記在聖經中的話語，並信靠耶穌是還清你罪債的唯一途徑， 神必要赦免你一切的罪，祂必要接納你並賜你永生的禮物。

## K.耶穌升天

主題：神是信實的，祂永遠不會改變

耶穌吩咐門徒要將好消息傳給每一個人後，隨即回到祂在天上的父那裡去。

閱讀：徒一9

*建議視覺教材：*

圖畫第九十號「耶穌升天」

閱讀：詩六十八18

在預言表上指出「將回到天上」

在相對*詩六十八18* 的空格中填上*徒一9*

閱讀預言及 神如何使之應驗，並指出這是應驗 神的話。

## L.耶穌必要再來

閱讀：徒一10

這是 神的兩位天使說的。

主題：耶穌基督是 神

主題：神是聖潔公義的，祂命定罪的代價就是死亡

閱讀：徒一11

耶穌必要再到世上來，但祂不用再拯救人類脫離撒但、罪惡和死亡，因祂已完成了此項工作。
今天 神吩咐人人都要悔改，就是一方面向 神承認自己是個無助的罪人，本應接受 神的刑罰，另一方面又要專心信靠耶穌爲他們付上的贖價。
耶穌要以審判世人的大法官身份再臨世上。
這正是祂被猶太領袖釘十字架以前向他們所說的預言。

徒十七30，31

閱讀：可十四61,62

當耶穌以偉大審判官的身份駕臨之時，凡不曾悔改和信靠耶穌爲他們付上的贖價者，都要被扔在那爲撒但和他的黨羽所設永遠的火湖中。

閱讀：啓廿15

## M.結論

神已清晰地告訴我們。
除了爲三十塊銀子出賣耶穌的猶大以外，耶穌的所有門徒都相信主。
他們認定，耶穌就是 神所應許差來的那位。
他們目擊祂所行的神蹟，看見祂的死，看見祂復活，並且看見祂升入天空。
門徒四處傳揚耶穌的信息，無數的人都相信主。
但另一些人卻反對他們，正如反對耶穌一般。
歷史學家告訴我們，耶穌的門徒都因著他們對耶穌的信心而被人害死了。
有些門徒被折磨，有的被釘十字架，有的死在獄中。
這些人會樂意爲一個謊話而捨棄生命嗎？絕不會。
他們爲著親身耳聞目睹的事實而樂意犧牲。
正因爲 神的話是眞確的，所以我們可以將信心穩固地建立在祂話語的根基上。

再閱讀：約三16

問題：

1. 七日的第一日清晨，那些婦女們去到耶穌的墳墓那裏，發現了甚麼?
*墓門口的大石已被輥開了。*

2. 在婦女們抵達墓穴以先，發生了何事?
*地曾經大震動，　神已差遣了祂的使者將墓門輥開。*

3. 婦女們進入墓穴之後，發現甚麼?
*a. 她們發現耶穌的身體不見了。*
*b. 她們看見兩位　神的使者。*

4. 耶穌的復活對我們顯明甚麼?
*耶穌是　神的兒子，是　神所宣告要來的拯救者。祂若不是　神的兒子並拯救者，　神就不會叫祂從死裡復活。*

5. 我們怎樣才能得著　神的赦免，並祂所賜永遠的生命，這生命是耶穌用祂的血所買贖回來的?
*要向　神承認我們是無助的罪人，並單單相信耶穌；祂爲我們而死，償清了罪債，又從死裏復活，賜給我們永生。*

6. 抹大拉的馬利亞和其他的信徒告訴使徒們什麼?
*他們告訴使徒們看見了耶穌，因爲祂已經從死裏復活並向他們顯現了。*

7. 門徒相不相信抹大拉的馬利亞和其他信徒看見了耶穌?
*不信。*

8. 他們聽見耶穌已經從死裏復活，應不應該驚奇?
*不該，耶穌在被釘十字架之前已經多次告訴他們。*

9. 爲什麼耶穌告訴祂的門徒，要往普天下去?
*爲要叫萬民都聽見而相信耶穌已爲他們受死、埋葬與復活。*

10. 耶穌會再回來這世界嗎?
*會的，耶穌必要再來。*

11. 當耶穌再來的時候，祂要作什麼?
*祂要審判凡拒絕相信祂爲救主的人，祂要把他們，連同撒但和牠的黨羽扔在火湖裏受刑罰直到永遠。*